改訂版

宅地建物取引業法令集

住宅新報出版

はしがき

本書は、宅地建物取引業法、同法施行令、同法施行規則をはじめ、不動産取引の実務に欠かせない法律等を掲載した法令集です。法律の規定や、関連する規則、様式、資料等を確認される際にお役立ていただけるよう、実務上の利便性を考慮し編集いたしました。

とくに法令の章では、宅地建物取引業法、同法施行令、同法施行規則、さらに宅地建物取引業法の解釈・運用の考え方を、四段組みで同一ページ内に収録しました。これにより、法律の条文のみならず、関連する規定等までをまとめて確認することが可能となっています。

そのほかにも、政令、告示、関係法令から、さらには標準媒介契約約款や重要事項説明書等の資料も整理して収録し、あわせてお調べいただけるようにいたしました。

改訂版を発行するにあたり、令和四年五月十八日時点で施行されている法令に基づくよう内容を見直しました。なお、不動産の表示に関する公正競争規約につきましては、施行日が令和四年九月一日となっておりますが、その重要性に鑑み特に今回改訂版に収録いたしました。

本書が、不動産業や関連する業務に携わる皆様のお役に立てば幸いです。

令和四年六月

株式会社 住宅新報出版 出版部

目次

法令

様式

告示

関係法令

法令

宅地建物取引業法

（昭和二七年六月一〇日　法律第一七六号）
最終改正　令和三年五月二八日法律第四八号

第一章　総　則

（目　的）

第一条　この法律は、宅地建物取引業を営む者について免許制度を実施し、その事業に対し必要な規制を行うことにより、その業務の適正な運営と宅地及び建物の取引の公正とを確保するとともに、宅地建物取引業の健全な発達を促進し、もつて購入者等の利益の保護と宅地及び建物の流通の円滑化とを図ることを目的とする。

（用語の定義）

第二条　この法律において次の各号に掲げる用語の意義は、それぞれ当該各号の定めるところによる。

一　宅地　建物の敷地に供せられる土地をいい、都市計画法（昭和四十三年法律第百号）第八条第一項第一号の用途地域内のその他の土地で、道路、公園、河川その他政令で定める公共の用に供する施設の用に供せら

宅地建物取引業法施行令

（昭和三九年一二月二八日政令第三八三号）
最終改正　令和四年四月二七日政令第一八一号

地方公共団体の手数料の標準に関する政令（抄）

（平成一二年政令第一六号）
最終改正　令和四年一月二六日政令第三二号

（公共施設）

第一条　宅地建物取引業法（以下「法」という。）第二条第一号の政令で定める公共の用に供する施設は、広場及び水路とする。

宅地建物取引業法施行規則

（昭和三二年七月二二日建設省令第一二号）
最終改正　令和四年四月二七日国土交通省令第四三号

宅地建物取引業者営業保証金規則

（昭和三二年七月二二日法務省・建設省令第一号）
最終改正　令和二年一二月二三日
法務省・国土交通省令第三号

宅地建物取引業法の解釈・運用の考え方

（平成一三年国土動第三号）
最終改正　令和四年四月二七日国不動第一五号

宅地建物取引業保証協会弁済業務保証金規則

（昭和四八年五月七日法務省・建設省令第二号）
最終改正　令和二年一二月二三日
法務省・国土交通省令第三号

［第2条第1号関係］

建物の敷地に供する目的で取引の対象とされた土地について

本号に規定する「宅地」すなわち「建物の敷地に供せられる土地」とは、現に建物の敷地に供せられている土地に限らず、広く建物の敷地に供する目的で取引の対象とされた土

れているもの以外のものを含むものとする。

二　宅地建物取引業　宅地若しくは建物（建物の一部を含む。以下同じ。）の売買若しくは交換又は宅地若しくは建物の売買、交換若しくは貸借の代理若しくは媒介をする行為で業として行うものをいう。

三　宅地建物取引業者　第三条第一項の免許を受けて宅地建物取引業を営む者をいう。

四　宅地建物取引士　第二十二条の二第一項の宅地建物取引士証の交付を受けた者をいう。

地をいうものであり、その地目、現況の如何を問わないものとする。

[第2条第2号関係]

1 「宅地建物取引業」について

(1) 本号にいう「業として行なう」とは、宅地建物の取引を社会通念上事業の遂行とみることができる程度に行う状態を指すものであり、その判断は次の事項を参考に諸要因を勘案して総合的に行われるものとする。

(2) 判断基準

① 取引の対象者

広く一般の者を対象に取引を行おうとするものは事業性が高く、取引の当事者に特定の関係が認められるものは事業性が低い。

(注) 特定の関係とは、親族間、隣接する土地所有者等の代替が容易でないものが該当する。

② 取引の目的

利益を目的とするものは事業性が高く、特定の資金需要の充足を目的とするものは事業性が低い。

(注) 特定の資金需要の例としては、相続税の納税、住み替えに伴う既存住宅の処分等利益を得るために行うものではないものがある。

③ 取引対象物件の取得経緯

転売するために取得した物件の取引は事業性が高く、相続又は自ら使用するために取得した物件の取引は事業性が低い。

(注) 自ら使用するために取得した物件とは、個人の居住用の住宅、事業者の事業所、工場、社宅等の宅地建物が該

当する。

④　取引の態様

自ら購入者を募り一般消費者に直接販売しようとするものは事業性が高く、宅地建物取引業者に代理又は媒介を依頼して販売しようとするものは事業性が低い。

⑤　取引の反復継続性

反復継続的に取引を行おうとするものは事業性が高く、1回限りの取引として行おうとするものは事業性が低い。

（注）反復継続性は、現在の状況のみならず、過去の行為並びに将来の行為の予定及びその蓋然性も含めて判断するものとする。

また、1回の販売行為として行われるものであっても、区画割りして行う宅地の販売等複数の者に対して行われるものは反復継続的な取引に該当する。

2　その他

(1)　組合方式による住宅の建築という名目で、組合員以外の者が、業として、住宅取得者となるべき組合員を募集し、当該組合員による宅地の購入及び住宅の建築に関して指導、助言等を行うことについては、組合員による宅地又は建物の取得が当該宅地又は建物の売買として行われ、かつ、当該売買について当該組合員以外の者が関与する場合には、通常当該宅地又は建物の売買又はその媒介に該当するものと認められ、宅地建物取引業法が適用されることとなる。

なお、組合員の募集が宅地又は建物が不特定のまま行われる場合にあっても、宅地又は建物が特定された段階から宅地建物取引業法が適用されることとなる。

法令

法3

第二章　免許

（免　許）

第三条　宅地建物取引業を営もうとする者は、二以上の都道府県の区域内に事務所（本店、支店その他の政令で定めるものをいう。以下同じ。）を設置してその事業を営もうとする場合にあつては国土交通大臣の、一の都道府県の区域内にのみ事務所を設置してその事業を営もうとする場合にあつては当該事務所の所在地を管轄する都道府県知事の免許を受けなければならない。

② 前項の免許の有効期間は、五年とする。

③ 前項の有効期間の満了後引き続き宅地建物取引業を営もうとする者は、免許の更新を受けなければならない。

令1-2

（法第三条第一項の事務所）

第一条の二　法第三条第一項の事務所は、次に掲げるものとする。

一　本店又は支店（商人以外の者にあつては、主たる事務所又は従たる事務所）

二　前号に掲げるもののほか、継続的に業務を行なうことができる施設を有する場所で、宅地建物取引業に係る契約を締結する権限を有する使用人を置くもの

▽規則第三二条参照

▽規則第六条参照

▽規則第二七条参照

▽規則第三条参照

▽規則第三二条参照

解釈二・3①

(2) 破産管財人は、破産財団の管理処分権を有し、裁判所の監督の下にその職務として財産の処分及び配分を行うものであり、破産財団の換価のために自らの名において任意売却により宅地又は建物の取引を反復継続的に行うことがあるが、当該行為は、破産法に基づく行為として裁判所の監督の下に行われるものであることにかんがみ、法第2条2号にいう「業として行なうもの」には該当せず、当該行為を行うに当たり法第3条第1項の免許を受けることを要さないものとする。

　ただし、当該売却に際しては、必要に応じて、宅地建物取引業者に代理又は媒介を依頼することにより、購入者の保護を図ることが望ましい。

[第3条第1項関係]

1　令第1条の2第1号に規定する「事務所」について

　本号に規定する「事務所」とは、商業登記簿等に登載されたもので、継続的に宅地建物取引業者の営業の拠点となる施設としての実体を有するものが該当し、宅地建物取引業を営まない支店は該当しないものとする。

　なお、登記していない個人にあっては、当該事業者の営業の本拠が本店に該当するものとする。

2　令第1条の2第2号に規定する「事務所」について

(1)「継続的に業務を行なうことができる施設」について

　宅地建物取引業者の営業活動の場所とし

④　前項の免許の更新の申請があつた場合において、第二項の有効期間の満了の日までにその申請について処分がなされないときは、従前の免許は、同項の有効期間の満了後もその処分がなされるまでの間は、なお効力を有する。

⑤　前項の場合において、免許の更新がなされたときは、その免許の有効期間は、従前の免許の有効期間の満了の日の翌日から起算するものとする。

⑥　第一項の免許のうち国土交通大臣の免許を受けようとする者は、登録免許税法（昭和四十二年法律第三十五号）の定めるところにより登録免許税を、第三項の規定により国土交通大臣の免許の更新を受けようとする者は、政令の定めるところにより手数料を、それぞれ納めなければならない。

（免許手数料）

第二条　法第三条第六項に規定する免許手数料の額は、三万三千円とする。

②　前項の免許手数料は、国土交通省令で定めるところにより、収入印紙をもつて納付しなければならない。

▽大臣免許の新規申請——登録免許税法別表第一・一四七（一）により、一件につき九万円

▽知事免許に係るものは、地方公共団体の手数料の標準に関する政令六〇—①、六〇—②（26頁）参照

▽規則第一条の三参照

て、継続的に使用することができるもので、社会通念上事務所として認識される程度の形態を備えたものとする。

(2)　「契約を締結する権限を有する使用人」について

原則として、「継続的に業務を行なうことができる施設」の代表者等が該当し、取引の相手方に対して契約締結権限を行使（自らの名において契約を締結するか否かを問わない。）する者も該当するものとする。

［第3条第6項関係］

1　登録免許税の納税地について（登録免許税法第8条第1項関係）

(1)　本項の規定による納税義務者が登録免許税を国に納付する際の納税地は次のとおりである。

①　北海道開発局長の免許を受けようとする場合は、
「北海道札幌市北区北三十一条西7—3—1札幌国税局札幌北税務署」

②　東北地方整備局長の免許を受けようとする場合は、
「宮城県仙台市青葉区上杉1—1—1仙台国税局仙台北税務署」

③　関東地方整備局長の免許を受けようとする場合は、
「埼玉県さいたま市中央区新都心1—1関東信越国税局浦和税務署」

④　北陸地方整備局長の免許を受けようとする場合は、
「新潟県新潟市中央区西大畑町5191関東信越国税局新潟税務署」

⑤　中部地方整備局長の免許を受けようとする場合は、
「愛知県名古屋市中区三の丸3—3—2

名古屋国税局名古屋中税務署」

⑥　近畿地方整備局長の免許を受けようとする場合は、
「大阪府大阪市中央区大手前1—5—63大阪国税局東税務署」

⑥　中国地方整備局長の免許を受けようとする場合は、
「広島県広島市中区上八丁堀3—19広島国税局広島東税務署」

⑦　四国地方整備局長の免許を受けようとする場合は、
「香川県高松市天神前2—10高松国税局高松税務署」

⑧　九州地方整備局長の免許を受けようとする場合は、
「福岡県福岡市東区馬出1—8—1福岡国税局博多税務署」

⑨　沖縄総合事務局長の免許を受けようとする場合は、
「沖縄県那覇市旭町9沖縄国税事務所那覇税務署」

(2)　なお、登録免許税は、前記の納税地のほか、日本銀行及び国税の収納を行うその代理店並びに郵便局において納付することができるが、この場合においては、納付書の宛先は上記の各税務署となる。

2　非課税の場合について（登録免許税法第5条第13号関係）

地方整備局長、北海道開発局長又は沖縄総合事務局長（以下「地方整備局長等」という。）の免許を受ける者であっても、個人で地方整備局長等の免許を受けた者の相続人が引き続き宅地建物取引業を営むために免許を受ける場合、及び法人で地方整備局長等の免許を受けた者が他の法人と合併するために解散し、新たに設立又は吸収合併した法人が引き続き宅地建物取引業を営むため地方整備局長等の免許を受ける場合には、登録免許税が課されない。

3　過誤納金等について（登録免許税法第31条関係）

登録免許税を納付した申請者が、当該申請を取り下げたとき、当該申請が拒否されたとき、又は過大に登録免許税を納付したときは、登録免許税の現金納付又は印紙納付のいずれかによらず、国税通則法の規定により過誤納金の還付を受けることができる。

また、申請者が申請の取下げにあわせて、取下げの日から1年以内に使用済みの登録免許税の領収書又は印紙を再使用したい旨を申し出、使用することができる旨の証明を地方整備局長等が行ったときは、当該証明に係る領収書又は印紙を再使用することができる。

したがって、申請を取り下げる旨の申出を行った者に対しては、既に納付した登録免許税の還付を受けるか、又は1年以内に再度申請するために領収書若しくは印紙を再使用するかのいずれかを確認し、領収書又は印紙を1年以内に再使用したい旨の申出があったときは、その旨を記載した書面を地方整備局長等あてに取下げ書と同時に提出させることとする。

なお、再使用したい旨の申出を行った者は、再使用の証明を受けた場合において、当該証明を受けた領収書又は印紙を使用する必要がなくなったときは、当該証明を受けた日から1年以内に地方整備局長等に対し、当該証明を無効にして既に納付した登録免許税の還付を受けたい旨の申出を行わないと、登録免許税の過誤納金の還付を受けることができなく

法
令

法3-2〜4

（免許の条件）

第三条の二　国土交通大臣又は都道府県知事は、前条第一項の免許（同条第三項の免許の更新を含む。第二十五条第六項を除き、以下同じ。）に条件を付し、及びこれを変更することができる。

②　前項の条件は、宅地建物取引業の適正な運営並びに宅地及び建物の取引の公正を確保するため必要な最小限度のものに限り、かつ、当該免許を受ける者に不当な義務を課することとならないものでなければならない。

（免許の申請）

第四条　第三条第一項の免許を受けようとする者は、二以上の都道府県の区域内に事務所を設置してその事業を営もうとする場合にあつては国土交通大臣に、一の都道府県の区域内にのみ事務所を設置してその事業を営もうとする場合にあつては当該事務所の所在地を

令2

則1

▽規則第三二条参照

（免許申請書の様式）

第一条　宅地建物取引業法（以下「法」という。）第四条第一項に規定する免許申請書の様式は、別記様式第一号によるものとする。

＊様式316頁参照

▽大臣免許申請書の提出部数——規則第二条参照

解釈3⑥・3-2・4

なる。

４　その他

地方整備局長等の免許に係る申請書が、都道府県知事に提出され地方整備局長等あて進達されるまでの間に、当該申請者から取下げの申出があった場合においても、登録免許税の還付又は領収書等の再使用証明のいずれかの処理をするため、申請書及び関係資料は地方整備局長等あて送付することとなり、直ちに当該申請者に申請書は返却されないものである。

［第3条の2関係］

免許の条件について

地方整備局長等が免許に条件を付す場合においては、例えば次の条件がある。

(1)　免許の更新に当たって、従前の免許の有効期間中に役員等が暴力団の構成員であったり、暴力団の実質的支配下に入った事実がある者に対して、「暴力団の構成員を役員等としないこと」又は「暴力団の実質的な支配下に入らないこと」とする条件。

(2)　免許の更新に当たって、過去5年間の宅地建物取引の実績がない者に対し、「免許直後1年の事業年度における宅地建物取引業の取引の状況に関する報告書を当該事業年度の終了後3月以内に提出すること」とする条件。

［第4条関係］

申請に対する処分に係る標準処理期間について

法第3条第1項及び第3項に基づく申請に対する処分に係る標準処理期間については、原則として、申請の提出先とされている都道府県知事から地方整備局長等に到達するまでの期間を10日とし、地方整備局長等に当該申

管轄する都道府県知事に、次に掲げる事項を記載した免許申請書を提出しなければならない。
一 商号又は名称
二 法人である場合においては、その役員の氏名及び政令で定める使用人があるときは、その者の氏名
三 個人である場合においては、その者の氏名及び政令で定める使用人があるときは、その者の氏名
四 事務所の名称及び所在地
五 前号の事務所ごとに置かれる第三十一条の三第一項に規定する者（同条第二項の規定によりその者とみなされる者を含む。第八条第二項第六号において同じ。）の氏名
六 他に事業を行つているときは、その事業の種類

② 前項の免許申請書には、次の各号に掲げる書類を添付しなければならない。
一 宅地建物取引業経歴書
二 第五条第一項各号に該当しないことを誓約する書面
三 事務所について第三十一条の三第一項に規定する要件を備えていることを証する書面
四 その他国土交通省令で定める書面

▽申請書等の経由→法第七八条の三参照

（法第四条第一項第二号等の政令で定める使用人）

第二条の二 法第四条第一項第二号及び第三号、第五条第一項第十二号及び第十三号、第八条第二項第三号及び第四号、第六十五条第二項第七号及び第八号並びに第六十六条第一項第三号及び第四号の政令で定める使用人は、宅地建物取引業者の使用人で、宅地建物取引業に関し第一条の二に規定する事務所の代表者であるものとする。

▽規則第三二条参照
▽規則第三三条参照

（添付書類）

第一条の二 法第四条第二項第四号に規定する国土交通省令で定める書面は、次に掲げるものとする。
一 法第三条第一項の免許を受けようとする者（法人である場合においてはその役員並びに相談役及び顧問をいい、営業に関し成年者と同一の行為能力を有しない未成年者である場

請が到達した日の翌日から起算して当該申請に対する処分の日までの期間を90日とする。

なお、適正な申請を前提に定めるものであるから、形式上の要件に適合しない申請の補正に要する期間はこれに含まれない。また、適正な申請に対する処理についても、審査のため、相手方に必要な資料の提供等を求める場合にあっては、相手方がその求めに応ずるまでの期間はこれに含まれないこととする。

［第4条第2項第4号関係］

1 事務所付近の地図及び事務所の写真について（規則第1条の2第1項第4号関係）

規則第1条の2第1項第4号に規定する「事務所付近の地図」とは、事務所の所在地を明記し、最寄りの交通機関、公共、公益施設等の位置を明示した概略図とする。

また、「事務所の写真」とは、事務所の形態を確認することができるもので、事務所の

法令

法4

令2-2

則1-2

合においてはその法定代理人（法定代理人が法人である場合においては、その役員）を含む。以下この条において「免許申請者」という。）、宅地建物取引業法施行令（昭和三十九年政令第三百八十三号。以下「令」という。）第二条の二で定める使用人及び事務所ごとに置かれる法第三十一条の三第一項に規定する宅地建物取引士が法第五条第一項第一号に規定する破産手続開始の決定を受けて復権を得ない者に該当しない旨の市町村（特別区を含む。以下同じ。）の長の証明書

二　法人である場合においては、相談役及び顧問の氏名及び住所並びに発行済株式総数の百分の五以上の株式を有する株主又は出資の額の百分の五以上の額に相当する出資をしている者の氏名又は名称、住所及びその有する株式の数又はその者のなした出資の金額を記載した書面

三　事務所を使用する権原に関する書面

四　事務所付近の地図及び事務所の写真

五　免許申請者、令第二条の二で定める使用人及び事務所ごとに置かれる法第三十一条の三第一項に規定する宅地建物取引士の略歴を記載した書面

六　法人である場合においては、直前一年の各事業年度の貸借対照表及び損益計算書

七　個人である場合においては、資産

解釈4・4②四

ある建物の外観、入口付近及び事務所の内部（報酬額表及び宅地建物取引業者票が掲示されていることが確認できるもの）を写したものとする。

2　官公署が証明する書類について

添付書類において必要な官公署が証明する書類は、申請日前3月以内に発行されたものであるものとする。

3　規則第1条の2第1項第1号に定める証明書の取り扱いについて

外国籍の者で国外に在住している者については、その者が外国の法令において破産手続の決定を受けて復権を得ない者でないことを公証人、公的機関等が証明した書面を規則第1条の2第1項第1号で定める証明書に代わる書面として取り扱うものとする。

に関する調書
八　宅地建物取引業に従事する者の名簿
九　法人である場合においては法人税、個人である場合においては所得税の直前一年の各年度における納付すべき額及び納付済額を証する書面
十　法人である場合においては、登記事項証明書
十一　個人である場合（営業に関し成年者と同一の行為能力を有しない未成年者であつて、その法定代理人が法人である場合に限る。）においては、その法定代理人の登記事項証明書

② 国土交通大臣又は都道府県知事は、免許申請者（個人に限る。）に係る本人確認情報（住民基本台帳法（昭和四十二年法律第八十一号）第三十条の六第一項に規定する本人確認情報をいう。以下同じ。）のうち住民票コード（同法第七条第十三号に規定する住民票コードをいう。以下同じ。）以外のものについて、同法第三十条の九若しくは第三十条の十一第一項（同項第一号に係る部分に限る。）の規定によるその提供を受けることができないとき、又は同法第三十条の十五第一項（同項第一号に係る部分に限る。）の規定によるその利用ができないときは、その者に対し、住民票の抄本又はこれに代わる書面を提出させることができる。

③ 国土交通大臣及び都道府県知事は、免許申請者に対し、第一項に規定するもののほか、必要と認める書類を提出

4「必要と認める書類」について（規則第1条の2第3項関係）

規則第1条の2第3項に規定する「必

法4

令2-2

則1-2〜3

させることができる。

④　法第四条第二項第一号から第三号まで並びに第一項第二号、第三号、第五号、第七号及び第八号に掲げる添付書類の様式は、別記様式第二号によるものとする。

＊様式320頁参照

（免許申請手数料の納付方法）

第一条の三　法第三条第六項に規定する手数料は、法第四条第一項の規定による免許申請書に収入印紙を貼つて納付するものとする。

（提出すべき書類の部数）

第二条　法第三条第一項の規定により国土交通大臣の免許を受けようとする者が法第四条の規定により提出すべき免許申請書及びその添付書類の部数は、正本一通及びその写し一通とする。ただし、免許申請書の添付書類のうち、第一条の二第一項第四号に規定する事務所付近の地図及び事務所の写真は、写しには添付することを要しないものとする。

②　法第三条第一項の規定により都道府県知事の免許を受けようとする者が法第四条の規定により提出すべき免許申請書及びその添附書類の部数は、当該都道府県知事の定めるところによる。

（免許の更新の申請期間）

第三条　法第三条第三項の規定により同項の免許の更新を受けようとする者は、免許の有効期間満了の日の九十日前から三十日前までの間に免許申請書を提出しなければならない。

解釈4②四

要と認める書類」は、次の⑴又は⑵とする。

⑴　成年被後見人及び被保佐人に該当しない旨の後見等登記事項証明書並びに市町村の長の証明書

⑵　契約の締結及びその履行にあたり必要な認知、判断及び意思疎通を適切に行うことができる能力を有する旨を記載した医師の診断書

①　医師の診断書の内容について

医師の診断書は契約の締結及びその履行にあたり必要な認知、判断及び意思疎通を適切に行うことができる能力を有する旨を記載したものとし、その根拠について記載することとする。なお、当該医師の診断書については、申請又は届出前3月いないに発行されたものであるものとする。

（根拠として記載する事項の例）

A　医学的診断

・　診断名

・　所見（現病歴、現在症、重症度、現在の精神状態と関連する既往症・合併症など）

・　各種検査結果（認知機能検査等）

・　短期間内に回復する可能性

B　判断能力についての意見

・　見当識の障害有無

・　他人との意思疎通の障害の有無

・　理解力・判断力の障害の有無

・　記憶力の障害の有無

C　参考となる事項（本人の心身の状態、日常的・社会的な生活状況）

D　その他地方整備局長等が必要と認める事項

（免許の基準）

第五条　国土交通大臣又は都道府県知事は、第三条第一項の免許を受けようとする者が次の各号のいずれかに該当する場合又は免許申請書若しくはその添付書類中に重要な事項について虚偽の記載があり、若しくは重要な事実の記載が欠けている場合においては、免許をしてはならない。

一　破産手続開始の決定を受けて復権を得ない者

二　第六十六条第一項第八号又は第九号に該当することにより免許を取り消され、その取消しの日から五年を経過しない者（当該免許を取り消された者が法人である場合においては、当該取消しに係る聴聞の期日及び場所の公示の日前六十日以内に当該法人の役員（業務を執行する社員、取締役、執行役又はこれらに準ずる者をいい、相談役、顧問、その他いかなる名称を有する者であるかを問わず、法人に対し業務を執行する社員、取締役、執行役又はこれらに準ずる者と同等以上の支配力を有するものと認められる者を含む。以下この条、第十八条第一項、第六十五条第二項及び第六十六条第一項において同じ。）であつた者で当該取消しの日から五年を経過しないものを含む。）

三　第六十六条第一項第八号又は第九号に該当するとして免許の取消処分の聴聞の期日及び場所が公示された日から当該処分をする日又は当該処

［第5条第1項関係］

「同等以上の支配力」の定義について

本項第2号で「業務を執行する社員、取締役、執行役又はこれらに準ずる者と同等以上の支配力を有するものと認められる者を含む」としているが、「同等以上の支配力」の認定においては、名刺、案内状等に会長、相談役等の役職名を使用しているか否かが一つの基準となる。

法5

分をしないことを決定する日までの間に第十一条第一項第四号又は第五号の規定による届出があつた者（解散又は宅地建物取引業の廃止について相当の理由がある者を除く。）で当該届出の日から五年を経過しないもの

四　前号に規定する期間内に合併により消滅した法人又は第十一条第一項第四号若しくは第五号の規定による届出があつた法人（合併、解散又は宅地建物取引業の廃止について相当の理由がある法人を除く。）の前号の公示の日前六十日以内に役員であつた者で当該消滅又は届出の日から五年を経過しないもの

五　禁錮以上の刑に処せられ、その刑の執行を終わり、又は執行を受けることがなくなつた日から五年を経過しない者

六　この法律若しくは暴力団員による不当な行為の防止等に関する法律（平成三年法律第七十七号）の規定（同法第三十二条の三第七項及び第三十二条の十一第一項の規定を除く。第十八条第一項第七号及び第五十二条第七号ハにおいて同じ。）に違反したことにより、又は刑法（明治四十年法律第四十五号）第二百四条、第二百六条、第二百八条、第二百八条の二、第二百二十二条若しくは第二百四十七条の罪若しくは暴力行為等処罰に関する法律（大正十五年法律第六十号）の罪を犯したことにより、罰金の刑に処せられ、

令2-2

則3

解釈5①

その刑の執行を終わり、又は執行を受けることがなくなつた日から五年を経過しない者

七　暴力団員による不当な行為の防止等に関する法律第二条第六号に規定する暴力団員又は同号に規定する暴力団員でなくなつた日から五年を経過しない者（以下「暴力団員等」という。）

八　免許の申請前五年以内に宅地建物取引業に関し不正又は著しく不当な行為をした者

九　宅地建物取引業に関し不正又は不誠実な行為をするおそれが明らかな者

十　心身の故障により宅地建物取引業を適正に営むことができない者として国土交通省令で定めるもの

十一　営業に関し成年者と同一の行為能力を有しない未成年者でその法定代理人（法定代理人が法人である場合においては、その役員を含む。）が前各号のいずれかに該当するもの

十二　法人でその役員又は政令で定める使用人のうちに第一号から第十号までのいずれかに該当する者のあるもの

十三　個人で政令で定める使用人のうちに第一号から第十号までのいずれかに該当する者のあるもの

十四　暴力団員等がその事業活動を支配する者

十五　事務所について第三十一条の三に規定する要件を欠く者

②　国土交通大臣又は都道府県知事は、

▽令第二条の二参照

▽令第二条の二参照

（心身の故障により宅地建物取引業を適正に営むことができない者）

第三条の二　法第五条第一項第十号の国土交通省令で定める者は、精神の機能の障害により宅地建物取引業を適正に営むに当たつて必要な認知、判断及び意思疎通を適切に行うことができない者とする。

法
令

法5～6

免許をしない場合においては、その理由を附した書面をもつて、申請者にその旨を通知しなければならない。

＊関係法令386頁参照

（免許証の交付）

第六条　国土交通大臣又は都道府県知事は、第三条第一項の免許をしたときは、免許証を交付しなければならない。

令2-2

則3-2～4-3

（免許証の様式）

第四条　法第六条の規定により交付しなければならない免許証の様式は、別記様式第三号によるものとする。

＊様式326頁参照

▽規則第三二条参照

（免許証の書換え交付の申請）

第四条の二　宅地建物取引業者は、免許証の記載事項に変更を生じたときは、その免許証を添え、法第九条の規定による変更の届出と併せて、その免許を受けた国土交通大臣又は都道府県知事に免許証の書換え交付を申請しなければならない。

②　前項の規定による書換え交付の申請は、別記様式第三号の二による宅地建物取引業者免許証書換え交付申請書により行うものとする。

＊様式327頁参照

▽規則第三二条参照
▽規則第三三条参照

（免許証の再交付の申請）

第四条の三　宅地建物取引業者は、免許証を亡失し、滅失し、汚損し、又は破損したときは、遅滞なく、その免許を受けた国土交通大臣又は都道府県知事に免許証の再交付を申請しなければならない。

②　免許証を汚損し、又は破損した宅地建物取引業者が前項の申請をする場合には、その汚損し、又は破損した免許

解釈6

［第6条関係］

1　免許証番号の取り扱いについて

(1)　免許証番号は、地方整備局単位ではなく全国を通して、免許をした順に付与することとする。

(2)　免許証番号の（　）書きには、免許証の更新の回数に1を加えた数を記入するものとする。

(3)　免許が効力を失った場合の免許証番号は欠番とし、補充は行わないものとする。

2　免許証の交付について

地方整備局長等が行う免許証の交付については、次により取り扱うものとする。

(1)　新規申請又は免許換え申請の場合の免許証の交付は、営業保証金を供託した旨の届出が当該申請者からあったとき、又は当該申請者に係る弁済業務保証金が供託された旨の報告が宅地建物取引業保証協会からあったときに行うこととする。

(2)　免許証の郵送交付を希望する申請者には、免許証交付用の封筒（角形2号封筒に簡易書留郵便により返送するに足りる郵便切手を貼ったもの）を免許申請書に添付させるものとする。

3　免許証の書換え又は再交付の申請について

地方整備局長等の免許を受けた者が行う免許証の書換え又は再交付の申請については、次により取り扱うものとする。

(1)　申請者には、免許証交付用の封筒（角形2号封筒に簡易書留郵便により返送するに

（免許換えの場合における従前の免許の効力）

第七条　宅地建物取引業者が第三条第一項の免許を受けた後次の各号の一に該当して引き続き宅地建物取引業を営もうとする場合において同項の規定により国土交通大臣又は都道府県知事の免許を受けたときは、その者に係る従前の免許

証を添えてしなければならない。

③　第一項の規定による再交付の申請は、別記様式第三号の三による宅地建物取引業者免許証再交付申請書により行うものとする。

＊様式328頁参照

▽規則第三二条参照

▽規則第三三条参照

（返納）

第四条の四　宅地建物取引業者は、次の各号のいずれかに該当する場合には、遅滞なく、その免許を受けた国土交通大臣又は都道府県知事に免許証を返納しなければならない。

一　法第七条第一項の規定により免許がその効力を失つたとき。

二　法第六十六条又は第六十七条第一項の規定により免許を取り消されたとき。

三　亡失した免許証を発見したとき。

②　法第十一条の規定により廃業等の届出をする者は、当該廃業等に係る宅地建物取引業者が国土交通大臣の免許を受けた者であるときは国土交通大臣に、都道府県知事の免許を受けた者であるときは都道府県知事に免許証を返納しなければならない。

▽規則第三二条参照

（免許換えの通知）

第四条の五　宅地建物取引業者が法第三条第一項の免許を受けた後、法第七条第一項各号のいずれかに該当して引き続き宅地建物取引業を営もうとする場合において、国土交通大臣又は都道府県知事は、法第三条第一項の免許をし

足りる郵便切手を貼ったもの）を当該申請書に添付させるものとする。

(2)　当該申請は、地方整備局長等の判断により郵送でも行えるものとする。

4　免許証の返納について

地方整備局長等に対する免許証の返納については、地方整備局長等の判断により郵送でも行えるものとする。

の国土交通大臣又は都道府県知事の免許は、その効力を失う。
一　国土交通大臣の免許を受けた者が一の都道府県の区域内にのみ事務所を有することとなつたとき。
二　都道府県知事の免許を受けた者が当該都道府県の区域内における事務所を廃止して、他の一の都道府県の区域内に事務所を設置することとなつたとき。
三　都道府県知事の免許を受けた者が二以上の都道府県の区域内に事務所を有することとなつたとき。

② 第三条第四項の規定は、宅地建物取引業者が前項各号の一に該当して引き続き宅地建物取引業を営もうとする場合において第四条第一項の規定による申請があつたときについて準用する。

（宅地建物取引業者名簿）

第八条 国土交通省及び都道府県に、それぞれ宅地建物取引業者名簿を備える。

② 国土交通大臣又は都道府県知事は、宅地建物取引業者名簿に、国土交通大臣にあつてはその免許を受けた宅地建物取引業者に関する次に掲げる事項を、都道府県知事にあつてはその免許を受けた宅地建物取引業者及び国土交通大臣の免許を受けた宅地建物取引業者で当該都道府県の区域内に主たる事務所を有するものに関する次に掲げる事項を登載しなければならない。
一　免許証番号及び免許の年月日
二　商号又は名称

たときは、遅滞なく、その旨を、従前の免許をした都道府県知事又は国土交通大臣に通知するものとする。

▽規則第四条の四参照
▽規則第六条参照
▽規則第三二参照

▽規則第三二参照

▽規則第三二参照

三　法人である場合においては、その役員の氏名及び政令で定める使用人があるときは、その者の氏名
四　個人である場合においては、その者の氏名及び政令で定める使用人があるときは、その者の氏名
五　事務所の名称及び所在地
六　前号の事務所ごとに置かれる第三十一条の三第一項に規定する者の氏名
七　第五十条の二第一項の認可を受けているときは、その旨及び認可の年月日
八　その他国土交通省令で定める事項

▽事務の区分↓法第七八条の四参照

（変更の届出）

第九条　宅地建物取引業者は、前条第二項第二号から第六号までに掲げる事項について変更があつた場合においては、国土交通省令の定めるところにより、三十日以内に、その旨をその免許を受けた国土交通大臣又は都道府県知事に届け出なければならない。

▽申請書等の経由↓法第七八条の三参照

▽令第二条の二参照

▽令第二条の二参照

（名簿の登載事項）

第五条　法第八条第二項第八号に規定する省令で定める事項は、次の各号に掲げるものとする。
一　法第六十五条第一項若しくは第三項に規定する指示又は同条第二項若しくは第四項に規定する業務停止の処分があつたときは、その年月日及び内容
二　宅地建物取引業以外の事業を行なつているときは、その事業の種類

▽規則第四条の二参照
▽規則第五条の三参照
▽規則第五条の四参照
▽規則第三二条参照

［第9条関係］

変更の届出の処理について

変更事項が、地方整備局長等の管轄区域を越える本店又は主たる事務所の所在地の変更である場合には、次により取り扱うものとする。

(1)　変更の届出を受けた変更後の本店又は主たる事務所の所在地を管轄する地方整備局長等は、宅地建物取引業者名簿に届出者に係る登載事項を追加した旨を変更前の本店又は主たる事務所の所在地を管轄する地方整備局長等に通知するものとする。

法8～10

（宅地建物取引業者名簿等の閲覧）

第十条　国土交通大臣又は都道府県知事は、国土交通省令の定めるところにより、宅地建物取引業者名簿並びに免許の申請及び前条の届出に係る書類又はこれらの写しを一般の閲覧に供しなければならない。

▽事務の区分→法第七八条の四参照

令2-2

則5～5-3

（名簿等の閲覧）

第五条の二　国土交通大臣又は都道府県知事は、法第十条の規定により宅地建物取引業者名簿並びに免許の申請及び法第九条の規定による変更の届出に係る書類を一般の閲覧に供するため、宅地建物取引業者名簿閲覧所（以下この条において「閲覧所」という。）を設けなければならない。

②　国土交通大臣又は都道府県知事は、前項の規定により閲覧所を設けたときは、当該閲覧所の閲覧規則を定めるとともに、当該閲覧所の場所及び閲覧規則を告示しなければならない。

▽規則第三二条参照

（変更等の手続）

第五条の三　法第九条の規定による変更の届出は、別記様式第三号の四による宅地建物取引業者名簿登載事項変更届出書により行うものとする。

②　法第九条の規定により変更の届出をしようとする者は、その変更が法人の役員、令第二条の二で定める使用人若しくは事務所ごとに置かれる法第三十一条の三第一項に規定する宅地建物取引士の増員若しくは交代又は事務所の新設若しくは移転によるものであるときは、その届出に係る者又は事務所に関する法第四条第二項第二号及び

解釈9

(2)　当該通知を受けた地方整備局長等は、宅地建物取引業者名簿から当該届出者に係る登載事項を削除するとともに、必要な書類を変更後の本店又は主たる事務所の所在地を管轄する地方整備局長等に送付するものとする。

（廃業等の届出）

第十一条　宅地建物取引業者が次の各号のいずれかに該当することとなつた場合においては、当該各号に掲げる者は、その日（第一号の場合にあつては、その事実を知つた日）から三十日以内に、その旨をその免許を受けた国土交通大臣又は都道府県知事に届け出なければならない。

一　宅地建物取引業者が死亡した場合　その相続人

二　法人が合併により消滅した場合　その法人を代表する役員であつた者

三　宅地建物取引業者について破産手続開始の決定があつた場合　その破産管財人

四　法人が合併及び破産手続開始の決定以外の理由により解散した場合　その清算人

第三号並びに第一条の二第一項第一号及び第三号から第五号までに掲げる書類を添付して届け出なければならない。

③　第二条の規定は、法第九条の規定により変更の届出をする際の提出すべき書類の部数について準用する。

＊様式329頁参照

▽規則第三三条参照

（名簿の訂正）

第五条の四　国土交通大臣又は都道府県知事は、法第九条の規定による届出があつたときは、宅地建物取引業者名簿につき、当該変更に係る事項を訂正しなければならない。

▽規則第三二条参照

（廃業等の手続）

第五条の五　法第十一条第一項の規定による廃業等の届出は、別記様式第三号の五による廃業等届出書により行うものとする。

＊様式333頁参照

▽規則第四条の四参照

▽規則第三二条参照

▽規則第三三条参照

（名簿の消除）

第六条　国土交通大臣又は都道府県知事は、次の各号の一に掲げる場合には、当該宅地建物取引業者名簿につき、当該宅地建物取引業者に係る部分を消除しなければならない。

一　法第三条第二項の有効期間が満了したとき。

二　法第七条第一項又は第十一条第二項の規定により免許がその効力を失

五　宅地建物取引業を廃止した場合
宅地建物取引業者であつた個人又は宅地建物取引業者であつた法人を代表する役員

② 前項第三号から第五号までの規定により届出があつたときは、第三条第一項の免許は、その効力を失う。

▽申請書等の経由→法第七八条の三参照

つたとき。

三　法第十一条第一項第一号若しくは第二号の規定により届出があつたとき又は同項の規定による届出がなくて同項第一号若しくは第二号に該当する事実が判明したとき。

四　法第二十五条第七項、第六十六条又は第六十七条第一項の規定により免許を取り消したとき。

五　法第七十七条の二第一項に規定する登録投資法人が投資信託及び投資法人に関する法律（昭和二十六年法律第百九十八号）第二百十七条の規定により同法第百八十七条の登録が抹消されたとき、又は当該登録投資法人の資産の運用を行う認可宅地建物取引業者（法第五十条の二第二項に規定する認可宅地建物取引業者をいう。以下同じ。）に係る法第五十条の二第一項の認可が法第六十七条の二第一項若しくは第二項の規定により取り消され、若しくは同条第三項の規定によりその効力を失つたとき。

② 国土交通大臣は、前項の規定により宅地建物取引業者名簿を消除したときは、遅滞なく、その旨を、その消除に係る宅地建物取引業者であつた者の主たる事務所の所在地を管轄する都道府県知事に通知するものとする。

▽規則第二七条二項参照

▽規則第三二条参照

法 11
令 2-2
則 5-3～6
解釈 9

（無免許事業等の禁止）

第十二条　第三条第一項の免許を受けない者は、宅地建物取引業を営んではならない。

②　第三条第一項の免許を受けない者は、宅地建物取引業を営む旨の表示をし、又は宅地建物取引業を営む目的をもつて、広告をしてはならない。

（名義貸しの禁止）

第十三条　宅地建物取引業者は、自己の名義をもつて、他人に宅地建物取引業を営ませてはならない。

②　宅地建物取引業者は、自己の名義をもつて、他人に、宅地建物取引業を営む旨の表示をさせ、又は宅地建物取引業を営む目的をもつてする広告をさせてはならない。

（国土交通省令への委任）

第十四条　第三条から第十一条までに規定するもののほか、免許の申請、免許証の交付、書換交付、再交付及び返納並びに宅地建物取引業者名簿の登載、訂正及び消除について必要な事項は、国土交通省令で定める。

▽事務の区分↓法第七八条の四参照

第三章　宅地建物取引士

（宅地建物取引士の業務処理の原則）

第十五条　宅地建物取引士は、宅地建物取引業の業務に従事するときは、宅地又は建物の取引の専門家として、購入

［第12条第1項関係］

無免許の者が宅地建物取引業者の媒介等を経て取引を行った場合について免許を受けていない者が業として行う宅地建物取引に宅地建物取引業者が代理又は媒介として関与したとしても、当該取引は無免許事業に該当する。

また、宅地建物取引業者が無免許事業に代理又は媒介として関与した場合は、当該宅地建物取引業者の行為は法第65条第２項第５号又は法第66条第１項第９号に該当する。

［第15条関係］

公正誠実義務について

宅地建物取引士は、宅地建物取引の専門家として、専門的知識をもって適切な助言や重

者等の利益の保護及び円滑な宅地又は建物の流通に資するよう、公正かつ誠実にこの法律に定める事務を行うとともに、宅地建物取引業に関連する業務に従事する者との連携に努めなければならない。

（信用失墜行為の禁止）

第十五条の二　宅地建物取引士は、宅地建物取引士の信用又は品位を害するような行為をしてはならない。

（知識及び能力の維持向上）

第十五条の三　宅地建物取引士は、宅地又は建物の取引に係る事務に必要な知識及び能力の維持向上に努めなければならない。

要事項の説明等を行い、消費者が安心して取引を行うことができる環境を整備することが必要である。このため、宅地建物取引士は、常に公正な立場を保持して、業務に誠実に従事することで、紛争等を防止するとともに、宅地建物取引士が中心となって、リフォーム会社、瑕疵保険会社、金融機関等の宅地建物取引業に関連する業務に従事する者との連携を図り、宅地及び建物の円滑な取引の遂行を図る必要があるものとする。

［第15条の2関係］

信用失墜行為の禁止について

宅地建物取引士は、宅地建物取引の専門家として専門的知識をもって重要事項の説明等を行う責務を負っており、その業務が取引の相手方だけでなく社会からも信頼されていることから、宅地建物取引士の信用を傷つけるような行為をしてはならないものとする。宅地建物取引士の信用を傷つけるような行為とは、宅地建物取引士の職責に反し、または職責の遂行に著しく悪影響を及ぼすような行為で、宅地建物取引士としての職業倫理に反するような行為であり、職務として行われるものに限らず、職務に必ずしも直接関係しない行為や私的な行為も含まれる。

［第15条の3関係］

知識及び能力の維持・向上について

宅地建物取引士は、宅地建物取引の専門家として、常に最新の法令等を的確に把握し、これに合わせて必要な実務能力を磨くとともに、知識を更新するよう努めるものとする。

（試　験）
第十六条　都道府県知事は、国土交通省令の定めるところにより、宅地建物取引士資格試験（以下「試験」という。）を行わなければならない。
②　試験は、宅地建物取引業に関して、必要な知識について行う。
③　第十七条の三から第十七条の五までの規定により国土交通大臣の登録を受けた者（以下「登録講習機関」という。）が国土交通省令で定めるところにより行う講習（以下「登録講習」という。）の課程を修了した者については、国土交通省令で定めるところにより、試験の一部を免除する。

＊告示379頁参照

地方公共団体の手数料の標準に関する政令（抄）

（平成一二年政令第一六号）
最終改正　令和四年一月二六日政令第二三号

地方自治法第二百二十八条第一項の手数料について全国的に統一して定めることが特に必要と認められるものとして政令で定める事務（以下「標準事務」という。）は、次の表の上欄に掲げる事務とし、同項の当該標準事務に係る事務のうち政令で定めるもの（以下「手数料を徴収する事務」という。）は、同表の上欄に掲げる標準事務についてそれぞれ同表の中欄に掲げる事務とし、同項の政令で定める金額は、同表の中欄に掲げる手数料を徴収する事務についてそれぞれ同表の下欄に掲げる金額とする。

標準事務	手数料を徴収する事務	金額
六十　宅地建物取引業法（昭和二十七年法律第百七十六号）第三条第一項及び第三項並びに第三十六条の規定に基づく宅地建物取引業の免許に関する事務	1　宅地建物取引業法第三条第一項の規定に基づく宅地建物取引業の免許の申請に対する審査	三万三千円
	2　宅地建物取引業法第三条第三項の規定に基づく宅地建物取引業の免許の更新の申請に対する審査	三万三千円

（試験の基準）
第七条　法第十六条第一項の規定による試験（以下「試験」という。）は、宅地建物取引業に関する実用的な知識を有するかどうかを判定することに基準を置くものとする。
（試験の内容）
第八条　前条の基準によつて試験すべき事項は、おおむね次のとおりである。
一　土地の形質、地積、地目及び種別並びに建物の形質、構造及び種別に関すること。
二　土地及び建物についての権利及び権利の変動に関する法令に関すること。
三　土地及び建物についての法令上の制限に関すること。
四　宅地及び建物についての税に関する法令に関すること。
五　宅地及び建物の需給に関する法令及び実務に関すること。
六　宅地及び建物の価格の評定に関すること。
七　宅地建物取引業法及び同法の関係法令に関すること。

▽規則第一〇条の一四参照

（試験の方法）
第九条　試験は、筆記試験により行なう。
（試験の施行及び試験の期日等の公告）
第十条　試験は、毎年少なくとも一回行なう。
②　都道府県知事（法第十六条の二第一項の規定による指定を受けた者（以下「指定試験機関」という。）が試験の実施に関する事務（以下「試験事務」と

六十一　宅地建物取引業法第十六条第一項、第十八条第一項、第十九条の二、第二十条、第二十二条の二第二項及び第五項並びに第二十二条の三第一項の規定に基づく宅地建物取引士に関する事務	1　宅地建物取引業法第十六条第一項の規定に基づく宅地建物取引士資格試験の実施	八千二百円
	2　宅地建物取引業法第十八条第一項の規定に基づく宅地建物取引士資格登録簿への登録	三万七千円
	3　宅地建物取引業法第十九条の二の規定に基づく登録の移転の申請に対する審査	八千円
	4　宅地建物取引業法第二十二条の二第二項又は第五項の規定に基づく宅地建物取引士証の交付の申請に対する審査	四千五百円
	5　宅地建物取引業法第二十二条の三第一項の規定に基づく宅地建物取引士証の有効期間の更新の申請に対する審査	四千五百円

備　考

一　この表中の用語の意義及び字句の意味は、それぞれ上欄に規定する法律（これに基づく政令を含む。）又は政令における用語の意義及び字句の意味によるものとする。

二　この表の下欄に掲げる金額は、当該下欄に特別の計算単位の定めのあるものについてはその計算単位についての金額とし、その他のものについては一件についての金額とする。

いう。）を行う場合にあつては、指定試験機関。第十一条第一項及び第十三条において同じ。）は、試験を施行する期日、場所その他試験の施行に関し必要な事項をあらかじめ公告しなければならない。

③　指定試験機関が前項の公告を行うときは、法第十六条の二第一項の規定に基づき当該指定試験機関に試験事務を行わせることとした都道府県知事（以下「委任都道府県知事」という。）を明示し、法第十六条の九第一項の試験事務規程に定める方法により行わなければならない。

（登録の申請）

第十条の二　法第十六条第三項の登録又は法第十七条の六第一項の登録の更新（以下この条において「登録等」という。）を受けようとする者は、別記様式第三号の六による申請書（第十条の四において「申請書」という。）に次に掲げる書類を添えて、これを国土交通大臣に提出しなければならない。

一　法人である場合においては、次に掲げる書類

イ　定款又は寄附行為及び登記事項証明書

ロ　申請に係る意思の決定を証する書類

ハ　役員の氏名及び略歴を記載した書類

二　個人である場合においては、登録等を受けようとする者の略歴を記載した書類

三　法第十六条第三項の講習（以下「登

録講習」という。）が法別表の上欄に掲げる科目（以下「登録講習科目」という。）について、同表の下欄に掲げる講師（以下「登録講習講師」という。）により行われるものであることを証する書類

四　法第十七条の三の講習業務（以下「登録講習業務」という。）以外の業務を行おうとするときは、その業務の種類及び概要を記載した書類

五　登録等を受けようとする者が法第十七条の四各号のいずれにも該当しない者であることを誓約する書面

六　その他参考となる事項を記載した書類

②　国土交通大臣は、登録等を受けようとする者（個人である場合に限る。）に係る機構保存本人確認情報（住民基本台帳法第三十条の九に規定する機構保存本人確認情報をいう。以下同じ。）のうち住民票コード以外のものについて、同法第三十条の九の規定によるその提供を受けることができないときは、その者に対し、住民票の抄本又はこれに代わる書面を提出させることができる。

＊様式334頁参照

（登録講習機関登録簿の記載事項）

第十条の三　法第十七条の五第二項第四号（法第十七条の六第二項において準用する場合を含む。）の国土交通省令で定める事項は、法第十六条第三項の登録講習機関（以下「登録講習機関」という。）が法人である場合における役員の氏名とする。

法16

令2-2

則10-2〜10-5

（登録の更新の申請期間）

第十条の四　法第十七条の六第一項の登録の更新を受けようとする者は、登録の有効期間満了の日の九十日前から三十日前までの間に申請書を提出しなければならない。

（登録講習業務の実施基準）

第十条の五　法第十七条の七の国土交通省令で定める基準は、次に掲げるとおりとする。

一　宅地建物取引業に従事する者に対して、登録講習を行うこと。

二　登録講習を毎年一回以上行うこと。

三　登録講習は講義により行い、講義時間の合計はおおむね五十時間とし、登録講習科目ごとの講義時間は国土交通大臣が定める時間とすること。ただし、国土交通大臣の定めるところにより登録講習の一部を通信の方法により行う場合はこの限りでない。

四　登録講習科目に応じ国土交通大臣が定める事項を含む適切な内容の教材（以下「登録講習教材」という。）を用いること。

五　登録講習講師は登録講習の内容に関する受講者の質問に対し、登録講習中に適切に応答すること。

六　国土交通大臣の定めるところにより登録講習修了試験を行い、当該試験に合格した者（以下「登録講習修了者」という。）に対して、別記様式第三号の七の登録講習修了者証明書（以下「証明書」という。）を交

解釈15-3

付すること。

七　不正な受講を防止するための措置を講じること。

八　登録講習を実施する日時、場所その他登録講習の実施に関し必要な事項及び当該講習が登録講習である旨を公示すること。

九　登録講習業務以外の業務を行う場合にあつては、当該業務が登録講習業務であると誤認されるおそれがある表示その他の行為をしないこと。

＊様式335頁参照
＊告示379頁参照

（登録事項の変更の届出）

第十条の六　登録講習機関は、法第十七条の八の規定による届出をしようとするときは、次に掲げる事項を記載した届出書を国土交通大臣に提出しなければならない。

一　変更しようとする事項

二　変更しようとする年月日

三　変更の理由

（講習業務規程の記載事項）

第十条の七　法第十七条の九第二項の国土交通省令で定める事項は、次に掲げるものとする。

一　登録講習業務を行う時間及び休日に関する事項

二　登録講習業務を行う事務所及び講義実施場所に関する事項

三　登録講習の実施に係る公示の方法に関する事項

四　登録講習の受講の申請に関する事項

五　登録講習の実施方法に関する事項

法16

令2-2

則10-5～10-9

六　登録講習に関する料金の額及びその収納方法に関する事項
七　登録講習の内容及び時間に関する事項
八　登録講習教材に関する事項
九　登録講習修了試験の実施方法
十　証明書の交付に関する事項
十一　登録講習業務に関する秘密の保持に関する事項
十二　第十条の十一第三項の帳簿その他の登録講習業務に関する書類の管理に関する事項
十三　不正受講者の処分に関する事項
十四　その他登録講習業務の実施に関し必要な事項

（登録講習業務の休廃止の届出）

第十条の八　登録講習機関は、法第十七条の十の規定により登録講習業務の全部又は一部を休止し、又は廃止しようとするときは、次に掲げる事項を記載した届出書を国土交通大臣に提出しなければならない。
一　休止し、又は廃止しようとする登録講習業務の範囲
二　休止し、又は廃止しようとする年月日及び休止しようとする場合にあつては、その期間
三　休止又は廃止の理由

（電磁的記録に記録された事項を表示する方法）

第十条の九　法第十七条の十一第二項第三号の国土交通省令で定める方法は、当該電磁的記録に記録された事項を紙面又は出力装置の映像面に表示する方法とする。

解釈15-3

（電磁的記録に記録された事項を提供するための方法）

第十条の十　法第十七条の十一第二項第四号の国土交通省令で定める方法は、次に掲げるもののうち、登録講習機関が定めるものとする。

一　送信者の使用に係る電子計算機（入出力装置を含む。以下同じ。）と受信者の使用に係る電子計算機とを電気通信回線で接続した電子情報処理組織を使用する方法であつて、当該電気通信回線を通じて情報が送信され、受信者の使用に係る電子計算機に備えられたファイルに当該情報が記録されるもの

二　磁気ディスク、シー・ディー・ロムその他これに準ずる方法により一定の事項を確実に記録しておくことができる物（以下「磁気ディスク等」という。）をもつて調製するファイルに情報を記録したものを交付する方法

②　前項各号に掲げる方法は、受信者がファイルへの記録を出力することによる書面を作成することができるものでなければならない。

（帳　簿）

第十条の十一　法第十七条の十五の国土交通省令で定める事項は、次に掲げるものとする。

一　登録講習の実施期間

二　講義の実施場所

三　登録講習講師の氏名並びに講義において担当した登録講習科目及び時間

法令

法16

令2-2

則10-10～10-12

四　受講者の氏名、生年月日及び住所
五　登録講習修了者にあつては、前号に掲げる事項のほか、証明書の交付の年月日及び修了番号
②　前項各号に掲げる事項が、電子計算機に備えられたファイル又は磁気ディスク等に記録され、必要に応じ登録講習機関において電子計算機その他の機器を用いて明確に紙面に表示されるときは、当該記録をもつて帳簿への記載に代えることができる。
③　登録講習機関は、法第十七条の十五に規定する帳簿（前項の規定による記録が行われた同項のファイル又は磁気ディスク等を含む。）を、登録講習業務の全部を廃止するまで保存しなければならない。
④　登録講習機関は、登録講習に用いた登録講習教材並びに登録講習修了試験に用いた問題用紙及び答案用紙を登録講習を実施した日から三年間保存しなければならない。

（登録講習業務の実施結果の報告）

第十条の十二　登録講習機関は、登録講習業務を実施したときは、遅滞なく、次に掲げる事項を記載した報告書を国土交通大臣に提出しなければならない。
一　登録講習の実施期間
二　講義の実施場所
三　受講申請者数
四　受講者数
五　登録講習修了者数
②　前項の報告書には、登録講習修了者の氏名、生年月日及び住所並びに証明

解釈15-3

書の交付の年月日及び修了番号を記載した修了者一覧表、登録講習に用いた登録講習教材並びに登録講習修了試験の問題用紙、解答及び合否判定基準を証する書面を添えなければならない。

（身分証明書の様式）

第十条の十三　法第十七条の十七第二項の身分を示す証明書の様式は、別記様式第三号の八によるものとする。

＊様式335頁参照

（試験の一部免除）

第十条の十四　登録講習修了者については、登録講習修了試験に合格した日から三年以内に行われる試験について、第八条に掲げる試験すべき事項のうち同条第一号及び第五号に掲げるものを免除する。

（合格の公告及び合格証書の交付）

第十一条　都道府県知事は、その行つた試験に合格した者の受験番号を公告し、当該合格者に合格証書を交付しなければならない。

②　指定試験機関が前項の公告を行うときは、第十条第三項の規定は公告の方法について準用する。

（宅地建物取引士資格試験合格者の名簿）

第十二条　都道府県知事は、宅地建物取引士資格試験合格者の名簿を作成し、これを保管しなければならない。

②　都道府県知事は、指定試験機関が試験事務を行う場合にあつては、第十三条の十一第二項の合格者一覧表をもつて前項の名簿に代えることができる。

（国土交通大臣に対する報告）

第十三条　都道府県知事は、試験を終了

（指　定）

第十六条の二　都道府県知事は、国土交通大臣の指定する者に、試験の実施に関する事務（以下「試験事務」という。）を行わせることができる。

② 前項の規定による指定は、試験事務を行おうとする者の申請により行う。

③ 都道府県知事は、第一項の規定により国土交通大臣の指定する者に試験事務を行わせるときは、試験事務を行わないものとする。

（指定の基準）

第十六条の三　国土交通大臣は、前条第二項の規定による申請が次の各号に適合していると認めるときでなければ、同条第一項の規定による指定をしてはならない。

一　職員、設備、試験事務の実施の方法その他の事項についての試験事務の実施に関する計画が試験事務の適正かつ確実な実施のために適切なものであること。

二　前号の試験事務の実施に関する計画の適正かつ確実な実施に必要な経理的及び技術的な基礎を有するものであること。

三　申請者が、試験事務以外の業務を行つている場合には、その業務を行うことによつて試験事務が不公正になるおそれがないこと。

② 国土交通大臣は、前条第二項の規定

したときは、国土交通大臣に対して当該試験の受験者数及び合格者数をすみやかに報告しなければならない。

（指定の申請等）

第十三条の二　法第十六条の二第二項に規定する指定を受けようとする者は、次に掲げる事項を記載した申請書を国土交通大臣に提出しなければならない。

一　名称及び住所

二　試験事務を行おうとする事務所の名称及び所在地

三　指定を受けようとする年月日

② 前項の申請書には、次に掲げる書類を添えなければならない。

一　定款及び登記事項証明書

二　申請の日の属する事業年度の前事業年度における財産目録及び貸借対照表（申請の日の属する事業年度に設立された法人にあつては、その設立時における財産目録）

三　申請の日の属する事業年度及び翌事業年度における事業計画書及び収支予算書

四　申請に係る意思の決定を証する書類

五　役員の氏名及び略歴を記載した書類

六　組織及び運営に関する事項を記載した書類

七　試験事務を行おうとする事務所ご

による申請をした者が、次の各号のいずれかに該当するときは、同条第一項の規定による指定をしてはならない。

一　一般社団法人又は一般財団法人以外の者であること。

二　この法律に違反して、刑に処せられ、その執行を終わり、又は執行を受けることがなくなつた日から起算して二年を経過しない者であること。

三　第十六条の十五第一項又は第二項の規定により指定を取り消され、その取消しの日から起算して二年を経過しない者であること。

四　その役員のうちに、次のいずれかに該当する者があること。

イ　第二号に該当する者

ロ　第十六条の六第二項の規定による命令により解任され、その解任の日から起算して二年を経過しない者

（指定の公示等）

第十六条の四　国土交通大臣は、第十六条の二第一項の規定による指定をしたときは、当該指定を受けた者の名称及び主たる事務所の所在地並びに当該指定をした日を公示しなければならない。

②　第十六条の二第一項の規定による指定を受けた者（以下「指定試験機関」という。）は、その名称又は主たる事務所の所在地を変更しようとするときは、変更しようとする日の二週間前ま

との試験用設備の概要及び整備計画を記載した書類

八　現に行つている業務の概要を記載した書類

九　試験事務の実施の方法に関する計画を記載した書類

十　法第十六条の七第一項に規定する試験委員の選任に関する事項を記載した書類

十一　法第十六条の三第二項第四号イ又はロの規定に関する役員の誓約書

十二　その他参考となる事項を記載した書類

③　指定試験機関の名称及び主たる事務所の所在地並びに指定をした日は、次のとおりとする。

指定試験機関		指定をした日
名称	主たる事務所の所在地	
一般財団法人不動産適正取引推進機構	東京都港区虎ノ門三丁目八番二十一号	昭和六十二年五月十一日

（名称等の変更の届出）

第十三条の三　指定試験機関は、法第十六条の四第二項の規定による届出をしようとするときは、次に掲げる事項を記載した届出書を国土交通大臣に提出しなければならない。

法 16-3～16-5

でに、その旨を国土交通大臣に届け出なければならない。
③　国土交通大臣は、前項の規定による届出があつたときは、その旨を公示しなければならない。

（委任の公示等）
第十六条の五　第十六条の二第一項の規定により指定試験機関にその試験事務を行わせることとした都道府県知事（以下「委任都道府県知事」という。）は、当該指定試験機関の名称、主たる事務所の所在地及び当該試験事務を取り扱う事務所の所在地並びに当該指定試験機関に試験事務を行わせることとした日を公示しなければならない。
②　指定試験機関は、その名称、主たる事務所の所在地又は試験事務を取り扱う事務所の所在地を変更しようとするときは、委任都道府県知事（試験事務を取り扱う事務所の所在地については、関係委任都道府県知事）に、変更しようとする日の二週間前までに、その旨を届け出なければならない。
③　委任都道府県知事は、前項の規定に

令 2-2

則 13-2～13-3

一　変更後の指定試験機関の名称又は主たる事務所の所在地
二　変更しようとする年月日
三　変更の理由
②　指定試験機関は、法第十六条の五第二項の規定による届出をしようとするときは、次に掲げる事項を記載した届出書を委任都道府県知事（試験事務を取り扱う事務所の所在地については、関係委任都道府県知事）に提出しなければならない。
一　変更後の指定試験機関の名称、主たる事務所の所在地又は試験事務を取り扱う事務所の所在地
二　変更しようとする年月日
三　変更の理由

▽規則第一三条の三参照

解釈 15-3

よる届出があつたときは、その旨を公示しなければならない。

（役員の選任及び解任）

第十六条の六　指定試験機関の役員の選任及び解任は、国土交通大臣の認可を受けなければ、その効力を生じない。

②　国土交通大臣は、指定試験機関の役員が、この法律（この法律に基づく命令又は処分を含む。）若しくは第十六条の九第一項の試験事務規程に違反する行為をしたとき、又は試験事務に関し著しく不適当な行為をしたときは、指定試験機関に対し、その役員を解任すべきことを命ずることができる。

（試験委員）

第十六条の七　指定試験機関は、国土交通省令で定める要件を備える者のうちから宅地建物取引士資格試験委員（以下「試験委員」という。）を選任し、試験の問題の作成及び採点を行わせなければならない。

②　指定試験機関は、前項の試験委員を選任し、又は解任したときは、遅滞なく、その旨を国土交通大臣に届け出なければならない。

③　前条第二項の規定は、第一項の試験委員の解任について準用する。

（役員の選任又は解任の認可の申請）

第十三条の四　指定試験機関は、法第十六条の六第一項の規定により認可を受けようとするときは、次に掲げる事項を記載した申請書を国土交通大臣に提出しなければならない。

一　役員として選任しようとする者又は解任しようとする役員の氏名

二　選任又は解任の理由

三　選任の場合にあつては、その者の略歴

②　前項の場合において、選任の認可を受けようとするときは、同項の申請書に、当該選任に係る者の就任承諾書及び法第十六条の三第二項第四号イ又はロの規定に関する誓約書を添えなければならない。

（試験委員の要件）

第十三条の五　法第十六条の七第一項の国土交通省令で定める要件は、次のいずれかに該当する者であることとする。

一　学校教育法（昭和二十二年法律第二十六号）による大学において民事法学、行政法学、租税法学、不動産鑑定理論、土木工学又は建築学に関する科目を担当する教授若しくは准教授の職にあり、又はあつた者その他これらの者に相当する知識及び経験を有する者

二　国又は地方公共団体の職員又は職員であつた者で、第八条各号に掲げる事項について専門的な知識を有す

法 16-5～16-9

（秘密保持義務等）

第十六条の八　指定試験機関の役員若しくは職員（前条第一項の試験委員を含む。次項において同じ。）又はこれらの職にあつた者は、試験事務に関して知り得た秘密を漏らしてはならない。

②　試験事務に従事する指定試験機関の役員及び職員は、刑法その他の罰則の適用については、法令により公務に従事する職員とみなす。

（試験事務規程）

第十六条の九　指定試験機関は、国土交通省令で定める試験事務の実施に関する事項について試験事務規程を定め、国土交通大臣の認可を受けなければならない。これを変更しようとするときも、同様とする。

②　指定試験機関は、前項後段の規定により試験事務規程を変更しようとする

令 2-2

則 13-4～13-7

るもの

（試験委員の選任又は解任の届出）

第十三条の六　指定試験機関は、法第十六条の七第二項の規定による届出をしようとするときは、次に掲げる事項を記載した届出書を国土交通大臣に提出しなければならない。

一　試験委員の氏名

二　選任又は解任の理由

三　選任の場合にあつては、その者の略歴

②　前項の場合において、選任の届出をしようとするときは、同項の届出書に、当該選任した試験委員が前条に規定する要件を備えていることを証明する書類の写しを添えなければならない。

（試験事務規程の記載事項）

第十三条の七　法第十六条の九第一項に規定する国土交通省令で定める試験事務の実施に関する事項は、次のとおりとする。

一　試験事務を行う時間及び休日に関する事項

二　試験事務を行う事務所及び試験地に関する事項

解釈 15-3

ときは、委任都道府県知事の意見を聴かなければならない。

③　国土交通大臣は、第一項の規定により認可をした試験事務規程が試験事務の適正かつ確実な実施上不適当となつたと認めるときは、指定試験機関に対し、これを変更すべきことを命ずることができる。

（事業計画等）

第十六条の十　指定試験機関は、毎事業年度、事業計画及び収支予算を作成し、当該事業年度の開始前に（第十六条の二第一項の規定による指定を受けた日の属する事業年度にあつては、その指

三　試験事務の実施の方法に関する事項

四　受験手数料の収納の方法に関する事項

五　試験委員の選任及び解任に関する事項

六　試験事務に関する秘密の保持に関する事項

七　試験事務に関する帳簿及び書類の管理に関する事項

八　その他試験事務の実施に関し必要な事項

（試験事務規程の認可の申請）

第十三条の八　指定試験機関は、法第十六条の九第一項前段の規定により認可を受けようとするときは、その旨を記載した申請書に、当該認可に係る試験事務規程を添え、これを国土交通大臣に提出しなければならない。

②　指定試験機関は、法第十六条の九第一項後段の規定により認可を受けようとするときは、次に掲げる事項を記載した申請書を国土交通大臣に提出しなければならない。

一　変更しようとする事項

二　変更しようとする年月日

三　変更の理由

四　法第十六条の九第二項の規定による委任都道府県知事の意見の概要

（事業計画等の認可の申請）

第十三条の九　指定試験機関は、法第十六条の十第一項前段の規定により認可を受けようとするときは、その旨及び同条第二項の規定による委任都道府県知事の意見の概要を記載した申請書

法令

法 16-9〜16-11

定を受けた後遅滞なく)、国土交通大臣の認可を受けなければならない。これを変更しようとするときも、同様とする。

② 指定試験機関は、事業計画及び収支予算を作成し、又は変更しようとするときは、委任都道府県知事の意見を聴かなければならない。

③ 指定試験機関は、毎事業年度、事業報告書及び収支決算書を作成し、当該事業年度の終了後三月以内に、国土交通大臣及び委任都道府県知事に提出しなければならない。

(帳簿の備付け等)

第十六条の十一 指定試験機関は、国土交通省令で定めるところにより、試験事務に関する事項で国土交通省令で定めるものを記載した帳簿を備え、保存しなければならない。

令 2-2

則 13-7〜13-10

に、当該認可に係る事業計画書及び収支予算書を添え、これを国土交通大臣に提出しなければならない。

② 指定試験機関は、法第十六条の十第一項後段の規定により認可を受けようとするときは、次に掲げる事項を記載した申請書を国土交通大臣に提出しなければならない。

一 変更しようとする事項

二 変更しようとする年月日

三 変更の理由

四 法第十六条の十第二項の規定による委任都道府県知事の意見の概要

(帳　簿)

第十三条の十 法第十六条の十一に規定する国土交通省令で定める事項は、次のとおりとする。

一 委任都道府県知事

二 試験年月日

三 試験地

四 受験者の受験番号、氏名、生年月日及び合否の別

五 合格した者の氏名又は受験番号を公告した日(次条において「合格公告日」という。)

② 前項各号に掲げる事項が、電子計算機に備えられたファイル又は磁気ディスク等に記録され、必要に応じ当該指定試験機関において電子計算機その他の機器を用いて明確に紙面に表示されるときは、当該記録をもつて法第十六条の十一に規定する帳簿への記載に代えることができる。

③ 法第十六条の十一に規定する帳簿(前項の規定による記録が行われた同

解釈 15-3

（監督命令等）

第十六条の十二　国土交通大臣は、試験事務の適正な実施を確保するため必要があると認めるときは、指定試験機関に対し、試験事務に関し監督上必要な命令をすることができる。

②　委任都道府県知事は、その行わせることとした試験事務の適正な実施を確保するため必要があると認めるときは、指定試験機関に対し、当該試験事務の適正な実施のために必要な措置をとるべきことを指示することができる。

（報告及び検査）

第十六条の十三　国土交通大臣は、試験事務の適正な実施を確保するため必要

項のファイル又は磁気ディスクを含む。）は、委任都道府県知事ごとに備え、試験事務を廃止するまで保存しなければならない。

（試験事務の実施結果の報告）

第十三条の十一　指定試験機関は、試験事務を実施したときは、遅滞なく次に掲げる事項を記載した報告書を委任都道府県知事に提出しなければならない。

一　試験年月日
二　試験地
三　受験申込者数
四　受験者数
五　合格者数
六　合格公告日

②　前項の報告書には、合格者の受験番号、氏名及び生年月日を記載した合格者一覧表を添えなければならない。

があると認めるときは、指定試験機関に対し、試験事務の状況に関し必要な報告を求め、又はその職員に、指定試験機関の事務所に立ち入り、試験事務の状況若しくは設備、帳簿、書類その他の物件を検査させることができる。

② 委任都道府県知事は、その行わせることとした試験事務の適正な実施を確保するため必要があると認めるときは、指定試験機関に対し、当該試験事務の状況に関し必要な報告を求め、又はその職員に、当該試験事務を取り扱う指定試験機関の事務所に立ち入り、当該試験事務の状況若しくは設備、帳簿、書類その他の物件を検査させることができる。

③ 第一項又は前項の規定により立入検査をする職員は、その身分を示す証明書を携帯し、関係人の請求があつたときは、これを提示しなければならない。

④ 第一項又は第二項の規定による立入検査の権限は、犯罪捜査のために認められたものと解してはならない。

（試験事務の休廃止）

第十六条の十四　指定試験機関は、国土交通大臣の許可を受けなければ、試験事務の全部又は一部を休止し、又は廃止してはならない。

② 国土交通大臣は、指定試験機関の試験事務の全部又は一部の休止又は廃止により試験事務の適正かつ確実な実施が損なわれるおそれがないと認めるときでなければ、前項の規定による許可をしてはならない。

③ 国土交通大臣は、第一項の規定によ

（試験事務の休廃止の許可）

第十三条の十二　指定試験機関は、法第十六条の十四第一項の規定により許可を受けようとするときは、次に掲げる事項を記載した申請書を国土交通大臣に提出しなければならない。

一　休止し、又は廃止しようとする試験事務の範囲

二　休止し、又は廃止しようとする年月日及び休止しようとする場合にあつては、その期間

三　休止又は廃止の理由

る許可をしようとするときは、関係委任都道府県知事の意見を聴かなければならない。

④　国土交通大臣は、第一項の規定による許可をしたときは、その旨を、関係委任都道府県知事に通知するとともに、公示しなければならない。

（指定の取消し等）

第十六条の十五　国土交通大臣は、指定試験機関が第十六条の三第二項各号（第三号を除く。）の一に該当するに至つたときは、当該指定試験機関の指定を取り消さなければならない。

②　国土交通大臣は、指定試験機関が次の各号の一に該当するときは、当該指定試験機関に対し、その指定を取り消し、又は期間を定めて試験事務の全部若しくは一部の停止を命ずることができる。

一　第十六条の三第一項各号の一に適合しなくなつたと認められるとき。

二　第十六条の七第一項、第十六条の十第一項若しくは第三項、第十六条の十一又は前条第一項の規定に違反したとき。

三　第十六条の六第二項（第十六条の七第三項において準用する場合を含む。）、第十六条の九第三項又は第十六条の十二第一項の規定による命令に違反したとき。

四　第十六条の九第一項の規定により認可を受けた試験事務規程によらないで試験事務を行つたとき。

五　不正な手段により第十六条の二第一項の規定による指定を受けたとき。

法令

法 16-14〜16-17

③　国土交通大臣は、前二項の規定による処分に係る聴聞を行うに当たつては、その期日の一週間前までに、行政手続法（平成五年法律第八十八号）第十五条第一項の規定による通知をし、かつ、聴聞の期日及び場所を公示しなければならない。

④　前項の通知を行政手続法第十五条第三項に規定する方法によつて行う場合においては、同条第一項の規定により聴聞の期日までにおくべき相当な期間は、二週間を下回つてはならない。

⑤　第三項の聴聞の期日における審理は、公開により行わなければならない。

⑥　国土交通大臣は、第一項又は第二項の規定による処分をしたときは、その旨を、関係委任都道府県知事に通知するとともに、公示しなければならない。

＊関係法令387頁参照

（委任の撤回の通知等）

第十六条の十六　委任都道府県知事は、指定試験機関に試験事務を行わせないこととするときは、その三月前までに、その旨を指定試験機関に通知しなければならない。

②　委任都道府県知事は、指定試験機関に試験事務を行わせないこととしたときは、その旨を公示しなければならない。

（委任都道府県知事による試験の実施）

第十六条の十七　委任都道府県知事は、指定試験機関が第十六条の十四第一項の規定により試験事務の全部若しくは一部を休止したとき、国土交通大臣が第十六条の十五第二項の規定により指

令 2-2

則 13-12

解釈 15-3

定試験機関に対し試験事務の全部若しくは一部の停止を命じたとき、又は指定試験機関が天災その他の事由により試験事務の全部若しくは一部を実施することが困難となつた場合において国土交通大臣が必要があると認めるときは、第十六条の二第三項の規定にかかわらず、当該試験事務の全部又は一部を行うものとする。

② 国土交通大臣は、委任都道府県知事が前項の規定により試験事務を行うこととなるとき、又は委任都道府県知事が同項の規定により試験事務を行うこととなる事由がなくなつたときは、速やかにその旨を当該委任都道府県知事に通知しなければならない。

③ 委任都道府県知事は、前項の規定による通知を受けたときは、その旨を公示しなければならない。

（試験事務の引継ぎ等に関する国土交通省令への委任）

第十六条の十八　前条第一項の規定により委任都道府県知事が試験事務を行うこととなつた場合、国土交通大臣が第十六条の十四第一項の規定により試験事務の廃止を許可し、若しくは第十六条の十五第一項若しくは第二項の規定により指定を取り消した場合又は委任都道府県知事が指定試験機関に試験事務を行わせないこととした場合における試験事務の引継ぎその他の必要な事項は、国土交通省令で定める。

（受験手数料）

第十六条の十九　都道府県は、地方自治法（昭和二十二年法律第六十七号）第

▽地方公共団体の手数料の標準に関する政令六一―1（27頁）参照

（試験事務の引継ぎ）

第十三条の十三　指定試験機関は、法第十六条の十八に規定する場合には、次に掲げる事項を行わなければならない。

一　試験事務を委任都道府県知事に引き継ぐこと。

二　試験事務に関する帳簿及び書類を委任都道府県知事に引き継ぐこと。

三　その他委任都道府県知事が必要と認める事項

法令

法16-17～17-2

二百二十七条の規定に基づき試験に係る手数料を徴収する場合においては、第十六条の二の規定により指定試験機関が行う試験を受けようとする者に、条例で定めるところにより、当該手数料を当該指定試験機関に納めさせ、その収入とすることができる。

（合格の取消し等）

第十七条　都道府県知事は、不正の手段によつて試験を受け、又は受けようとした者に対しては、合格の決定を取り消し、又はその試験を受けることを禁止することができる。

② 指定試験機関は、前項に規定する委任都道府県知事の職権を行うことができる。

③ 都道府県知事は、前二項の規定による処分を受けた者に対し、情状により、三年以内の期間を定めて試験を受けることができないものとすることができる。

（指定試験機関がした処分等に係る審査請求）

第十七条の二　指定試験機関が行う試験事務に係る処分又はその不作為については、国土交通大臣に対し、審査請求をすることができる。この場合におい

令2-2

則13-13～13-14

（合格の取消し等の報告等）

第十三条の十四　指定試験機関は、法第十七条第二項の規定により同条第一項に規定する都道府県知事の職権を行つたときは、遅滞なく次に掲げる事項を記載した報告書を委任都道府県知事に提出しなければならない。

一　不正行為者の氏名、住所及び生年月日

二　不正行為に係る試験の年月日及び試験地

三　不正行為の事実

四　処分の内容及び年月日

五　その他参考事項

② 都道府県知事は、法第十七条第三項の規定による処分を行つたときは、遅滞なく、その旨を指定試験機関に通知するものとする。

解釈15-3

て、国土交通大臣は、行政不服審査法（平成二十六年法律第六十八号）第二十五条第二項及び第三項、第四十六条第一項及び第二項、第四十七条並びに第四十九条第三項の規定の適用については、指定試験機関の上級行政庁とみなす。

（登録講習機関の登録）

第十七条の三　第十六条第三項の登録は、登録講習の実施に関する業務（以下「講習業務」という。）を行おうとする者の申請により行う。

（欠格条項）

第十七条の四　次の各号のいずれかに該当する者は、第十六条第三項の登録を受けることができない。

一　この法律又はこの法律に基づく命令に違反し、罰金以上の刑に処せられ、その執行を終わり、又は執行を受けることがなくなつた日から二年を経過しない者

二　第十七条の十四の規定により第十六条第三項の登録を取り消され、その取消しの日から二年を経過しない者

三　法人であつて、講習業務を行う役員のうちに前二号のいずれかに該当する者があるもの

（登録基準等）

第十七条の五　国土交通大臣は、第十七条の三の規定により登録を申請した者の行う登録講習が、別表の上欄に掲げる科目について、それぞれ同表の下欄に掲げる講師によつて行われるものであるときは、その登録をしなければならない。この場合において、登録に関

して必要な手続は、国土交通省令で定める。

② 登録は、登録講習機関登録簿に次に掲げる事項を記載してするものとする。

一 登録年月日及び登録番号

二 登録講習機関の氏名又は名称及び住所並びに法人にあつては、その代表者の氏名

三 登録講習機関が講習業務を行う事務所の所在地

四 前三号に掲げるもののほか、国土交通省令で定める事項

＊別表313頁参照

（登録の更新）

第十七条の六 第十六条第三項の登録は、三年を下らない政令で定める期間ごとにその更新を受けなければ、その期間の経過によつて、その効力を失う。

② 前三条の規定は、前項の登録の更新について準用する。

（講習業務の実施に係る義務）

第十七条の七 登録講習機関は、公正に、かつ、第十七条の五第一項の規定及び国土交通省令で定める基準に適合する方法により講習業務を行わなければならない。

（登録事項の変更の届出）

第十七条の八 登録講習機関は、第十七条の五第二項第二号から第四号までに掲げる事項を変更しようとするときは、変更しようとする日の二週間前までに、その旨を国土交通大臣に届け出なければならない。

（登録講習機関の登録の有効期間）

第二条の三 法第十七条の六第一項の政令で定める期間は、三年とする。

▽規則第一〇条の三参照

▽規則第一〇条の二参照

▽規則第一〇条の四参照

▽規則第一〇条の二参照

▽規則第一〇条の五参照

▽規則第一〇条の六参照

（講習業務規程）

第十七条の九　登録講習機関は、講習業務に関する規程（以下「講習業務規程」という。）を定め、講習業務の開始前に、国土交通大臣に届け出なければならない。これを変更しようとするときも、同様とする。

②　講習業務規程には、登録講習の実施方法、登録講習に関する料金その他の国土交通省令で定める事項を定めておかなければならない。

（業務の休廃止）

第十七条の十　登録講習機関は、講習業務の全部又は一部を休止し、又は廃止しようとするときは、国土交通省令で定めるところにより、あらかじめ、その旨を国土交通大臣に届け出なければならない。

（財務諸表等の備付け及び閲覧等）

第十七条の十一　登録講習機関は、毎事業年度経過後三月以内に、その事業年度の財産目録、貸借対照表及び損益計算書又は収支計算書並びに事業報告書（その作成に代えて電磁的記録（電子的方式、磁気的方式その他の人の知覚によつては認識することができない方式で作られる記録であつて、電子計算機による情報処理の用に供されるものをいう。以下この条において同じ。）の作成がされている場合における当該電磁的記録を含む。次項及び第八十五条の二において「財務諸表等」という。）を作成し、五年間登録講習機関の事務所に備えて置かなければならない。

②　登録講習を受けようとする者その他

▽規則第一〇条の七参照

▽規則第一〇条の八参照

の利害関係人は、登録講習機関の業務時間内は、いつでも、次に掲げる請求をすることができる。ただし、第二号又は第四号の請求をするには、登録講習機関の定めた費用を支払わなければならない。

一　財務諸表等が書面をもつて作成されているときは、当該書面の閲覧又は謄写の請求

二　前号の書面の謄本又は抄本の請求

三　財務諸表等が電磁的記録をもつて作成されているときは、当該電磁的記録に記録された事項を国土交通省令で定める方法により表示したものの閲覧又は謄写の請求

四　前号の電磁的記録に記録された事項を電磁的方法であつて国土交通省令で定めるものにより提供することの請求又は当該事項を記載した書面の交付の請求

（適合命令）

第十七条の十二　国土交通大臣は、登録講習機関が第十七条の五第一項の規定に適合しなくなつたと認めるときは、その登録講習機関に対し、同項の規定に適合するため必要な措置をとるべきことを命ずることができる。

（改善命令）

第十七条の十三　国土交通大臣は、登録講習機関が第十七条の七の規定に違反していると認めるときは、その登録講習機関に対し、同条の規定による講習業務を行うべきこと又は登録講習の方法その他の業務の方法の改善に関し必要な措置をとるべきことを命ずること

▽規則第一〇条の九参照

▽規則第一〇条の一〇参照

ができる。

（登録の取消し等）

第十七条の十四　国土交通大臣は、登録講習機関が次の各号のいずれかに該当するときは、その登録を取り消し、又は期間を定めて講習業務の全部若しくは一部の停止を命ずることができる。

一　第十七条の四第一号又は第三号に該当するに至つたとき。

二　第十七条の八から第十七条の十まで、第十七条の十一第一項又は次条の規定に違反したとき。

三　正当な理由がないのに第十七条の十一第二項各号の規定による請求を拒んだとき。

四　前二条の規定による命令に違反したとき。

五　不正の手段により第十六条第三項の登録を受けたとき。

（帳簿の記載）

第十七条の十五　登録講習機関は、国土交通省令で定めるところにより、帳簿を備え、講習業務に関し国土交通省令で定める事項を記載し、これを保存しなければならない。

（報告の徴収）

第十七条の十六　国土交通大臣は、講習業務の適正な実施を確保するため必要があると認めるときは、登録講習機関に対し、講習業務の状況に関し必要な報告を求めることができる。

（立入検査）

第十七条の十七　国土交通大臣は、講習業務の適正な実施を確保するため必要があると認めるときは、その職員に、

▽規則第一〇条の一一参照

登録講習機関の事務所に立ち入り、講習業務の状況又は設備、帳簿、書類その他の物件を検査させることができる。

② 前項の規定により立入検査をする職員は、その身分を示す証明書を携帯し、関係人の請求があつたときは、これを提示しなければならない。

③ 第一項の規定による立入検査の権限は、犯罪捜査のために認められたものと解してはならない。

（公　示）

第十七条の十八　国土交通大臣は、次に掲げる場合には、その旨を官報に公示しなければならない。

一　第十六条第三項の登録をしたとき。

二　第十七条の八の規定による届出があつたとき。

三　第十七条の十の規定による届出があつたとき。

四　第十七条の十四の規定により第十六条第三項の登録を取り消し、又は登録講習の業務の停止を命じたとき。

（宅地建物取引士の登録）

第十八条　試験に合格した者で、宅地若しくは建物の取引に関し国土交通省令で定める期間以上の実務の経験を有するもの又は国土交通大臣がその実務の経験を有するものと同等以上の能力を有すると認めたものは、国土交通省令の定めるところにより、当該試験を行つた都道府県知事の登録を受けることができる。ただし、次の各号のいずれ

▽地方公共団体の手数料の標準に関する政令六一―２（27頁）参照

▽規則第一〇条の一三参照

（法第十八条第一項の国土交通省令で定める期間）

第十三条の十五　法第十八条第一項の国土交通省令で定める期間は、二年とする。

（法第十八条第一項の国土交通大臣が実務の経験を有する者と同等以上の能力を有すると認めた者）

第十三条の十六　法第十八条第一項の規定により国土交通大臣がその実務の経験を有するものと同等以上の能力を有

〔第18条関係〕

宅地建物取引士の登録に係る実務の経験について

実務経験として算入できる業務の内容は、免許を受けた宅地建物取引業者としての経験又は宅地建物取引業者の下で勤務していた経験をいい、顧客への説明、物件の調査等具体の取引に関するものと解される。受付、秘書、いわゆる総務、人事、経理、財務等の一般管理部門等の顧客と直接の接触がない部門に所

かに該当する者については、この限りでない。

一　宅地建物取引業に係る営業に関し成年者と同一の行為能力を有しない未成年者

二　破産手続開始の決定を受けて復権を得ない者

三　第六十六条第一項第八号又は第九号に該当することにより第三条第一項の免許を取り消され、その取消しの日から五年を経過しない者（当該免許を取り消された者が法人である場合においては、当該取消しに係る聴聞の期日及び場所の公示の日前六十日以内にその法人の役員であつた者で当該取消しの日から五年を経過しないもの）

四　第六十六条第一項第八号又は第九号に該当するとして免許の取消処分の聴聞の期日及び場所が公示された日から当該処分をする日又は当該処分をしないことを決定する日までの間に第十一条第一項第五号の規定による届出があつた者（宅地建物取引業の廃止について相当の理由がある者を除く。）で当該届出の日から五年を経過しないもの

五　第五条第一項第四号に該当する者

六　禁錮以上の刑に処せられ、その刑の執行を終わり、又は執行を受けることがなくなつた日から五年を経過しない者

七　この法律若しくは暴力団員による不当な行為の防止等に関する法律の規定に違反したことにより、又

すると認めた者は、次のいずれかに該当する者とする。

一　宅地又は建物の取引に関する実務についての講習であつて、次条から第十三条の十九までの規定により国土交通大臣の登録を受けたもの（以下「登録実務講習」という。）を修了した者

二　国、地方公共団体又は国若しくは地方公共団体の出資により設立された法人において宅地又は建物の取得又は処分の業務に従事した期間が通算して二年以上である者

三　国土交通大臣が前二号に掲げる者と同等以上の能力を有すると認めた者

（登録の申請）

第十三条の十七　前条第一号の登録は、登録実務講習の実施に関する事務（以下「登録実務講習事務」という。）を行おうとする者の申請により行う。

②　前条第一号の登録を受けようとする者（以下「登録実務講習事務申請者」という。）は、別記様式第三号の九による申請書に次に掲げる書類を添えて、これを国土交通大臣に提出しなければならない。

一　個人である場合においては、次に掲げる書類

イ　住民票の抄本又はこれに代わる書面

ロ　登録実務講習事務申請者の略歴を記載した書類

二　法人である場合においては、次に

属した期間及び単に補助的な事務に従事した期間については算入しないことが適当と解される。

法18

は刑法第二百四条、第二百六条、第二百八条、第二百八条の二、第二百二十二条若しくは第二百四十七条の罪若しくは暴力行為等処罰に関する法律の罪を犯したことにより、罰金の刑に処せられ、その刑の執行を終わり、又は執行を受けることがなくなつた日から五年を経過しない者

八　暴力団員等

九　第六十八条の二第一項第二号から第四号まで又は同条第二項第二号若しくは第三号のいずれかに該当することにより登録の消除の処分を受け、その処分の日から五年を経過しない者

十　第六十八条の二第一項第二号から第四号まで又は同条第二項第二号若しくは第三号のいずれかに該当するとして登録の消除の処分の聴聞の期日及び場所が公示された日から当該処分をする日又は当該処分をしないことを決定する日までの間に登録の消除の申請をした者（登録の消除の申請について相当の理由がある者を除く。）で当該登録が消除された日から五年を経過しないもの

十一　第六十八条第二項又は第四項の規定による禁止の処分を受け、その禁止の期間中に第二十二条第一号の規定によりその登録が消除され、まだその期間が満了しない者

十二　心身の故障により宅地建物取引士の事務を適正に行うことができない者として国土交通省令で定めるも

令2-3

則13-16～13-18

掲げる書類

イ　定款又は寄附行為及び登記事項証明書

ロ　株主名簿若しくは社員名簿の写し又はこれらに代わる書面

ハ　申請に係る意思の決定を証する書類

二　役員（持分会社（会社法（平成十七年法律第八十六号）第五百七十五条第一項に規定する持分会社をいう。）にあつては、業務を執行する社員をいう。次条第三号において同じ。）の氏名及び略歴を記載した書類

三　講師が第十三条の十九第一項第二号イからハまでのいずれかに該当する者であることを証する書類

四　登録実務講習事務以外の業務を行おうとするときは、その業務の種類及び概要を記載した書類

五　登録実務講習事務申請者が次条各号のいずれにも該当しない者であることを誓約する書面

六　その他参考となる事項を記載した書類

*様式336頁参照

（欠格条項）

第十三条の十八　次の各号のいずれかに該当する者が行う講習は、第十三条の十六第一号の登録を受けることができない。

一　法又は法に基づく命令に違反し、罰金以上の刑に処せられ、その執行を終わり、又は執行を受けることがなくなつた日から起算して二年を経

解釈18

の

② 前項の登録は、都道府県知事が、宅地建物取引士資格登録簿に氏名、生年月日、住所その他国土交通省令で定める事項並びに登録番号及び登録年月日を登載してするものとする。

＊関係法令386頁参照

過しない者

二 第十三条の二十八の規定により第十三条の十六第一号の登録を取り消され、その取消しの日から起算して二年を経過しない者

三 法人であつて、登録実務講習事務を行う役員のうちに前二号のいずれかに該当する者があるもの

（登録の要件等）

第十三条の十九 国土交通大臣は、第十三条の十七の規定による登録の申請が次に掲げる要件のすべてに適合しているときは、その登録をしなければならない。

一 第十三条の二十一第四号に掲げる基準に適合する講習を行おうとするものであること。

二 講師が次のいずれかに該当する者であること。

イ 宅地建物取引士として宅地建物取引業に七年以上従事した経験を有する宅地建物取引士であつて、宅地及び建物の取引の実務に関し適切に指導することができる能力を有する者

ロ 弁護士、不動産鑑定士又は税理士であつて宅地及び建物の取引に係る実務に関する知識を有する者

ハ 国土交通大臣がイ又はロに掲げる者と同等以上の能力を有すると認める者

② 第十三条の十六第一号の登録は、登録実務講習登録簿に次に掲げる事項を記載してするものとする。

一 登録年月日及び登録番号

法 18

令 2-3

則 13-18〜13-21

二　登録実務講習を行う者（以下「登録実務講習実施機関」という。）の氏名又は名称及び住所並びに法人にあつては、その代表者の氏名

三　登録実務講習事務を行う事務所の名称及び所在地

四　登録実務講習事務を開始する年月日

（登録の更新）

第十三条の二十　第十三条の十六第一号の登録は、三年ごとにその更新を受けなければ、その期間の経過によつて、その効力を失う。

②　前三条の規定は、前項の登録の更新について準用する。ただし、前項の登録の更新を受けようとする者は、前項の登録の有効期間満了の日の九十日前から三十日前までの間に申請書を提出しなければならない。

（登録実務講習事務の実施に係る義務）

第十三条の二十一　登録実務講習実施機関は、公正に、かつ、第十三条の十九第一項第二号に掲げる要件及び次に掲げる基準に適合する方法により登録実務講習事務を行わなければならない。

一　試験に合格した者で、第十三条の十五に定める期間以上の実務の経験を有しない者に対し、登録実務講習を行うこと。

二　登録実務講習を毎年一回以上行うこと。

三　講義、国土交通大臣の定める方法による演習及び登録実務講習修了試験により登録実務講習を行うこと。

四　講義及び演習の総時間数はおおむ

解釈 18

ね五十時間とし、次の表の上欄に掲げる科目の区分に応じ、それぞれ同表の中欄に掲げる内容について、同表の下欄に掲げる時間以上登録実務講習を行うこと。ただし、国土交通大臣の定めるところにより登録実務講習の一部を通信の方法により行う場合は、この限りでない。

科目	内容	時間
一　宅地建物取引士制度に関する科目	イ　宅地建物取引士制度の概要 ロ　宅地建物取引士の役割及び義務	講義　一時間
二　宅地又は建物の取引実務に関する科目	イ　受付、物件調査及び価格査定の実務に関する事項 ロ　媒介契約に関する事項 ハ　宅地又は建物の取引に係る広告に関する事項 ニ　宅地又は建物の取引条件の交渉に関する事項 ホ　法第三十五条第一項及び第二項の書面の作成に関する事項 ヘ　宅地又は建物の取引に係る契約の締結に関する事項 ト　宅地又は建物の取引に係る契約の履行に関する事項 チ　宅地又は建物の取引に係る資金計画及び税務に関する事項 リ　紛争の防止に関する事項	講義　三十七時間

三　取引実務の演習に関する科目（業務の標準的手順の修得のための演習）	イ　取引の目的となる宅地又は建物の調査手法に関する事項 ロ　法第三十五条第一項及び第二項に規定する説明の実施に関する事項 ハ　宅地又は建物の取引に係る標準的な契約書の作成に関する事項	演習十二時間

五　受講者があらかじめ受講を申し込んだ者本人であることを確認すること。

六　第四号の表の上欄に掲げる科目に応じ、国土交通大臣が定める事項を含む適切な内容の教材を用いて登録実務講習を行うこと。

七　講師は、講義及び演習の内容に関する受講者の質問に対し、講義及び演習中に適切に応答すること。

八　登録実務講習修了試験は、講義及び演習の終了後に国土交通大臣の定めるところにより行い、受講者が登録実務講習の内容全体について十分に理解しているかどうか的確に把握できるものであること。

九　登録実務講習を実施する日時、場所その他登録実務講習の実施に関し必要な事項をあらかじめ公示すること。

十　登録実務講習に関する不正行為を防止するための措置を講じること。

十一　国土交通大臣の定めるところにより作成した基準（以下「修了認定

基準」という。）によって登録実務講習の修了の認定がなされること。

十二　終了した登録実務講習の教材及び修了認定基準を公表すること。

十三　登録実務講習を修了した者（以下「修了者」という。）に対し、別記様式第三号の十による修了証（以下単に「修了証」という。）を交付すること。

＊様式337頁参照
＊告示381頁参照

（登録事項の変更の届出）

第十三条の二十二　登録実務講習実施機関は、第十三条の十九第二項第二号から第四号までに掲げる事項を変更しようとするときは、変更しようとする日の二週間前までに、その旨を国土交通大臣に届け出なければならない。

（登録実務講習事務規程）

第十三条の二十三　登録実務講習実施機関は、次に掲げる事項を記載した登録実務講習事務に関する規程を定め、当該事務の開始前に、国土交通大臣に届け出なければならない。これを変更しようとするときも、同様とする。

一　登録実務講習事務を行う時間及び休日に関する事項

二　登録実務講習の受講の申込みに関する事項

三　登録実務講習事務を行う事務所及び登録実務講習の実施場所に関する事項

四　登録実務講習に関する料金の額及びその収納の方法に関する事項

五　登録実務講習の日程、公示方法その他の登録実務講習事務の実施の方法に

法令

法18

令2-3

則13-21〜13-24

関する事項
六　講師の選任及び解任に関する事項
七　登録実務講習に用いる教材の作成並びに登録実務講習修了試験の問題の作成及び修了認定の方法に関する事項
八　終了した登録実務講習の教材並びに登録実務講習修了試験の問題及び修了認定基準の公表に関する事項
九　修了証の交付及び再交付に関する事項
十　登録実務講習事務に関する秘密の保持に関する事項
十一　登録実務講習事務に関する公正の確保に関する事項
十二　不正受講者の処分に関する事項
十三　第十三条の二十九第三項の帳簿その他の登録実務講習事務に関する書類の管理に関する事項
十四　その他登録実務講習事務に関し必要な事項

（登録実務講習事務の休廃止）

第十三条の二十四　登録実務講習実施機関は、登録実務講習事務の全部又は一部を休止し、又は廃止しようとするときは、あらかじめ、次に掲げる事項を記載した届出書を国土交通大臣に提出しなければならない。
一　休止し、又は廃止しようとする登録実務講習事務の範囲
二　休止し、又は廃止しようとする年月日及び休止しようとする場合にあつては、その期間
三　休止又は廃止の理由

解釈18

（財務諸表等の備付け及び閲覧等）

第十三条の二十五　登録実務講習実施機関は、毎事業年度経過後三月以内に、その事業年度の財産目録、貸借対照表及び損益計算書又は収支計算書並びに事業報告書（その作成に代えて電磁的記録（電子的方式、磁気的方式その他の人の知覚によつては認識することができない方式で作られる記録であつて、電子計算機による情報処理の用に供されるものをいう。以下この条において同じ。）の作成がされている場合における当該電磁的記録を含む。次項において「財務諸表等」という。）を作成し、五年間事務所に備えて置かなければならない。

②　登録実務講習を受講しようとする者その他の利害関係人は、登録実務講習実施機関の業務時間内は、いつでも、次に掲げる請求をすることができる。ただし、第二号又は第四号の請求をするには、登録実務講習実施機関の定めた費用を支払わなければならない。

一　財務諸表等が書面をもつて作成されているときは、当該書面の閲覧又は謄写の請求

二　前号の書面の謄本又は抄本の請求

三　財務諸表等が電磁的記録をもつて作成されているときは、当該電磁的記録に記録された事項を紙面又は出力装置の映像面に表示したものの閲覧又は謄写の請求

四　前号の電磁的記録に記録された事項を電磁的方法であつて、次に掲げるもののうち登録実務講習実施機関

が定めるものにより提供することの請求又は当該事項を記載した書面の交付の請求

イ　送信者の使用に係る電子計算機と受信者の使用に係る電子計算機とを電気通信回線で接続した電子情報処理組織を使用する方法であつて、当該電気通信回線を通じて情報が送信され、受信者の使用に係る電子計算機に備えられたファイルに当該情報が記録されるもの

ロ　磁気ディスク等をもつて調製するファイルに情報を記録したものを交付する方法

③　前項第四号イ又はロに掲げる方法は、受信者がファイルへの記録を出力することにより書面を作成することができるものでなければならない。

（適合命令）

第十三条の二十六　国土交通大臣は、登録実務講習実施機関が第十三条の十九第一項の規定に適合しなくなつたと認めるときは、当該登録実務講習実施機関に対し、同項の規定に適合するため必要な措置をとるべきことを命ずることができる。

（改善命令）

第十三条の二十七　国土交通大臣は、登録実務講習実施機関が第十三条の二十一の規定に違反していると認めるときは、当該登録実務講習実施機関に対し、同条の規定による登録実務講習事務を行うべきこと又は登録実務講習事務の方法その他の業務の方法の改善に関し必要な措置をとるべきことを命

ずることができる。

（登録の取消し等）

第十三条の二十八　国土交通大臣は、登録実務講習実施機関が次の各号のいずれかに該当するときは、当該登録実務講習実施機関が行う登録実務講習の登録を取り消し、又は期間を定めて登録実務講習事務の全部若しくは一部の停止を命ずることができる。

一　第十三条の十八第一号又は第三号に該当するに至つたとき。

二　第十三条の二十二から第十三条の二十四まで、第十三条の二十五第一項又は次条の規定に違反したとき。

三　正当な理由がないのに第十三条の二十五第二項各号の規定による請求を拒んだとき。

四　前二条の規定による命令に違反したとき。

五　第十三条の三十一の規定による報告を求められて、報告をせず、又は虚偽の報告をしたとき。

六　不正の手段により第十三条の十六第一号の登録を受けたとき。

（帳簿の記載等）

第十三条の二十九　登録実務講習実施機関は、登録実務講習に関する次に掲げる事項を記載した帳簿を備えなければならない。

一　実施年月日

二　実施場所

三　受講者の受講番号、氏名、生年月日及び修了認定の結果

四　修了者にあつては、前号に掲げる事項のほか、修了年月日、修了証の

法令

法18

令2-3

則13-27〜13-30

交付年月日及び修了証番号

② 前項各号に掲げる事項が、電子計算機に備えられたファイル又は磁気ディスク等に記録され、必要に応じ登録実務講習実施機関において電子計算機その他の機器を用いて明確に紙面に表示されるときは、当該記録をもつて同項に規定する帳簿への記載に代えることができる。

③ 登録実務講習実施機関は、第一項に規定する帳簿（前項の規定による記録が行われた同項のファイル又は磁気ディスク等を含む。）を、登録実務講習事務の全部を廃止するまで保存しなければならない。

④ 登録実務講習実施機関は、次に掲げる書類を備え、登録実務講習を実施した日から三年間保存しなければならない。

一 登録実務講習の受講申込書及び添付書類
二 終了した登録実務講習の教材
三 終了した登録実務講習修了試験の問題用紙及び答案用紙

（登録実務講習事務の実施結果の報告）

第十三条の三十 登録実務講習実施機関は、登録実務講習事務を実施したときは、遅滞なく、登録実務講習に関する次に掲げる事項を記載した報告書を国土交通大臣に提出しなければならない。

一 実施年月日
二 実施場所
三 受講申込者数
四 受講者数

解釈18

五　修了者数

②　前項の報告書には、修了者の氏名、生年月日、住所、修了年月日、修了証の交付年月日及び修了証番号を記載した修了者一覧表、登録実務講習に用いた教材、登録実務講習修了試験の問題及び解答並びに修了認定基準を記載した書面を添えなければならない。

（報告の徴収）

第十三条の三十一　国土交通大臣は、登録実務講習事務の適切な実施を確保するため必要があると認めるときは、登録実務講習実施機関に対し、登録実務講習事務の状況に関し必要な報告を求めることができる。

（公　示）

第十三条の三十二　国土交通大臣は、次に掲げる場合には、その旨を官報に公示しなければならない。

一　第十三条の十六第一号の登録をしたとき。

二　第十三条の二十二の規定による届出があつたとき。

三　第十三条の二十四の規定による届出があつたとき。

四　第十三条の二十八の規定により登録を取り消し、又は登録実務講習事務の停止を命じたとき。

（登録を受けることのできる都道府県）

第十四条　二以上の都道府県において試験に合格した者は、当該試験を行なつた都道府県知事のうちいずれか一の都道府県知事の登録のみを受けることができる。

法令

法
18

令
2-3

則
13-30
~
14-2-2

（心身の故障により宅地建物取引士の事務を適正に行うことができない者）

第十四条の二　法第十八条第一項第十二号の国土交通省令で定める者は、精神の機能の障害により宅地建物取引士の事務を適正に行うに当たつて必要な認知、判断及び意思疎通を適切に行うことができない者とする。

（宅地建物取引士資格登録簿の登載事項）

第十四条の二の二　法第十八条第二項に規定する国土交通省令で定める事項は、次に掲げるものとする。

一　本籍（日本の国籍を有しない者にあつては、その者の有する国籍）及び性別

二　試験の合格年月日及び合格証書番号

三　法第十八条第一項の実務の経験を有する者である場合においては、申請時現在の当該実務の経験の期間及びその内容並びに従事していた宅地建物取引業者の商号又は名称及び免許証番号

四　法第十八条第一項の規定により能力を有すると認められた者である場合においては、当該認定の内容及び年月日

五　宅地建物取引業者の業務に従事する者にあつては、当該宅地建物取引業者の商号又は名称及び免許証番号

②　法第十八条第二項の規定による登録簿の様式は、別記様式第四号によるものとする。

＊様式337頁参照

解釈
18

（登録の手続）

第十九条　前条第一項の登録を受けることができる者がその登録を受けようとするときは、登録申請書を同項の都道府県知事に提出しなければならない。

②　都道府県知事は、前項の登録申請書の提出があつたときは、遅滞なく、登録をしなければならない。

▽地方公共団体の手数料の標準に関する政令六一―3（27頁）参照

（登録の申請）

第十四条の三　法第十九条第一項の登録申請書には、氏名、生年月日、住所及び前条第一項各号に掲げる事項を記載しなければならない。

②　前項の登録申請書には、登録の申請前六月以内に撮影した無帽、正面、上半身、無背景の縦の長さ三センチメートル、横の長さ二・四センチメートルの写真を貼ちよう付しなければならない。

③　第一項の登録申請書には、次に掲げる書類を添付しなければならない。

一　未成年者にあつては、法第十八条第一項第一号に該当しないことを証する書面

二　法第十八条第一項の実務の経験を有する者であることを証する書面又は同項の規定により能力を有すると認められた者であることを証する書面

三　法第十八条第一項第二号に規定する破産手続開始の決定を受けて復権を得ない者に該当しない旨の市町村の長の証明書

四　法第十八条第一項第三号から第十二号までに該当しない旨を誓約する書面

④　都道府県知事は、法第十八条第一項の登録を受けようとする者に係る本人確認情報のうち住民票コード以外のものについて、住民基本台帳法第三十条の十一第一項（同項第一号に係る部分に限る。）の規定によるその提供を受けることができないとき、又は同法第三十条の十五第一項（同項第一号に係る部分に限る。）の規定によるその利

［第19条関係］

1　宅地建物取引士の登録について

宅地建物取引士登録申請に関し、他の都道府県知事が実施した宅地建物取引士資格試験に合格した者に係る申請書が提出された場合においては、収入証紙の都合等特段の事由がある場合を除き、当該試験を実施した都道府県知事に送付することが適当と解される。

2　実務経験証明書の記入について

実務の経験の期間の計算は、月単位で行い、1月に満たない日数については、20日を1月として計算することとし、また、申請の前10年以内の経験を記入するとともに、直近の2年以上の経験を記載することが適当と解される。なお、この実務経験については、宅地建物取引士資格試験の合格の前後を問う必要はないものと解される。

法
19

令
2-3

則
14-3
〜
14-4

用ができないときは、その者に対し、住民票の抄本又はこれに代わる書面を提出させることができる。

⑤　都道府県知事は、法第十八条第一項の登録を受けようとする者に対し、第三項に規定するもののほか、必要と認める書類を提出させることができる。

⑥　第一項の登録申請書、第三項第二号の書面のうち法第十八条第一項の実務の経験を有する者であることを証する書面及び第三項第四号の誓約書の様式は、それぞれ別記様式第五号、別記様式第五号の二及び別記様式第六号によるものとする。

＊様式338頁・340頁参照

（登録の通知等）

第十四条の四　都道府県知事は、法第十九条第二項の規定により登録をしたときは、遅滞なく、その旨を当該登録に係る者に通知しなければならない。

②　都道府県知事は、法第十八条第一項の登録を受けようとする者が次の各号の一に該当する者であるときは、その登録を拒否するとともに、遅滞なく、その理由を示して、その旨をその者に通知しなければならない。

一　法第十八条第一項の実務の経験を有する者又は同項の規定により能力を有すると認められた者以外の者

二　法第十八条第一項各号の一に該当する者

三　他の都道府県知事の登録を現に受けている者

解釈
19

（登録の移転）

第十九条の二　第十八条第一項の登録を受けている者は、当該登録をしている都道府県知事の管轄する都道府県以外の都道府県に所在する宅地建物取引業者の事務所の業務に従事し、又は従事しようとするときは、当該事務所の所在地を管轄する都道府県知事に対し、当該登録をしている都道府県知事を経由して、登録の移転の申請をすることができる。ただし、その者が第六十八条第二項又は第四項の規定による禁止の処分を受け、その禁止の期間が満了していないときは、この限りでない。

▽地方公共団体の手数料の標準に関する政令六一―3（27頁）参照

（宅地建物取引士資格登録の移転の申請）

第十四条の五　法第十九条の二の規定による登録の移転の申請をしようとする者は、次に掲げる事項を記載した登録移転申請書を提出しなければならない。

一　氏名、生年月日、住所、本籍（日本の国籍を有しない者にあつては、その者の有する国籍）及び性別

二　申請時現在の登録番号

三　申請時現在の登録をしている都道府県知事

四　移転を必要とする理由

五　移転後において業務に従事し、又は従事しようとする宅地建物取引業者の商号又は名称及び免許証番号

②　前項の登録移転申請書には、登録の移転の申請前六月以内に撮影した無帽、正面、上半身、無背景の縦の長さ三センチメートル、横の長さ二・四センチメートルの写真を貼ちよう付しなければならない。

③　第一項の登録移転申請書の様式は、別記様式第六号の二によるものとする。

＊様式341頁参照

▽規則第一四条の一〇条参照

▽規則第一四条の一四条参照

（登録の移転の通知）

第十四条の六　都道府県知事は、法第十九条の二の規定による登録の移転をしたときは、遅滞なく、その旨を登録の移転の申請をした者及び移転前に登録をしていた都道府県知事に通知しなければならない。

［第19条の2関係］

登録の移転について

宅地建物取引士登録移転申請書が移転先の都道府県知事に対して直接提出された場合にあっては、当該移転先の都道府県知事は、当該申請書の写しを移転元の都道府県知事に送付して当該申請がなされたことを通知するなどにより、移転元の都道府県知事において当該登録の移転に係る手続が行えるよう、相互の連絡調整を図ることが適当と解される。

登録移転申請を先に窓口において行った申請者に対しては、窓口において変更登録申請書の様式を交付して移転元の都道府県知事に対する変更登録申請をその場で行えるようにし、その他の必要な書類については別途郵送にて送付し、申請者負担の軽減を図ることが適当と解される。

なお、変更登録申請書については、移転元（宛先）の都道府県知事に送付することが適当と解される。

法令

法 19-2〜22

（変更の登録）

第二十条　第十八条第一項の登録を受けている者は、登録を受けている事項に変更があつたときは、遅滞なく、変更の登録を申請しなければならない。

（死亡等の届出）

第二十一条　第十八条第一項の登録を受けている者が次の各号のいずれかに該当することとなつた場合においては、当該各号に定める者は、その日（第一号の場合にあつては、その事実を知つた日）から三十日以内に、その旨を当該登録をしている都道府県知事に届け出なければならない。

一　死亡した場合　その相続人

二　第十八条第一項第一号から第八号までのいずれかに該当するに至つた場合　本人

三　第十八条第一項第十二号に該当するに至つた場合　本人又はその法定代理人若しくは同居の親族

（申請等に基づく登録の消除）

第二十二条　都道府県知事は、次の各号の一に掲げる場合には、第十八条第一項の登録を消除しなければならない。

一　本人から登録の消除の申請があつたとき。

二　前条の規定による届出があつたと

令 2-3

則 14-5〜14-8

（変更の登録）

第十四条の七　法第二十条の規定による変更の登録を申請しようとする者は、別記様式第七号による変更登録申請書をその者の登録をしている都道府県知事に提出しなければならない。

②　都道府県知事は、前項に規定する変更登録申請書の提出があつたときは、遅滞なく、変更の登録をするとともに、その旨を変更の登録を申請した者に通知しなければならない。

＊様式342頁参照

（死亡等の届出の様式）

第十四条の七の二　法第二十一条の規定による死亡等の届出は、別記様式第七号の二による死亡等届出書により行うものとする。

②　宅地建物取引士又はその法定代理人若しくは同居の親族は、法第二十一条第三号の規定による届出をする場合においては、前項の死亡等届出書に、病名、障害の程度、病因、病後の経過、治癒の見込みその他参考となる所見を記載した医師の診断書を添え、これを登録を受けている都道府県知事に提出しなければならない。

＊様式344頁参照

（登録の消除）

第十四条の八　都道府県知事は、法第二十二条の規定により登録を消除したときは、その理由を示して、その登録の消除に係る者、相続人、法定代理人又は同居の親族に通知しなければならない。

解釈 19-2

き。

三　前条第一号の規定による届出がなくて同号に該当する事実が判明したとき。

四　第十七条第一項又は第二項の規定により試験の合格の決定を取り消されたとき。

（宅地建物取引士証の交付等）

第二十二条の二　第十八条第一項の登録を受けている者は、登録をしている都道府県知事に対し、宅地建物取引士証の交付を申請することができる。

②　宅地建物取引士証の交付を受けようとする者は、登録をしている都道府県知事が国土交通省令の定めるところにより指定する講習で交付の申請前六月以内に行われるものを受講しなければならない。ただし、試験に合格した日から一年以内に宅地建物取引士証の交付を受けようとする者又は第五項に規定する宅地建物取引士証の交付を受けようとする者については、この限りでない。

③　宅地建物取引士証（第五項の規定により交付された宅地建物取引士証を除く。）の有効期間は、五年とする。

④　宅地建物取引士証が交付された後第十九条の二の規定により登録の移転があつたときは、当該宅地建物取引士証は、その効力を失う。

⑤　前項に規定する場合において、登録の移転の申請とともに宅地建物取引士証の交付の申請があつたときは、移転後の都道府県知事は、前項の宅地建物

▽地方公共団体の手数料の標準に関する政令六一―4（27頁）参照

▽地方公共団体の手数料の標準に関する政令六一―4（27頁）参照

（監督処分の記載）

第十四条の九　都道府県知事は、法第六十八条第一項若しくは第三項の規定による指示又は同条第二項若しくは第四項の規定による禁止の処分をしたときは、その内容及び年月日を宅地建物取引士資格登録簿に記載するものとする。

（宅地建物取引士証の交付の申請）

第十四条の十　法第二十二条の二第一項の規定により宅地建物取引士証の交付を申請しようとする者は、次に掲げる事項を記載した宅地建物取引士証交付申請書（以下この条において「交付申請書」という。）に交付の申請前六月以内に撮影した無帽、正面、上半身、無背景の縦の長さ三センチメートル、横の長さ二・四センチメートルの写真でその裏面に氏名及び撮影年月日を記入したもの（以下「宅地建物取引士証用写真」という。）を添えて、登録を受けている都道府県知事に提出しなければならない。

一　申請者の氏名、生年月日及び住所

二　登録番号

三　宅地建物取引業者の業務に従事している場合にあつては、当該宅地建物取引業者の商号又は名称及び免許証番号

四　試験に合格した後一年を経過しているか否かの別

②　宅地建物取引士証の交付を申請しようとする者（試験に合格した後一年以内に交付を申請しようとする者及び次項に規定する者を除く。）は、交付申

取引士証の有効期間が経過するまでの期間を有効期間とする宅地建物取引士証を交付しなければならない。

⑥ 宅地建物取引士は、第十八条第一項の登録が消除されたとき又は宅地建物取引士証が効力を失つたときは、速やかに、宅地建物取引士証をその交付を受けた都道府県知事に返納しなければならない。

⑦ 宅地建物取引士は、第六十八条第二項又は第四項の規定による禁止の処分を受けたときは、速やかに、宅地建物取引士証をその交付を受けた都道府県知事に提出しなければならない。

⑧ 前項の規定により宅地建物取引士証の提出を受けた都道府県知事は、同項の禁止の期間が満了した場合においてその提出者から返還の請求があつたときは、直ちに、当該宅地建物取引士証を返還しなければならない。

請書に法第二十二条の二第二項に規定する講習を受講した旨の証明を受け、又は交付申請書にその講習を受講した旨の証明書を添付しなければならない。

③ 法第十九条の二の規定による登録の移転の申請とともに宅地建物取引士証の交付を申請しようとする者は、第十四条の五の登録移転申請書と交付申請書をあわせて提出しなければならない。この場合において、交付申請書には第一項第二号に掲げる事項は記載することを要しないものとする。

④ 交付申請書の様式は、別記様式第七号の二の二によるものとする。

＊様式345頁参照

▽規則第一四条の一七参照

（宅地建物取引士証の記載事項及び様式）

第十四条の十一 宅地建物取引士証には、次に掲げる事項を記載するものとする。

一 宅地建物取引士の氏名、生年月日及び住所
二 登録番号及び登録年月日
三 宅地建物取引士証の交付年月日
四 宅地建物取引士証の有効期間の満了する日

② 宅地建物取引士証の様式は、別記様式第七号の三によるものとする。

＊様式346頁参照

（宅地建物取引士証の交付の記載）

第十四条の十二 都道府県知事は、宅地建物取引士証を交付したときは、交付年月日、有効期間の満了する日及び発行番号を宅地建物取引士資格登録簿に

［第22条の2関係］

宅地建物取引士証における旧姓使用の取扱いについて（規則第14条の11関係）

宅地建物取引士証の記載事項のうち、宅地建物取引士の氏名における旧姓使用については、旧姓使用を希望する者に対しては、宅地建物取引士証に旧姓を併記することが適当と解される。この場合、旧姓が併記された宅地建物取引士証の交付を受けた日以降、書面の記名押印等の業務において旧姓を使用してよいこととする。

ただし、業務の混乱及び取引の相手方等の誤認を避けるため、恣意的に現姓と旧姓を使い分けることは、厳に慎むべきこととする。

記載するものとする。

（宅地建物取引士証の書換え交付）

第十四条の十三　宅地建物取引士は、その氏名又は住所を変更したときは、法第二十条の規定による変更の登録の申請とあわせて、宅地建物取引士証の書換え交付を申請しなければならない。

② 前項の規定による書換え交付の申請は、宅地建物取引士証用写真を添付した別記様式第七号の四による宅地建物取引士証書換え交付申請書により行うものとする。ただし、住所のみの変更の場合にあつては、宅地建物取引士証用写真は添付することを要しないものとする。

③ 宅地建物取引士証の書換え交付は、当該宅地建物取引士が現に有する宅地建物取引士証と引換えに新たな宅地建物取引士証を交付して行うものとする。ただし、住所のみの変更の場合にあつては、当該宅地建物取引士が現に有する宅地建物取引士証の裏面に変更した後の住所を記載することをもつてこれに代えることができる。

＊様式347頁参照

（登録の移転に伴う宅地建物取引士証の交付）

第十四条の十四　法第十九条の二の規定による登録の移転の申請とともに宅地建物取引士証の交付の申請があつた場合における宅地建物取引士証の交付は、当該宅地建物取引士が現に有する宅地建物取引士証と引換えに新たな宅地建物取引士証を交付して行うものとする。

法令

法 22-3

（宅地建物取引士証の有効期間の更新）
第二十二条の三　宅地建物取引士証の有効期間は、申請により更新する。
②　前条第二項本文の規定は宅地建物取

令 2-3

▽地方公共団体の手数料の標準に関する政令六一―5（27頁）参照

則 14-12～14-16

（宅地建物取引士証の再交付等）
第十四条の十五　宅地建物取引士は、宅地建物取引士証の亡失、滅失、汚損又は破損その他の事由を理由として、その交付を受けた都道府県知事に宅地建物取引士証の再交付を申請することができる。
②　前項の規定による再交付を申請しようとする者は、宅地建物取引士証用写真を添付した別記様式第七号の五による宅地建物取引士証再交付申請書を提出しなければならない。
③　第一項の規定による再交付を申請しようとする者は、都道府県が条例で当該再交付に係る手数料を定めているときは、当該手数料を納めなければならない。
④　汚損又は破損その他の事由を理由とする宅地建物取引士証の再交付は、申請者が現に有する宅地建物取引士証と引換えに新たな宅地建物取引士証を交付して行うものとする。
⑤　宅地建物取引士は、宅地建物取引士証の亡失によりその再交付を受けた後において、亡失した宅地建物取引士証を発見したときは、速やかに、発見した宅地建物取引士証をその交付を受けた都道府県知事に返納しなければならない。

＊様式348頁参照

▽規則第一四条の一七参照

（宅地建物取引士証の有効期間の更新）
第十四条の十六　宅地建物取引士証の有効期間の更新の申請は、新たな宅地建物取引士証の交付を申請することによ

解釈 22-2

引士証の有効期間の更新を受けようとする者について、同条第三項の規定は更新後の宅地建物取引士証の有効期間について準用する。

（宅地建物取引士証の提示）

第二十二条の四　宅地建物取引士は、取引の関係者から請求があつたときは、宅地建物取引士証を提示しなければならない。

第二十三条　削除

（国土交通省令への委任）

第二十四条　この章に定めるもののほか、試験、登録講習、登録講習機関、

り行うものとする。

②　第十四条の十第一項、第二項及び第四項の規定は、前項の交付申請について準用する。

③　第一項の新たな宅地建物取引士証の交付は、当該宅地建物取引士が現に有する宅地建物取引士証と引換えに行うものとする。

（講習の指定）

第十四条の十七　法第二十二条の二第二項（法第二十二条の三第二項において準用する場合を含む。）の規定により都道府県知事が指定する講習は、次の各号のすべてに該当するもの又は当該都道府県知事の実施するものでなければならない。

一　一般社団法人又は一般財団法人で、講習を行うのに必要かつ適切な組織及び能力を有すると都道府県知事が認める者が実施する講習であること。

二　正当な理由なく受講を制限する講習でないこと。

三　国土交通大臣が定める講習の実施要領に従つて実施される講習であること。

＊告示380頁参照

［第22条の4関係］

宅地建物取引士証の提示について

宅地建物取引士証の提示に当たり、個人情報保護の観点から、宅地建物取引士証の住所欄にシールを貼ったうえで提示しても差し支えないものとする。ただし、シールは容易に剥がすことが可能なものとし、宅地建物取引士証を汚損しないよう注意すること。

法令

法22-3~25

指定試験機関、第十八条第一項の登録、その移転及び宅地建物取引士証に関し必要な事項は、国土交通省令で定める。

第四章　営業保証金

（営業保証金の供託等）

第二十五条　宅地建物取引業者は、営業保証金を主たる事務所のもよりの供託所に供託しなければならない。

② 前項の営業保証金の額は、主たる事務所及びその他の事務所ごとに、宅地建物取引業者の取引の実情及びその取引の相手方の利益の保護を考慮して、政令で定める額とする。

③ 第一項の営業保証金は、国土交通省令の定めるところにより、国債証券、地方債証券その他の国土交通省令で定める有価証券（社債、株式等の振替に関する法律（平成十三年法律第七十五号）第二百七十八条第一項に規定する振替債を含む。）をもつて、これに充てることができる。

④ 宅地建物取引業者は、営業保証金を供託したときは、その供託物受入れの記載のある供託書の写しを添附して、その旨をその免許を受けた国土交通大臣又は都道府県知事に届け出なければならない。

⑤ 宅地建物取引業者は、前項の規定による届出をした後でなければ、その事業を開始してはならない。

⑥ 国土交通大臣又は都道府県知事は、第三条第一項の免許をした日から三月以内に宅地建物取引業者が第四項の規

令2-4

（営業保証金の額）

第二条の四　法第二十五条第二項に規定する営業保証金の額は、主たる事務所につき千万円、その他の事務所につき事務所ごとに五百万円の割合による金額の合計額とする。

則14-16~15

（営業保証金又は弁済業務保証金に充てることができる有価証券の価額）

第十五条　法第二十五条第三項（法第二十六条第二項、第二十八条第三項、第二十九条第二項、第六十四条の七第三項及び第六十四条の八第四項において準用する場合を含む。）の規定により有価証券を営業保証金又は弁済業務保証金に充てる場合における当該有価証券の価額は、次の各号に掲げる有価証券の区分に従い、それぞれ当該各号に定めるところによる。

一　国債証券（その権利の帰属が社債、株式等の振替に関する法律（平成十三年法律第七十五号）の規定による振替口座簿の記載又は記録により定まるものとされるものを含む。次条において同じ。）については、その額面金額（その権利の帰属が社債、株式等の振替に関する法律の規定による振替口座簿の記載又は記録により定まるものとされるものにあつて

解釈22-4・25③

［第25条第3項関係］

１　営業保証金として好ましくない有価証券について

供託することができる有価証券は、規則第15条の２各号に掲げるとおりであるが、債権が時効によって消滅する時期の近い有価証券及び解散中の法人で特別清算中以外のものが発行した有価証券は、営業保証金の継続的な性格からみて好ましくないものであり、供託中の有価証券がこのような事由に該当することが判明したときは、速やかに差し替えをすることとする。

２　すでに供託中の有価証券について欠格事由が生じた場合等について（規則第15条の２第３号関係）

供託中の有価証券について「宅地建物取引業法施行規則第15条の２第３号の規定に基づき、営業保証金又は弁済業務保証金に充てることができる社債券その他の債券を定める件」（平成20年国土交通省告示第３４６号）第20号かっこ書に該当する欠格事由が生じ、

定による届出をしないときは、その届出をすべき旨の催告をしなければならない。

⑦ 国土交通大臣又は都道府県知事は、前項の催告が到達した日から一月以内に宅地建物取引業者が第四項の規定による届出をしないときは、その免許を取り消すことができる。

⑧ 第二項の規定に基づき政令を制定し、又は改廃する場合においては、その政令で、営業保証金の追加の供託又はその取戻しに関して、所要の経過措置（経過措置に関し監督上必要な措置を含む。）を定めることができる。

は、振替口座簿に記載又は記録された金額。）

二 地方債証券又は政府がその債務について保証契約をした債券については、その額面金額の百分の九十

三 前各号以外の債券については、その額面金額の百分の八十

② 割引の方法により発行した債券で供託の日から償還期限までの期間が五年をこえるものについては、前項の規定の適用については、その発行価額に別記算式により算出した額を加えた額を額面金額とみなす。

＊別記373頁・様式375頁参照

（営業保証金又は弁済業務保証金に充てることができる有価証券）

第十五条の二 法第二十五条第三項（法第二十六条第二項、第二十八条第三項、第二十九条第二項、第六十四条の七第三項及び第六十四条の八第四項において準用する場合を含む。）に規定する国土交通省令で定める有価証券は、次に掲げるものとする。

一 国債証券

二 地方債証券

三 前二号に掲げるもののほか、国土交通大臣が指定した社債券その他の債券

＊告示382頁参照

▽規則第十六条参照

▽規則第十五条の五参照

▽規則第二十七条参照

▽規則第三十二条参照

第十五条の三 削除

又はその債権が消滅することとなった場合においては、営業保証金を供託していない状態となるので、新たな営業保証金を速やかに供託するものとする。

［第25条第4項関係］

1 営業保証金の差し替えをした場合の届出について（規則第15条の4の2関係）

営業保証金を有価証券をもって供託した場合において、当該有価証券の償還期の到来等により、従前の供託物に代わる新たな供託物を供託した後、従前の供託物の取戻しをすることを一般に供託物の差し替えというが、規則第15条の4の2は、営業保証金としての供託物の変換をした場合の届出について規定したものであり、この「変換」とは、いわゆる「差し替え」のことをいうものである。

なお、この場合の取戻しは、法第30条第2項の規定による公告をしなくても行い得るもので、この差し替えをした場合にあっては、従前の供託物の取戻しまでに、新たな供託に係る供託書正本（みなし供託書正本を含む。以下同じ。）の写しを添付して届出をすることとする。

2 供託書正本の提示について

地方整備局長等の免許を受けた者が、営業保証金の供託若しくは変換又は保管替えに伴う届出を行おうとする場合には、地方整備局等の窓口で当該届出に係る供託書正本を提示させるものとする。

（事務所新設の場合の営業保証金）

第二十六条 宅地建物取引業者は、事業の開始後新たに事務所を設置したとき（第七条第一項各号の一に該当する場合において事務所の増設があつたときを含むものとする。）は、当該事務所につき前条第二項の政令で定める額の営業保証金を供託しなければならない。

② 前条第一項及び第三項から第五項までの規定は、前項の規定により供託する場合に準用する。

（営業保証金の還付）

第二十七条 宅地建物取引業者と宅地建物取引業に関し取引をした者（宅地建物取引業者に該当する者を除く。）は、その取引により生じた債権に関し、宅地建物取引業者が供託した営業保証金について、その債権の弁済を受ける権利を有する。

② 前項の権利の実行に関し必要な事項は、法務省令・国土交通省令で定める。

▽規則第一五条・一五条の二参照
▽規則第一五条の五参照
▽規則第三二条参照

営業保証金規則（第一条〜第五条）

（営業保証金の還付）

第一条 宅地建物取引業法（以下「法」という。）第二十七条第一項の権利の実行のため供託物の還付を受けようとする者は、国土交通大臣に対し、同項に規定する宅地建物取引業者と宅地建物取引業に関し取引をした者（以下「取引をした者」という。）がその取引をした時において宅地建物取引業者に該当しないことを確認する書面の交付を申請しなければならない。

② 前項の場合において、法第二十七条第一項の取引が平成二十九年三月三十一日以前にされた取引であるときは、前項中「同項に規定する宅地建物取引業者と宅地建物取引業に関し取引をした者（以下「取引をした者」という。）がその取引をした時において宅地建物取引業者に該当しないこと」

を「同項の取引が平成二十九年三月三十一日以前にされたものであること」とする。

③ 第一項（前項の規定により読み替えて適用する場合を含む。）の申請をしようとする者（以下「申請者」という。）は、様式第一号の申請書に次に掲げる書類を添えて、国土交通大臣に提出しなければならない。

一 第一項の申請にあつては、次に掲げる書類

イ 取引をした者を確認することができる書類

ロ 取引をした者が法人である場合においては、その取引をした時における当該法人の登記事項証明書

二 法第二十七条第一項の取引がされた年月日を確認することができる書類

三 申請者が法人である場合においては、登記事項証明書

四 申請者が個人である場合においては、住民票の抄本又はこれに代わる書面

五 その他第一項（前項の規定により読み替えて適用する場合を含む。次項及び次条において同じ。）の確認を行うために必要な書類

④ 国土交通大臣は、第一項の確認をしたときは、遅滞なく、様式第二号の確認書を申請者に交付しなければならない。

＊様式374頁参照

第二条 前条第一項に規定する供託物の還付を受けようとする者は、供託規則（昭和三十四年法務省令第二号）の定

法令

法28～29

（営業保証金の不足額の供託）

第二十八条　宅地建物取引業者は、前条第一項の権利を有する者がその権利を実行したため、営業保証金が第二十五条第二項の政令で定める額に不足することとなつたときは、法務省令・国土交通省令で定める日から二週間以内にその不足額を供託しなければならない。

②　宅地建物取引業者は、前項の規定により営業保証金を供託したときは、その供託物受入れの記載のある供託書の写しを添附して、二週間以内に、その旨をその免許を受けた国土交通大臣又は都道府県知事に届け出なければならない。

③　第二十五条第三項の規定は、第一項の規定により供託する場合に準用する。

（営業保証金の保管替え等）

第二十九条　宅地建物取引業者は、その主たる事務所を移転したためその最寄

令2-4

営保1～5／則15-4

めるところによるほか、同条第四項の確認書及び様式第三号の通知書三通を供託所に提出しなければならない。

＊様式375頁参照

第三条　供託所は、供託物を還付したときは、前条の通知書のうち二通を国土交通大臣又は都道府県知事に発送しなければならない。

第四条　前条の通知書を受け取つた国土交通大臣又は都道府県知事は、その一通に、様式第三号の奥書の式による記載をし、これを当該供託者たる宅地建物取引業者に送付しなければならない。

（法第二十八条第一項の日の指定）

第五条　法第二十八条第一項の省令で定める日は、宅地建物取引業者が前条の規定により通知書の送付を受けた日とする。

▽規則第一五条の五条参照
▽規則第三一条参照

▽規則第第一五条・一五の二参照

（営業保証金の保管替え等の届出）

第十五条の四　宅地建物取引業者は、法第二十九条第一項の規定により、営業

解釈25④

りの供託所が変更した場合において、金銭のみをもつて営業保証金を供託しているときは、法務省令・国土交通省令の定めるところにより、遅滞なく、費用を予納して、営業保証金を供託している供託所に対し、移転後の主たる事務所の最寄りの供託所への営業保証金の保管替えを請求し、その他のときは、遅滞なく、営業保証金を移転後の主たる事務所の最寄りの供託所に新たに供託しなければならない。

② 第二十五条第二項及び第三項の規定は、前項の規定により供託する場合に準用する。

保証金の保管替えがされ、又は営業保証金を新たに供託したときは、遅滞なく、その旨を、供託書正本の写しを添附して、その免許を受けている国土交通大臣又は都道府県知事に届け出るものとする。

▽規則第一五条の五参照

▽規則第三二条参照

（営業保証金の変換の届出）

第十五条の四の二　宅地建物取引業者は、営業保証金の変換のため新たに供託したときは、遅滞なく、その旨を、供託書正本の写しを添付して、その免許を受けている国土交通大臣又は都道府県知事に届け出るものとする。

▽規則第三二条参照

（営業保証金供託済届出書の様式）

第十五条の五　法第二十五条第四項（法第二十六条第二項において準用する場合を含む。）若しくは第二十八条第二項の規定による営業保証金を供託した旨の届出、第十五条の四の規定による営業保証金の保管替えがされ、若しくは営業保証金を新たに供託した旨の届出又は前条の規定による営業保証金を新たに供託した旨の届出は、別記様式第七号の六による営業保証金供託済届出書により行うものとする。

＊様式349頁参照

▽第二五条第四項関係参照

法29〜30

（営業保証金の取戻し）

第三十条　第三条第二項の有効期間（同条第四項に規定する場合にあつては、同項の規定によりなお効力を有することとされる期間を含む。第七十六条において同じ。）が満了したとき、第十一条第二項の規定により免許が効力を失つたとき、同条第一項第一号若しくは第二号に該当することとなつたとき、又は第二十五条第七項、第六十六条若しくは第六十七条第一項の規定により免許を取り消されたときは、宅地建物取引業者であつた者又はその承継人（第七十六条の規定により宅地建物取引業者とみなされる者を除く。）は、当該宅地建物取引業者であつた者が供託した営業保証金を取り戻すことができる。宅地建物取引業者が一部の事務所を廃止した場合において、営業保証金の額が第二十五条第二項の政令で定める額を超えることとなつたときは、その超過額について、宅地建物取引業者が前条第一項の規定により供託した場合においては、移転前の主たる事務所のもよりの供託所に供託した営業保証金についても、また同様とする。

②　前項の営業保証金の取りもどし（前

令2-4

則15-4〜15-5／営保6〜7

営業保証金規則（第六条〜第九条）

（営業保証金の保管替え）

第六条　法第二十九条第一項の規定により宅地建物取引業者が営業保証金の保管替えを請求するには、供託規則の定めるところによらなければならない。

（営業保証金の取戻し）

第七条　法第三十条第一項前段の規定により宅地建物取引業者であつた者又はその承継人（法第七十六条の規定により宅地建物取引業者とみなされる者を除く。）が営業保証金の取戻しをしようとするには、官報に次の各号に掲げる事項を公告しなければならない。ただし、同条第二項ただし書の規定に該当するときは、この限りでない。

一　当該宅地建物取引業者であつた者についての商号又は名称、氏名（法人にあつては代表者の氏名）及び事務所の所在地

二　当該宅地建物取引業者であつた者の営業保証金の額

三　前号の営業保証金につき法第二十七条第一項の権利を有する者は、六箇月を下らない一定期間内に、その債権の額、債権発生の原因たる事実並びに住所及び氏名又は名称を記載した申出書二通を当該宅地建物取引業者であつた者が免許を受けていた国土交通大臣又は都道府県知事に提出すべき旨

四　前号の申出書の提出がないときは、第二号の営業保証金が取り戻さ

解釈25④

条第一項の規定により供託した場合における移転前の主たる事務所のもよりの供託所に供託した営業保証金の取りもどしを除く。）は、当該営業保証金につき第二十七条第一項の権利を有する者に対し、六月を下らない一定期間内に申し出るべき旨を公告し、その期間内にその申出がなかつた場合でなければ、これをすることができない。ただし、営業保証金を取りもどすことができる事由が発生した時から十年を経過したときは、この限りでない。

③　前項の公告その他営業保証金の取戻しに関し必要な事項は、法務省令・国土交通省令で定める。

れる旨

②　法第三十条第一項後段の規定により宅地建物取引業者が営業保証金の取戻し（法第二十九条第一項の規定により供託した場合における移転前の主たる事務所のもよりの供託所に供託した営業保証金の取戻しを除く。）をしようとするには、官報に次の各号に掲げる事項を公告しなければならない。ただし、同条第二項ただし書の規定に該当するときは、この限りでない。

一　当該宅地建物取引業者についての商号又は名称、氏名（法人にあつては代表者の氏名）及び事務所の所在地

二　取戻しをしようとする営業保証金の額

三　前号の営業保証金につき法第二十七条第一項の権利を有する者は、六箇月を下らない一定期間内に、その債権の額、債権発生の原因たる事実並びに住所及び氏名又は名称を記載した申出書二通を当該宅地建物取引業者が免許を受けている国土交通大臣又は都道府県知事に提出すべき旨

四　前号の申出書の提出がないときは、第二号の取戻しをしようとする営業保証金が取り戻される旨

③　営業保証金の取戻しをしようとする者が第一項又は前項の規定により公告をしたときは、遅滞なく、その旨を第一項第三号又は前項第三号に規定する国土交通大臣又は都道府県知事に届け出なければならない。

［第30条関係］

1　宅地建物取引業者営業保証金規則第8条第3項に規定する届出について

地方整備局長等の免許を受けた者又はその免許を受けていた者が当該届出を行う場合にあっては、次により取り扱うものとする。

(1)　届出者には、公告が掲載された官報の該

※上記［第30条関係］見出し１中「第８条」は「第７条」の、見出し２中「第９条」は「第８条」の誤記と思われますが、原文のまま掲載しております。

法30

令2-4

営保7〜9

第八条　前条第三項の規定により届出をした者は、当該公告に定める期間内に、同条第一項第三号又は第二項第三号の申出書の提出がなかつたときは、その旨の証明書の交付を国土交通大臣又は当該都道府県知事に請求することができる。

② 前条第三項の規定により届出をした者は、当該公告に定める期間内に、同条第一項第三号又は第二項第三号の申出書の提出があつたときは、当該申出書各一通及び申出に係る債権の総額に関する証明書の交付を国土交通大臣又は当該都道府県知事に請求することができる。

第九条　第七条第一項又は第二項の公告をした場合において、供託物の取戻しをしようとする者が供託規則第二十五条第一項の規定により供託物払渡請求書に添付すべき書類は、次の各号に掲げる書類をもつて足りる。

一　前条第一項の場合においては、同項の規定により交付を受けた証明書

二　前条第二項の場合においては、同項の規定により交付を受けた書類及び申出に係る法第二十七条第一項の権利が存在しないこと又は消滅したことを証する書面

解釈30

当頁を添付させるものとする。

(2) 当該届出は、地方整備局長等の判断により郵送でも行えるものとする。

2 宅地建物取引業者営業保証金規則第9条に規定する証明書の交付申請について

地方整備局長等の免許を受けた者又はその免許を受けていた者が当該証明書の交付を申請する場合にあっては、次により取り扱うものとする。

(1) 申請者には、返信用封筒（角形2号又は長形3号封筒に簡易書留郵便により返送するに足りる郵便切手を貼ったもの）を当該申請者に添付させるものとする。

(2) 当該申請は、地方整備局長等の判断により郵送でも行えるものとする。

第五章　業務

第一節　通則

（宅地建物取引業者の業務処理の原則）

第三十一条　宅地建物取引業者は、取引の関係者に対し、信義を旨とし、誠実にその業務を行なわなければならない。

② 宅地建物取引業者は、第五十条の二第一項に規定する取引一任代理等を行うに当たつては、投機的取引の抑制が図られるよう配慮しなければならない。

（従業者の教育）

第三十一条の二　宅地建物取引業者は、その従業者に対し、その業務を適正に実施させるため、必要な教育を行うよう努めなければならない。

（宅地建物取引士の設置）

第三十一条の三　宅地建物取引業者は、その事務所その他国土交通省令で定める場所（以下この条及び第五十条第一項において「事務所等」という。）ごとに、事務所等の規模、業務内容等を考慮して国土交通省令で定める数の成年者である専任の宅地建物取引士を置かなければならない。

② 前項の場合において、宅地建物取引業者（法人である場合においては、その役員（業務を執行する社員、取締役、執行役又はこれらに準ずる者をいう。））が宅地建物取引士であるときは、その者が自ら主として業務に従事する

（法第三十一条の三第一項の国土交通省令で定める場所）

第十五条の五の二　法第三十一条の三第一項の国土交通省令で定める場所は、次に掲げるもので、宅地若しくは建物の売買若しくは交換の契約（予約を含む。以下この項において同じ。）若しくは宅地若しくは建物の売買、交換若しくは貸借の代理若しくは媒介の契約を締結し、又はこれらの契約の申込みを受けるものとする。

一　継続的に業務を行うことができる施設を有する場所で事務所以外のもの

二　宅地建物取引業者が十区画以上の一団の宅地又は十戸以上の一団の建

［第31条の2関係］

宅地建物取引業者は、その従業者に対し、登録講習をはじめ各種研修等に参加させ、又は研修等の開催により、必要な教育を行うよう努めるものとする。

［第31条の3第1項関係］

1　事務所以外で専任の宅地建物取引士を置くべき場所について（規則第15条の5の2関係）

(1) 規則第15条の5の2各号に掲げる場所における「契約の締結」について

本条各号に掲げる場所において、宅地建物の売買若しくは交換の契約又は宅地建物の売買、交換若しくは貸借の代理若しくは媒介の契約を締結する際には、当該場所で取り扱う物件について、契約を締結する権限の委任を受けた者を置くものであるか、又は契約締結権限を有する者が派遣されているものとする。

(2) 「契約の申込み」について

法
31～31-3

事務所等については、その者は、その事務所等に置かれる成年者である専任の宅地建物取引士とみなす。

③　宅地建物取引業者は、第一項の規定に抵触する事務所等を開設してはならず、既存の事務所等が同項の規定に抵触するに至つたときは、二週間以内に、同項の規定に適合させるため必要な措置を執らなければならない。

令
2-4

則
15-5-2～15-5-3

物の分譲（以下この条、第十六条の五及び第十九条第一項において「一団の宅地建物の分譲」という。）を案内所を設置して行う場合にあつては、その案内所

三　他の宅地建物取引業者が行う一団の宅地建物の分譲の代理又は媒介を案内所を設置して行う場合にあつては、その案内所

四　宅地建物取引業者が業務に関し展示会その他これに類する催しを実施する場合にあつては、これらの催しを実施する場所

（法第三十一条の三第一項の国土交通省令で定める数）

第十五条の五の三　法第三十一条の三第一項の国土交通省令で定める数は、事務所にあつては当該事務所において宅地建物取引業者の業務に従事する者の数に対する同項に規定する宅地建物取引士（同条第二項の規定によりその者とみなされる者を含む。）の数の割合が五分の一以上となる数、前条に規定する場所にあつては一以上とする。

解釈
31-2・31-3①

「契約の申込み」とは、契約を締結する意思を表示することをいい、物件の購入のための抽選の申込み等金銭の授受を伴わないものも含まれることとする。

(3)　規則第15条の5の2第1号関係

本号に該当する場所は、令第1条の2と同等程度の事務所としての物的施設を有してはいるが、宅地建物取引業に係る契約締結権限を有する者が置かれない場所であり、特定の物件の契約又は申込みの受付等を行う場所、特定のプロジェクトを実施するための現地の出張所等が該当し、不特定の物件の契約を行う等継続的に取引の相手方に対して契約締結権限を行使する者が置かれることとなる場合は、令第1条の2第2号に規定する「事務所」に該当するものとする。

(4)　規則第15条の5の2第4号関係

本号に該当する場所は、宅地建物の取引や媒介契約の申込みを行う不動産フェア、宅地建物の買い換え・住み替えの相談会、一時に多数の顧客が対象となる場合に設けられる抽選会、売買契約の事務処理等を行う場所その他催しとして期間を限って開催されるものとする。

(5)　その他

①　複数の宅地建物取引業者が設置する案内所について

同一の物件について、売主である宅地建物取引業者及び媒介又は代理を行う宅地建物取引業者が同一の場所において業務を行う場合には、いずれかの宅地建物取引業者が専任の宅地建物取引士を1人以上置けば法第31条の3第1項の要件を満たすものとする。

なお、不動産フェア等複数の宅地建物取引業者が異なる物件を取り扱う場合には、各宅地建物取引業者ごとに1人以上の専任の宅地建物取引士を置くものとする。

② 臨時に開設する案内所について

週末に宅地建物取引士や契約締結権者が出張して申込みの受付や契約の締結を行う別荘の現地案内所等、週末にのみ営業を行うような場所についても、専任の宅地建物取引士を置くものとする。

2 業務に従事する者の範囲について（規則第15条の5の3関係）

(1) 宅地建物取引業のみを営む者の場合について

原則として、代表者、役員（非常勤の役員を除く。）及びすべての従業員等が含まれ、受付、秘書、運転手等の業務に従事する者も対象となるが、宅地建物の取引に直接的な関係が乏しい業務に臨時的に従事する者はこれに該当しないこととする。

(2) 他の業種を兼業している者の場合について

代表者、宅地建物取引業を担当する役員（非常勤の役員及び主として他の業種も担当し宅地建物取引業の業務の比重が小さい役員を除く。）及び宅地建物取引業の業務に従事する者が含まれ、宅地建物取引業を主として営む者にあっては、全体を統括する一般管理部門の職員も該当することとする。

3 「専任の宅地建物取引士」の専任性について

「専任」とは、原則として、宅地建物取引業を営む事務所に常勤（宅地建物取引業者の

法令

法32

（誇大広告等の禁止）

第三十二条　宅地建物取引業者は、その業務に関して広告をするときは、当該広告に係る宅地又は建物の所在、規模、形質若しくは現在若しくは将来の利用

令2-4

則15-5-3

解釈31-3①・32

通常の勤務時間を勤務することをいう。ITの活用等により適切な業務ができる体制を確保した上で、宅地建物取引業者の事務所以外において通常の勤務時間を勤務する場合を含む。）して、専ら宅地建物取引業に従事する状態をいう。ただし、当該事務所が宅地建物取引業以外の業種を兼業している場合等で、当該事務所において一時的に宅地建物取引業の業務が行われていない間に他の業種に係る業務に従事することは差し支えないものとする。

また、宅地建物取引業の事務所が建築士事務所、建設業の営業所等を兼ね、当該事務所における宅地建物取引士が建築士法、建設業法等の法令により専任を要する業務に従事しようとする場合及び個人の宅地建物取引業者が宅地建物取引士となっている宅地建物取引業の事務所において、当該個人が同一の場所において土地家屋調査士、行政書士等の業務をあわせて行おうとする場合等については、他の業種の業務量等を斟酌のうえ専任と認められるものを除き、専任の宅地建物取引士とは認められないものとする。

なお、宅地建物取引業を営む事務所における専任の宅地建物取引士が、賃貸住宅の管理業務等の適正化に関する法律（令和2年法律第60号）第12条第1項の規定により選任される業務管理者を兼務している場合については、当該業務管理者としての賃貸住宅管理業に係る業務に従事することは差し支えない。

［第32条関係］

1 「誇大広告等」について

「誇大広告等」とは、本条において規定されるところであるが、顧客を集めるために売る意思のない条件の良い物件を広告し、実際

の制限、環境若しくは交通その他の利便又は代金、借賃等の対価の額若しくはその支払方法若しくは代金若しくは交換差金に関する金銭の貸借のあっせんについて、著しく事実に相違する表示をし、又は実際のものよりも著しく優良であり、若しくは有利であると人を誤認させるような表示をしてはならない。

＊関係法令391頁・401頁参照

は他の物件を販売しようとする、いわゆる「おとり広告」及び実際には存在しない物件等の「虚偽広告」についても本条の適用があるものとする。

また、広告の媒体は、新聞の折込チラシ、配布用のチラシ、新聞、雑誌、テレビ、ラジオ又はインターネットのホームページ等種類を問わないこととする。

2 広告における表示項目について

本条の適用を受ける広告における表示項目は、次に掲げるものとする。

(1) 所　在

地番、所在地、位置図等により特定される取引物件の場所。

(2) 規　模

取引物件の面積や間取り（個々の物件に限らず、宅地分譲における分譲地全体の広さや区分所有建物の全体の広さ、戸数等も含まれる。）。

(3) 形　質

取引物件の形状及び性質（地目、供給施設、排水施設、構造、材料、用途、性能、経過年数等）。

(4) 現在又は将来の利用の制限

取引物件に係る現在又は将来の公法上の制限（都市計画法、建築基準法、農地法等に基づく制限の設定又は解除等）、私法上の制限（借地権、定期借地権、地上権等の有無及びその内容等）。

(5) 現在又は将来の環境

取引物件に係る現在又は将来の周囲の状況（静寂さ、快適さ、方位等の立地条件等、デパート、コンビニエンスストア、商店街、学校、病院等の状況、道路、公園等の公共施設の整備状況等）。

法32

令2-4

則15-5-3

解釈32

(6) 現在又は将来の交通その他の利便

業務中心地に出るまでに利用する交通機関の現在又は将来の便利さ（路線名、最寄りの駅、停留所までの所要時間、建設計画等）。

(7) 代金、借賃等の対価の額又はその支払方法

代金、借賃、権利金等の額又はその支払方法（現金一括払い、割賦払い、頭金、支払回数、支払期間等）。

(8) 「代金又は交換差金に関する金銭の貸借のあっせん」

金銭の貸借のあっせんの有無又は貸借の条件（融資を受けるための資格、金利、返済回数、金利の計算方式等）。

3 「著しく事実に相違する表示」について

「著しく事実に相違する表示」と認められるものとは、上記2の各項目について、一般購入者等において広告に書いてあることと事実との相違を知っていれば当然に誘引されないものをいい、単に、事実と当該表示との相違することの度合いが大きいことのみで判断されるものではないこととする。

例えば、市街化調整区域に所在する物件を市街化区域と表示した場合、築後10年を経過した建物を築後1年と表示した場合、地目が農地である土地を宅地として表示した場合等は「虚偽広告」に該当する。

4 「実際のものよりも著しく優良であり、若しくは著しく有利であると人を誤認させるような表示」について

「実際のものよりも著しく優良であり、若しくは有利であると人を誤認させるような表示」と認められるものとは、上記2の各項目について、宅地建物についての専門的知識

（広告の開始時期の制限）

第三十三条　宅地建物取引業者は、宅地の造成又は建物の建築に関する工事の完了前においては、当該工事に関し必要とされる都市計画法第二十九条第一項又は第二項の許可、建築基準法（昭和二十五年法律第二百一号）第六条第一項の確認その他法令に基づく許可等

（法第三十三条等の法令に基づく許可等の処分）

第二条の五　法第三十三条及び第三十六条の法令に基づく許可等の処分で政令で定めるものは、次に掲げるものとする。

一　都市計画法（昭和四十三年法律第百号）第三十五条の二第一項本文、第四十一条第二項ただし書、第

や物件に関する実際の情報を有していない一般購入者等を誤認させる程度のものをいうこととする。

例えば、「駅まで1㎞の好立地」と広告に表示されているが、直線距離では駅まで1㎞程度であるものの、実際の道のりでは4㎞ある場合、駅までの道のりが1㎞であると一般の購入者を誤認させるような表示であるので、「誇大広告」に該当する。

5　定期借地権設定契約又は定期建物賃貸借契約の代理又は媒介について

宅地建物取引業者が、借地借家法第22条に定められる定期借地権を設定する契約又は同法第38条に定められる定期建物賃貸借契約についての代理又は媒介に係る広告を行う際において、下記に該当する場合は、「宅地又は建物の現在若しくは将来の利用の制限」に係る誇大広告等として法第32条違反になりうることがある。

(1)　通常の借地権又は建物賃貸借契約であると人を誤認させるような表示をした場合

(2)　当該定期借地権又は定期建物賃貸借契約の内容（期間、賃料等）について、著しく事実に相違する表示をし、又は実際のものよりも著しく有利であると人を誤認させるような表示をした場合

▽その他の留意すべき事項2参照

[第33条関係]

広告の開始時期の制限について

(1)　法第33条の「確認」とは、建築基準法第6条第1項後段の規定に基づく確認（以下「変更の確認」という。）も含まれる。

(2)　建築基準法第6条第1項前段の規定に基づく確認（以下「当初の確認」という。）を受けた後、変更の確認の申請書を建築主

法33

の処分で政令で定めるものがあつた後でなければ、当該工事に係る宅地又は建物の売買その他の業務に関する広告をしてはならない。

令2-5

四十二条第一項ただし書、第四十三条第一項、第五十二条第一項、第五十二条の二第一項（同法第五十七条の三第一項において準用する場合を含む。）、第五十三条第一項及び第六十五条第一項の許可並びに同法第五十八条第一項及び第五十八条の三第一項の規定に基づく条例の規定による処分

二　建築基準法（昭和二十五年法律第二百一号）第四十三条第二項第二号、第四十四条第一項第四号、第四十七条ただし書、第四十八条第一項ただし書、第二項ただし書、第三項ただし書、第四項ただし書、第五項ただし書、第六項ただし書、第七項ただし書、第八項ただし書、第九項ただし書、第十項ただし書、第十一項ただし書、第十二項ただし書、第十三項ただし書及び第十四項ただし書、第五十二条第十項、第十一項及び第十四項、第五十三条第四項、第五項及び第六項第三号、第五十三条の二第一項第三号及び第四号（これらの規定を同法第五十七条の五第三項において準用する場合を含む。）、第五十五条第三項各号、第五十六条の二第一項ただし書、第五十七条の四第一項ただし書、第五十九条第四項、第五十九条の二第一項、第六十条の二の二第三項ただし書、第六十条の三第二項ただし書、第六十七条第三項第二号、第六十八条第一項第二号及び第三項第二号、第六十八条の三第四項、第六十八条の五の三第二項、第六十八条の七第五項、第八十六条

則15-5-3

解釈32・33

事へ提出している期間においても、当初の確認の内容で広告を継続することは差し支えないものとする。

(3)　当初の確認を受けた後、変更の確認の申請を建築主事へ提出している期間、又は提出を予定している場合においては、変更の確認を受ける予定である旨を表示し、かつ、当初の確認の内容も当該広告にあわせて表示すれば、変更の確認の内容を広告しても差し支えないものとする。なお、いわゆるセレクトプラン（建築確認を受けたプランと受けていないプランをあわせて示す方式）においても、建築確認を受けていないプランについて変更の確認が必要である旨を表示すれば差し支えないものとする。

(4)　また、マンションのスケルトン・インフィル等の場合、「具体的な間取りが定められた場合、変更の確認を受けることが必要となることもあります」との旨を表示すれば差し支えないものとする。

第三項及び第四項並びに第八十六条の二第二項及び第三項の許可、同法第四十三条第二項第一号、第八十六条第一項及び第二項、第八十六条の二第一項並びに第八十六条の八第一項及び第三項の規定による認定、同法第五十七条の二第三項の規定による指定並びに同法第三十九条第二項、第四十三条の二、第四十九条第一項、第四十九条の二、第五十条、第六十八条の二第一項及び第六十八条の九の規定に基づく条例の規定による処分

三　古都における歴史的風土の保存に関する特別措置法（昭和四十一年法律第一号）第八条第一項の許可

四　都市緑地法（昭和四十八年法律第七十二号）第十四条第一項及び第三十五条第二項各号の許可並びに同法第二十条第一項及び第三十九条第一項の規定に基づく条例の規定による処分

五　生産緑地法（昭和四十九年法律第六十八号）第八条第一項の許可

六　特定空港周辺航空機騒音対策特別措置法（昭和五十三年法律第二十六号）第五条第二項ただし書（同条第五項において準用する場合を含む。）の許可

七　密集市街地における防災街区の整備の促進に関する法律（平成九年法律第四十九号）第百十六条第一項、第百九十七条第一項及び第二百八十三条第一項の許可

八　景観法（平成十六年法律第百十

号）第二十二条第一項及び第三十一条第一項の許可、同法第六十三条第一項の認定並びに同法第七十二条第一項、第七十三条第一項、第七十五条第一項及び第二項並びに第七十六条第一項の規定に基づく条例の規定による処分

九　土地区画整理法（昭和二十九年法律第百十九号）第七十六条第一項の許可

十　大都市地域における住宅及び住宅地の供給の促進に関する特別措置法（昭和五十年法律第六十七号）第七条第一項、第二十六条第一項及び第六十七条第一項の許可

十一　地方拠点都市地域の整備及び産業業務施設の再配置の促進に関する法律（平成四年法律第七十六号）第二十一条第一項の許可

十二　被災市街地復興特別措置法（平成七年法律第十四号）第七条第一項の許可

十三　新住宅市街地開発法（昭和三十八年法律第百三十四号）第三十二条第一項の承認

十四　新都市基盤整備法（昭和四十七年法律第八十六号）第五十一条第一項の承認

十五　旧公共施設の整備に関連する市街地の改造に関する法律（昭和三十六年法律第百九号）第十三条第一項（都市再開発法（昭和四十四年法律第三十八号）附則第四条第二項の規定によりなおその効力を有するものとされる旧防災建築街区造成

法（昭和三十六年法律第百十号）第五十五条第一項において準用する場合に限る。）の許可

十六　首都圏の近郊整備地帯及び都市開発区域の整備に関する法律（昭和三十三年法律第九十八号）第二十五条第一項の承認

十七　近畿圏の近郊整備区域及び都市開発区域の整備及び開発に関する法律（昭和三十九年法律第百四十五号）第三十四条第一項の承認

十八　流通業務市街地の整備に関する法律（昭和四十一年法律第百十号）第五条第一項ただし書の許可及び同法第三十八条第一項の承認

十九　都市再開発法第七条の四第一項及び第六十六条第一項の許可

二十　港湾法（昭和二十五年法律第二百十八号）第三十七条第一項第四号に係る同項の許可

二十一　住宅地区改良法（昭和三十五年法律第八十四号）第九条第一項の許可

二十二　農地法（昭和二十七年法律第二百二十九号）第三条第一項、第四条第一項及び第五条第一項の許可

二十三　宅地造成等規制法（昭和三十六年法律第百九十一号）第八条第一項本文及び第十二条第一項の許可

二十四　マンションの建替え等の円滑化に関する法律（平成十四年法律第七十八号）第百五条第一項の許可

二十五　長期優良住宅の普及の促進に関する法律（平成二十年法律第

法 33

令 2-5

八十七号）第十八条第一項の許可

二十六　自然公園法（昭和三十二年法律第百六十一号）第二十条第三項、第二十一条第三項及び第二十二条第三項の許可並びに同法第七十三条第一項（利用調整地区に係る部分を除く。）の規定に基づく条例の規定による処分

二十七　河川法（昭和三十九年法律第百六十七号）第二十六条第一項、第二十七条第一項、第五十五条第一項、第五十七条第一項、第五十八条の四第一項及び第五十八条の六第一項（これらの規定を同法第百条第一項において準用する場合を含む。）の許可

二十八　特定都市河川浸水被害対策法（平成十五年法律第七十七号）第三十条、第三十七条第一項、第三十九条第一項、第五十七条第一項、第六十二条第一項、第六十六条及び第七十一条第一項の許可

二十九　海岸法（昭和三十一年法律第百一号）第八条第一項の許可

三十　津波防災地域づくりに関する法律(平成二十三年法律第百二十三号）第二十三条第一項、第七十三条第一項、第七十八条第一項、第八十二条及び第八十七条第一項の許可

三十一　砂防法（明治三十年法律第二十九号）第四条第一項（同法第三条において準用する場合を含む。）の規定に基づく制限として行う処分

三十二　地すべり等防止法（昭和三十三年法律第三十号）第十八条第

則 15-5-3

解釈 33

一項及び第四十二条第一項の許可

三十三　急傾斜地の崩壊による災害の防止に関する法律（昭和四十四年法律第五十七号）第七条第一項の許可

三十四　土砂災害警戒区域等における土砂災害防止対策の推進に関する法律（平成十二年法律第五十七号）第十条第一項及び第十七条第一項の許可

三十五　森林法（昭和二十六年法律第二百四十九号）第十条の二第一項並びに第三十四条第一項及び第二項（これらの規定を同法第四十四条において準用する場合を含む。）の許可

三十六　道路法（昭和二十七年法律第百八十号）第九十一条第一項の許可

三十七　土地収用法（昭和二十六年法律第二百十九号）第二十八条の三第一項（同法第百三十八条第一項において準用する場合を含む。）の許可

三十八　文化財保護法（昭和二十五年法律第二百十四号）第四十三条第一項及び第百二十五条第一項の許可、同法第四十五条第一項及び第百二十八条第一項の規定に基づく制限として行う処分並びに同法第百四十三条第一項（同条第二項において準用する場合を含む。）及び第百八十二条第二項の規定に基づく条例の規定による処分

三十九　航空法（昭和二十七年法律第二百三十一号）第四十九条第一項ただし書（同法第五十五条の二第三項若しくは第五十六条の三第二項又

法令

法 33-2

（自己の所有に属しない宅地又は建物の売買契約締結の制限）
第三十三条の二 宅地建物取引業者は、自己の所有に属しない宅地又は建物について、自ら売主となる売買契約（予約を含む。）を締結してはならない。ただし、次の各号のいずれかに該当する場合は、この限りでない。
一 宅地建物取引業者が当該宅地又は建物を取得する契約（予約を含み、その効力の発生が条件に係るものを除く。）を締結しているときその他宅地建物取引業者が当該宅地又は建物を取得できることが明らかな場合で国土交通省令・内閣府令で定めるとき。
二 当該宅地又は建物の売買が第四十一条第一項に規定する売買に該当する場合で当該売買に関して同項第一号又は第二号に掲げる措置が講じられているとき。

令 2-5

は自衛隊法（昭和二十九年法律第百六十五号）第百七条第二項において準用する場合を含む。）の承認
四十 核原料物質、核燃料物質及び原子炉の規制に関する法律（昭和三十二年法律第百六十六号）第五十一条の二十九第一項の許可

則 15-6

（法第三十三条の二第一号の国土交通省令・内閣府令で定めるとき）
第十五条の六 法第三十三条の二第一号の国土交通省令・内閣府令で定めるときは、次に掲げるとおりとする。
一 当該宅地が都市計画法（昭和四十三年法律第百号）の規定により当該宅地建物取引業者が開発許可を受けた開発行為又は開発行為に関する工事に係るものであつて、かつ、公共施設（同法第四条第十四項に規定する公共施設をいう。）の用に供されている土地で国又は地方公共団体が所有するものである場合において、当該開発許可に係る開発行為又は開発行為に関する工事の進捗の状況からみて、当該宅地について同法第四十条第一項の規定の適用を受けることが確実と認められるとき。
二 当該宅地が新住宅市街地開発法（昭和三十八年法律第百三十四号）第二条第一項に規定する新住宅市街

解釈 33-2一

［第33条の2第1号関係］
1 「宅地又は建物を取得する契約を締結しているとき」について
売買契約の締結は、民法上は口頭でも可能であるが、宅地建物を取得する契約の存在は宅地建物取引業者が立証しなければならないものであるので、この点からは書面による契約が適当である。
2 「効力の発生が条件に係るもの」について
契約の効力の発生が条件に係るものについては適用除外とはしないこととしているが、ここに「条件」とは、いわゆる停止条件及び法定条件をいう。なお、農地法第5条の都道府県知事の許可を条件とする売買契約も「効力の発生が条件に係る契約」に該当する。

地開発事業で当該宅地建物取引業者が施行するものに係るものであつて、かつ、公共施設（同条第五項に規定する公共施設をいう。）の用に供されている土地で国又は地方公共団体が所有するものである場合において、当該新住宅市街地開発事業の進捗の状況からみて、当該宅地について同法第二十九条第一項の規定の適用を受けることが確実と認められるとき。

三　当該宅地が土地区画整理法（昭和二十九年法律第百十九号）第百条の二の規定により土地区画整理事業の施行者の管理する土地又は大都市地域における住宅及び住宅地の供給の促進に関する特別措置法（昭和五十年法律第六十七号）第八十三条の規定において準用する土地区画整理法第百条の二の規定により住宅街区整備事業の施行者の管理する土地（以下この号において「保留地予定地」という。）である場合において、当該宅地建物取引業者が、当該土地区画整理事業又は当該住宅街区整備事業に係る換地処分の公告の日の翌日に当該施行者が取得する当該保留地予定地である宅地を当該施行者から取得する契約を締結しているとき。

四　当該宅地又は建物について、当該宅地建物取引業者が買主となる売買契約その他の契約であつて当該宅地又は建物の所有権を当該宅地建物取引業者が指定する者（当該宅地建物取引業者を含む場合に限る。）に移

法令

法34〜34-2

（取引態様の明示）

第三十四条　宅地建物取引業者は、宅地又は建物の売買、交換又は貸借に関する広告をするときは、自己が契約の当事者となつて当該売買若しくは交換を成立させるか、代理人として当該売買、交換若しくは貸借を成立させるか、又は媒介して当該売買、交換若しくは貸借を成立させるかの別（次項において「取引態様の別」という。）を明示しなければならない。

② 宅地建物取引業者は、宅地又は建物の売買、交換又は貸借に関する注文を受けたときは、遅滞なく、その注文をした者に対し、取引態様の別を明らかにしなければならない。

（媒介契約）

第三十四条の二　宅地建物取引業者は、宅地又は建物の売買又は交換の媒介の契約（以下この条において「媒介契約」という。）を締結したときは、遅滞なく、次に掲げる事項を記載した書面を作成して記名押印し、依頼者にこれを交付しなければならない。

一　当該宅地の所在、地番その他当該宅地を特定するために必要な表示又は当該建物の所在、種類、構造その他当該建物を特定するために必要な表示

二　当該宅地又は建物を売買すべき価額又はその評価額

三　当該宅地又は建物について、依頼者が他の宅地建物取引業者に重ねて

令2-5

則15-6

転することを約するものを締結しているとき。

解釈34-2

［第34条の2関係］

宅地建物取引業者は、媒介契約の締結に先立ち、媒介業務を依頼しようとする者に対して、不動産取引の全体像や受託しようとする媒介業務の範囲について書面を交付等して説明することが望ましい。この場合、交付する書面等は、別添1を参考とすることが望ましい。

宅地建物取引業者は、媒介契約を締結する際には、依頼者に専属専任媒介契約、専任媒介契約、一般媒介契約の相違点を十分に説明し、依頼者の意思を十分確認した上で、媒介契約を締結するものとする。

また、宅地建物取引業者は、媒介契約を締結する際に、売買等の契約当事者の一方からのみ媒介の委託を受けることを依頼者に約した場合には、その旨を媒介契約書に明記すること。

売買又は交換の媒介又は代理を依頼することの許否及びこれを許す場合の他の宅地建物取引業者を明示する義務の存否に関する事項

四　当該建物が既存の建物であるときは、依頼者に対する建物状況調査（建物の構造耐力上主要な部分又は雨水の浸入を防止する部分として国土交通省令で定めるもの（第三十七条第一項第二号の二において「建物の構造耐力上主要な部分等」という。）の状況の調査であつて、経年変化その他の建物に生じる事象に関する知識及び能力を有する者として国土交通省令で定める者が実施するものをいう。第三十五条第一項第六号の二イにおいて同じ。）を実施する者のあつせんに関する事項

五　媒介契約の有効期間及び解除に関する事項

六　当該宅地又は建物の第五項に規定する指定流通機構への登録に関する事項

七　報酬に関する事項

八　その他国土交通省令・内閣府令で定める事項

②　宅地建物取引業者は、前項第二号の価額又は評価額について意見を述べるときは、その根拠を明らかにしなければならない。

③　依頼者が他の宅地建物取引業者に重ねて売買又は交換の媒介又は代理を依頼することを禁ずる媒介契約（以下「専任媒介契約」という。）の有効期間は、三月を超えることができない。これよ

（建物の構造耐力上主要な部分等）

第十五条の七　法第三十四条の二第一項第四号の建物の構造耐力上主要な部分として国土交通省令で定めるものは、住宅の基礎、基礎ぐい、壁、柱、小屋組、土台、斜材（筋かい、方づえ、火打材その他これらに類するものをいう。）、床版、屋根版又は横架材（はり、けたその他これらに類するものをいう。）で、当該住宅の自重若しくは積載荷重、積雪、風圧、土圧若しくは水圧又は地震その他の震動若しくは衝撃を支えるものとする。

②　法第三十四条の二第一項第四号の建物の雨水の浸入を防止する部分として国土交通省令で定めるものは、次に掲げるものとする。

一　住宅の屋根若しくは外壁又はこれらの開口部に設ける戸、わくその他の建具

二　雨水を排除するため住宅に設ける排水管のうち、当該住宅の屋根若しくは外壁の内部又は屋内にある部分

（法第三十四条の二第一項第四号の国土交通省令で定める者等）

第十五条の八　法第三十四条の二第一項第四号の国土交通省令で定める者は、次の各号のいずれにも該当する者とする。

一　建築士法（昭和二十五年法律第二百二号）第二条第一項に規定する建築士（以下「建築士」という。）

＊別添1後20頁参照

1　依頼者への周知について

依頼者への周知については、特に次の点について注意を喚起することとする。

(1)　通常の取引の場合は、国土交通省が作成した「標準媒介契約約款」を活用するのが、適当であること。

(2)　標準媒介契約約款には、専属専任媒介契約、専任媒介契約、一般媒介契約の三種類の類型があり、その選択は依頼者に委ねられていること。

(3)　媒介業務に対する報酬の額は、告示（昭和四十五年建設省告示千五百五十二号）で定める限度額の範囲内でなければならないが、この場合、報酬の限度額を当然に請求できるものではなく、具体的な報酬額については、宅地建物取引業者が行おうとする媒介業務の内容等を考慮して、依頼者と協議して決める事項であること。

(4)　宅地建物取引業者が依頼物件を指定流通機構に登録した場合は、当該宅地建物取引業者から指定流通機構が発行する登録済証の交付を受けること等により、登録されたことを確認すること。

(5)　依頼者が契約に違反したときは、違約金又は費用の償還の請求を受ける場合もあるので、契約書を良く読み理解しておくべきこと。

2　媒介契約の書面化について

(1)　書面化の方法について

本条第1項の書面としては、必要事項を記載した契約書を作成して取り交わすこととする。

なお、媒介契約の締結に当たっては、依頼者の依頼意思を十分確認することとす

り長い期間を定めたときは、その期間は、三月とする。

④ 前項の有効期間は、依頼者の申出により、更新することができる。ただし、更新の時から三月を超えることができない。

⑤ 宅地建物取引業者は、専任媒介契約を締結したときは、契約の相手方を探索するため、国土交通省令で定める期間内に、当該専任媒介契約の目的物である宅地又は建物につき、所在、規模、形質、売買すべき価額その他国土交通省令で定める事項を、国土交通省令で定めるところにより、国土交通大臣が指定する者（以下「指定流通機構」という。）に登録しなければならない。

⑥ 前項の規定による登録をした宅地建物取引業者は、第五十条の六に規定する登録を証する書面を遅滞なく依頼者に引き渡さなければならない。

⑦ 前項の宅地建物取引業者は、第五項の規定による登録に係る宅地又は建物の売買又は交換の契約が成立したときは、国土交通省令で定めるところにより、遅滞なく、その旨を当該登録に係る指定流通機構に通知しなければならない。

⑧ 媒介契約を締結した宅地建物取引業者は、当該媒介契約の目的物である宅地又は建物の売買又は交換の申込みがあつたときは、遅滞なく、その旨を依頼者に報告しなければならない。

⑨ 専任媒介契約を締結した宅地建物取引業者は、前項に定めるもののほか、依頼者に対し、当該専任媒介契約に係

二 国土交通大臣が定める講習を修了した者

② 前項に規定する者は、建物状況調査を実施するときは、国土交通大臣が定める基準に従って行うものとする。

＊告示382頁参照

（媒介契約の書面の記載事項）

第十五条の九 法第三十四条の二第一項第八号の国土交通省令・内閣府令で定める事項は、次に掲げるものとする。

一 専任媒介契約にあつては、依頼者が他の宅地建物取引業者の媒介又は代理によつて売買又は交換の契約を成立させたときの措置

二 依頼者が売買又は交換の媒介を依頼した宅地建物取引業者が探索した相手方以外の者と売買又は交換の契約を締結することができない旨の特約を含む専任媒介契約（次条及び第十五条の十一において「専属専任媒介契約」という。）にあつては、依頼者が当該相手方以外の者と売買又は交換の契約を締結したときの措置

三 依頼者が他の宅地建物取引業者に重ねて売買又は交換の媒介又は代理を依頼することを許し、かつ、他の宅地建物取引業者を明示する義務がある媒介契約にあつては、依頼者が明示していない他の宅地建物取引業者の媒介又は代理によつて売買又は交換の契約を成立させたときの措置

四 当該媒介契約が国土交通大臣が定める標準媒介契約約款に基づくものであるか否かの別

る。

(2) 書面に記載すべき事項について

① 物件を特定するために必要な表示（本条第1項第1号関係）

物件の購入又は交換に係る媒介契約において、依頼者が取得を希望する物件が具体的に決まっていない場合には、物件の種類、価額、広さ、間取り、所在地、その他の希望条件を記載することとして差し支えない。

② 標準媒介契約約款に基づく契約であるか否かの別（規則第15条の7第4号関係）

標準媒介契約約款については、平成２年建設省告示第１１５号により示されているところであるが、依頼者が一目で標準媒介契約約款であるか否か確認できるよう、契約書の右上すみに次のように表示をすることとする。

この媒介契約は、国土交通省が定めた標準媒介契約約款に基づく契約です。

この媒介契約は、国土交通省が定めた標準媒介契約約款に基づく契約ではありません。

なお、標準媒介契約約款に基づく契約とは、次のものをいう。

イ 標準媒介契約約款として定められた契約書及び契約約款をそのまま使用する契約（特約の欄で依頼者に不利とならない特約をすることは差し支えない。）

ロ 標準媒介契約約款として定められた契約書に次の範囲内の条項の追加又は変更を行い、契約書のその他の部分及び契約約款はそのままとして締結する

る業務の処理状況を二週間に一回以上（依頼者が当該宅地建物取引業者が探索した相手方以外の者と売買又は交換の契約を締結することができない旨の特約を含む専任媒介契約にあつては、一週間に一回以上）報告しなければならない。

⑩　第三項から第六項まで及び前二項の規定に反する特約は、無効とする。

⑪　宅地建物取引業者は、第一項の書面の交付に代えて、政令で定めるところにより、依頼者の承諾を得て、当該書面に記載すべき事項を電磁的方法（電子情報処理組織を使用する方法その他の情報通信の技術を利用する方法をいう。以下同じ。）であつて同項の規定による記名押印に代わる措置を講ずるものとして国土交通省令で定めるものにより提供することができる。この場合において、当該宅地建物取引業者は、当該書面に記名押印し、これを交付したものとみなす。

⑫　宅地建物取引業者は、第六項の規定による書面の引渡しに代えて、政令で定めるところにより、依頼者の承諾を得て、当該書面において証されるべき事項を電磁的方法であつて国土交通省令で定めるものにより提供することができる。この場合において、当該宅地建物取引業者は、当該書面を引き渡したものとみなす。

＊告示384頁参照
＊標準媒介契約約款後1頁参照
＊標準賃貸借媒介契約約款後21頁参照

（法第三十四条の二第十一項の規定による承諾等に関する手続等）

第二条の六　法第三十四条の二第十一項の規定による承諾は、宅地建物取引業者が、国土交通省令で定めるところにより、あらかじめ、当該承諾に係る依頼者に対し同項の規定による電磁的方法による提供に用いる電磁的方法の種類及び内容を示した上で、当該依頼者から書面又は電子情報処理組織を使用する方法その他の情報通信の技術を利用する方法であつて国土交通省令で定めるもの（次項において「書面等」という。）によつて得るものとする。

②　宅地建物取引業者は、前項の承諾を得た場合であつても、当該承諾に係る依頼者から書面等により法第三十四条の二第十一項の規定による電磁的方法による提供を受けない旨の申出があつたときは、当該電磁的方法による提供をしてはならない。ただし、当該申出の後に当該依頼者から再び前項の承諾を得た場合は、この限りでない。

③　前二項の規定は、法第三十四条の二第十二項の規定による承諾について準用する。

（指定流通機構への登録期間）

第十五条の十　法第三十四条の二第五項の国土交通省令で定める期間は、専任媒介契約の締結の日から七日（専属専任媒介契約にあつては、五日）とする。

②　前項の期間の計算については、休業日数は算入しないものとする。

（指定流通機構への登録事項）

第十五条の十一　法第三十四条の二第五項の国土交通省令で定める事項は、次に掲げるものとする。

一　当該宅地又は建物に係る都市計画法その他の法令に基づく制限で主要なもの

二　当該専任媒介契約が宅地又は建物の交換の契約に係るものである場合にあつては、当該宅地又は建物の評価額

三　当該専任媒介契約が専属専任媒介契約である場合にあつては、その旨

（指定流通機構への登録方法）

第十五条の十二　法第三十四条の二第五項の規定による登録（第十九条の二の七において「登録」という。）は、当該宅地又は建物の所在地を含む第十九条の二の七の規定により国土交通大臣が定める地域を対象として法第五十条の三第一項第一号及び第二号に掲げる業務（第十九条の五、第十九条の八及び第十九条の九において「登録業務」という。）を現に行つている指定流通機構に対して行うものとする。

（指定流通機構への通知）

第十五条の十三　法第三十四条の二第七項の規定による通知は、次に掲げる事

契約（特約の欄で依頼者に不利とならない特約をすることは差し支えない。）

（イ）　宅地建物取引業者が契約の相手方を探索するために行う具体的措置（指定流通機構への情報登録、広告等）に関する条項の追加

（ロ）　宅地建物取引業者の業務処理状況の依頼者への報告、連絡等に関する条項の追加

（ハ）　売買等の契約当事者の一方からのみ媒介の委託を受けることを依頼者に約した旨の条項の追加

（ニ）　契約書の別表（物件の表示）の軽易な変更

なお、（イ）から（ニ）までの場合には、追加した条項をアンダーライン等で明示することとする。

3　電磁的方法による提供の場合の承諾について（令第2条の6第1項及び第2項関係）

電磁的方法により本条第1項の書面を提供しようとする場合は、依頼者がこれを確実に受け取ることができるように、用いる電磁的方法（電子メールによる方法、WEBでのダウンロードによる方法、CD－ROMの交付等）やファイルへの記録の方式（使用ソフトウェアの形式やバージョン等）を示した上で、依頼者が承諾したことが記録に残るよう、書面への出力が可能な方法（電子メールによる方法、WEB上で承諾を得る方法、CD－ROMの交付等）又は書面（以下この項において「書面等」という。）で承諾を得るものとする。

なお、承諾を得た場合であっても、依頼者から書面等で電磁的方法による提供を受けない旨の申出があった場合には、電磁的方法に

法令

法
34-2

令
2-6

則
15-10
〜
15-14

項について行うものとする。

一　登録番号

二　宅地又は建物の取引価格

三　売買又は交換の契約の成立した年月日

（媒介契約の書面の交付に係る情報通信の技術を利用する方法）

第十五条の十四　法第三十四条の二第十一項の国土交通省令で定める方法は、次に掲げるものとする。

一　電子情報処理組織を使用する方法のうちイ又はロに掲げるもの

イ　宅地建物取引業者等（宅地建物取引業者又は法第三十四条の二第十一項に規定する事項の提供を行う宅地建物取引業者との契約によりファイルを自己の管理する電子計算機に備え置き、これを依頼者若しくは当該宅地建物取引業者の用に供する者をいう。以下この条及び次条において同じ。）の使用に係る電子計算機と依頼者等（依頼者又は依頼者との契約により依頼者ファイル（専ら依頼者の用に供されるファイルをいう。以下この条において同じ。）を自己の管理する電子計算機に備え置く者をいう。以下この項において同じ。）の使用に係る電子計算機とを接続する電気通信回線を通じて書面に記載すべき事項（以下この条において「記載事項」という。）を送信し、依頼者等の使用に係る電子計算機に備えられた依頼者ファイルに記録する方法

解釈
34-2

よる提供をしてはならない。ただし、依頼者から再び書面等で承諾を得た場合には、この限りでない。

4　電磁的方法による提供の場合に満たすべき基準について（施行規則第15条の14関係）

電磁的方法により本条第1項の書面を提供する場合は、依頼者が書面の状態で確認できるよう、書面に出力可能な形式で提供するとともに、依頼者において、記載事項が改変されていないことを将来において確認できるよう、電子署名等の方法により、記載事項が交付された時点と、将来のある時点において、記載事項が同一であることを確認することができる措置を講じることが必要である。

さらに、ＷＥＢでのダウンロードによる方法でファイルを提供する場合には、依頼者がこれを確実に受け取ることができるよう、ダウンロードが可能となった後に依頼者にその旨を通知するか、ダウンロードが可能となる前にその旨を予め通知する必要がある。ただし、依頼者においてすでにダウンロードを行っていることが確認できた場合はこの限りではない。

5　その他書面の電磁的方法による提供において留意すべき事項

その他、電磁的方法により本条第1項の書面を提供する場合は、以下の事項に留意するものとする。

(1)　電磁的方法により本条第一項の書面を提供しようとすることについて、あらかじめ依頼者から承諾を得る際に、併せて、宅建業者が利用を予定するソフトウェア等に依頼者のＩＴ環境が対応可能であることを確認すること。

ロ　宅地建物取引業者等の使用に係る電子計算機に備えられたファイルに記録された記載事項を電気通信回線を通じて依頼者の閲覧に供し、依頼者等の使用に係る電子計算機に備えられた当該依頼者の依頼者ファイルに当該記載事項を記録する方法

二　磁気ディスク等をもつて調製するファイルに記載事項を記録したものを交付する方法

②　前項各号に掲げる方法は、次に掲げる基準に適合するものでなければならない。

一　依頼者が依頼者ファイルへの記録を出力することにより書面を作成できるものであること。

二　ファイルに記録された記載事項について、改変が行われていないかどうかを確認することができる措置を講じていること。

三　前項第一号ロに掲げる方法にあつては、記載事項を宅地建物取引業者等の使用に係る電子計算機に備えられたファイルに記録する旨又は記録した旨を依頼者に対し通知するものであること。ただし、依頼者が当該記載事項を閲覧していたことを確認したときはこの限りでない。

（媒介契約の書面の交付に係る電磁的方法の種類及び内容）

第十五条の十五　令第二条の六第一項（同条第三項において準用する場合を含む。）の規定により示すべき電磁的方法の種類及び内容は、次に掲げる事

(2)　電磁的方法による提供後、依頼者に到達しているかを確認すること。

(3)　依頼者の端末において、電磁的方法により提供した書面の内容に文字化けや文字欠け、改変などが生じていないかについて、電子書面の提供前に依頼者に確認方法を伝えた上で、確認をするよう依頼すること。

(4)　依頼者に電子書面の保存の必要性や保存方法を説明すること。

6　標準媒介契約約款について

(1)　標準媒介契約約款の普及について

媒介契約制度の的確な運用を図るため、宅地建物取引業者間の大量取引における販売提携、販売受託等の特殊な事情のあるものを除き、標準媒介契約約款を使用することとする。

(2)　標準媒介契約約款の書式について

①　活　字

日本産業規格Z８３０５に規定する8ポイント以上の大きさの文字及び数字を用いることとする。ただし、フリガナ等は8ポイント以下でも差し支えない。

②　フリガナ等

その他必要に応じフリガナを付するなど依頼者にとって読みやすいものとすることとする。

(3)　標準媒介契約約款の運用について

①　宅地建物取引業者の成約に向けての義務について

専属専任媒介契約及び専任媒介契約の依頼を受けた場合には、成約へ向けて積極的に努力するに当たって、具体的に行う措置（指定流通機構への登録のほか、広告、他の宅地建物取引業者との連携等）を依頼者に明示することとする。

法
34-2

令
2-6

則
15-14
〜
15-16

項とする。

一　前条第一項各号に掲げる方法のうち宅地建物取引業者等が使用するもの

二　ファイルへの記録の方式

（媒介契約の書面の交付に係る情報通信の技術を利用した承諾の取得）

第十五条の十六　令第二条の六第一項（同条第三項において準用する場合を含む。）の国土交通省令で定める方法は、次に掲げるものとする。

一　電子情報処理組織を使用する方法のうち、イ又はロに掲げるもの

イ　依頼者の使用に係る電子計算機から電気通信回線を通じて宅地建物取引業者の使用に係る電子計算機に令第二条の六第一項の承諾又は同条第二項の申出（以下この項において「承諾等」という。）をする旨を送信し、当該電子計算機に備えられたファイルに記録する方法

ロ　宅地建物取引業者の使用に係る電子計算機に備えられたファイルに記録された前条に規定する電磁的方法の種類及び内容を電気通信回線を通じて依頼者の閲覧に供し、当該電子計算機に備えられたファイルに承諾等をする旨を記録する方法

二　磁気ディスク等をもつて調製するファイルに承諾等をする旨を記録したものを交付する方法

②　前項各号に掲げる方法は、宅地建物取引業者がファイルへの記録を出力す

解釈
34-2

イ　業務処理状況の報告について

報告すべき事項は、宅地建物取引業者が契約の相手方を探索するために行った措置（指定流通機構への依頼物件の登録、広告等）、引き合いの状況等とする。

ロ　売買又は交換の申込みがあったときの報告について

購入申込書等の売買又は交換の意思が明確に示された文書等による申込みがあったときは、依頼者に対して遅滞なく、その旨を報告することとする。依頼者の希望条件を満たさない申込みの場合等であっても、その都度報告する必要がある。

ハ　指定流通機構への依頼物件の登録について

「媒介契約締結の日」とは、媒介の契約締結の意思の合致のあった日であって、同日以後に遅滞なく交付することとされている媒介契約に係る書面の交付の日でないことに留意することが必要である。また、契約を締結した当日そのものについては民法上の原則（初日不算入）により、登録期間には含まれない。

②　報酬返還請求の理由について

標準媒介契約約款においては、代金についてのローンが不成立の場合に購入者に売買契約等の解除権が留保されている例が多いことにかんがみ、この場合で、ローンの不成立が確定し、これを理由として依頼者が売買契約等を解除したときも、宅地建物取引業者は、受領した約定報酬額を返還しなくてはならない。

ることにより書面を作成することができるものでなければならない。

（法第三十四条の二第六項の規定により交付しなければならない書面の交付に係る情報通信の技術を利用する方法）

第十五条の十七　法第三十四条の二第十二項の国土交通省令で定める方法は、次に掲げるものとする。

一　電子情報処理組織を使用する方法のうちイ又はロに掲げるもの

イ　宅地建物取引業者等（宅地建物取引業者又は法第三十四条の二第十二項に規定する事項の提供を行う宅地建物取引業者との契約によりファイルを自己の管理する電子計算機に備え置き、これを依頼者若しくは当該宅地建物取引業者の用に供する者をいう。以下この条において同じ。）の使用に係る電子計算機と依頼者等（依頼者又は依頼者との契約により依頼者ファイル（専ら依頼者の用に供されるファイルをいう。以下この条において同じ。）を自己の管理する電子計算機に備え置く者をいう。以下この号において同じ。）の使用に係る電子計算機とを接続する電気通信回線を通じて書面において証されるべき事項（以下この条において「記載事項」という。）を送信し、依頼者等の使用に係る電子計算機に備えられた依頼者ファイルに記録する方法

ロ　宅地建物取引業者等の使用に係る電子計算機に備えられたファイ

また、買い換えのための売却及び購入の媒介の依頼を受ける宅地建物取引業者は、依頼物件の売却が行われない場合の措置として、売却の媒介契約による売買契約の不成立が確定した際、購入の媒介契約による売買契約の成立により受領した約定報酬があるときは、その全額を依頼者に遅滞なく返還する旨の特約をし、書面化等することが望ましい。

③　直接取引について

媒介契約の有効期間終了後2年以内に、依頼者が宅地建物取引業者の紹介によって知った相手方と直接取引をした場合には、宅地建物取引業者は契約の成立に寄与した割合に応じた相当額の報酬請求権が認められるものである。

④　有効期間について

有効期間は、法第34条の2第3項の制限があり、専属専任媒介契約、専任媒介契約についてはそれを確認的に規定したものである。一般媒介契約については、法律上の規制はないが、実情にかんがみ、専任媒介契約等と同じく3月以内で定めている。

⑤　特別の依頼に係る費用について

指定流通機構への情報登録はもちろんのこと、通常の広告、物件の調査等のための費用は、宅地建物取引業者の負担となる。

また、宅地建物取引業者は依頼者から特別に広告の依頼や遠隔地への出張の依頼を受けたときは、あらかじめ、依頼者に標準媒介契約約款の定めに基づき請求する費用の見積りを説明してから実行すべきである。

法
34-2

令
2-6

則
15-16
〜
15-17

ルに記録された記載事項を電気通信回線を通じて依頼者の閲覧に供し、依頼者等の使用に係る電子計算機に備えられた当該依頼者の依頼者ファイルに当該記載事項を記録する方法

二　磁気ディスク等をもつて調製するファイルに記載事項を記録したものを交付する方法

② 前項各号に掲げる方法は、次に掲げる基準に適合するものでなければならない。

一　依頼者が依頼者ファイルへの記録を出力することにより書面を作成できるものであること。

二　前項第一号ロに掲げる方法にあつては、記載事項を宅地建物取引業者等の使用に係る電子計算機に備えられたファイルに記録する旨又は記録した旨を依頼者に対し通知するものであること。ただし、依頼者が当該記載事項を閲覧していたことを確認したときはこの限りでない。

解釈
34-2

なお、費用の請求は、成約の有無に関わらずできるものである。

⑥ 違約金について

違約金は、成約した場合に当該依頼者に請求し得る約定報酬額に相当する額であり、他の顧客からも報酬を受領できる見込みがあったとしても、その分を含めて請求することはできない。

⑦ 履行に要した費用について

宅地建物取引業者が契約の履行に要した費用を請求するに当たっては、現地調査に要する費用として、交通費、写真代、権利関係等調査に要する費用として、交通費、謄本代、販売活動に要する費用として、新聞・雑誌等の広告費、通信費、現地案内交通費、契約交渉に要する費用として、交通費、その他当該媒介契約の履行のために要した費用として明細書を作成し、領収書等で金額を立証して請求するものとする。

⑧ 更新手続について

契約の更新には依頼者の申出が必要であるが、この申出は後日の紛争を避けるため文書等によって確認することが望ましい（標準媒介契約約款では文書による申出を更新の要件としている。）。

また、更新の申出は、有効期間満了の都度行われるべきもので、あらかじめ更新することを約定することは許されない。なお、依頼者の申出はあっても、宅地建物取引業者が更新に同意しないときは契約は更新されない。

⑨ 媒介契約の解除について

媒介契約が当事者間の信頼関係によって成立するものであることにかんがみ、

宅地建物取引業者に背信行為があった場合は、依頼者による解除が認められているが、特に宅地建物取引業者が宅地建物取引業に関して不正又は著しく不当な行為をしたときは、その行為の相手方が当該依頼者でなくとも解除が認められている。

⑩　特約について

約定報酬額を超える違約金を請求する旨の特約等、依頼者に不利な特約は標準媒介契約約款による契約としては認められない。

なお、一定の期間中に目的物件の売却ができなかったときは、宅地建物取引業者が媒介価額を下回る価額で買い取る旨の特約は、売主が宅地建物取引業者に安く売ることを義務付けず、売主の希望があれば宅地建物取引業者が買い取るべきことを定めたのみであれば差し支えない。

一般媒介契約は、依頼者が重ねて依頼をする他の宅地建物取引業者を明示する義務を負う明示型となっているので、その義務を負わない非明示型とする場合には、その旨特約しなければならない。

特約をするに当たっては、「8　特約事項」の欄に「本契約では、約款第4条及び第13条は適用せず、依頼者が乙以外の宅地建物取引業者に重ねて依頼する場合でも、その宅地建物取引業者を明示する義務を負わないものとします。」と記載し、「1　依頼する当社以外の宅地建物取引業者」の欄と「2　甲の通知義務」の第1号の箇所を斜線で抹消する等の方法によることとする。

法 34-2

令 2-6

則 15-17

解釈 34-2

7　建物状況調査を実施する者のあっせんについて

宅地建物取引業者は、媒介契約を締結するときは、媒介契約書に「建物状況調査を実施する者のあっせんの有無」について記載することとする。また、依頼者が建物状況調査について認識した上で既存住宅の取引を行えるよう、宅地建物取引業者は依頼者に対して、建物状況調査に関して説明を行うことが望ましい。

建物状況調査を実施する者のあっせんを行う場合には、あっせん先が既存住宅状況調査技術者講習登録規程（平成29年国土交通省告示第81号）第2条第5項の既存住宅状況調査技術者であることを同規程第5条第2項第2号の既存住宅状況調査技術者講習実施機関のホームページ等において確認した上で行うよう留意すること。また、建物状況調査を実施する者に関する単なる情報提供ではなく、依頼者と建物状況調査を実施する者の間で建物状況調査の実施に向けた具体的なやりとりが行われるように手配することとする。その際、建物状況調査を実施する者は建築士であることから、報酬を得て建物状況調査を行うには、建築士法第23条第1項の規定に基づく建築士事務所登録を受けている必要があることに留意すること。

なお、建物状況調査の結果に関する客観性を確保する観点から、売却希望の依頼者及び購入希望の依頼者（交換希望の依頼者を含む。）の同意がある場合を除き、宅地建物取引業者は、自らが取引の媒介を行う場合にあっては、建物状況調査の実施主体となることは適当でない。

また、宅地建物取引業者は、購入希望の依

頼者（交換により既存住宅を取得しようとする依頼者を含む。）が建物状況調査を実施する場合には、あらかじめ物件所有者の同意が必要であることに留意すること。

建物状況調査を実施する者のあっせんは、媒介業務の一環であるため、宅地建物取引業者は、依頼者に対し建物状況調査を実施する者をあっせんした場合において、報酬とは別にあっせんに係る料金を受領することはできない。

8　媒介価額に関する意見の根拠の明示義務について

(1)　意見の根拠について意見の根拠としては、価格査定マニュアル（公益財団法人不動産流通推進センターが作成した価格査定マニュアル又はこれに準じた価格査定マニュアル）や、同種の取引事例等他に合理的な説明がつくものであることとする。

なお、その他次の点にも留意することとする。

①　依頼者に示すべき根拠は、宅地建物取引業者の意見を説明するものであるので、必ずしも依頼者の納得を得ることは要さないが、合理的なものでなければならないこと。

②　根拠の明示は、口頭でも書面を用いてもよいが、書面を用いるときは、不動産の鑑定評価に関する法律に基づく鑑定評価書でないことを明記するとともに、みだりに他の目的に利用することのないよう依頼者に要請すること。

③　根拠の明示は、法律上の義務であるので、そのために行った価額の査定等に要した費用は、依頼者に請求できないものであること。

法令

法
34-2

令
2-6

則
15-17

解釈
34-2

(2)　取引事例の取扱いについて

媒介価額の評価を行うには豊富な取引事例の収集を行い同種、類似の取引事例を使用することが必要であるが、その場合には取引事例の中に顧客の秘密に関わるものが含まれていることを考慮し、収集及び管理は、次の点に留意し、特に慎重を期することとする。

① 取引事例を顧客や他の宅地建物取引業者に提示したり、その収集及び管理を行う指定流通機構に報告する行為は、宅地建物取引業者が法第34条の2第2項の規定による義務を果たすため必要な限度において法第45条及び第75条の3の「正当な理由」があると解されるものであること。

② 収集する情報は、価額の査定を行うために必要な成約価額、成約の時期、物件に関する情報とし、取引の当事者の氏名等の情報については、収集をしないこと。

③ 営利を目的として取引事例の伝達の事業を営むこと及びこれを行う者に取引事例を漏らすことは、「正当な理由」があるとはいえないので、許されないこと。

④ 宅地建物取引業者は、媒介価額に関する意見の根拠として適当な取引事例について説明する場合には、依頼者にその取引事例をみだりに口外しないよう要請すること。また価格査定マニュアルの評価内容を書面で渡すときはその旨を説明すること。

⑤ 売り急ぎ、買い急ぎなど特殊な事情のある取引事例は、収集等の対象としないこと。

（代理契約）

第三十四条の三　前条の規定は、宅地建物取引業者に宅地又は建物の売買又は交換の代理を依頼する契約について準用する。

9　指定流通機構への成約情報の通知について

指定流通機構が公表している平均取引価格等の市況情報は、宅地建物取引業者が指定流通機構に通知する成約情報に基づき作成され、不動産流通の円滑化に重要な役割を果たしている。宅地建物取引業者はこうした成約情報の通知の重要性を認識し、通知義務の履行を徹底すること。また、一般媒介契約等に基づき指定流通機構に登録した物件について契約が成立したときにも、成約情報の通知に努めること。

10　代理契約について

宅地建物取引業者に宅地又は建物の売買又は交換の代理を依頼する契約については、媒介契約に関する規定が準用されるが、通常の取引の代理契約の場合は、契約の相手方、対象物件、取引価額等が確定した後に、売買契約等の締結に係る代理権の授与を受けることとする。また、代理権の範囲については、具体的に列挙することが望ましい。

11　不動産取引に関連する他の業務との関係について

宅地建物取引業者に対しては、媒介業務のみならず、金融機関、司法書士、土壌汚染調査機関等の不動産取引に関連する他の多くの専門家と協働する中で、消費者の意向を踏まえながら、不動産取引について全体的な流れを分かりやすく説明し、適切な助言を行い、総合的に調整する役割が期待されている。また、宅地建物取引業者自らも積極的に媒介業務以外の不動産取引に関連する業務の提供に努めることが期待されている。

なお、宅地建物取引業者自らが媒介業務以外の関連業務を行う場合には、媒介業務との

（重要事項の説明等）

第三十五条　宅地建物取引業者は、宅地若しくは建物の売買、交換若しくは貸借の相手方若しくは代理を依頼した者又は宅地建物取引業者が行う媒介に係る売買、交換若しくは貸借の各当事者（以下「宅地建物取引業者の相手方等」という。）に対して、その者が取得し、又は借りようとしている宅地又は建物に関し、その売買、交換又は貸借の契約が成立するまでの間に、宅地建物取引士をして、少なくとも次に掲げる事項について、これらの事項を記載した書面（第五号において図面を必要とするときは、図面）を交付して説明をさせなければならない。

一　当該宅地又は建物の上に存する登記された権利の種類及び内容並びに登記名義人又は登記簿の表題部に記録された所有者の氏名（法人にあつては、その名称）

二　都市計画法、建築基準法その他の法令に基づく制限で契約内容の別（当該契約の目的物が宅地であるか又は建物であるかの別及び当該契約が売買若しくは交換の契約であるか又は貸借の契約であるかの別をい

（法第三十五条第一項第二号の法令に基づく制限）

第三条　法第三十五条第一項第二号の法令に基づく制限で政令で定めるものは、宅地又は建物の貸借の契約以外の契約については、次に掲げる法律の規定（これらの規定に基づく命令及び条例の規定を含む。）に基づく制限で当

区分を明確化するため、媒介契約とは別に、業務内容、報酬額等を明らかにした書面等により契約を締結すること。

特に、宅地建物取引業者が不動産コンサルティング業務を行う場合には、媒介業務との区分を明確化するため、あらかじめ契約内容を十分に説明して依頼者の理解を得た上で契約を締結し、成果物は書面で交付等すること。

［第35条第1項関係］

1　重要事項の説明について

宅地建物取引業者は、重要事項の説明に先立ち、重要事項の説明を受けようとする者に対して、あらかじめ重要事項説明の構成や各項目の留意点について理解を深めるよう、重要事項の全体像について書面を交付等して説明することが望ましい。この場合、交付する書面等は、別添2を参考とすることが望ましい。

本項各号に掲げる事項は、宅地建物取引業者がその相手方又は依頼者に説明すべき事項のうち最小限の事項を規定したものであり、これらの事項以外にも場合によっては説明を要する重要事項があり得る。

重要事項の説明は、説明を受ける者が理解しやすい場面で分かりやすく説明することが望ましく、取引物件に直接関係する事項であるため取引物件を見ながら説明する方が相手方の理解を深めることができると思われる事項については、重要事項の全体像を示しながら取引物件の現場で説明することが望ましい。ただし、このような場合にも、説明を受ける者が重要事項全体を十分把握できるよう、従来どおり契約の締結までの間に改めて宅地建物取引士が重要事項全体の説明をすることとする。

う。以下この条において同じ。）に応じて政令で定めるものに関する事項の概要

三　当該契約が建物の貸借の契約以外のものであるときは、私道に関する負担に関する事項

四　飲用水、電気及びガスの供給並びに排水のための施設の整備の状況（これらの施設が整備されていない場合においては、その整備の見通し及びその整備についての特別の負担に関する事項）

五　当該宅地又は建物が宅地の造成又は建築に関する工事の完了前のものであるときは、その完了時における形状、構造その他国土交通省令・内閣府令で定める事項

六　当該建物が建物の区分所有等に関する法律（昭和三十七年法律第六十九号）第二条第一項に規定する区分所有権の目的であるものであるときは、当該建物を所有するための一棟の建物の敷地に関する権利の種類及び内容、同条第四項に規定する共用部分に関する規約の定めその他の一棟の建物又はその敷地（一団地内に数棟の建物があつて、その団地内の土地又はこれに関する権利がそれらの建物の所有者の共有に属する場合には、その土地を含む。）に関する権利及びこれらの管理又は使用に関する事項で契約内容の別に応じて国土交通省令・内閣府令で定めるもの

六の二　当該建物が既存の建物であるときは、次に掲げる事項

該宅地又は建物に係るもの及び都市計画法施行法（昭和四十三年法律第百一号）第三十八条第三項の規定により、なお従前の例によるものとされる緑地地域内における建築物又は土地に関する工事若しくは権利に関する制限（同法第二十六条及び第二十八条の規定により同法第三十八条第三項の規定の例によるものとされるものを含む。）で当該宅地又は建物に係るものとする。

一　都市計画法第二十九条第一項及び第二項、第三十五条の二第一項、第四十一条第二項、第四十二条第一項、第四十三条第一項、第五十二条第一項、第五十二条の二第一項（同法第五十七条の三第一項において準用する場合を含む。）、第五十二条の三第二項及び第四項（これらの規定を同法第五十七条の四及び密集市街地における防災街区の整備の促進に関する法律第二百八十四条において準用する場合を含む。次項において同じ。）、第五十三条第一項、第五十七条第二項及び第四項、第五十八条第一項、第五十八条の二第一項及び第二項、第五十八条の三第一項、第六十五条第一項並びに第六十七条第一項及び第三項

二　建築基準法第三十九条第二項、第四十三条、第四十三条の二、第四十四条第一項、第四十五条第一項、第四十七条、第四十八条第一項から第十四項まで（同法第八十八条第二項において準用する場合を含む。）、第四十九条（同法第八十八条第二

（法第三十五条第一項第五号の国土交通省令・内閣府令で定める事項）

第十六条　法第三十五条第一項第五号の国土交通省令・内閣府令で定める事項は、宅地の場合にあつては宅地の造成の工事の完了時における当該宅地に接する道路の構造及び幅員、建物の場合にあつては建築の工事の完了時における当該建物の主要構造部、内装及び外装の構造又は仕上げ並びに設備の設置及び構造とする。

（法第三十五条第一項第六号の国土交通省令・内閣府令で定める事項）

第十六条の二　法第三十五条第一項第六号の国土交通省令・内閣府令で定める事項は、建物の貸借の契約以外の契約にあつては次に掲げるもの、建物の貸借の契約にあつては第三号及び第八号に掲げるものとする。

一　当該建物を所有するための一棟の建物の敷地に関する権利の種類及び内容

二　建物の区分所有等に関する法律（昭和三十七年法律第六十九号。以下この条、第十六条の四の三、第

なお、重要事項の説明を行う際には、別添3に示す「重要事項説明書」を参考とすることが望ましい。

＊別添2後70頁・別添3後34頁

2　宅地若しくは建物の売買若しくは交換又は宅地若しくは建物の売買、交換若しくは貸借の代理若しくは媒介に係る重要事項の説明にITを活用する場合の取扱いについて

宅地若しくは建物の売買若しくは交換又は宅地若しくは建物の売買、交換若しくは貸借の代理若しくは媒介に係る重要事項の説明にテレビ会議等のITを活用するに当たっては、次に掲げるすべての事項を満たしている場合に限り、対面による重要事項の説明と同様に取り扱うこととする。

なお、宅地建物取引士は、ITを活用した重要事項の説明を開始した後、映像を視認できない又は音声を聞き取ることができない状況が生じた場合には、直ちに説明を中断し、当該状況が解消された後に説明を再開するものとする。

(1)　宅地建物取引士及び重要事項の説明を受けようとする者が、図面等の書類及び説明の内容について十分に理解できる程度に映像を視認でき、かつ、双方が発する音声を十分に聞き取ることができるとともに、双方向でやりとりできる環境において実施していること。

(2)　宅地建物取引士により記名された重要事項説明書及び添付書類を、重要事項の説明を受けようとする者にあらかじめ交付（電磁的方法による提供を含む。）していること。

(3)　重要事項の説明を受けようとする者が、

イ　建物状況調査（実施後国土交通省令で定める期間を経過していないものに限る。）を実施しているかどうか、及びこれを実施している場合におけるその結果の概要

ロ　設計図書、点検記録その他の建物の建築及び維持保全の状況に関する書類で国土交通省令で定めるものの保存の状況

七　代金、交換差金及び借賃以外に授受される金銭の額及び当該金銭の授受の目的

八　契約の解除に関する事項

九　損害賠償額の予定又は違約金に関する事項

十　第四十一条第一項に規定する手付金等を受領しようとする場合における同条又は第四十一条の二の規定による措置の概要

十一　支払金又は預り金（宅地建物取引業者の相手方等からその取引の対象となる宅地又は建物に関し受領する代金、交換差金、借賃その他の金銭（第四十一条第一項又は第四十一条の二第一項の規定により保全の措置が講ぜられている手付金等を除く。）であつて国土交通省令・内閣府令で定めるものをいう。第六十四条の三第二項第一号において同じ。）を受領しようとする場合において、同号の規定による保証の措置その他国土交通省令・内閣府令で定める保全措置を講ずるかどうか、及びその措置を講ずる場合におけるその措置の概要

項において準用する場合を含む。）、第四十九条の二（同法第八十八条第二項において準用する場合を含む。）、第五十条（同法第八十八条第二項において準用する場合を含む。）、第五十二条第一項から第十四項まで、第五十三条第一項から第八項まで、第五十三条の二第一項から第三項まで、第五十四条、第五十五条第一項から第三項まで、第五十六条、第五十六条の二、第五十七条の四第一項、第五十七条の五、第五十八条、第五十九条第一項及び第二項、第五十九条の二第一項、第六十条第一項及び第二項、第六十条の二第一項、第二項、第三項（同法第八十八条第二項において準用する場合を含む。）及び第六項、第六十条の二の二第一項から第三項まで及び第四項（同法第八十八条第二項において準用する場合を含む。）、第六十条の三第一項、第二項及び第三項（同法第八十八条第二項において準用する場合を含む。）、第六十一条、第六十七条第一項及び第三項から第七項まで、第六十八条第一項から第四項まで、第六十八条の二第一項及び第五項（これらの規定を同法第八十八条第二項において準用する場合を含む。）、第六十八条の九、第七十五条、第七十五条の二第五項、第七十六条の三第五項、第八十六条第一項から第四項まで、第八十六条の二第一項から第三項まで並びに第八十六条の

十六条の四の六及び第十九条の二の五において「区分所有法」という。）第二条第四項に規定する共用部分に関する規約の定め（その案を含む。次号において同じ。）があるときは、その内容

三　区分所有法第二条第三項に規定する専有部分の用途その他の利用の制限に関する規約の定めがあるときは、その内容

四　当該一棟の建物又はその敷地の一部を特定の者にのみ使用を許す旨の規約（これに類するものを含む。次号及び第六号において同じ。）の定め（その案を含む。次号及び第六号において同じ。）があるときは、その内容

五　当該一棟の建物の計画的な維持修繕のための費用、通常の管理費用その他の当該建物の所有者が負担しなければならない費用を特定の者にのみ減免する旨の規約の定めがあるときは、その内容

六　当該一棟の建物の計画的な維持修繕のための費用の積立てを行う旨の規約の定めがあるときは、その内容及び既に積み立てられている額

七　当該建物の所有者が負担しなければならない通常の管理費用の額

八　当該一棟の建物及びその敷地の管理が委託されているときは、その委託を受けている者の氏名（法人にあつては、その商号又は名称）及び住所（法人にあつては、その主たる事務所の所在地）

ら説明を受けることができる状態にあることと並びに映像及び音声の状況について、宅地建物取引士が重要事項の説明を開始する前に確認していること。

(4)　宅地建物取引士が、宅地建物取引士証を提示し、重要事項の説明を受けようとする者が、当該宅地建物取引士証を画面上で視認できたことを確認していること。

3　土地区画整理法第110条の規定による清算金に関する説明について

宅地建物取引業者が土地区画整理事業の施行地区内の仮換地の売買等の取引に関与する場合は、重要事項の説明時にその売買、交換及び貸借の当事者に対して「換地処分の公告後、当該事業の施行者から換地処分の公告の日の翌日における土地所有者及び借地人に対して清算金の徴収又は交付が行われることがある」旨を重要事項説明書に記載の上説明することとする。

4　借地権付建物及び借地権の存する宅地の売買等について

(1)　宅地建物取引業者が、借地権付建物の売買等を行う場合においては、建物と敷地の権利関係の重要性にかんがみ、当該借地権の内容について説明することとする。

(2)　売買等の対象である借地権付建物が、建物の区分所有等に関する法律第2条第1項に規定する区分所有権の目的であるものであるときには、法第35条第1項第6号に基づき、必ず当該借地権の内容を説明することとする。

(3)　宅地建物取引業者が、借地権の存する宅地の売買等を行う場合において、当該借地権が登記されたものである場合は、法第35

十二　代金又は交換差金に関する金銭の貸借のあっせんの内容及び当該あっせんに係る金銭の貸借が成立しないときの措置

十三　当該宅地又は建物が種類又は品質に関して契約の内容に適合しない場合におけるその不適合を担保すべき責任の履行に関し保証保険契約の締結その他の措置で国土交通省令・内閣府令で定めるものを講ずるかどうか、及びその措置を講ずる場合におけるその措置の概要

十四　その他宅地建物取引業者の相手方等の利益の保護の必要性及び契約内容の別を勘案して、次のイ又はロに掲げる場合の区分に応じ、それぞれ当該イ又はロに定める命令で定める事項

イ　事業を営む場合以外の場合において宅地又は建物を買い、又は借りようとする個人である宅地建物取引業者の相手方等の利益の保護に資する事項を定める場合　国土交通省令・内閣府令

ロ　イに規定する事項以外の事項を定める場合　国土交通省令

②　宅地建物取引業者は、宅地又は建物の割賦販売（代金の全部又は一部について、目的物の引渡し後一年以上の期間にわたり、かつ、二回以上に分割して受領することを条件として販売することをいう。以下同じ。）の相手方に対して、その者が取得しようとする宅地又は建物に関し、その割賦販売の契約が成立するまでの間に、宅地建物取

八第一項及び第三項

三　古都における歴史的風土の保存に関する特別措置法第八条第一項

四　都市緑地法第八条第一項、第十四条第一項、第二十条第一項、第二十九条、第三十五条第一項、第二項及び第四項、第三十六条、第三十九条第一項、第五十条、第五十一条第五項並びに第五十四条第四項

五　生産緑地法第八条第一項

六　特定空港周辺航空機騒音対策特別措置法第五条第一項及び第二項（これらの規定を同条第五項において準用する場合を含む。）

七　景観法第十六条第一項及び第二項、第二十二条第一項、第三十一条第一項、第四十一条、第六十三条第一項、第七十二条第一項、第七十三条第一項、第七十五条第一項及び第二項、第七十六条第一項、第八十六条、第八十七条第五項並びに第九十条第四項

八　土地区画整理法第七十六条第一項、第九十九条第一項及び第三項、第百条第二項並びに第百十七条の二第一項及び第二項

九　大都市地域における住宅及び住宅地の供給の促進に関する特別措置法第八十三条において準用する土地区画整理法第九十九条第一項及び第三項並びに第百条第二項並びに大都市地域における住宅及び住宅地の供給の促進に関する特別措置法第七条第一項、第二十六条第一項及び第

九　当該一棟の建物の維持修繕の実施状況が記録されているときは、その内容

（法第三十五条第一項第六号の二イの国土交通省令で定める期間）

第十六条の二の二　法第三十五条第一項第六号の二イの国土交通省令で定める期間は、一年とする。

（法第三十五条第一項第六号の二ロの国土交通省令で定める書類）

第十六条の二の三　法第三十五条第一項第六号の二ロの国土交通省令で定める書類は、売買又は交換の契約に係る住宅に関する書類で次の各号に掲げるものとする。

一　建築基準法（昭和二十五年法律第二百一号）第六条第一項（同法第八十七条第一項又は同法第八十七条の四において準用する場合を含む。）の規定による確認の申請書及び同法第十八条第二項（同法第八十七条第一項又は同法第八十七条の四において準用する場合を含む。）の規定による計画通知書並びに同法第六条第一項及び同法第十八条第三項（これらの規定を同法第八十七条第一項又は同法第八十七条の四において準用する場合を含む。）の確認済証

二　建築基準法第七条第五項及び同法第十八条第十八項（これらの規定を同法第八十七条の四において準用する場合を含む。）の検査済証

三　法第三十四条の二第一項第四号に規定する建物状況調査の結果についての報告書

条第1項第1号に基づき、必ず借地権の内容につき説明することとする。

当該借地権の登記がない場合においても、土地の上に借地権者が登記された建物を所有するときは第三者に対抗できることにかんがみ、宅地建物取引業者は、当該宅地上に建物が存する場合には、建物と当該宅地の権利関係を確認し、借地権の存否及び借地権の内容につき説明することとする。

また、借地権の登記がなく、宅地上に建物が存しない場合においても、借地権者が、借地借家法第10条第2項に基づき、土地の上に一定の掲示をしたときは第三者に対抗できることにかんがみ、宅地建物取引業者は、当該宅地上に借地権の存在を知り得た場合においては、借地権の内容につき説明することとする。

5　借地権付建物の賃貸借の代理又は媒介について

宅地建物取引業者が、借地権付建物の賃貸借の代理又は媒介を行う場合においては、当該借地契約の建物賃借人にとっての重要性にかんがみ、当該建物が借地権付建物である旨及び借地権の内容につき説明することとする。

〔第35条第1項第4号関係〕

ガス配管設備等に関して、住宅の売買後においても宅地内のガスの配管設備等の所有権が家庭用プロパンガス販売業者にあるものとする場合には、その旨の説明をすることとする。

〔第35条第1項第5号関係〕

1　宅地の形状、構造について

当該宅地の地積、外周の各辺の長さを記入

引士をして、前項各号に掲げる事項のほか、次に掲げる事項について、これらの事項を記載した書面を交付して説明をさせなければならない。

一　現金販売価格（宅地又は建物の引渡しまでにその代金の全額を受領する場合の価格をいう。）

二　割賦販売価格（割賦販売の方法により販売する場合の価格をいう。）

三　宅地又は建物の引渡しまでに支払う金銭の額及び賦払金（割賦販売の契約に基づく各回ごとの代金の支払分で目的物の引渡し後のものをいう。第四十二条第一項において同じ。）の額並びにその支払の時期及び方法

③　宅地建物取引業者は、宅地又は建物に係る信託（当該宅地建物取引業者を委託者とするものに限る。）の受益権の売主となる場合における売買の相手方に対して、その者が取得しようとしている信託の受益権に係る信託財産である宅地又は建物に関し、その売買の契約が成立するまでの間に、宅地建物取引士をして、少なくとも次に掲げる事項について、これらの事項を記載した書面（第五号において図面を必要とするときは、図面）を交付して説明をさせなければならない。ただし、その売買の相手方の利益の保護のため支障を生ずることがない場合として国土交通省令で定める場合は、この限りでない。

一　当該信託財産である宅地又は建物の上に存する登記された権利の種類及び内容並びに登記名義人又は登記簿の表題部に記録された所有者の氏

六十七条第一項

十　地方拠点都市地域の整備及び産業業務施設の再配置の促進に関する法律第二十一条第一項

十一　被災市街地復興特別措置法第七条第一項

十二　新住宅市街地開発法第三十一条及び第三十二条第一項

十三　新都市基盤整備法第三十九条において準用する土地区画整理法第九十九条第一項及び第三項並びに第百条第二項並びに新都市基盤整備法第五十条及び第五十一条第一項

十四　旧公共施設の整備に関連する市街地の改造に関する法律第十三条第一項（都市再開発法附則第四条第二項の規定によりなおその効力を有するものとされる旧防災建築街区造成法第五十五条第一項において準用する場合に限る。）

十五　首都圏の近郊整備地帯及び都市開発区域の整備に関する法律第二十五条第一項

十六　近畿圏の近郊整備区域及び都市開発区域の整備及び開発に関する法律第三十四条第一項

十七　流通業務市街地の整備に関する法律第五条第一項、第三十七条第一項及び第三十八条第一項

十八　都市再開発法第七条の四第一項、第六十六条第一項及び第九十五条の二

十九　幹線道路の沿道の整備に関する法律（昭和五十五年法律第三十四号）第十条第一項及び第二項

四　既存住宅に係る住宅の品質確保の促進等に関する法律（平成十一年法律第八十一号）第六条第三項に規定する建設住宅性能評価書

五　建築基準法施行規則（昭和二十五年建設省令第四十号）第五条第三項及び同規則第六条第三項に規定する書類

六　当該住宅が昭和五十六年五月三十一日以前に新築の工事に着手したものであるときは、地震に対する安全性に係る建築基準法並びにこれに基づく命令及び条例の規定に適合するもの又はこれに準ずるものであることを確認できる書類で次に掲げるもの

イ　建築物の耐震改修の促進に関する法律（平成七年法律第百二十三号）第四条第一項に規定する基本方針のうち同条第二項第三号の技術上の指針となるべき事項に基づいて建築士が行った耐震診断の結果についての報告書

ロ　既存住宅に係る住宅の品質確保の促進等に関する法律第六条第三項の建設住宅性能評価書

ハ　既存住宅の売買に係る特定住宅瑕疵担保責任の履行の確保等に関する法律（平成十九年法律第六十六号）第十九条第二号の保険契約が締結されていることを証する書類

ニ　イからハまでに掲げるもののほか、住宅の耐震性に関する書類

した平面図を交付し、また、当該宅地の道路からの高さ、擁壁、階段、排水施設、井戸等の位置、構造等について説明することとし、特にこれらの施設の位置については、上記の平面図に記入することとする。なお、上記の平面図は、これらの状況が十分に理解できる程度の縮尺のものにすることとする。

2　建物の形状、構造について

当該建物の敷地内における位置、各階の床面積及び間取りを示す平面図（マンション等建物の一部にあっては、敷地及び当該敷地内における建物の位置を示す平面図並びに当該物件の存する階の平面図並びに当該物件の平面図）を交付し、また、当該建物の鉄筋コンクリート造、ブロック造、木造等の別、屋根の種類、階数等を説明することとする。なお、上記の平面図は、これらの状況が十分に理解できる程度の縮尺のものにすることとする。

3　宅地に接する道路の構造及び幅員について

道路については、その位置及び幅員を1の平面図に記入し、また側溝等の排水施設、舗装の状況等について説明することとする。

4　建物の主要構造部、内装及び外装の構造又は仕上げについて

主要構造部（建築基準法上の主要構造部をいう。）については、それぞれの材質を、内装及び外装については、主として天井及び壁面につきその材質、塗装の状況等を説明することとする。

5　建物の設備の設置及び構造について

建築基準法上の建築設備のほか、厨房設備、照明設備、備え付けの家具等当該建物に附属する設備（屋内の設備に限らず門、へい等屋外の設備をも含む。）のうち主要なものにつ

名（法人にあつては、その名称）

二　当該信託財産である宅地又は建物に係る都市計画法、建築基準法その他の法令に基づく制限で政令で定めるものに関する事項の概要

三　当該信託財産である宅地又は建物に係る私道に関する負担に関する事項

四　当該信託財産である宅地又は建物に係る飲用水、電気及びガスの供給並びに排水のための施設の整備の状況（これらの施設が整備されていない場合においては、その整備の見通し及びその整備についての特別の負担に関する事項）

五　当該信託財産である宅地又は建物が宅地の造成又は建築に関する工事の完了前のものであるときは、その完了時における形状、構造その他国土交通省令で定める事項

六　当該信託財産である建物が建物の区分所有等に関する法律第二条第一項に規定する区分所有権の目的であるものであるときは、当該建物を所有するための一棟の建物の敷地に関する権利の種類及び内容、同条第四項に規定する共用部分に関する規約の定めその他の一棟の建物又はその敷地（一団地内に数棟の建物があつて、その団地内の土地又はこれに関する権利がそれらの建物の所有者の共有に属する場合には、その土地を含む。）に関する権利及びこれらの管理又は使用に関する事項で国土交通省令で定めるもの

七　その他当該信託の受益権の売買の

二十　集落地域整備法（昭和六十二年法律第六十三号）第六条第一項及び第二項

二十一　密集市街地における防災街区の整備の促進に関する法律第三十三条第一項及び第二項、第百九十七条第一項、第二百三十条、第二百八十三条第一項、第二百九十四条、第二百九十五条第五項並びに第二百九十八条第四項

二十二　地域における歴史的風致の維持及び向上に関する法律（平成二十年法律第四十号）第十五条第一項及び第二項並びに第三十三条第一項及び第二項

二十三　港湾法第三十七条第一項第四号、第四十条第一項、第四十五条の六、第五十条の十三及び第五十条の二十

二十四　住宅地区改良法第九条第一項

二十五　公有地の拡大の推進に関する法律（昭和四十七年法律第六十六号）第四条第一項及び第八条

二十六　農地法第三条第一項、第四条第一項及び第五条第一項

二十七　宅地造成等規制法第八条第一項及び第十二条第一項

二十八　マンションの建替え等の円滑化に関する法律第百五条第一項

二十九　長期優良住宅の普及の促進に関する法律第十八条第一項

三十　都市公園法（昭和三十一年法律第七十九号）第二十三条

三十一　自然公園法第二十条第三項、第二十一条第三項、第二十二条第三

（支払金又は預り金）

第十六条の三　法第三十五条第一項第十一号の国土交通省令・内閣府令で定める支払金又は預り金は、代金、交換差金、借賃、権利金、敷金その他いかなる名義をもつて授受されるかを問わず、宅地建物取引業者の相手方等から宅地建物取引業者がその取引の対象となる宅地又は建物に関し受領する金銭とする。ただし、次の各号に該当するものを除く。

一　受領する額が五十万円未満のもの

二　法第四十一条又は第四十一条の二の規定により、保全措置が講ぜられている手付金等

三　売主又は交換の当事者である宅地建物取引業者が登記以後に受領するもの

四　報酬

（支払金又は預り金の保全措置）

第十六条の四　宅地建物取引業者が受領しようとする支払金又は預り金について法第三十五条第一項第十一号の国土交通省令・内閣府令で定める保全措置は、次の各号の一に掲げるものとする。

一　銀行、信託会社その他令第四条に定める金融機関又は指定保証機関（以下「銀行等」という。）との間において、宅地建物取引業者が受領した支払金又は預り金の返還債務その他の当該支払金又は預り金に関する債務を負うこととなつた場合において当該銀行等がその債務を連帯して保証することを委託する契約（以下「一般保証委託契約」という。）を締結し、かつ、当該一般保証委託契約に基づいて当該銀行等が当該債務を

いて、その設置の有無及び概況（配置、個数、材質等）を説明することとし、特に配置については、図面で示すことが必要かつ可能である場合には、２の平面図に記入することとする。

６　工事完了時売買について

宅地建物の工事完了前売買については、工事完了時における当該宅地建物の形状、構造その他国土交通省令・内閣府令で定める事項を記載した書面を交付して説明することとされているが、工事完了時売買についても工事完了前売買と同様にこれらの事項について説明することとする。

また、いずれの場合においても、図面その他の書面への記載に当たっては、建物の構造、設備、仕上げ等について購入者が理解しやすいように具体的に記載することとする。

７　重要事項説明書について

本号に掲げる事項について図面を交付したときは、その図面に記載されている事項は改めて重要事項説明書に記載することを要しないこととする。

［第35条第1項第6号関係］

１　敷地に関する権利の種類及び内容について（規則第16条の2第1号関係）

「敷地」に関しては、総面積として実測面積、登記簿上の面積、建築確認の対象とされた面積を記載することとする。なお、やむを得ない理由により、これらのうちいずれかが判明しない場合にあっては、その旨を記載すれば足りるものとする。また、中古物件の代理、媒介の場合にあっては、実測面積、建築確認の対象とされた面積が特に判明している場合のほかは、登記簿上の面積を記載することをもって足りるものとする。

法35

相手方の利益の保護の必要性を勘案して国土交通省令で定める事項

④ 宅地建物取引士は、前三項の説明をするときは、説明の相手方に対し、宅地建物取引士証を提示しなければならない。

⑤ 第一項から第三項までの書面の交付に当たつては、宅地建物取引士は、当該書面に記名しなければならない。

⑥ 次の表の第一欄に掲げる者が宅地建物取引業者である場合においては、同表の第二欄に掲げる規定の適用については、これらの規定中同表の第三欄に掲げる字句は、それぞれ同表の第四欄に掲げる字句とし、前二項の規定は、適用しない。

宅地建物取引業者の相手方等	第一項	宅地建物取引士をして、少なくとも次に掲げる事項について、これらの事項	少なくとも次に掲げる事項
		交付して説明をさせなければ	交付しなければ
第二項に規定する宅地又は建物の割賦販売の相手方	第二項	宅地建物取引士をして、前項各号に掲げる事項のほか、次に掲げる事項について、これらの事項	前項各号に掲げる事項のほか、次に掲げる事項
		交付して説明をさせなければ	交付しなければ

令3

項、第三十三条第一項、第四十八条及び第七十三条第一項（利用調整地区に係る部分を除く。）

三十二　首都圏近郊緑地保全法（昭和四十一年法律第百一号）第十三条

三十三　近畿圏の保全区域の整備に関する法律（昭和四十二年法律第百三号）第十四条

三十四　都市の低炭素化の促進に関する法律（平成二十四年法律第八十四号）第四十三条

三十五　水防法（昭和二十四年法律第百九十三号）第十五条の八第一項

三十六　下水道法（昭和三十三年法律第七十九号）第二十五条の九

三十七　河川法第二十六条第一項、第二十七条第一項、第五十五条第一項、第五十七条第一項、第五十八条の四第一項及び第五十八条の六第一項（これらの規定を同法第百条第一項において準用する場合を含む。）

三十八　特定都市河川浸水被害対策法第二十四条、第三十条、第三十七条第一項、第三十九条第一項、第四十六条第一項、第五十二条、第五十五条第一項、第五十七条第一項、第六十二条第一項、第六十六条及び第七十一条第一項

三十九　海岸法第八条第一項

四十　津波防災地域づくりに関する法律第二十三条第一項、第五十二条第一項、第五十八条、第六十八条、第七十三条第一項、第七十八条第一項、第八十二条及び第八十七条第一項

四十一　砂防法第四条（同法第三条に

則16-3～16-4

連帯して保証することを約する書面を宅地建物取引業者の相手方等に交付すること。

二　保険事業者との間において、宅地建物取引業者が受領した支払金又は預り金の返還債務その他の当該支払金又は預り金に関する債務の不履行により宅地建物取引業者の相手方等に生じた損害のうち少なくとも当該債務の不履行に係る支払金又は預り金の額に相当する部分を当該保険事業者がうめることを約する保証保険契約を締結し、かつ、保険証券又はこれに代わるべき書面を宅地建物取引業者の相手方等に交付すること。

三　次のイからハまでに掲げる措置をいずれも講ずること。

イ　指定保管機関との間において、宅地建物取引業者が自己に代理して当該指定保管機関に支払金又は預り金を受領させることとするとともに、当該指定保管機関が、当該宅地建物取引業者が受領した支払金又は預り金の額に相当する額の金銭を保管することを約する契約（以下「一般寄託契約」という。）を締結し、かつ、当該一般寄託契約を証する書面を宅地建物取引業者の相手方等に交付すること。

ロ　宅地建物取引業者の相手方等との間において、宅地建物取引業者の相手方等が宅地建物取引業者に対して有することとなる支払金又は預り金の返還を目的とする債権の担保として、一般寄託契約に基

解釈35①五・35①六

「権利の種類」に関しては、所有権、地上権、賃借権等に区別して記載することとする。

「権利の内容」に関しては、所有権の場合は対象面積を記載することをもって足りるものとするが、地上権、賃借権等の場合は対象面積及びその存続期間もあわせて記載することとする。なお、地代、賃借料等についても記載することを要するものとするが、これについては区分所有者の負担する額を記載することとする。

2　共用部分に関する規約の定めについて（規則第16条の2第2号関係）

「共用部分に関する規約の定め」には、いわゆる規約共用部分に関する規約の定めのほか、いわゆる法定共用部分であっても規約で確認的に共用部分とする旨の定めがあるときにはその旨を含むものである。

かっこ書で「その案を含む」としたのは、新規分譲等の場合には、買主に提示されるものが規約の案であることを考慮したものである。

共用部分に関する規約が長文にわたる場合においては、その要点を記載すれば足りるものとする。

3　専有部分の利用制限に関する規約について（規則第16条の2第3号関係）

「専有部分の用途その他の利用の制限に関する規約の定め」には、例えば、居住用に限り事業用としての利用の禁止、フローリングへの貼替工事、ペット飼育、ピアノ使用等の禁止又は制限に関する規約上の定めが該当する。

なお、ここでいう規約には、新規分譲等の場合に買主に示されるものが規約の案であることを考慮して、その案も含むこととされて

⑦ 宅地建物取引業者は、前項の規定により読み替えて適用する第一項又は第二項の規定により交付すべき書面を作成したときは、宅地建物取引士をして、当該書面に記名させなければならない。

⑧ 宅地建物取引業者は、第一項から第三項までの規定による書面の交付に代えて、政令で定めるところにより、第一項に規定する宅地建物取引業者の相手方等、第二項に規定する宅地若しくは建物の割賦販売の相手方又は第三項に規定する売買の相手方の承諾を得て、宅地建物取引士に、当該書面に記載すべき事項を電磁的方法であつて第五項の規定による措置に代わる措置を講ずるものとして国土交通省令で定めるものにより提供させることができる。この場合において、当該宅地建物取引業者は、当該宅地建物取引士に当該書面を交付させたものとみなし、同項の規定は、適用しない。

⑨ 宅地建物取引業者は、第六項の規定により読み替えて適用する第一項又は第二項の規定による書面の交付に代えて、政令で定めるところにより、第六項の規定により読み替えて適用する第一項に規定する宅地建物取引業者の相手方等である宅地建物取引業者又は第六項の規定により読み替えて適用する第二項に規定する宅地若しくは建物の割賦販売の相手方である宅地建物取引業者の承諾を得て、当該書面に記載すべき事項を電磁的方法であつて第七項の規定による措置に代わる措置を講ず

おいて準用する場合を含む。）

四十二　地すべり等防止法第十八条第一項及び第四十二条第一項

四十三　急傾斜地の崩壊による災害の防止に関する法律第七条第一項

四十四　土砂災害警戒区域等における土砂災害防止対策の推進に関する法律第十条第一項及び第十七条第一項

四十五　森林法第十条の二第一項、第十条の十一の六、第三十一条（同法第四十四条において準用する場合を含む。）並びに第三十四条第一項及び第二項（これらの規定を同法第四十四条において準用する場合を含む。）

四十六　森林経営管理法（平成三十年法律第三十五号）第七条第三項及び第三十七条第三項

四十七　道路法第四十七条の十九、第四十八条の二十九の七、第四十八条の三十九及び第九十一条第一項

四十八　踏切道改良促進法（昭和三十六年法律第百九十五号）第十条

四十九　全国新幹線鉄道整備法（昭和四十五年法律第七十一号）第十一条第一項（同法附則第十三項において準用する場合を含む。）

五十　土地収用法第二十八条の三第一項（同法第百三十八条第一項において準用する場合を含む。）

五十一　文化財保護法第四十三条第一項、第四十五条第一項、第四十六条第一項及び第五項（これらの規定を同法第八十三条において準用する場合を含む。次項において同じ。）、第

づく寄託金の返還を目的とする債権について質権を設定する契約（以下「一般質権設定契約」という。）を締結し、かつ、当該一般質権設定契約を証する書面を宅地建物取引業者の相手方等に交付し、及び当該一般質権設定契約による質権の設定を民法（明治二十九年法律第八十九号）第四百六十七条の規定による確定日付のある証書をもつて指定保管機関に通知すること。

ハ　イ及びロに掲げる措置を講ずる場合において、既に自ら支払金又は預り金を受領しているときは、自ら受領した支払金又は預り金の額に相当する額（既に指定保管機関が保管する金銭があるときは、その額を除いた額）の金銭を、宅地建物取引業者の相手方等が支払金又は預り金の支払をする前に、指定保管機関に交付すること。

② 前項第一号の規定による一般保証委託契約は、銀行等が次の各号に掲げる要件に適合する保証契約を宅地建物取引業者の相手方等との間において成立させることを内容とするものでなければならない。

一　保証債務が、少なくとも宅地建物取引業者が受領した支払金又は預り金の額に相当する額の債務を保証するものであること。

二　保証すべき債務が、少なくとも宅地建物取引業者が売主又は交換の当事者である場合においては登記ま

いる。また、専有部分の利用制限について規約の細則等において定められた場合においても、その名称の如何に関わらず、規約の一部と認められるものを含めて説明事項としたものである。

また、当該規約の定めが長文にわたる場合においては、重要事項説明書にはその要点を記載すれば足りるものとする。その際、要点の記載に代えて、規約等の写しを添付することとしても差し支えないものであるが、該当箇所を明示する等により相手方に理解がなされるよう配慮することとする。

4 専用使用権について（規則第16条の2第4号関係）

規則第16条の2第4号は、いわゆる専用使用権の設定がなされているものに関するものであり、通常、専用庭、バルコニー等に設定されるものであるが、これらについては、その項目を記載するとともに専用使用料を徴収している場合にあってはその旨及びその帰属先を記載することとする。

駐車場については特に紛争が多発していることにかんがみ、その「内容」としては、使用し得る者の範囲、使用料の有無、使用料を徴収している場合にあってはその帰属先等を記載することとする。

5 マンション管理規約に定められる金銭的な負担を特定の者にのみ減免する条項について（規則第16条の2第5号関係）

マンション管理規約とは、分譲マンションの区分所有者が組織する管理組合が定めるマンションの管理又は使用に関する基本ルールであるが、新築分譲マンションの場合は、分譲開始時点で管理組合が実質的に機能していないため、宅地建物取引業者が管理規約の案

るものとして国土交通省令で定めるものにより提供することができる。この場合において、当該宅地建物取引業者は、当該書面を交付したものとみなし、同項の規定は、適用しない。

＊重要事項説明書後33頁以下

百二十五条第一項、第百二十八条第一項、第百四十三条第一項（同条第二項において準用する場合を含む。）並びに第百八十二条第二項

五十二　航空法第四十九条第一項（同法第五十五条の二第三項又は自衛隊法第百七条第二項において準用する場合を含む。）及び第五十六条の三第一項

五十三　国土利用計画法（昭和四十九年法律第九十二号）第十四条第一項、第二十三条第一項並びに第二十七条の四第一項及び第三項（これらの規定を同法第二十七条の七第一項において準用する場合を含む。）

五十四　核原料物質、核燃料物質及び原子炉の規制に関する法律第五十一条の二十九第一項

五十五　廃棄物の処理及び清掃に関する法律（昭和四十五年法律第百三十七号）第十五条の十九第一項及び第三項

五十六　土壌汚染対策法（平成十四年法律第五十三号）第九条並びに第十二条第一項及び第三項

五十七　都市再生特別措置法（平成十四年法律第二十二号）第四十五条の七、第四十五条の八第五項及び第四十五条の十一第四項（これらの規定を同法第四十五条の十三第三項、第四十五条の十四第三項、第四十五条の二十一第三項、第七十三条第二項及び第百九条の四第三項において準用する場合を含む。）、第四十五条の二十、第八十八条第一項及び第二

で、買主である場合においては代金の支払まで、その他の場合においては支払金又は預り金を売主、交換の他の当事者又は貸主が受領するまで（売買又は交換に係る支払金又は預り金を登記前に宅地建物取引業者が受領するときは、登記まで）に生じたものであること。

③　第一項第二号の規定による保証保険契約は、次の各号に掲げる要件に適合するものでなければならない。

一　保険金額が、宅地建物取引業者が受領しようとする支払金又は預り金の額（既に受領した支払金又は預り金があるときは、その額を加えた額）に相当する金額であること。

二　保険期間が、少なくとも保証保険契約が成立した時から、宅地建物取引業者が売主又は交換の当事者である場合においては登記まで、買主である場合においては代金の支払まで、その他の場合においては支払金又は預り金を売主、交換の他の当事者又は貸主が受領するまで（売買又は交換に係る支払金又は預り金を登記前に宅地建物取引業者が受領するときは、登記まで）の期間であること。

④　第一項第三号イの規定による一般寄託契約は、次に掲げる要件に適合するものでなければならない。

一　保管される金額が、宅地建物取引業者が受領しようとする支払金又は預り金の額（既に受領した支払金又は預り金で指定保管機関に保管され

を策定し、これを管理組合が承認する方法で定められる方法が多い。そのため、購入者にとって不利な金銭的負担が定められている規約も存在し、その旨が「中高層分譲共同住宅の管理等に関する行政監察報告書」（平成11年11月）においても指摘されているところである。このような内容の規約を定めること自体望ましいものではない場合もあるが、契約自由の原則を踏まえつつ、購入者の利益の保護を図るため、管理規約中に標記に該当する内容の条項が存在する場合は、その内容の説明義務を宅地建物取引業者に義務付けるものである。

なお、本規定は、中古マンションの売買についてもその適用を排除するものではなく、その場合、当該売買の際に存在する管理規約について調査・説明を行うこととなる。

6　修繕積立金等について（規則第16条の2第6号関係）

規則第16条の2第6号は、いわゆる大規模修繕積立金、計画修繕積立金等の定めに関するものであり、一般の管理費でまかなわれる通常の維持修繕はその対象とはされないこととする。

また、当該区分所有建物に関し修繕積立金等についての滞納があるときはその額を告げることとする。ここでいう修繕積立金等については、当該一棟の建物に係る修繕積立金積立総額及び売買の対象となる専有部分に係る修繕積立金等を指すものとする。

なお、この積立て額は時間の経緯とともに変動するので、できる限り直近の数値（直前の決算期における額等）を時点を明示して記載することとする。

項並びに第百八条第一項及び第二項

五十八　地域再生法（平成十七年法律第二十四号）第十七条の十八第一項及び第三項

五十九　高齢者、障害者等の移動等の円滑化の促進に関する法律（平成十八年法律第九十一号）第四十六条、第四十七条第三項及び第五十条第四項（これらの規定を同法第五十一条の二第三項において準用する場合を含む。）

六十　災害対策基本法（昭和三十六年法律第二百二十三号）第四十九条の五（同法第四十九条の七第二項において準用する場合を含む。）

六十一　東日本大震災復興特別区域法（平成二十三年法律第百二十二号）第六十四条第四項及び第五項

六十二　大規模災害からの復興に関する法律（平成二十五年法律第五十五号）第二十八条第四項及び第五項

② 法第三十五条第一項第二号の法令に基づく制限で政令で定めるものは、宅地の貸借の契約については、前項に規定する制限のうち、都市計画法第五十二条の三第二項及び第四項、第五十七条第二項及び第四項並びに第六十七条第一項及び第三項、新住宅市街地開発法第三十一条、新都市基盤整備法第五十条、流通業務市街地の整備に関する法律第三十七条第一項、公有地の拡大の推進に関する法律第四条第一項及び第八条並びに文化財保護法第四十六条第一項及び第五項の規定に基づくもの以外のもので、当該宅地に係

ていないものがあるときは、その保管されていないものの額を加えた額）に相当する金額であること。

二　保管期間が、少なくとも指定保管機関が宅地建物取引業者に代理して支払金又は預り金を受領した時から、宅地建物取引業者が売主又は交換の当事者である場合においては登記まで、買主である場合においては代金の支払まで、その他の場合においては支払金又は預り金を売主、交換の他の当事者又は貸主が受領するまで（売買又は交換に係る支払金又は預り金を登記前に宅地建物取引業者が受領するときは、登記まで）の期間であること。

⑤ 第一項第三号ロの規定による一般質権設定契約は、設定される質権の存続期間が、少なくとも当該質権が設定された時から、宅地建物取引業者が売主又は交換の当事者である場合においては登記まで、買主である場合においては代金の支払まで、その他の場合においては支払金又は預り金を売主、交換の他の当事者又は貸主が受領するまで（売買又は交換に係る支払金又は預り金を登記前に宅地建物取引業者が受領するときは、登記まで）の期間であるものでなければならない。

（担保責任の履行に関する措置）

第十六条の四の二　法第三十五条第一項第十三号の国土交通省令・内閣府令で定める措置は、次の各号のいずれかに掲げるものとする。

一　当該宅地又は建物が種類又は品質

7 管理費用について（規則第16条の2第7号関係）

「通常の管理費用」とは、共用部分に係る共益費等に充当するため区分所有者が月々負担する経常的経費をいい、規則第16条の2第6号の修繕積立金等に充当される経費は含まれないものとする。

また、管理費用についての滞納があればその額を告げることとする。

なお、この「管理費用の額」も人件費、諸物価等の変動に伴い変動するものと考えられるので、できる限り直近の数値を時点を明示して記載することとする。

8 管理が委託されている場合について（規則第16条の2第8号関係）

規則第16条の2第8号においては、管理の委託を受けている者の氏名及び住所を説明すべき事項としているが、管理を受託している者が、マンションの管理の適正化の推進に関する法律第44条の登録を受けている者である場合には、重要事項説明書に氏名（法人にあっては、その商号又は名称）とその者の登録番号、及び住所（法人にあっては、その主たる事務所の所在地）を記載し、その旨説明することとする。

また、管理の委託先のほか、管理受託契約の主たる内容もあわせて説明することが望ましい。

9 マンション修繕の過去の実施状況について（規則第16条の2第9号関係）

規則第16条の2第9号の維持修繕は、第6号と同様に共用部分における大規模修繕、計画修繕を想定しているが、通常の維持修繕や専有部分の維持修繕を排除するものではない。専有部分に係る維持修繕の実施状況の記録が存在する場合は、売買等の対象となる専

るものとする。

③　法第三十五条第一項第二号の法令に基づく制限で政令で定めるものは、建物の貸借の契約については、新住宅市街地開発法第三十二条第一項、新都市基盤整備法第五十一条第一項及び流通業務市街地の整備に関する法律第三十八条第一項の規定に基づく制限で、当該建物に係るものとする。

（法第三十五条第三項第二号の法令に基づく制限）

第三条の二　法第三十五条第三項第二号の法令に基づく制限で政令で定めるものは、前条第一項各号に掲げる法律の規定（これらの規定に基づく命令及び条例の規定を含む。）に基づく制限で当該信託財産である宅地又は建物に係るもの及び都市計画法施行法第三十八条第三項の規定により、なお従前の例によるものとされる緑地地域内における建築物又は土地に関する工事若しくは権利に関する制限（同法第二十六条及び第二十八条の規定により同法第三十八条第三項の規定の例によるものとされるものを含む。）で当該信託財産である宅地又は建物に係るものとする。

（法第三十五条第八項の規定による承諾等に関する手続等）

第三条の三　法第三十五条第八項の規定による承諾は、宅地建物取引業者が、国土交通省令で定めるところにより、あらかじめ、当該承諾に係る宅地建物取引業者の相手方等、宅地若しくは建物の割賦販売の相手方又は売買の相手

に関して契約の内容に適合しない場合におけるその不適合を担保すべき責任の履行に関する保証保険契約又は責任保険契約の締結

二　当該宅地又は建物が種類又は品質に関して契約の内容に適合しない場合におけるその不適合を担保すべき責任の履行に関する保証保険又は責任保険を付保することを委託する契約の締結

三　当該宅地又は建物が種類又は品質に関して契約の内容に適合しない場合におけるその不適合を担保すべき責任の履行に関する債務について銀行等が連帯して保証することを委託する契約の締結

四　特定住宅瑕疵担保責任の履行の確保等に関する法律第十一条第一項に規定する住宅販売瑕疵かし担保保証金の供託

（法第三十五条第一項第十四号イの国土交通省令・内閣府令及び同号ロの国土交通省令で定める事項）

第十六条の四の三　法第三十五条第一項第十四号イの国土交通省令・内閣府令及び同号ロの国土交通省令で定める事項は、宅地の売買又は交換の契約にあつては第一号から第三号の二までに掲げるもの、建物の売買又は交換の契約にあつては第一号から第六号までに掲げるもの、宅地の貸借の契約にあつては第一号から第三号の二まで及び第八号から第十三号までに掲げるもの、建物の貸借の契約にあつては第一号から第五号まで及び第七号から第十二号ま

有部分に係る記録についてのみ説明すれば足りるものとする。

また、本説明義務は、維持修繕の実施状況の記録が保存されている場合に限って課されるものであり、管理組合、マンション管理業者又は売主に当該記録の有無を照会の上、存在しないことが確認された場合は、その照会をもって調査義務を果たしたことになる。

10　規約等の内容の記載及びその説明について

マンション等の規約その他の定めは、相当な量に達するのが通例であるため重要事項としては共用部分に関する規約の定め、専有部分に関する規約等の定め、専用使用権に関する規約等の定め、修繕積立金等に関する規約等の定め及び金銭的な負担を特定の者にのみ減免する規約の定めについてに限って説明義務を課すこととし、重要事項説明書にはその要点を記載すれば足りることとしているが、この場合、規約等の記載に代えて規約等を別添することとしても差し支えない。なお、規約等を別添する場合には、規則第16条の2第2号から第6号までに該当する規約等の定めの該当箇所を明示する等により相手方に理解がなされるよう配慮するものとする。

11　数棟の建物の共有に属する土地について

一棟の建物が一団地内に所在し、その団地内の土地又はこれに関する権利が当該一棟の建物を含む数棟の建物の所有者の共有に属する場合にあっては、その共有に属する土地等についても区分所有者が共有持分を有するものであるので、必要に応じ、共有の対象とされている土地の範囲、当該建物の区分所有者が有する共有持分の割合及びその共有に属する土地の使途等についても重要事項説明書に

方（以下この項及び次項において「相手方等」という。）に対し同条第八項の規定による電磁的方法による提供に用いる電磁的方法の種類及び内容を示した上で、当該相手方等から書面又は電子情報処理組織を使用する方法その他の情報通信の技術を利用する方法であつて国土交通省令で定めるもの（次項において「書面等」という。）によつて得るものとする。

② 宅地建物取引業者は、前項の承諾を得た場合であつても、相手方等から書面等により法第三十五条第八項の規定による電磁的方法による提供を受けない旨の申出があつたときは、当該電磁的方法による提供をしてはならない。ただし、当該申出の後に当該相手方等から再び前項の承諾を得た場合は、この限りでない。

③ 前二項の規定は、法第三十五条第九項の規定による承諾について準用する。この場合において、第一項中「宅地建物取引業者の相手方等」とあるのは「宅地建物取引業者の相手方等である宅地建物取引業者又は」と、「又は売買の相手方」とあるのは「である宅地建物取引業者」と読み替えるものとする。

でに掲げるものとする。

一 当該宅地又は建物が宅地造成等規制法（昭和三十六年法律第百九十一号）第二十条第一項により指定された造成宅地防災区域内にあるときは、その旨

二 当該宅地又は建物が土砂災害警戒区域等における土砂災害防止対策の推進に関する法律（平成十二年法律第五十七号）第七条第一項により指定された土砂災害警戒区域内にあるときは、その旨

三 当該宅地又は建物が津波防災地域づくりに関する法律（平成二十三年法律第百二十三号）第五十三条第一項により指定された津波災害警戒区域内にあるときは、その旨

三の二 水防法施行規則（平成十二年建設省令第四十四号）第十一条第一号の規定により当該宅地又は建物が所在する市町村の長が提供する図面に当該宅地又は建物の位置が表示されているときは、当該図面における当該宅地又は建物の所在地

四 当該建物について、石綿の使用の有無の調査の結果が記録されているときは、その内容

五 当該建物（昭和五十六年六月一日以降に新築の工事に着手したものを除く。）が建築物の耐震改修の促進に関する法律第四条第一項に規定する基本方針のうち同条第二項第三号の技術上の指針となるべき事項に基づいて次に掲げる者が行う耐震診断を受けたものであるときは、その内

記載し、適宜、その内容を説明するものとする。

[第35条第1項第6号の2関係]

1 重要事項説明の対象となる建物状況調査について

建物状況調査が過去1年以内に実施されている場合には、建物状況調査を実施した者が作成した「建物状況調査の結果の概要（重要事項説明用）」（別添4）に基づき、劣化事象等の有無を説明することとする。説明を行うに当たっては、当該建物状況調査を実施した者が既存住宅状況調査技術者であることを既存住宅状況調査技術者講習実施機関のホームページ等において確認した上で行うよう留意すること。

本説明義務については、売主等に建物状況調査の実施の有無を照会し、必要に応じて管理組合及び管理業者にも問い合わせた上、実施の有無が判明しない場合は、その照会をもって調査義務を果たしたことになる。

実施後1年を経過していない建物状況調査が複数ある場合は、直近に実施された建物状況調査を重要事項説明の対象とする。ただし、直近に実施されたもの以外の建物状況調査により劣化事象等が確認されている場合には、消費者の利益等を考慮し、当該建物状況調査についても買主等に説明することが適当である。なお、取引の判断に重要な影響を及ぼすと考えられる建物状況調査を直近のもの以外に別途認識しているにもかかわらず、当該建物状況調査について説明しない場合には、法第47条違反になりうる。

また、建物状況調査を実施してから1年を経過する前に大規模な自然災害が発生した場合等、重要事項の説明時の建物の現況が建物

法
35

令
3-3

則
16-4-3

容

イ　建築基準法第七十七条の二十一第一項に規定する指定確認検査機関

ロ　建築士

ハ　住宅の品質確保の促進等に関する法律第五条第一項に規定する登録住宅性能評価機関

ニ　地方公共団体

六　当該建物が住宅の品質確保の促進等に関する法律第五条第一項に規定する住宅性能評価を受けた新築住宅であるときは、その旨

七　台所、浴室、便所その他の当該建物の設備の整備の状況

八　契約期間及び契約の更新に関する事項

九　借地借家法（平成三年法律第九十号）第二条第一号に規定する借地権で同法第二十二条第一項の規定の適用を受けるものを設定しようとするとき、又は建物の賃貸借で同法第三十八条第一項若しくは高齢者の居住の安定確保に関する法律（平成十三年法律第二十六号）第五十二条第一項の規定の適用を受けるものをしようとするときは、その旨

十　当該宅地又は建物の用途その他の利用に係る制限に関する事項（当該建物が区分所有法第二条第一項に規定する区分所有権の目的であるときにあつては、第十六条の二第三号に掲げる事項を除く。）

十一　敷金その他いかなる名義をもつて授受されるかを問わず、契約終了

解釈
35①六
・
35①六-ニ

状況調査を実施した時と異なる可能性がある場合であっても、自然災害等による建物への影響の有無及びその程度について具体的に判断することは困難であることや、自然災害等が発生する以前の建物状況調査において劣化事象等が確認されていた場合等においてはその調査結果が取引に係る判断の参考になることを踏まえ、当該建物状況調査についても重要事項として説明することが適当である。

＊別添4後66頁参照

2　建物の建築及び維持保全の状況に関する書類について（規則第16条の2の3関係）

規則第16条の2の3各号に掲げる書類の保存の状況に関する説明は、原則として、当該書類の有無を説明するものであり、当該書類に記載されている内容の説明まで宅地建物取引業者に義務付けるものではない。また、規則第16条の2の3各号に掲げる書類の保存に代えて、当該書類に係る電磁的記録が保存されている場合も含むものとする。なお、規則第16条の2の3各号に掲げる書類の作成義務がない場合や当該書類が交付されていない場合には、その旨を説明することが望ましい。

また、本説明義務については、売主等に当該書類の保存の状況について照会し、必要に応じて管理組合及び管理業者にも問い合わせた上、当該書類の有無が判明しない場合は、その照会をもって調査義務を果たしたことになる。なお、管理組合や管理業者等、売主等以外の者が当該書類を保存している場合には、その旨を併せて説明することとする。

(1)　確認の申請書、確認済証及び検査済証について（規則第16条の2の3第1号及び第2号関係）

当該住宅が増改築等を行っているもの

時において精算することとされている金銭の精算に関する事項

十二　当該宅地又は建物（当該建物が区分所有法第二条第一項に規定する区分所有権の目的であるものを除く。）の管理が委託されているときは、その委託を受けている者の氏名（法人にあつては、その商号又は名称）及び住所（法人にあつては、その主たる事務所の所在地）

十三　契約終了時における当該宅地の上の建物の取壊しに関する事項を定めようとするときは、その内容

（法第三十五条第三項ただし書の国土交通省令で定める場合）

第十六条の四の四　法第三十五条第三項ただし書の国土交通省令で定める場合は、次に掲げる場合とする。

一　金融商品取引法（昭和二十三年法律第二十五号）第二条第三十一項に規定する特定投資家（同法第三十四条の二第五項により特定投資家以外の顧客とみなされる者を除く。）及び同法第三十四条の三第四項により特定投資家とみなされる者を信託の受益権の売買の相手方とする場合

二　信託の受益権の売買契約の締結前一年以内に売買の相手方に対し当該契約と同一の内容の契約について書面を交付して説明をしている場合

三　売買の相手方に対し金融商品取引法第二条第十項に規定する目論見書（書面を交付して説明すべき事項のすべてが記載されているものに限る。）を交付している場合

で、新築時以外の確認の申請書、確認済証又は検査済証がある場合には、新築時のものに加えてそれらの書類の保存の状況も説明する必要がある。なお、一部の書類がない場合には、その旨を重要事項説明書に記載することとする。

確認済証又は検査済証が保存されていない場合であっても、当該住宅が建築確認又は完了検査を受けたことを証明できるものとして、建築基準法の特定行政庁の台帳に記載されている旨を証明する書類（台帳記載事項証明書）が交付され、保存されている場合には、その旨を重要事項説明書に記載し、説明することが適切である。

また、検査済証の交付を受けていない住宅の場合においても、「検査済証のない建築物に係る指定確認検査機関等を活用した建築基準法適合状況調査のためのガイドライン」（平成26年7月2日国住指第1137号）に基づく法適合状況調査報告書が作成され、保存されている場合には、当該住宅を増改築等する際の建築確認の資料等として活用できるため、法適合状況調査報告書が保存されている旨を重要事項説明書に記載し、説明することが適切である。

(2)　建物状況調査結果報告書（規則第16条の2の3第3号関係）

宅地建物取引業法第34条の2第1項第4号に規定する建物状況調査を実施した結果の内容が記載された書類の保存状況について説明する必要がある。

(3)　既存住宅に係る建設住宅性能評価書について（規則第16条の2の3第4号関係）

住宅の品質確保の促進等に関する法律に基づき交付された既存住宅に係る建設住宅

法令

法35

令3-3

則16-4-3〜16-4-6

② 書面を交付して説明をした日（この項の規定により書面を交付して説明をしたものとみなされた日を含む。）から一年以内に当該説明に係る売買契約と同一の内容の売買契約の締結を行つた場合には、当該締結の日において書面を交付して説明をしたものとみなして、前項第二号の規定を適用する。

（法第三十五条第三項第五号の国土交通省令で定める事項）

第十六条の四の五　法第三十五条第三項第五号に規定する国土交通省令で定める事項は、当該信託財産が宅地の場合にあつては宅地の造成の工事の完了時における当該宅地に接する道路の構造及び幅員、建物の場合にあつては建築の工事の完了時における当該建物の主要構造部、内装及び外装の構造又は仕上げ並びに設備の設置及び構造とする。

（法第三十五条第三項第六号の国土交通省令で定める事項）

第十六条の四の六　法第三十五条第三項第六号の国土交通省令で定める事項は、次に掲げるものとする。

一　当該信託財産である建物を所有するための一棟の建物の敷地に関する権利の種類及び内容

二　区分所有法第二条第四項に規定する共用部分に関する規約の定め（その案を含む。次号において同じ。）があるときは、その内容

三　区分所有法第二条第三項に規定する専有部分の用途その他の利用の制限に関する規約の定めがあるとき

解釈35① 六-二

性能評価書の保存状況について説明する必要がある。

(4) 定期調査報告書について（規則第16条の2の3第5号関係）

一定の建築物や昇降機等の建築設備については、建築基準法に基づき一定の時期ごとに定期調査報告を行うものとされている。定期調査報告の対象の住宅等について、過去に複数回の定期調査報告があった場合には、そのうち直近のものに関する書類の保存の状況を説明することとする。

また、取引対象物件自体は定期調査報告の対象ではないが、昇降機等の建築設備については定期検査報告の対象となっている場合には、その書類の保存の状況についても説明する必要がある。

(5) 昭和56年6月1日以降の耐震基準（いわゆる新耐震基準）等に適合することを確認できる書類について（規則第16条の2の3第6号関係）

昭和56年5月31日以前に新築の工事に着手した建物であるか否かの判断に当たっては、確認済証又は検査済証に記載する確認済証交付年月日の日付をもとに判断することとする。

確認済証又は検査済証がない場合は、建物の表題登記をもとに判断することとし、その際、居住の用に供する建物（区分所有建物を除く。）の場合は、表題登記日が昭和56年12月31日以前であるもの、事業の用に供する建物及び区分所有建物の場合は、表題登記日が昭和58年5月31日以前であるものについて説明を行うこととする。また、家屋課税台帳に建築年月日の記載がある場合についても同様に取り扱うこととする。

は、その内容

四　当該信託財産である一棟の建物又はその敷地の一部を特定の者にのみ使用を許す旨の規約（これに類するものを含む。次号及び第六号において同じ。）の定め（その案を含む。次号及び第六号において同じ。）があるときは、その内容

五　当該信託財産である一棟の建物の計画的な維持修繕のための費用、通常の管理費用その他の当該建物の所有者が負担しなければならない費用を特定の者にのみ減免する旨の規約の定めがあるときは、その内容

六　当該信託財産である一棟の建物の計画的な維持修繕のための費用の積立てを行う旨の規約の定めがあるときは、その内容及び既に積み立てられている額

七　当該信託財産である建物の所有者が負担しなければならない通常の管理費用の額

八　当該信託財産である一棟の建物及びその敷地の管理が委託されているときは、その委託を受けている者の氏名（法人にあつては、その商号又は名称）及び住所（法人にあつては、その主たる事務所の所在地）

九　当該信託財産である一棟の建物の維持修繕の実施状況が記録されているときは、その内容

（法第三十五条第三項第七号の国土交通省令で定める事項）

第十六条の四の七　法第三十五条第三項第七号の国土交通省令で定める事項

なお、特定住宅瑕疵担保責任の履行の確保等に関する法律に基づく既存住宅売買瑕疵保険の引受けは、新耐震基準等に適合する既存住宅が対象となっており、昭和56年5月31日以前に新築の工事に着手したものについて、現況検査により劣化事象等が確認されない場合には、①から④までの書類のいずれか有効なものがあれば、新耐震基準等に適合するものとして扱われる。

① 耐震診断結果報告書について

耐震診断結果報告書は、建築士の登録番号及び記名があるものに限ることとする。

② 既存住宅に係る建設住宅性能評価書について

住宅の品質確保の促進等に関する法律に基づき交付された既存住宅に係る建設住宅性能評価書のうち、日本住宅性能表示基準（平成13年国土交通省告示第１３４６号）別表２―１の１―１耐震等級（構造躯体の倒壊等防止）に関して、等級１、等級２又は等級３の評価を受けた建設住宅性能評価書の保存の状況を説明する必要がある。⑶と異なり、等級０の評価を受けた建設住宅性能評価書については、当該書類が保存されている場合であっても新耐震基準等に適合することが確認できる書類ではないため、「無」と説明することに留意すること。

③ 既存住宅売買瑕疵保険の付保証明書について

売買等の対象の住宅について以前交付された既存住宅売買瑕疵保険の付保証明書がある場合は、当該住宅が新耐震基準等に適合することが確認できるため、既

は、当該信託財産が宅地の場合にあつては第一号から第三号の二まで及び第七号に掲げるもの、当該信託財産が建物の場合にあつては第一号から第七号までに掲げるものとする。

一　当該信託財産である宅地又は建物が宅地造成等規制法第二十条第一項により指定された造成宅地防災区域内にあるときは、その旨

二　当該信託財産である宅地又は建物が土砂災害警戒区域等における土砂災害防止対策の推進に関する法律第七条第一項により指定された土砂災害警戒区域内にあるときは、その旨

三　当該信託財産である宅地又は建物が津波防災地域づくりに関する法律第五十三条第一項により指定された津波災害警戒区域内にあるときは、その旨

三の二　水防法施行規則第十一条第一号の規定により当該信託財産である宅地又は建物が所在する市町村の長が提供する図面に当該信託財産である宅地又は建物の位置が表示されているときは、当該図面における当該信託財産である宅地又は建物の所在地

四　当該信託財産である建物について、石綿の使用の有無の調査の結果が記録されているときは、その内容

五　当該信託財産である建物（昭和五十六年六月一日以降に新築の工事に着手したものを除く。）が建築物の耐震改修の促進に関する法律第四条第一項に規定する基本方針のうち

存住宅売買瑕疵保険の付保証明書の保存の状況について説明する。

④　住宅の耐震性に関する書類について

住宅の耐震性に関する書類は、次に掲げるものとする。

・　建築物の耐震改修の促進に関する法律第4条第1項に規定する基本方針のうち同条第2項第3号の技術上の指針となるべき事項に基づいて指定確認検査機関、登録住宅性能評価機関又は地方公共団体が耐震診断を行い、作成した耐震診断結果報告書

・　建築士法第20条第2項に規定する証明書（構造確認書）の写し（建築基準法に規定する構造計算書が併せて保存されている場合には、構造計算書の保存の状況についても併せて説明することとする。）

・　租税特別措置法施行規則に規定する国土交通大臣が財務大臣と協議して定める書類又は地方税法施行規則に規定する国土交通大臣が総務大臣と協議して定める書類であって所定の税制特例を受けるために必要となる証明書（耐震基準適合証明書、住宅耐震改修証明書、固定資産税減額証明書又は耐震改修に関して発行された増改築等工事証明書）の写し

［第35条第1項第8号関係］

建築条件付土地売買契約について

宅地建物取引業者が、いわゆる建築条件付土地売買契約を締結しようとする場合は、建物の工事請負契約の成否が土地の売買契約の成立又は解除条件である旨を説明するとともに、工事請負契約が締結された後に土地売買

同条第二項第三号の技術上の指針となるべき事項に基づいて次に掲げる者が行う耐震診断を受けたものであるときは、その内容

イ　建築基準法第七十七条の二十一第一項に規定する指定確認検査機関

ロ　建築士

ハ　住宅の品質確保の促進等に関する法律第五条第一項に規定する登録住宅性能評価機関

ニ　地方公共団体

六　当該信託財産である建物が住宅の品質確保の促進等に関する法律第五条第一項に規定する住宅性能評価を受けた新築住宅であるときは、その旨

七　当該信託財産である宅地又は建物が種類又は品質に関して契約の内容に適合しない場合におけるその不適合を担保すべき責任の履行に関し保証保険契約の締結その他の措置で次に掲げるものを講じられているときは、その概要

イ　当該信託財産である宅地又は建物が種類又は品質に関して契約の内容に適合しない場合におけるその不適合を担保すべき責任の履行に関する保証保険契約又は責任保険契約の締結

ロ　当該信託財産である宅地又は建物が種類又は品質に関して契約の内容に適合しない場合におけるその不適合を担保すべき責任の履行に関する保証保険又は責任保険を

契約を解除する際は、買主は手付金を放棄することになる旨を説明することとする。なお、買主と建設業者等の間で予算、設計内容、期間等の協議が十分に行われていないまま、建築条件付土地売買契約の締結と工事請負契約の締結が同日又は短期間のうちに行われることは、買主の希望等特段の事由がある場合を除き、適当でない。

[第35条第1項第10号関係]

手付金等の保全措置について

法第41条第1項第1号に掲げる措置か同条同項第2号に掲げる措置かの別、第1号に掲げる措置にあっては保証を行う機関の種類（銀行、信用金庫、農林中央金庫、指定保証機関等の別）及び保証又は保証保険を行う機関の名称又は商号を説明することとする。

法第41条の2に規定する手付金等の保管措置をとる場合においては、手付金等寄託契約を締結した後に、売主と買主の間で質権設定契約を締結しなければならない旨を買主に対して十分説明することとする。

なお、質権設定契約は手付金等寄託契約の締結後であれば売買契約の締結前に行っても差し支えないこと、質権設定契約は、あくまで手付金等の保全のための措置であり、売買契約の申込み、予約等とは異なるものであること、手付金等寄託契約の締結後の金銭の支払は、買主から指定保管機関に対して直接行われることとする。

[第35条第1項第11号関係]

支払金又は預り金の保全措置について

「その措置の概要」とは、保全措置を行う機関の種類及びその名称又は商号とする。

[第35条第1項第12号関係]

1　提携ローン等に係る金利について

法35

令3-3

則16-4-7～16-4-8

付保することを委託する契約の締結

ハ　当該信託財産である宅地又は建物が種類又は品質に関して契約の内容に適合しない場合におけるその不適合を担保すべき責任の履行に関する債務について銀行等が連帯して保証することを委託する契約の締結

（重要事項説明に係る書面の交付に係る情報通信の技術を利用する方法）

第十六条の四の八　法第三十五条第八項の国土交通省令で定める方法は、次に掲げるものとする。

一　電子情報処理組織を使用する方法のうちイ又はロに掲げるもの

イ　宅地建物取引業者等（宅地建物取引業者又は法第三十五条第八項に規定する事項の提供を行う宅地建物取引業者との契約によりファイルを自己の管理する電子計算機に備え置き、これを相手方（法第三十五条第一項に規定する宅地建物取引業者の相手方等、同条第二項に規定する宅地若しくは建物の割賦販売の相手方又は同条第三項に規定する売買の相手方をいう。以下この条及び第十六条の四の十一において同じ。）若しくは当該宅地建物取引業者の用に供する者をいう。以下この条及び第十六条の四の十において同じ。）の使用に係る電子計算機と相手方等（相手方又は相手方との契約により相手方ファイル（専ら相手方の

解釈35①八・35①一〇・35①一一・35①一二・35①一三

宅地建物取引業者が提携ローン等に係る金利をアド・オン方式により表示する場合には、実質金利を付記するものとし、かつ、実質金利の表示は、年利建てにより行うこととする。

2　ローン不成立等の場合について

金融機関との金銭消費貸借に関する保証委託契約が成立しないとき又は金融機関の融資が認められないときは売主又は買主は売買契約を解除することができる旨、及び解除権の行使が認められる期限を設定する場合にはその旨を説明する。

また、売買契約を解除したときは、売主は手付又は代金の一部として受領した金銭を無利息で買主に返還することとする。

［第35条第1項第13号関係］

担保責任の履行に関する措置について（規則第16条の4の2関係）

1　規則第16条の4の2第1号から第3号までについて

規則第16条の4の2第1号から第3号までに掲げる瑕疵担保責任の履行に関する措置を講ずる場合には、「その措置の概要」として、少なくとも次に掲げる事項を説明することとする。

・　保証保険契約又は責任保険契約にあっては、当該保険を行う機関の名称又は商号、保険期間、保険金額及び保険の対象となる宅地建物の種類又は品質に関して契約の内容に適合しない場合におけるその不適合（以下「契約不適合」という。）の範囲

・　保証保険又は責任保険の付保を委託する契約にあっては、当該保険の付保を受託する機関の名称又は商号、保険期間、保険金額及び保険の対象となる宅地建物の契約不適合の範囲

用に供されるファイルをいう。以下この条において同じ。）を自己の管理する電子計算機に備え置く者をいう。以下この項において同じ。）の使用に係る電子計算機とを接続する電気通信回線を通じて書面に記載すべき事項（以下この条において「記載事項」という。）を送信し、相手方等の使用に係る電子計算機に備えられた相手方ファイルに記録する方法

ロ　宅地建物取引業者等の使用に係る電子計算機に備えられたファイルに記録された記載事項を電気通信回線を通じて相手方の閲覧に供し、相手方等の使用に係る電子計算機に備えられた当該相手方の相手方ファイルに当該記載事項を記録する方法

二　磁気ディスク等をもつて調製するファイルに記載事項を記録したものを交付する方法

②　前項各号に掲げる方法は、次に掲げる基準に適合するものでなければならない。

一　相手方が相手方ファイルへの記録を出力することにより書面を作成することができるものであること。

二　ファイルに記録された記載事項について、改変が行われていないかどうかを確認することができる措置を講じていること。

三　前項第一号ロに掲げる方法にあつては、記載事項を宅地建物取引業者等の使用に係る電子計算機に備えら

・保証委託契約にあっては、保証を行う機関の種類及びその名称又は商号、保証債務の範囲、保証期間及び保証の対象となる宅地建物の契約不適合の範囲

例えば、新築住宅の売主Aが当該住宅を機関Bに登録し、機関Bが当該登録に基づいて売主Aの担保責任に関する責任保険の付保を行う場合には、機関Bへの登録に基づき機関Bが売主Aの担保責任に関する責任保険の付保を行う旨、保険期間、保険金額及び保険の対象となる契約不適合の範囲を説明することとする。

当該措置の概要として、当該措置に係る契約の締結等に関する書類を別添することとして差し支えない。

当該宅地又は建物が宅地の造成又は建物の建築に関する工事の完了前のものである等の事情により、重要事項の説明の時点で担保責任の履行に関する措置に係る契約の締結が完了していない場合にあっては、当該措置に係る契約を締結する予定であること及びその見込みの内容の概要について説明するものとする。

2　規則第16条の4の2第4号について

規則第16条の4の2第4号に掲げる担保責任の履行に関する措置を講ずる場合には、「その措置の概要」として、次に掲げる事項を説明することとする。

・住宅販売瑕疵担保保証金の供託をする供託所の表示及び所在地

・特定住宅瑕疵担保責任の履行の確保等に関する法律施行令第7条第1項の販売新築住宅については、同項の書面に記載された2以上の宅地建物取引業者それぞれの販売瑕疵負担割合（同項に規定する販売瑕疵負

法35

令3-3

則16-4-8〜16-4-11

れたファイルに記録する旨又は記録した旨を相手方に対し通知するものであること。ただし、相手方が当該記載事項を閲覧していたことを確認したときはこの限りでない。

四　書面の交付に係る宅地建物取引士が明示されるものであること。

第十六条の四の九　法第三十五条第九項の国土交通省令で定める方法については、前条の規定を準用する。

（重要事項説明に係る書面の交付に係る電磁的方法の種類及び内容）

第十六条の四の十　令第三条の三第一項（同条第三項において準用する場合を含む。）の規定により示すべき電磁的方法の種類及び内容は、次に掲げる事項とする。

一　第十六条の四の八第一項各号に掲げる方法のうち宅地建物取引業者等が使用するもの

二　ファイルへの記録の方式

（重要事項説明に係る書面の交付に係る情報通信の技術を利用した承諾の取得）

第十六条の四の十一　令第三条の三第一項（同条第三項において準用する場合を含む。）の国土交通省令で定める方法は、次に掲げるものとする。

一　電子情報処理組織を使用する方法のうち、イ又はロに掲げるもの

イ　相手方の使用に係る電子計算機から電気通信回線を通じて宅地建物取引業者の使用に係る電子計算機に令第三条の三第一項の承諾又は同条第二項の申出（以下この項

解釈35①一三・35①一四

担割合をいう。以下同じ。）の合計に対する当該宅地建物取引業者の販売瑕疵負担割合の割合

［第35条第1項第14号関係］

法第35条第1項第14号の省令事項（規則第16条の4の3）について

宅地の売買又は交換の契約に当たっては以下の1から3を、建物の売買又は交換の契約に当たっては1から6までの事項を、宅地の貸借の契約に当たっては1から3まで及び8から13までの事項を、建物の貸借の契約に当たっては1から5まで及び7から12までの事項を説明することとする。

1　宅地又は建物が造成宅地防災区域内にある旨について（規則第16条の4の3第1号関係）

本説明義務は、売買・交換・貸借の対象である宅地又は建物が宅地造成等規制法第20条第1項により指定された造成宅地防災区域内にあるか否かについて消費者に確認せしめるものである。

2　宅地又は建物が土砂災害警戒区域内にある旨について（規則第16条の4の3第2号関係）

本説明義務は、売買・交換・貸借の対象である宅地又は建物が土砂災害警戒区域等における土砂災害防止対策の推進に関する法律第6条第1項により指定された土砂災害警戒区域内にあるか否かについて消費者に確認せしめるものである。

3　宅地又は建物が津波災害警戒区域内にある旨について（規則第16条の4の3第3号関係）

本説明義務は、売買・交換・貸借の対象である宅地又は建物が津波防災地域づくりに関

において「承諾等」という。）をする旨を送信し、当該電子計算機に備えられたファイルに記録する方法

ロ　宅地建物取引業者の使用に係る電子計算機に備えられたファイルに記録された前条に規定する電磁的方法の種類及び内容を電気通信回線を通じて相手方の閲覧に供し、当該電子計算機に備えられたファイルに承諾等をする旨を記録する方法

二　磁気ディスク等をもつて調製するファイルに承諾等をする旨を記録したものを交付する方法

②　前項各号に掲げる方法は、宅地建物取引業者がファイルへの記録を出力することにより書面を作成することができるものでなければならない。

する法律第53条第1項により指定された津波災害警戒区域内にあるか否かについて消費者に確認せしめるものである。

3の2　水防法の規定による図面における宅地又は建物の所在地について（**規則第16条の4の3第3号の2関係**）

本説明義務は、売買・交換・貸借の対象である宅地又は建物が水防法（昭和24年法律第193号）に基づき作成された水害（洪水・雨水出水（以下「内水」という。）・高潮）ハザードマップ（以下「水害ハザードマップ」という。）上のどこに所在するかについて消費者に確認せしめるものであり、取引の対象となる宅地又は建物の位置を含む水害ハザードマップを、洪水・内水・高潮のそれぞれについて提示し、当該宅地又は建物の概ねの位置を示すことにより行うこととする。

本説明義務における水害ハザードマップは、取引の対象となる宅地又は建物が存する市町村（特別区を含む。以下同じ。）が配布する印刷物又は当該市町村のホームページ等に掲載されたものを印刷したもの（電磁的方法により重要事項説明書を提供する場合にあっては、当該市町村のホームページ等に掲載されたものをダウンロードしたもの）であって、当該市町村のホームページ等を確認し入手可能な最新のものを用いることとする。

当該市町村に照会し、当該市町村が取引の対象となる宅地又は建物の位置を含む水害ハザードマップの全部又は一部を作成せず、又は印刷物の配布若しくはホームページ等への掲載等をしていないことが確認された場合は、その照会をもって調査義務を果たしたことになる。この場合は、提示すべき水害ハザー

法令

法35

令3-3

則16-4-11

解釈35①一四

ドマップが存しない旨の説明を行う必要がある。

なお、本説明義務については、水害ハザードマップに記載されている内容の説明まで宅地建物取引業者に義務付けるものではないが、水害ハザードマップが地域の水害リスクと水害時の避難に関する情報を住民等に提供するものであることに鑑み、水害ハザードマップ上に記載された避難所について、併せてその位置を示すことが望ましい。

また、水害ハザードマップに記載された浸水想定区域に該当しないことをもって、水害リスクがないと相手方が誤認することのないよう配慮するとともに、水害ハザードマップに記載されている内容については今後変更される場合があることを補足することが望ましい。

4　建物に係る石綿の使用の有無の調査の結果について（規則第16条の4の3第4号関係）

石綿の使用の有無の調査結果の記録が保存されているときは、「その内容」として、調査の実施機関、調査の範囲、調査年月日、石綿の使用の有無及び石綿の使用の箇所を説明することとする。ただし、調査結果の記録から、これらのうちいずれかが判明しない場合にあっては、売主等に補足情報の告知を求め、それでもなお判明しないときは、その旨を説明すれば足りるものとする。

調査結果の記録から容易に石綿の使用の有無が確認できる場合には、当該調査結果の記録を別添することも差し支えない。

本説明義務については、売主及び所有者に当該調査の記録の有無を照会し、必要に応じて管理組合、管理業者及び施工会社にも問い合わせた上、存在しないことが確認された場合又はその存在が判明しない場合は、その照会をもって調査義務を果たしたことになる。

なお、本説明義務については、石綿の使用の有無の調査の実施自体を宅地建物取引業者に義務付けるものではないことに留意すること。

また、紛争の防止の観点から、売主から提出された調査結果の記録を説明する場合は、売主等の責任の下に行われた調査であることを、建物全体を調査したものではない場合は、調査した範囲に限定があることを、それぞれ明らかにすること。

5　建物の耐震診断の結果について（規則第16条の4の3第5号関係）

次の書類を別添することとして差し支えない。

・　住宅の品質確保の促進等に関する法律第5条第1項に規定する住宅性能評価書の写し（当該家屋について日本住宅性能表示基準別表2―1の1―1耐震等級（構造躯体の倒壊等防止）に係る評価を受けたものに限る。）

・　租税特別措置法施行規則に規定する国土交通大臣が財務大臣と協議して定める書類又は地方税法施行規則に規定する国土交通大臣が総務大臣と協議して定める書類であって所定の税制特例を受けるために必要となる証明書（耐震基準適合証明書、住宅耐震改修証明書、固定資産税減額証明書又は耐震改修に関して発行された増改築等工事証明書）の写し

・　指定確認検査機関、建築士、登録住宅性能評価機関、地方公共団体が作成した建築物の耐震診断結果報告書の写し

法35

令3-3

則16-4-11

解釈35①一四

昭和56年５月31日以前に確認を受けた建物であるか否かの判断にあたっては、確認済証又は検査済証に記載する確認済証交付年月日の日付をもとに判断することとする。

確認済証又は検査済証がない場合は、建物の表題登記をもとに判断することとし、その際、居住の用に供する建物（区分所有建物を除く）の場合は、表題登記日が昭和56年12月31日以前であるもの、事業の用に供する建物及び区分所有建物の場合は、表題登記日が昭和58年５月31日以前であるものについて説明を行うこととする。また、家屋課税台帳に建築年月日の記載がある場合についても同様に取扱うこととする。

また、本説明義務については、売主及び所有者に当該耐震診断の記録の有無を照会し、必要に応じて管理組合及び管理業者にも問い合わせた上、存在しないことが確認された場合は、その照会をもって調査義務を果たしたことになる。

なお、本説明義務については、耐震診断の実施自体を宅地建物取引業者に義務付けるものではないことに留意すること。

建築物の耐震改修の促進に関する法律の一部を改正する法律（平成17年法律第１２０号）の施行前に行った耐震診断については、改正前の建築物の耐震改修の促進に関する法律第３条に基づく特定建築物の耐震診断及び耐震改修に関する指針（平成７年建設省告示第２０８９号）に基づいた耐震診断であり、耐震診断の実施主体が規則第16条の４の３第５号イからニまでに掲げるものである場合には、同号に規定する耐震診断として差し支えない。

6　住宅性能評価制度を利用する新築住宅である旨について（規則第16条の4の3第6号関係）

本説明義務は、住宅の品質確保の促進等に関する法律の住宅性能評価制度を利用した新築住宅であるか否かについて消費者に確認せしめるものであり、当該評価の具体的内容の説明義務まで負うものではない。

7　浴室、便所等建物の設備の整備の状況について（規則第16条の4の3第7号関係）

建物の貸借の契約の場合においては、浴室、便所、台所等建物の設備の整備の有無、形態、使用の可否等日常生活に通常使用する設備の整備の状況を説明事項としている。例えば、ユニットバス等の設備の形態、エアコンの使用の可否が該当する。

また、規則第16条の4の3第7号に掲げた設備は、専ら居住用の建物を念頭に置いた例示であるので、事業用の建物（オフィス、店舗等）にあっては、空調設備等事業用の建物に固有の事項のうち、事業の業種、取引の実情等を勘案し重要なものについて説明する必要がある。

8　契約期間及び契約の更新に関する事項について（規則第16条の4の3第8号関係）

規則第16条の4の3第8号は、例えば契約の始期及び終期、2年毎に更新を行うこと、更新時の賃料の改定方法等が該当する。また、こうした定めがない場合は、その旨の説明を行う必要がある。

9　定期借地権、定期建物賃貸借及び終身建物賃貸借について（規則第16条の4の3第9号関係）

定期借地権を設定しようとするとき、定期建物賃貸借契約又は終身建物賃貸借契約をし

法令

法
35

令
3-3

則
16-4-11

解釈
35①
一四

ようとするときは、その旨を説明することとする。

なお、定期建物賃貸借に関する上記説明義務は、借地借家法第38条第2項に規定する賃貸人の説明義務とは別個のものである。また、宅地建物取引業者が賃貸人を代理して当該説明義務を行う行為は、宅地建物取引業法上の貸借の代理の一部に該当し、関連の規定が適用されることとなる。

10 用途その他の利用の制限に関する事項について（規則第16条の4の3第10号関係）

規則第16条の4の3第10号は、例えば事業用としての利用の禁止等の制限、事業用の業種の制限のほか、ペット飼育の禁止、ピアノ使用の禁止等の利用の制限が該当する。

なお、増改築の禁止、内装工事の禁止等賃借人の権限に本来属しないことによる制限については、規則第16条の4の3第10号に係る事項には含まれないものとする。

11 契約終了時における金銭の精算に関する事項について（規則第16条の4の3第11号関係）

規則第16条の4の3第11号は、例えば賃料等の滞納分との相殺や一定の範囲の原状回復費用として敷金が充当される予定の有無、原状回復義務の範囲として定まっているものなどが該当する。

なお、本事項は、貸借の契約の締結に際してあらかじめ定まっている事項を説明すべき事項としたものであり、こうした事項が定まっていない場合にはその旨を説明する必要がある。

12 管理委託を受けた者の氏名及び住所について（規則第16条の4の3第12号関係）

賃貸住宅の管理業務等の適正化に関する法

法令

律第2条第1項の賃貸住宅を取引の対象とする場合には、重要事項説明書に同法第2条第2項の管理業務の委託を受けた者の氏名（法人にあっては、その商号又は名称）、住所（法人にあっては、その主たる事務所の所在地）及び同法第5条第1項第2号の登録番号（同法第3条第1項の登録を受けた者である場合に限る。）を記載し、その旨説明することとする。

なお、規則第16条の4の3第12号の「委託を受けている者」には、単純な清掃等建物の物理的な維持行為のみを委託されている者まで含む趣旨ではない。

13　契約終了時における建物の取壊しに関する事項について（**規則第16条の4の3第13号関係**）

主に一般定期借地権を念頭においているものである。例えば、50年後に更地にして返還する条件がある場合にあっては、その内容が該当する。

［第35条第4項関係］

宅地建物取引士証の提示について

提示の方法としては、宅地建物取引士証を胸に着用する等により、相手方又は関係者に明確に示されるようにする。なお、提示に当たり、個人情報保護の観点から、宅地建物取引士証の住所欄にシールを貼ったうえで提示しても差し支えないものとする。ただし、シールは容易に剥がすことが可能なものとし、宅地建物取引士証を汚損しないよう注意すること。

［第35条第8項関係］

1　電磁的方法による提供の場合の承諾について（**令第3条の3第1項及び第2項関係**）

電磁的方法により重要事項説明書を提供し

法35

令3-3

則16-4-11

解釈35①一四・35④・35⑧

ようとする場合は、相手方がこれを確実に受け取ることができるように、用いる電磁的方法（電子メールによる方法、WEBでのダウンロードによる方法、CD−ROMの交付等）やファイルへの記録の方式（使用ソフトウェアの形式やバージョン等）を示した上で、相手方が承諾したことが記録に残るよう、書面への出力が可能な方法（電子メールによる方法、WEB上で承諾を得る方法、CD−ROMの交付等）又は書面（以下この項において「書面等」という。）で承諾を得るものとする。

なお、承諾を得た場合であっても、相手方から書面等で電磁的方法による提供を受けない旨の申出があった場合には、電磁的方法による提供をしてはならない。

ただし、相手方から再び書面等で承諾を得た場合には、この限りでない。

2 電磁的方法による提供の場合に満たすべき基準について（施行規則第16条の4の8関係）

電磁的方法により重要事項説明書を提供する場合は、相手方が書面の状態で確認できるよう、書面に出力可能な形式で提供するとともに、相手方において、記載事項が改変されていないことを将来において確認できるよう、電子署名等の方法により、記載事項が交付された時点と、将来のある時点において、記載事項が同一であることを確認することができる措置を講じることが必要である。

また、重要事項説明書の提供にあたっては、宅地建物取引士の記名が必要である。

さらに、WEBでのダウンロードによる方法でファイルを提供する場合には、相手方がこれを確実に受け取ることができるよう、ダウンロードが可能となった後に相手方にその

（供託所等に関する説明）

第三十五条の二　宅地建物取引業者は、宅地建物取引業者の相手方等（宅地建物取引業者に該当する者を除く。）に対して、当該売買、交換又は貸借の契約が成立するまでの間に、当該宅地建物取引業者が第六十四条の二第一項の規定により指定を受けた一般社団法人の社員でないときは第一号に掲げる事

旨を通知するか、ダウンロードが可能となる前にその旨を予め通知する必要がある。ただし、相手方においてすでにダウンロードを行っていることが確認できた場合はその限りではない。

3　その他書面の電磁的方法による提供において留意すべき事項

その他、電磁的方法により重要事項説明書を提供する場合は、以下の事項に留意するものとする。

(1)　電磁的方法により重要事項説明書を提供しようとすることについて、あらかじめ相手方から承諾を得る際に、併せて、宅建業者が利用を予定するソフトウェア等に相手方のＩＴ環境が対応可能であることを確認すること。

(2)　電磁的方法による提供後、相手方に到達しているかを確認すること。

(3)　相手方の端末において、電磁的方法により提供した書面の内容に文字化けや文字欠け、改変などが生じていないかについて、電子書面の提供前に相手方に確認方法を伝えた上で、確認をするよう依頼すること。

(4)　相手方に電子書面の保存の必要性や保存方法を説明すること。

［第35条の2関係］

供託所等に関する説明について

法律上は書面を交付して説明することを要求されていないが、この事項を重要事項説明書に記載して説明することが望ましい。

法令

法 35-2～36

項について、当該宅地建物取引業者が同項の規定により指定を受けた一般社団法人の社員であるときは、第六十四条の八第一項の規定により国土交通大臣の指定する弁済業務開始日前においては第一号及び第二号に掲げる事項について、当該弁済業務開始日以後においては第二号に掲げる事項について説明をするようにしなければならない。

一　営業保証金を供託した主たる事務所の最寄りの供託所及びその所在地

二　社員である旨、当該一般社団法人の名称、住所及び事務所の所在地並びに第六十四条の七第二項の供託所及びその所在地

＊重要事項説明書後34頁・44頁・54頁・60頁参照

（契約締結等の時期の制限）

第三十六条　宅地建物取引業者は、宅地の造成又は建物の建築に関する工事の完了前においては、当該工事に関し必要とされる都市計画法第二十九条第一項又は第二項の許可、建築基準法第六条第一項の確認その他法令に基づく許可等の処分で政令で定めるものがあつた後でなければ、当該工事に係る宅地又は建物につき、自ら当事者として、若しくは当事者を代理してその売買若しくは交換の契約を締結し、又はその売買若しくは交換の媒介をしてはならない。

令 3-3

▽令第二条の五参照

則 16-4-11

解釈 解釈35⑧・35-2・36

［第36条関係］

契約締結等の時期の制限について

(1)　法第36条の「確認」とは、建築基準法第6条第1項後段の規定に基づく確認（以下「変更の確認」という。）も含まれる。

(2)　マンションに関し、建築基準法第6条第1項前段の規定に基づく確認を受けた後、変更の確認を受けようとする場合、区分所有である特性にかんがみ、次のいずれかの場合には変更の確認を受ける前に契約を締結しても差し支えないものとする。

①　当該契約の対象となっていない他の住戸の専有部分の変更

②　共用部分の変更があり、かつ、その変更の確認の内容が構造上主要な部分の変更にならないなど、変更の程度が著しくないもの。

(3)　いわゆるセレクトプラン（建築確認を受

（書面の交付）

第三十七条　宅地建物取引業者は、宅地又は建物の売買又は交換に関し、自ら当事者として契約を締結したときはその相手方に、当事者を代理して契約を締結したときはその相手方及び代理を依頼した者に、その媒介により契約が成立したときは当該契約の各当事者に、遅滞なく、次に掲げる事項を記載した書面を交付しなければならない。

一　当事者の氏名（法人にあつては、その名称）及び住所

二　当該宅地の所在、地番その他当該宅地を特定するために必要な表示又は当該建物の所在、種類、構造その他当該建物を特定するために必要な表示

二の二　当該建物が既存の建物であるときは、建物の構造耐力上主要な部分等の状況について当事者の双方が確認した事項

三　代金又は交換差金の額並びにその支払の時期及び方法

四　宅地又は建物の引渡しの時期

五　移転登記の申請の時期

六　代金及び交換差金以外の金銭の授受に関する定めがあるときは、その

けたプランと受けていないプランをあわせて示す方式）、マンションのスケルトン・インフィル等、購入者の希望に応じて変更の確認を必要とする場合においては、変更の確認を受けることを停止条件等とすることにより、消費者の保護を図っていれば、変更の確認を受ける前に契約を締結しても差し支えないものとする。

［第37条関係］

書面の交付について

本条の規定に基づき交付すべき書面は、同条に掲げる事項が記載された契約書であれば、当該契約書をもってこの書面とすることができる。

［第37条第1項関係］

1　共有持分の特定について

区分所有建物の共有持分を分譲する場合には、購入者が取得することとなる共有持分を契約書その他の書面において特定することが必要であり、これを怠る場合には本項の規定に違反することとなる。

2　買換えについて

買換え時において依頼した物件の売却が行われないときの措置について、本条の規定に基づき交付すべき書面に明記することが望ましい。

3　新規物件に係る工事竣工図の交付等について

戸建住宅については、購入者への当該住宅の引渡後速やかに、当該住宅に係る工事竣工図等の関係図書（給排水、電気、ガス等の設備に関するものを含む。）を当該購入者に交付するものとする。

区分所有建物については、購入者への当該建物の引渡後速やかに、当該建物に係る工事

法37

額並びに当該金銭の授受の時期及び目的
七　契約の解除に関する定めがあるときは、その内容
八　損害賠償額の予定又は違約金に関する定めがあるときは、その内容
九　代金又は交換差金についての金銭の貸借のあつせんに関する定めがある場合においては、当該あつせんに係る金銭の貸借が成立しないときの措置
十　天災その他不可抗力による損害の負担に関する定めがあるときは、その内容
十一　当該宅地若しくは建物が種類若しくは品質に関して契約の内容に適合しない場合におけるその不適合を担保すべき責任又は当該責任の履行に関して講ずべき保証保険契約の締結その他の措置についての定めがあるときは、その内容
十二　当該宅地又は建物に係る租税その他の公課の負担に関する定めがあるときは、その内容

②　宅地建物取引業者は、宅地又は建物の貸借に関し、当事者を代理して契約を締結したときはその相手方及び代理を依頼した者に、その媒介により契約が成立したときは当該契約の各当事者に、次に掲げる事項を記載した書面を交付しなければならない。
一　前項第一号、第二号、第四号、第七号、第八号及び第十号に掲げる事項
二　借賃の額並びにその支払の時期及

令3-3

則16-4-11

解釈36・37・37①・37①二・37①二-二

竣工図等の関係図書（給排水、電気、ガス等の設備に関するものを含む。）を当該建物の管理事務所、営業所その他の適当な場所において購入者が閲覧できるようにしておくものとする。この場合においては、当該工事竣工図等の関係図書がこれらの場所で閲覧することができる旨を本項に規定する書面等に付記しておくものとする。

［第37条第1項第2号関係］

宅地建物を特定するために必要な表示について

宅地建物を特定するために必要な表示について書面で交付する際、工事完了前の建物については、重要事項の説明の時に使用した図書を交付することにより行うものとする。

［第37条第1項第2号の2関係］

当事者の双方が確認した事項について

「当事者の双方が確認した事項」は、原則として、建物状況調査等、既存住宅について専門的な第三者による調査が行われ、その調査結果の概要を重要事項として宅地建物取引業者が説明した上で契約締結に至った場合の当該「調査結果の概要」とし、これを本条の規定に基づき交付すべき書面に記載することとする。これ以外の場合については、「当事者の双方が確認した事項」は「無」として書面に記載することとする。

ただし、当事者の双方が写真や告知書等をもとに既存住宅の状況を客観的に確認し、その内容を価格交渉や担保責任の免除に反映した場合等、既存住宅の状況が実態的に明らかに確認されるものであり、かつ、それが法的にも契約の内容を構成していると考えられる場合には、当該事項を「当事者の双方が確認した事項」として書面に記載して差し支えない。

び方法

三　借賃以外の金銭の授受に関する定めがあるときは、その額並びに当該金銭の授受の時期及び目的

③　宅地建物取引業者は、前二項の規定により交付すべき書面を作成したときは、宅地建物取引士をして、当該書面に記名させなければならない。

④　宅地建物取引業者は、第一項の規定による書面の交付に代えて、政令で定めるところにより、次の各号に掲げる場合の区分に応じ当該各号に定める者の承諾を得て、当該書面に記載すべき事項を電磁的方法であつて前項の規定による措置に代わる措置を講ずるものとして国土交通省令で定めるものにより提供することができる。この場合において、当該宅地建物取引業者は、当該書面を交付したものとみなし、同項の規定は、適用しない。

一　自ら当事者として契約を締結した場合　当該契約の相手方

二　当事者を代理して契約を締結した場合　当該契約の相手方及び代理を依頼した者

三　その媒介により契約が成立した場合　当該契約の各当事者

⑤　宅地建物取引業者は、第二項の規定による書面の交付に代えて、政令で定めるところにより、次の各号に掲げる場合の区分に応じ当該各号に定める者の承諾を得て、当該書面に記載すべき事項を電磁的方法であつて第三項の規定による措置に代わる措置を講ずるものとして国土交通省令で定めるものに

（法第三十七条第四項の規定による承諾等に関する手続等）

第三条の四　法第三十七条第四項の規定による承諾は、宅地建物取引業者が、国土交通省令で定めるところにより、あらかじめ、当該承諾に係る同項各号に定める者（以下この項及び次項において「相手方等」という。）に対し同条第四項の規定による電磁的方法による提供に用いる電磁的方法の種類及び内容を示した上で、当該相手方等から書面又は電子情報処理組織を使用する方法その他の情報通信の技術を利用する方法であつて国土交通省令で定めるもの（次項において「書面等」という。）によつて得るものとする。

②　宅地建物取引業者は、前項の承諾を得た場合であつても、相手方等から書面等により法第三十七条第四項の規定による電磁的方法による提供を受けない旨の申出があつたときは、当該電磁的方法による提供をしてはならない。ただし、当該申出の後に当該相手方等から再び前項の承諾を得た場合は、この限りでない。

③　前二項の規定は、法第三十七条第五項の規定による承諾について準用する。

（書面の交付に係る情報通信の技術を利用する方法）

第十六条の四の十二　法第三十七条第四項の国土交通省令で定める方法は、次に掲げるものとする。

一　電子情報処理組織を使用する方法のうちイ又はロに掲げるもの

イ　宅地建物取引業者等（宅地建物取引業者又は法第三十七条第四項に規定する事項の提供を行う宅地建物取引業者との契約によりファイルを自己の管理する電子計算機に備え置き、これを相手方（同項各号に掲げる場合の区分に応じ当該各号に定める者をいう。以下この条及び第十六条の四の十五において同じ。）若しくは当該宅地建物取引業者の用に供する者をいう。以下この条及び第十六条の四の十四において同じ。）の使用に係る電子計算機と相手方等（相手方又は相手方との契約により相手方ファイル（専ら相手方の用に供されるファイルをいう。以下この条において同じ。）を自己の管理する電子計算機に備え置く者をいう。以下この項において同じ。）の使用に係る電子計算機とを接続する電気通信回線を通じて書面に

［第37条第1項第11号関係］

担保責任又は当該責任の履行に関する措置について

本号の規定により契約時に交付する書面に記載すべき宅地建物の担保責任又は当該責任の履行に関して講ずべき措置の内容は、次に掲げる事項とする。

(1)　担保責任の内容について定めがあるときは、宅地建物の構造部分、設備、仕上げ等についてその範囲、期間等の具体的内容

(2)　規則第16条の4の2第1号から第3号までに掲げる担保責任の履行に関する措置を講ずる場合には、次に掲げる事項

①　保証保険契約又は責任保険契約にあっては、当該保険を行う機関の名称又は商号、保険期間、保険金額及び保険の対象となる宅地建物の契約不適合の範囲

②　保証保険又は責任保険の付保を委託する契約にあっては、当該保険の付保を受託する機関の名称又は商号、保険期間、保険金額及び保険の対象となる宅地建物の契約不適合の範囲

③　保証委託契約にあっては、保証を行う機関の種類及びその名称又は商号、保証債務の範囲、保証期間及び保証の対象となる宅地建物の契約不適合の範囲当該措置の内容を記載することに代えて、当該措置に係る契約の締結等に関する書類を別添することとして差し支えない。

(3)　規則第16条の4の2第4号に掲げる担保責任の履行に関する措置を講ずる場合には、次に掲げる事項

①　住宅販売瑕疵担保保証金の供託をする供託所の表示及び所在地

②　特定住宅瑕疵担保責任の履行の確保等

法37

より提供することができる。この場合において、当該宅地建物取引業者は、当該書面を交付したものとみなし、同項の規定は、適用しない。

一　当事者を代理して契約を締結した場合　当該契約の相手方及び代理を依頼した者

二　その媒介により契約が成立した場合　当該契約の各当事者

＊賃貸住宅標準契約書75頁参照

＊関係法令419頁参照

令3-4

則16-4-12

記載すべき事項（以下この条において「記載事項」という。）を送信し、相手方等の使用に係る電子計算機に備えられた相手方ファイルに記録する方法

ロ　宅地建物取引業者等の使用に係る電子計算機に備えられたファイルに記録された記載事項を電気通信回線を通じて相手方の閲覧に供し、相手方等の使用に係る電子計算機に備えられた当該相手方の相手方ファイルに当該記載事項を記録する方法

二　磁気ディスク等をもつて調製するファイルに記載事項を記録したものを交付する方法

② 前項各号に掲げる方法は、次に掲げる基準に適合するものでなければならない。

一　相手方が相手方ファイルへの記録を出力することにより書面を作成することができるものであること。

二　ファイルに記録された記載事項について、改変が行われていないかどうかを確認することができる措置を講じていること。

三　前項第一号ロに掲げる方法にあつては、記載事項を宅地建物取引業者等の使用に係る電子計算機に備えられたファイルに記録する旨又は記録した旨を相手方に対し通知するものであること。ただし、相手方が当該記載事項を閲覧していたことを確認したときはこの限りでない。

四　書面の交付に係る宅地建物取引士

解釈37①一一・37②・37④

に関する法律施行令第7条第1項の販売新築住宅については、同項の書面に記載された2以上の宅地建物取引業者それぞれの販売瑕疵負担割合の合計に対する当該宅地建物取引業者の販売瑕疵負担割合の割合

［第37条第2項関係］

定期借地権設定契約である旨の書面化について

(1) 定期借地権設定契約のうち、一般定期借地権に係る更新等をしない旨の特約は公正証書等の書面によって、また、事業用借地権の設定契約は必ず公正証書によってしなければ、取引当事者の意図に反して普通借地権と扱われてしまうため、代理又は媒介を行う宅地建物取引業者は、取引当事者に対し、その点の注意を喚起することとする。建物譲渡特約付借地権については、書面によらずとも特約は有効であるが、将来の紛争を防止する観点から、宅地建物取引業者は、取引当事者に、書面化等するよう指導、助言することとする。

(2) 宅地建物取引業者の代理又は媒介により定期借地権設定契約が成立したときは、当該定期借地権等の内容を法第37条に規定する書面に記載することが望ましい。

［第37条第4項関係］

1　電磁的方法による提供の場合の承諾について（令第3条の4第1項及び第2項関係）

電磁的方法により本条第1項又は第2項の書面を提供しようとする場合は、相手方がこれを確実に受け取ることができるように、用いる電磁的方法（電子メールによる方法、WEBでのダウンロードによる方法、CD－ROMの交付等）やファイルへの記録の方式（使

が明示されるものであること。

第十六条の四の十三　法第三十七条第五項の国土交通省令で定める方法については、前条の規定を準用する。

（書面の交付に係る電磁的方法の種類及び内容）

第十六条の四の十四　令第三条の四第一項（同条第三項において準用する場合を含む。）の規定により示すべき電磁的方法の種類及び内容は、次に掲げる事項とする。

一　第十六条の四の十二第一項各号に掲げる方法のうち宅地建物取引業者等が使用するもの

二　ファイルへの記録の方式

（書面の交付に係る情報通信の技術を利用した承諾の取得）

第十六条の四の十五　令第三条の四第一項（同条第三項において準用する場合を含む。）の国土交通省令で定める方法は、次に掲げるものとする。

一　電子情報処理組織を使用する方法のうち、イ又はロに掲げるもの

イ　相手方の使用に係る電子計算機から電気通信回線を通じて宅地建物取引業者の使用に係る電子計算機に令第三条の四第一項の承諾又は同条第二項の申出（以下この項において「承諾等」という。）をする旨を送信し、当該電子計算機に備えられたファイルに記録する方法

ロ　宅地建物取引業者の使用に係る電子計算機に備えられたファイルに記録された前条に規定する電磁

用ソフトウェアの形式やバージョン等）を示した上で、相手方が承諾したことが記録に残るよう、書面への出力が可能な方法（電子メールによる方法、WEB上で承諾を得る方法、CD－ROMの交付等）又は書面（以下この項において「書面等」という。）で承諾を得るものとする。

なお、承諾を得た場合であっても、相手方から書面等で電磁的方法による提供を受けない旨の申出があった場合には、電磁的方法による提供をしてはならない。ただし、相手方から再び書面等で承諾を得た場合には、この限りでない。

２　電磁的方法による提供の場合に満たすべき基準について（施行規則第15条の4関係）

電磁的方法により本条第1項又は第2項の書面を提供する場合は、相手方が書面の状態で確認できるよう、書面に出力可能な形式で提供するとともに、相手方において、記載事項が改変されていないことを将来において確認できるよう、電子署名等の方法により、記載事項が交付された時点と、将来のある時点において、記載事項が同一であることを確認することができる措置を講じることが必要である。

また、本条第1項又は第2項の書面の提供にあたっては、宅地建物取引士の記名が必要である。

さらに、WEBでのダウンロードによる方法でファイルを提供する場合には、相手方がこれを確実に受け取ることができるよう、ダウンロードが可能となった後に相手方にその旨を通知するか、ダウンロードが可能となる前にその旨を予め通知する必要がある。ただ

法 37-2

（事務所等以外の場所においてした買受けの申込みの撤回等）

第三十七条の二　宅地建物取引業者が自ら売主となる宅地又は建物の売買契約について、当該宅地建物取引業者の事務所その他国土交通省令・内閣府令で定める場所（以下この条において「事務所等」という。）以外の場所において、当該宅地又は建物の買受けの申込みをした者又は売買契約を締結した買主（事務所等において買受けの申込みをし、事務所等以外の場所において売

令 3-4

則 16-4-12～16-5

的方法の種類及び内容を電気通信回線を通じて相手方の閲覧に供し、当該電子計算機に備えられたファイルに承諾等をする旨を記録する方法

二　磁気ディスク等をもつて調製するファイルに承諾等をする旨を記録したものを交付する方法

②　前項各号に掲げる方法は、宅地建物取引業者がファイルへの記録を出力することにより書面を作成することができるものでなければならない。

（法第三十七条の二第一項の国土交通省令・内閣府令で定める場所）

第十六条の五　法第三十七条の二第一項の国土交通省令・内閣府令で定める場所は、次に掲げるものとする。

一　次に掲げる場所のうち、法第三十一条の三第一項の規定により同項に規定する宅地建物取引士を置くべきもの

イ　当該宅地建物取引業者の事務所以外の場所で継続的に業務を行うことができる施設を有するもの

解釈 37④・37-2①

し、相手方においてすでにダウンロードを行っていることが確認できた場合はこの限りではない。

3　その他書面の電磁的方法による提供において留意すべき事項

その他、電磁的方法により本条第1項又は第2項の書面を提供する場合は、以下の事項に留意するものとする。

(1)　電磁的方法により本条第1項又は第2項の書面を提供しようとすることについて、あらかじめ相手方から承諾を得る際に、併せて、宅建業者が利用を予定するソフトウェア等に相手方のＩＴ環境が対応可能であることを確認すること。

(2)　電磁的方法による提供後、相手方に到達しているかを確認すること。

(3)　相手方の端末において、電磁的方法により提供した書面の内容に文字化けや文字欠け、改変などが生じていないかについて、電子書面の提供前に相手方に確認方法を伝えた上で、確認をするよう依頼すること。

(4)　相手方に電子書面の保存の必要性や保存方法を説明すること。

［第37条の2第1項関係］

1　クーリング・オフ制度の適用除外となる場所について

クーリング・オフ制度の適用のない場所は、原則として、以下の(1)及び(2)に掲げる、専任の宅地建物取引士を置くべき場所に限定されている。したがって、喫茶店やファミリーレストラン等で契約締結等を行った場合はクーリング・オフ制度の適用がある。また、クーリング・オフ制度の適用の有無については、原則として、その場所が専任の宅地建物取引

買契約を締結した買主を除く。）は、次に掲げる場合を除き、書面により、当該買受けの申込みの撤回又は当該売買契約の解除（以下この条において「申込みの撤回等」という。）を行うことができる。この場合において、宅地建物取引業者は、申込みの撤回等に伴う損害賠償又は違約金の支払を請求することができない。

一　買受けの申込みをした者又は買主（以下この条において「申込者等」という。）が、国土交通省令・内閣府令の定めるところにより、申込みの撤回等を行うことができる旨及びその申込みの撤回等を行う場合の方法について告げられた場合において、その告げられた日から起算して八日を経過したとき。

二　申込者等が、当該宅地又は建物の引渡しを受け、かつ、その代金の全部を支払つたとき。

②　申込みの撤回等は、申込者等が前項前段の書面を発した時に、その効力を生ずる。

③　申込みの撤回等が行われた場合においては、宅地建物取引業者は、申込者等に対し、速やかに、買受けの申込み又は売買契約の締結に際し受領した手付金その他の金銭を返還しなければならない。

④　前三項の規定に反する特約で申込者等に不利なものは、無効とする。

ロ　当該宅地建物取引業者が一団の宅地建物の分譲を案内所（土地に定着する建物内に設けられるものに限る。ニにおいて同じ。）を設置して行う場合にあつては、その案内所

ハ　当該宅地建物取引業者が他の宅地建物取引業者に対し、宅地又は建物の売却について代理又は媒介の依頼をした場合にあつては、代理又は媒介の依頼を受けた他の宅地建物取引業者の事務所又は事務所以外の場所で継続的に業務を行うことができる施設を有するもの

ニ　当該宅地建物取引業者が一団の宅地建物の分譲の代理又は媒介の依頼をし、かつ、依頼を受けた宅地建物取引業者がその代理又は媒介を案内所を設置して行う場合にあつては、その案内所

ホ　当該宅地建物取引業者（当該宅地建物取引業者が他の宅地建物取引業者に対し、宅地又は建物の売却について代理又は媒介の依頼をした場合にあつては、代理又は媒介の依頼を受けた他の宅地建物取引業者を含む。）が法第三十一条の三第一項の規定により同項に規定する宅地建物取引士を置くべき場所（土地に定着する建物内のものに限る。）で宅地又は建物の売買契約に関する説明をした後、当該宅地又は建物に関し展示会その他これに類する催しを土地に定着する建物内において実施する場合

士を設置しなければならない場所であるか否かにより区別されるものであり、実際に専任の宅地建物取引士がいるか否か、その旨の標識を掲げているか否か（法第50条第1項）、その旨の届出がなされているか否か（法第50条第2項）などによって区別されるものではない。非対面の場合、契約締結等を行った場所は、当該契約締結等を行った際の顧客の所在場所となる。なお、クーリング・オフ制度の適用がある場所において、その旨の標識が掲げられていない場合等は、それぞれ該当する各条項の違反となる。

(1)　事務所については、契約締結権限を有する者及び専任の宅地建物取引士が置かれ、またその施設も継続的に業務を行うことができるものとされているため、そこにおける取引は定型的に状況が安定的であるとみることができ、この制度の適用の対象から除外されている。

(2)　事務所のほか、「国土交通省令・内閣府令で定める場所」についてもこの制度の適用の対象から除外されているが、これは、この制度が不安定な契約意思での取引について白紙還元の余地を認めたものであることから、購入者の購入意思が安定していると定型的に判断できる場合には適用を除外し、取引の安定を確保することとしたものである。「国土交通省令・内閣府令」としては規則第16条の5を置いている。

①　第1号イに規定する場所について

「継続的に業務を行うことができる施設を有する場所で事務所以外のもの」とは、事務所としての物的施設を有してはいるが、契約締結権限を有する者が置かれていないものをいう。

法
37-2

令
3-4

則
16-5
〜
16-6

にあつては、これらの催しを実施する場所

二　当該宅地建物取引業者の相手方がその自宅又は勤務する場所において宅地又は建物の売買契約に関する説明を受ける旨を申し出た場合にあつては、その相手方の自宅又は勤務する場所

（申込みの撤回等の告知）

第十六条の六　法第三十七条の二第一項第一号の規定により申込みの撤回等を行うことができる旨及びその申込みの撤回等を行う場合の方法について告げるときは、次に掲げる事項を記載した書面を交付して告げなければならない。

一　買受けの申込みをした者又は買主の氏名（法人にあつては、その商号又は名称）及び住所

二　売主である宅地建物取引業者の商号又は名称及び住所並びに免許証番号

三　告げられた日から起算して八日を経過する日までの間は、宅地又は建物の引渡しを受け、かつ、その代金の全部を支払つた場合を除き、書面により買受けの申込みの撤回又は売買契約の解除を行うことができること。

四　前号の買受けの申込みの撤回又は売買契約の解除があつたときは、宅地建物取引業者は、その買受けの申込みの撤回又は売買契約の解除に伴う損害賠償又は違約金の支払を請求することができないこと。

解釈
37-2①

②　第1号ロに規定する場所について

「案内所」とは、いわゆる駅前案内所、申込受付場所等をも含むものであり、継続的に業務を行うことを予定しているものではないが、一定期間にわたって宅地建物の取引に係る業務を行うことが予定されているような施設を指すものである。なお、本号ロにおいてはクーリング・オフ制度の適用が除外される案内所を「土地に定着する建物内に設けられるもの」に限定しており、別荘地等の販売におけるテント張り、仮設小屋等の一時的かつ移動容易な施設はこれには該当しないものとなる。しかしながら、マンション分譲の場合のモデルルームあるいは戸建分譲の場合のモデルハウス等における販売活動は、通常適正に行われる営業活動であると考えられるので、本号ロに規定する「案内所」と解して差し支えないこととする。

③　第1号ハ、ニ及びホについて

宅地建物取引業者が自己の物件を販売する場合において、他の宅地建物取引業者にその代理又は媒介を依頼するようなときにおいては、他の宅地建物取引業者の事務所あるいはそれに準ずる場所における顧客の契約意思も安定的であると認められるので、このような場所における取引行為も制度の適用除外とされている。

④　第2号について

宅地建物の取引に当たり、顧客が自ら希望して自宅又は勤務先（以下、「自宅等」という。）を契約締結等の場所として申し出た場合においては、その顧客の購入意思は安定的であるとみられるの

五　第三号の買受けの申込みの撤回又は売買契約の解除は、買受けの申込みの撤回又は売買契約の解除を行う旨を記載した書面を発した時に、その効力を生ずること。

六　第三号の買受けの申込みの撤回又は売買契約の解除があつた場合において、その買受けの申込み又は売買契約の締結に際し手付金その他の金銭が支払われているときは、宅地建物取引業者は、遅滞なく、その全額を返還すること。

で、この場合はクーリング・オフ制度の適用から除外している。ただし、宅地建物取引業者が顧客からの申し出によらず自宅等を訪問した場合や、電話等による勧誘により自宅等を訪問した場合において、顧客から自宅等への訪問等の了解を得たうえで自宅等で契約締結等を行ったときは、クーリング・オフ制度の適用がある。なお、現実に紛争が発生した場合においては、相手方が申し出たか否かについて立証が困難な場合もあると予想されるので、この制度の適用除外とするためには、契約書あるいは申込書等に顧客が自宅等を契約締結等の場所として特に希望した旨を記載することが望ましい。また、非対面での契約締結等の場合は、顧客の所在場所及び顧客が希望したことを確認し、記録することが望ましい。

⑤　その他

一時に多数の顧客が対象となるような場合において特定の場所で申込みの受付等の業務を行うことが予定されているようなときは、その特定の場所については、法第37条の2の運用に限り事務所に含めて取り扱って差し支えないこととする。

2　クーリング・オフ妨害等について

宅地建物取引業者がクーリング・オフ制度の適用がある場所で契約締結等を行った場合において、相手方に対してクーリング・オフをしない旨の合意を取り付ける行為は、クーリング・オフ制度の適用範囲を不当に制限するものであることから適切ではない。なお、相手方が合意に応じたとしても、この制度の適用がある場所で契約締結等を行った場合はクーリング・オフ制度が適用される。

法
38〜39

（損害賠償額の予定等の制限）

第三十八条　宅地建物取引業者がみずから売主となる宅地又は建物の売買契約において、当事者の債務の不履行を理由とする契約の解除に伴う損害賠償の額を予定し、又は違約金を定めるときは、これらを合算した額が代金の額の十分の二をこえることとなる定めをしてはならない。

②　前項の規定に反する特約は、代金の額の十分の二をこえる部分について、無効とする。

（手付の額の制限等）

第三十九条　宅地建物取引業者は、自ら売主となる宅地又は建物の売買契約の締結に際して、代金の額の十分の二を

令
3-4

則
16-6

解釈
37-2①

宅地建物取引業者がクーリング・オフ制度の適用がある場所で契約締結等を行ったにもかかわらず、相手方に対して、クーリング・オフができない旨を告げる行為やクーリング・オフをするには損害賠償又は違約金が発生するなどを告げる行為は、情状に応じ、法第65条第1項第1号又は第2号の指示処分、法第65条第2項第5号の業務停止処分等を行うことにより、厳正に対応する必要がある。

3　申込みの撤回等の制限について

申込みの撤回等を行うことができる旨を告げられた場合においてその告げられた日から8日を経過したときにはこの制度の適用がないこととされているが、これは8日間を経過した場合にはもはや申込みの撤回や締結された契約の解除ができなくなるという意味ではなく、その場合には、民法の原則や消費者契約法に基づく申込みの撤回又は契約の解除によることとなるものである。

▽その他の留意すべき事項２参照

▽その他の留意すべき事項２参照

超える額の手付を受領することができない。

② 宅地建物取引業者が、自ら売主となる宅地又は建物の売買契約の締結に際して手付を受領したときは、その手付がいかなる性質のものであつても、買主はその手付を放棄して、当該宅地建物取引業者はその倍額を現実に提供して、契約の解除をすることができる。ただし、その相手方が契約の履行に着手した後は、この限りでない。

③ 前項の規定に反する特約で、買主に不利なものは、無効とする。

（担保責任についての特約の制限）

第四十条 宅地建物取引業者は、自ら売主となる宅地又は建物の売買契約において、その目的物が種類又は品質に関して契約の内容に適合しない場合におけるその不適合を担保すべき責任に関し、民法（明治二十九年法律第八十九号）第五百六十六条に規定する期間についてその目的物の引渡しの日から二年以上となる特約をする場合を除き、同条に規定するものより買主に不利となる特約をしてはならない。

② 前項の規定に反する特約は、無効とする。

（手付金等の保全）

第四十一条 宅地建物取引業者は、宅地の造成又は建築に関する工事の完了前において行う当該工事に係る宅地又は建物の売買で自ら売主となるものに関しては、次の各号のいずれかに掲げる

（法第四十一条第一項ただし書及び第四十一条の二第一項ただし書の政令で定める額）

第三条の五 法第四十一条第一項ただし書及び第四十一条の二第一項ただし書の政令で定める額は、千万円とする。

〔第41条第1項関係〕

宅地の造成又は建築に関する工事の完了について

宅地の造成又は建築に関する工事が完了しているか否かについては、売買契約時において判断すべきであり、また、工事の完了とは、

法令

法39〜41

措置を講じた後でなければ、買主から手付金等（代金の全部又は一部として授受される金銭及び手付金その他の名義をもつて授受される金銭で代金に充当されるものであつて、契約の締結の日以後当該宅地又は建物の引渡し前に支払われるものをいう。以下同じ。）を受領してはならない。ただし、当該宅地若しくは建物について買主への所有権移転の登記がされたとき、買主が所有権の登記をしたとき、又は当該宅地建物取引業者が受領しようとする手付金等の額（既に受領した手付金等があるときは、その額を加えた額）が代金の額の百分の五以下であり、かつ、宅地建物取引業者の取引の実情及びその取引の相手方の利益の保護を考慮して政令で定める額以下であるときは、この限りでない。

一　銀行その他政令で定める金融機関又は国土交通大臣が指定する者（以下この条において「銀行等」という。）との間において、宅地建物取引業者が受領した手付金等の返還債務を負うこととなつた場合において当該銀行等がその債務を連帯して保証することを委託する契約（以下「保証委託契約」という。）を締結し、かつ、当該保証委託契約に基づいて当該銀行等が手付金等の返還債務を連帯して保証することを約する書面を買主に交付すること。

二　保険事業者（保険業法（平成七年法律第百五号）第三条第一項又は第百八十五条第一項の免許を受けて保

令3-5〜4

（法第四十一条第一項第一号の政令で定める金融機関）

第四条　法第四十一条第一項第一号の政令で定める金融機関は、信用金庫、株式会社日本政策投資銀行、農林中央金庫、信用協同組合で出資の総額が五千万円以上であるもの、株式会社商工組合中央金庫及び労働金庫とする。

則16-6

解釈41①

単に外観上の工事のみならず内装等の工事が完了しており、居住が可能である状態を指すものとする。

▽その他の留意すべき事項2参照

険業を行う者をいう。以下この号において同じ。）との間において、宅地建物取引業者が受領した手付金等の返還債務の不履行により買主に生じた損害のうち少なくとも当該返還債務の不履行に係る手付金等の額に相当する部分を当該保険事業者がうめることを約する保証保険契約を締結し、かつ、保険証券又はこれに代わるべき書面を買主に交付すること。

② 前項第一号の規定による保証委託契約は、銀行等が次の各号に掲げる要件に適合する保証契約を買主との間において成立させることを内容とするものでなければならない。

一 保証債務が、少なくとも宅地建物取引業者が受領した手付金等の返還債務の全部を保証するものであること。

二 保証すべき手付金等の返還債務が、少なくとも宅地建物取引業者が受領した手付金等に係る宅地又は建物の引渡しまでに生じたものであること。

③ 第一項第二号の規定による保証保険契約は、次の各号に掲げる要件に適合するものでなければならない。

一 保険金額が、宅地建物取引業者が受領しようとする手付金等の額（既に受領した手付金等があるときは、その額を加えた額）に相当する金額であること。

二 保険期間が、少なくとも保証保険契約が成立した時から宅地建物取引

法41

業者が受領した手付金等に係る宅地又は建物の引渡しまでの期間であること。

④　宅地建物取引業者が、第一項に規定する宅地又は建物の売買を行う場合（同項ただし書に該当する場合を除く。）において、同項第一号又は第二号に掲げる措置を講じないときは、買主は、手付金等を支払わないことができる。

⑤　宅地建物取引業者は、次の各号に掲げる措置に代えて、政令で定めるところにより、第一項に規定する買主の承諾を得て、電磁的方法であつて当該各号に掲げる措置に準ずるものとして国土交通省令・内閣府令で定めるものを講じることができる。この場合において、当該国土交通省令・内閣府令で定める措置を講じた者は、当該各号に掲げる措置を講じたものとみなす。

一　第一項第一号に掲げる措置のうち、当該保証委託契約に基づいて当該銀行等が手付金等の返還債務を連帯して保証することを約する書面を買主に交付する措置

二　第一項第二号に掲げる措置のうち、保険証券に代わるべき書面を買主に交付する措置

令4-2

（法第四十一条第五項の規定による承諾等に関する手続等）

第四条の二　法第四十一条第五項の規定による承諾は、宅地建物取引業者が、国土交通省令・内閣府令で定めるところにより、あらかじめ、当該承諾に係る買主に対し電磁的措置（同項に規定する国土交通省令・内閣府令で定める措置をいう。次項において同じ。）の種類及び内容を示した上で、当該買主から書面又は電子情報処理組織を使用する方法その他の情報通信の技術を利用する方法であつて国土交通省令・内閣府令で定めるもの（次項において「書面等」という。）によつて得るものとする。

②　宅地建物取引業者は、前項の承諾を得た場合であつても、当該承諾に係る買主から書面等により電磁的措置を受けない旨の申出があつたときは、当該電磁的措置を講じてはならない。ただし、当該申出の後に当該買主から再び同項の承諾を得た場合は、この限りでない。

③　前二項の規定は、法第四十一条の二第六項の規定による承諾について準用する。

則16-7

（法第四十一条第一項の規定により交付しなければならない書面の交付に係る情報通信の技術を利用する方法）

第十六条の七　法第四十一条第五項の国土交通省令・内閣府令で定める措置は、次に掲げる措置とする。

一　電子情報処理組織を使用する措置のうちイ又はロに掲げるもの

イ　宅地建物取引業者の使用に係る電子計算機と買主の使用に係る電子計算機とを接続する電気通信回線を通じて送信し、受信者の使用に係る電子計算機に備えられたファイルに記録する措置

ロ　宅地建物取引業者の使用に係る電子計算機に備えられたファイルに記録された法第四十一条第一項第一号に規定する保証委託契約に基づき当該契約を締結した銀行等が手付金等の返還債務を連帯して保証する旨又は同項第二号に規定する保証保険契約で約する事項（以下「契約事項」という。）を電気通信回線を通じて買主の閲覧に供し、当該買主の使用に係る電子計算機に備えられたファイルに当該契約事項を記録する措置

二　磁気ディスク等をもつて調製する

解釈41①

ファイルに契約事項を記録したものを交付する措置

② 前項に掲げる措置は、次に掲げる技術的基準に適合するものでなければならない。

一 買主がファイルへの記録を出力することによる書面を作成することができるものであること。

二 ファイルに記録された契約事項について、改変が行われていないかどうかを確認することができる措置を講じていること。

③ 第一項第一号の「電子情報処理組織」とは、宅地建物取引業者の使用に係る電子計算機と、買主の使用に係る電子計算機とを電気通信回線で接続した電子情報処理組織をいう。

(法第四十一条第一項の規定により交付しなければならない書面の交付に係る電磁的方法の種類及び内容)

第十六条の八 令第四条の二第一項の規定により示すべき電磁的措置の種類及び内容は、次に掲げる事項とする。

一 第十六条の七第一項に掲げる措置のうち宅地建物取引業者が使用するもの

二 ファイルへの記録の方式

(法第四十一条第一項の規定により交付しなければならない書面の交付に係る情報通信の技術を利用した承諾の取得)

第十六条の九 令第四条の二第一項の国土交通省令・内閣府令で定める方法は、次に掲げる方法とする。

一 電子情報処理組織を使用する方法のうちイ又はロに掲げるもの

法 41-2

第四十一条の二 宅地建物取引業者は、自ら売主となる宅地又は建物の売買（前条第一項に規定する売買を除く。）に関しては、同項第一号若しくは第二号に掲げる措置を講じた後又は次の各号に掲げる措置をいずれも講じた後で

令 4-2

▽令第三条の三参照

則 16-7〜16-9

イ 宅地建物取引業者の使用に係る電子計算機と買主の使用に係る電子計算機とを接続する電気通信回線を通じて送信し、受信者の使用に係る電子計算機に備えられたファイルに記録する方法

ロ 宅地建物取引業者の使用に係る電子計算機に備えられたファイルに記録された法第四十一条第五項の承諾に関する事項（令第四条の三第一項に規定する電磁的方法による承諾又は当該承諾をしない旨の申出をする場合にあつては、法第四十一条の二第六項の承諾に関する事項）を電気通信回線を通じて買主の閲覧に供し、当該宅地建物取引業者の使用に係る電子計算機に備えられたファイルに当該承諾に関する事項を記録する方法

二 磁気ディスク等をもつて調製するファイルに当該承諾に関する事項を記録したものを交付する方法

② 前項第一号の「電子情報処理組織」とは、宅地建物取引業者の使用に係る電子計算機と、買主の使用に係る電子計算機とを電気通信回線で接続した電子情報処理組織をいう。

解釈 41-2

［第41条の2関係］

工事完了後の物件の保全措置としての「保管」について

保管の措置は、工事完了後の物件の保全措置として設けられているものであり、工事完了前の物件の保全措置は、保証及び保険の2種類であるので、工事完了前の物件について

なければ、買主から手付金等を受領してはならない。ただし、当該宅地若しくは建物について買主への所有権移転の登記がされたとき、買主が所有権の登記をしたとき、又は当該宅地建物取引業者が受領しようとする手付金等の額（既に受領した手付金等があるときは、その額を加えた額）が代金の額の十分の一以下であり、かつ、宅地建物取引業者の取引の実情及びその取引の相手方の利益の保護を考慮して政令で定める額以下であるときは、この限りでない。

一　国土交通大臣が指定する者（以下「指定保管機関」という。）との間において、宅地建物取引業者が自己に代理して当該指定保管機関に当該手付金等を受領させることとするとともに、当該指定保管機関が、当該宅地建物取引業者が受領した手付金等の額に相当する額の金銭を保管することを約する契約（以下「手付金等寄託契約」という。）を締結し、かつ、当該手付金等寄託契約を証する書面を買主に交付すること。

二　買主との間において、買主が宅地建物取引業者に対して有することとなる手付金等の返還を目的とする債権の担保として、手付金等寄託契約に基づく寄託金の返還を目的とする債権について質権を設定する契約（以下「質権設定契約」という。）を締結し、かつ、当該質権設定契約を証する書面を買主に交付し、及び当該質権設定契約による質権の設定を

保管の措置を講じても、保証又は保険の措置を講じなければ、法第41条第1項に違反することとなる。

▽その他の留意すべき事項2参照

法令

民法第四百六十七条の規定による確定日付のある証書をもつて指定保管機関に通知すること。

② 前項第一号の規定による手付金等寄託契約は、次の各号に掲げる要件に適合するものでなければならない。

一 保管される金額が、宅地建物取引業者が受領しようとする手付金等の額（既に受領した手付金等で指定保管機関に保管されていないものがあるときは、その保管されていないものの額を加えた額）に相当する金額であること。

二 保管期間が、少なくとも指定保管機関が宅地建物取引業者に代理して手付金等を受領した時から当該手付金等に係る宅地又は建物の引渡しまでの期間であること。

③ 第一項第二号の規定による質権設定契約は、設定される質権の存続期間が、少なくとも当該質権が設定された時から宅地建物取引業者が受領した手付金等に係る宅地又は建物の引渡しまでの期間であるものでなければならない。

④ 宅地建物取引業者は、第一項各号に掲げる措置を講ずる場合において、既に自ら手付金等を受領しているときは、自ら受領した手付金等の額に相当する額（既に指定保管機関が保管する金銭があるときは、その額を除いた額）の金銭を、買主が手付金等の支払をする前に、指定保管機関に交付しなければならない。

⑤ 宅地建物取引業者が、第一項に規定する宅地又は建物の売買を行う場

法 41-2

令 4-2

則 16-9

解釈 41-2

合（同項ただし書に該当する場合を除く。）において、前条第一項第一号若しくは第二号に掲げる措置を講じないとき、第一項各号の一に掲げる措置を講じないとき、又は前項の規定による金銭の交付をしないときは、買主は、手付金等を支払わないことができる。

⑥ 宅地建物取引業者は、次の各号に掲げる措置に代えて、政令で定めるところにより、第一項に規定する買主の承諾を得て、電磁的方法であつて当該各号に掲げる措置に準ずるものとして国土交通省令・内閣府令で定めるものを講じることができる。この場合において、当該国土交通省令・内閣府令で定める措置を講じた者は、当該各号に掲げる措置を講じたものとみなす。

一 第一項第一号に掲げる措置のうち、当該手付金等寄託契約を証する書面を買主に交付する措置

二 第一項第二号に掲げる措置のうち、当該質権設定契約を証する書面を買主に交付する措置

（宅地又は建物の割賦販売の契約の解除等の制限）

第四十二条 宅地建物取引業者は、みずから売主となる宅地又は建物の割賦販売の契約について賦払金の支払の義務が履行されない場合においては、三十日以上の相当の期間を定めてその支払を書面で催告し、その期間内にその義務が履行されないときでなければ、賦払金の支払の遅滞を理由として、契約を解除し、又は支払時期の到来してい

▽令第四条の二第三項参照

（法第四十一条の二第一項の規定により交付しなければならない書面の交付に係る情報通信の技術を利用する方法）

第十六条の十 第十六条の七の規定は、法第四十一条の二第六項の国土交通省令・内閣府令で定める措置について準用する。この場合において、第十六条の七第一項第一号ロ中「法第四十一条第一項第一号に規定する保証委託契約に基づき当該契約を締結した銀行等が手付金等の返還債務を連帯して保証する旨又は同項第二号に規定する保証保険契約で約する事項」とあるのは「法第四十一条の二第一項第一号に規定する手付金等寄託契約で約する事項及び同項第二号に規定する質権設定契約で約する事項」と読み替えるものとする。

ない賦払金の支払を請求することができない。

② 前項の規定に反する特約は、無効とする。

（所有権留保等の禁止）

第四十三条 宅地建物取引業者は、みずから売主として宅地又は建物の割賦販売を行なつた場合には、当該割賦販売に係る宅地又は建物を買主に引き渡すまで（当該宅地又は建物を引き渡すまでに代金の額の十分の三をこえる額の金銭の支払を受けていない場合にあつては、代金の額の十分の三をこえる額の金銭の支払を受けるまで）に、登記その他引渡し以外の売主の義務を履行しなければならない。ただし、買主が、当該宅地又は建物につき所有権の登記をした後の代金債務について、これを担保するための抵当権若しくは不動産売買の先取特権の登記を申請し、又はこれを保証する保証人を立てる見込みがないときは、この限りでない。

② 宅地建物取引業者は、みずから売主として宅地又は建物の割賦販売を行なつた場合において、当該割賦販売に係る宅地又は建物を買主に引き渡し、かつ、代金の額の十分の三をこえる額の金銭の支払を受けた後は、担保の目的で当該宅地又は建物を譲り受けてはならない。

③ 宅地建物取引業者は、みずから売主として宅地又は建物の売買を行なつた場合において、代金の全部又は一部に充てるための買主の金銭の借入れで、当該宅地又は建物の引渡し後一年以上

［第43条関係］

都市計画法第40条第1項について

都市計画法第40条第1項では、従前の公共施設の用に供する土地は開発許可に係る工事完了公告の日の翌日において一律に開発許可を受けた者に帰属することとしているが、工事の進捗状況からみて工事完了公告がなされることが確実と見られる場合は、従前の公共施設用地については法第33条の2（自己の所有に属しない宅地又は建物の売買契約締結の制限）の適用除外とされているので、所有権留保の場合における登記の移転についても売主の義務からは除外されるものとする。

の期間にわたり、かつ、二回以上に分割して返還することを条件とするものに係る債務を保証したときは、当該宅地又は建物を買主に引き渡すまで（当該宅地又は建物を引き渡すまでに受領した代金の額から当該保証に係る債務で当該宅地又は建物を引き渡すまでに弁済されていないものの額を控除した額が代金の額の十分の三をこえていない場合にあつては、受領した代金の額から当該保証に係る債務で弁済されていないものの額を控除した額が代金の額の十分の三をこえるまで）に、登記その他引渡し以外の売主の義務を履行しなければならない。ただし、宅地建物取引業者が当該保証債務を履行した場合に取得する求償権及び当該宅地又は建物につき買主が所有権の登記をした後の代金債権について、買主が、これを担保するための抵当権若しくは不動産売買の先取特権の登記を申請し、又はこれを保証する保証人を立てる見込みがないときは、この限りでない。

④　宅地建物取引業者は、みずから売主として宅地又は建物の売買を行なつた場合において、当該宅地又は建物の代金の全部又は一部に充てるための買主の金銭の借入れで、当該宅地又は建物の引渡し後一年以上の期間にわたり、かつ、二回以上に分割して返還することを条件とするものに係る債務を保証したときは、当該売買に係る宅地又は建物を買主に引き渡し、かつ、受領した代金の額から当該保証に係る債務で弁済されていないものの額を控除した

額が代金の額の十分の三をこえる額の金銭の支払を受けた後は、担保の目的で当該宅地又は建物を譲り受けてはならない。

（不当な履行遅延の禁止）

第四十四条　宅地建物取引業者は、その業務に関してなすべき宅地若しくは建物の登記若しくは引渡し又は取引に係る対価の支払を不当に遅延する行為をしてはならない。

（秘密を守る義務）

第四十五条　宅地建物取引業者は、正当な理由がある場合でなければ、その業務上取り扱つたことについて知り得た秘密を他に漏らしてはならない。宅地建物取引業を営まなくなつた後であつても、また同様とする。

［第45条関係］

法第45条及び第75条の3の「正当な理由」について

法第45条及び第75条の3に規定する「正当な理由」としては、以下のようなものが考えられるが、なお「正当な理由」に該当するか否かは、個別具体の事例において判断する必要があると考えられる。

(1)　法律上秘密事項を告げる義務がある場合

裁判の証人として証言を求められたとき、税務署等の職員から質問検査権の規定に基づき質問を受けたとき等が挙げられる。

(2)　取引の相手方に真実を告げなければならない場合

取引事例を顧客や他の宅地建物取引業者に提示することは、宅地建物取引業者が法第34条の2第2項の規定による義務を果たすため必要な限度において「正当な理由」に該当する。

なお、法第47条は宅地建物取引業者に対し、宅地又は建物の売買、交換若しくは賃借の契約の締結について勧誘をするに際し、又はその契約の申込みの撤回若しくは解除若しくは宅地建物取引業に関する取引

（報　酬）

第四十六条　宅地建物取引業者が宅地又は建物の売買、交換又は貸借の代理又は媒介に関して受けることのできる報酬の額は、国土交通大臣の定めるところによる。

②　宅地建物取引業者は、前項の額をこえて報酬を受けてはならない。

③　国土交通大臣は、第一項の報酬の額を定めたときは、これを告示しなければならない。

④　宅地建物取引業者は、その事務所ごとに、公衆の見やすい場所に、第一項の規定により国土交通大臣が定めた報酬の額を掲示しなければならない。

により生じた債権の行使を妨げるため、同条第1号イから二のいずれかに該当する事項について故意に事実を告げなかったり、又は不実のことを告げる行為を禁止しているが、これは取引の関係者に対して取引上重要なことであれば真実を言う義務があることを示したものである。

(3)　依頼者本人の承諾があった場合

依頼者本人の承諾があった場合は、依頼者の利益を故意に損なうことがないので守秘義務の対象外である。

(4)　他の法令に基づく事務のための資料として提供する場合

地価公示法第2条に規定する標準地の価格の判定及び国土利用計画法施行令第9条に規定する基準地の標準価格の判定のための資料として、そのための鑑定評価を担当する不動産鑑定士又は不動産鑑定士補に不動産取引事例を提供する場合が挙げられる。

［第46条第1項関係］

1　告示の運用について（昭和45年建設省告示第1552号関係）

(1)　告示第二（宅地建物取引業者が売買又は交換の媒介に関して受けることのできる報酬の額）関係

①　この規定は、宅地建物取引業者が宅地又は建物の売買又は交換の媒介に関して依頼者から受けることのできる報酬について依頼者のそれぞれ一方から受けることのできる限度額を定めているものであり、依頼者の双方から報酬を受ける場合及び依頼者の一方のみから報酬を受ける場合のいずれにあっても依頼者のそれぞれ一方から受ける報酬の額が当該限度額以下でなけ

法令

法46

＊告示378頁参照

令4-2

則16-10

解釈45・46①

ればならない。

② 「交換に係る宅地若しくは建物の価額」とは、交換に係る宅地又は建物の適正かつ客観的な市場価格を指すものであり、その算定に当たっては、必要に応じ不動産鑑定業者の鑑定評価を求めることとする。

③ 「交換に係る宅地又は建物の価額に差があるとき」とは、交換差金が支払われる場合等交換に係る両方の物件の価額が異なることを指し、「これらの価額のうちいずれか多い価額」とは交換に係る両方の物件の価額のうち、いずれか多い方を指す。

(2) 告示第三（宅地建物取引業者が売買又は交換の代理に関して受けることのできる報酬の額）関係

① 「第二の計算の方法により算出した額の2倍」とは、売買に係る代金の額又は交換に係る宅地若しくは建物の価額（当該交換に係る宅地又は建物の価額に差があるときは、これらの価額のいずれか多い価額）を次表の左欄に掲げる金額に区分して、それぞれの金額に同表の右欄に掲げる割合を乗じて得た金額を合計した金額を指す。

200万円以下の金額	100分の11
200万円を超え400万円以下の金額	100分の8・8
400万円を超える金額	100分の6・6

② 「当該売買又は交換の相手方から報酬を受ける場合」とは、代理行為とあわせて媒介的行為が行われる場合に代理の依頼者のほか売買又は交換の相手方からも

報酬を受ける場合を指すものであり、その場合においては、代理の依頼者から受ける報酬の額と売買又は交換の相手方から受ける報酬の額の合計額が1の「第二の計算方法により算出した金額の2倍」を超えてはならない。

(3) 告示第四（宅地建物取引業者が貸借の媒介に関して受けることのできる報酬の額）関係

① 前段の規定は宅地建物取引業者が宅地又は建物の貸借の媒介に関して受けることのできる報酬について、その合計額の限度額のみを定めたものであり、貸借の媒介に関しては、売買又は交換の媒介と異なり、依頼者のそれぞれ一方から受ける報酬の額、割合等については特段の規制はない。（したがって報酬の合計額がこの限度額内であれば依頼者の双方から どのような割合で報酬を受けてもよく、また、依頼者の一方のみから報酬を受けることもできる。）

② 「宅地又は建物の通常の借賃」とは、当該宅地又は建物が賃貸借される場合に通常定められる適正かつ客観的な賃料を指すものであり、その算定に当たっては、必要に応じて不動産鑑定業者の鑑定評価を求めることとする。

③ 後段の規定は、居住の用に供する建物の賃貸借の媒介に関して宅地建物取引業者が受けることのできる報酬について、前段に規定する報酬額の合計額の範囲内において依頼者の一方から受けることのできる限度額を定めているものであり、依頼者の承諾を得ている場合を除き、依頼者の双方から報酬を受ける場合のいず

法46

令4-2

則16-10

解釈46①

れかにあっても依頼者の一方から受ける報酬の額が当該限度額以下でなければならない。

④「居住の用に供する建物」とは、専ら居住の用に供する建物を指すものであり、居住の用に供する建物で事務所、店舗その他居住以外の用途を兼ねるものは含まれない。

⑤「当該媒介の依頼を受けるに当たって当該依頼者の承諾を得ている場合」とは、当該媒介の依頼を受けるに当たって、依頼者から借賃の1月分の0・55倍に相当する金額以上の報酬を受けることについての承諾を得ている場合を指すものであり、その場合においては、依頼者から受ける報酬の合計額が借賃の1月分の1・1倍に相当する金額を超えない限り、当該承諾に係る依頼者から受ける報酬の額、割合等については特段の規制はない。

なお、この依頼者の承諾は、宅地建物取引業者が媒介の依頼を受けるに当たって得ておくことが必要であり、依頼後に承諾を得ても後段に規定する承諾とはいえず、後段の規制を受けるものである。

(4) 告示第五（宅地建物取引業者が貸借の代理に関して受けることのできる報酬の額）関係

「当該貸借の相手方から報酬を受ける場合」とは、代理行為とあわせて媒介的行為が行われる場合に代理の依頼者のほか貸借の相手方からも報酬を受ける場合を指すものであり、その場合においては、代理の依頼者から受ける報酬の額と、貸借の相手方から受ける報酬の額の合計額が、借賃の1月分の1・1倍に相当する金額を超えてはならない。

(5) 告示第六（権利金の授受がある場合の特例）関係

① この規定は、居住の用に供する建物の賃貸借の代理又は媒介に関して依頼者から受ける報酬の額については適用されない。

② 「権利金」とは、名義の如何を問わず、権利設定の対価として支払われる金銭であって、返還されないものをいい、いわゆる権利金、礼金等賃貸借契約終了時に賃貸人から賃借人に返還されない金銭はこれに該当するが、いわゆる敷金等賃貸借契約終了時に賃貸人から賃借人に返還される金銭はこれに該当しない。

(6) 告示第七（空家等の売買又は交換の媒介における特例）関係

① この規定は、宅地建物取引業者が宅地若しくは建物の売買又は交換の媒介に関して受けることのできる報酬額の特例として、空家等の売買又は交換の媒介であって、通常の売買又は交換の媒介と比較して現地調査等の費用を要するものについては、告示第二の規定にかかわらず、告示第二の計算方法により算出した金額と当該費用に相当する額を合計した金額以内で報酬を受けることができることを定めているものである。

② この規定に基づき宅地建物取引業者が受けることのできる報酬は、空家等の売主又は交換を行う者である依頼者から受けるものに限られ、当該空家等の買主又は交換の相手方から受ける報酬については、告示第二の計算方法による。

③ 「当該現地調査等に要する費用に相当

法令

法46

令4-2

則16-10

解釈46①

する額」とは、人件費等を含むものであり、宅地建物取引業者は、媒介契約の締結に際し、あらかじめ報酬額について空家等の売主又は交換を行う者である依頼者に対して説明し、両者間で合意する必要がある。

(7) 告示第八（空家等の売買又は交換の代理における特例）関係

① この規定は、宅地建物取引業者が宅地若しくは建物の売買又は交換の代理に関して受けることのできる報酬額の特例として、空家等の売買又は交換の代理であって、通常の売買又は交換の代理と比較して現地調査等の費用を要するものについては、告示第三の規定にかかわらず、告示第二の計算方法により算出した金額と告示第七の規定により算出した金額を合計した金額以内で報酬を受けることができることを定めているものである。

② この規定に基づき宅地建物取引業者が受けることのできる報酬は、空家等の売主又は交換を行う者である依頼者から受けるものに限られ、当該空家等の買主又は交換の相手方から受ける報酬については、告示第三の規定による。

(8) 告示第九（告示第二から第八までの規定によらない報酬の受領の禁止）関係

① 宅地建物取引業者は、告示第二から第八までの規定によるほかは依頼者の依頼によって行う広告の料金に相当する額を除き報酬を受けることはできない。

したがって、告示第二から第八までの規定による報酬及び依頼者の依頼によって行う広告の料金に相当する額以外にいわゆる案内料、申込料や依頼者の依頼によらずに行う広告の料金に相当する額の報酬を受領することはできない。

②　この規定には、宅地建物取引業者が依頼者の特別の依頼により行う遠隔地における現地調査や空家の特別な調査等に要する実費の費用に相当する額の金銭を依頼者から提供された場合にこれを受領すること等依頼者の特別の依頼により支出を要する特別の費用に相当する額の金銭で、その負担について事前に依頼者の承諾があるものを別途受領することまでも禁止する趣旨は含まれていない。

2　複数の宅地建物取引業者が介在する媒介について

(1)　複数の宅地建物取引業者が一個の宅地又は建物の売買又は交換（以下「一個の売買等」という。）の媒介をしたときは、その複数の宅地建物取引業者が依頼者の一方から受領する報酬額の総額が告示第二の計算方法により算出した金額以内（告示第七の規定に基づき空家等の売主又は交換を行う者である依頼者から報酬を受ける場合にあっては、当該依頼者から受領する報酬額の総額が告示第七の規定により算出した金額以内）でなければならない。

(2)　複数の宅地建物取引業者が一個の売買等の代理又は代理及び媒介をしたときは、その複数の宅地建物取引業者が受領する報酬額の総額が告示第二の計算方法により算出した金額の2倍以内（告示第八の規定に基づき空家等の売主又は交換を行う者である依頼者から報酬を受ける場合にあっては、告示第八の規定により算出した金額以内）でなければならない。

3　双方に代理人が立つ場合の報酬について

法令

法46

令4-2

則16-10

解釈46①

宅地建物取引業者が宅地又は建物の売買、交換又は貸借の代理又は媒介に関して受けることのできる報酬の額は、法第46条第1項の規定に基づき国土交通大臣が定めているが、これは取引物件一件についての報酬の額であるので、売買等の当事者の双方が別々の宅地建物取引業者に代理又は媒介を依頼した場合には、双方の代理人の受ける報酬の額の合計が、国土交通大臣の定める額を限度とするものでなければならない。

4　定期建物賃貸借の再契約に関して受けることのできる報酬の額について

定期建物賃貸借の再契約に関して宅地建物取引業者が受けることのできる報酬についても、新規の契約と同様に昭和45年建設省告示の規定が適用されることとなる。

5　消費税の免税事業者の仕入れに係る消費税の円滑かつ適正な転嫁について

免税事業者については、報酬告示第二から第八までの規定に準じて算出した額（課税事業者が受けることのできる報酬の額であって、宅地又は建物の売買等の媒介又は代理に係る消費税額及び地方消費税額の合計額に相当する額（以下「消費税等相当額」という。）を含むものをいう。）に１１０分の１００を乗じて得た額（以下「税抜金額」という。）に、仕入れに係る消費税等相当額をコスト上昇要因として価格に転嫁することができる。この場合、仕入れに係る消費税等相当額は、税抜金額の０・04倍を限度とする。

なお、当該転嫁される金額は報酬額の一部となるものであって、この金額を消費税及び地方消費税として別途受け取るものではない。

（業務に関する禁止事項）

第四十七条　宅地建物取引業者は、その業務に関して、宅地建物取引業者の相手方等に対し、次に掲げる行為をしてはならない。

一　宅地若しくは建物の売買、交換若しくは貸借の契約の締結について勧誘をするに際し、又はその契約の申込みの撤回若しくは解除若しくは宅地建物取引業に関する取引により生じた債権の行使を妨げるため、次のいずれかに該当する事項について、故意に事実を告げず、又は不実のことを告げる行為

イ　第三十五条第一項各号又は第二項各号に掲げる事項

ロ　第三十五条の二各号に掲げる事項

ハ　第三十七条第一項各号又は第二項各号（第一号を除く。）に掲げる事項

ニ　イからハまでに掲げるもののほか、宅地若しくは建物の所在、規模、形質、現在若しくは将来の利用の制限、環境、交通等の利便、代金、借賃等の対価の額若しくは

6　不動産取引に関連する他の業務に係る報酬について

宅地建物取引業者が、「第34条の2関係8」に従って、媒介業務以外の不動産取引に関連する業務を行う場合には、媒介業務に係る報酬とは別に当該業務に係る報酬を受けることができるが、この場合にも、あらかじめ業務内容に応じた料金設定をするなど、報酬額の明確化を図ること。

［第47条第1号関係］

第47条第1号の禁止行為の成立時期について

本号中「宅地建物取引業に関する取引により生じた債権の行使を妨げるため」とは、例えば、当該目的物の契約不適合が発覚した場合や、契約の目的物となる宅地又は建物に関連して宅地建物取引業者に不法行為が発生した場合の修補の請求や損害賠償の請求の権利の行使を妨げることを目的として行う場合が該当する。

支払方法その他の取引条件又は当該宅地建物取引業者若しくは取引の関係者の資力若しくは信用に関する事項であつて、宅地建物取引業者の相手方等の判断に重要な影響を及ぼすこととなるもの

二　不当に高額の報酬を要求する行為

三　手付について貸付けその他信用の供与をすることにより契約の締結を誘引する行為

第四十七条の二　宅地建物取引業者又はその代理人、使用人その他の従業者（以下この条において「宅地建物取引業者等」という。）は、宅地建物取引業に係る契約の締結の勧誘をするに際し、宅地建物取引業者の相手方等に対し、利益を生ずることが確実であると誤解させるべき断定的判断を提供する行為をしてはならない。

②　宅地建物取引業者等は、宅地建物取引業に係る契約を締結させ、又は宅地建物取引業に係る契約の申込みの撤回若しくは解除を妨げるため、宅地建物取引業者の相手方等を威迫してはならない。

③　宅地建物取引業者等は、前二項に定めるもののほか、宅地建物取引業に係る契約の締結に関する行為又は申込みの撤回若しくは解除の妨げに関する行

（法第四十七条の二第三項の国土交通省令・内閣府令及び同項の国土交通省令で定める行為）

第十六条の十一　法第四十七条の二第三項の国土交通省令・内閣府令及び同項の国土交通省令で定める行為は、次に掲げるものとする。

［第47条第3号関係］

信用の供与について

本号中「信用の供与」とは、手付としての約束手形の受領等の行為、手付予約をした場合における宅地建物取引業者による依頼者の当該予約債務の保証行為等もこれに該当することとなる。

なお、手付の分割受領も本号にいう「信用の供与」に該当する。

［第47条の2第1項関係］

将来利益に関する断定的判断の提供の禁止について

宅地建物取引業に係る契約の締結の勧誘に際し、物件の値上がりが確実であるから将来の転売によって必ず一定の利益が生じるなど将来利益を断定的に提供することの禁止である。例えば、「2～3年後には、物件価格の上昇が確実である」、「この物件を購入したら、一定期間、確実に収入が得られる。損はしない」などと告げることにより勧誘する場合が該当する。

なお、本規定は、故意であることを要しない。

また、将来利益に関する情報の提供に当たっては、将来の紛争を防止する観点から、当該宅地建物取引に関し考えられるリスクについてもあらかじめ説明することが望ましい。

為であつて、第三十五条第一項第十四号イに規定する宅地建物取引業者の相手方等の利益の保護に欠けるものとして国土交通省令・内閣府令で定めるもの及びその他の宅地建物取引業者の相手方等の利益の保護に欠けるものとして国土交通省令で定めるものをしてはならない。

一　宅地建物取引業に係る契約の締結の勧誘をするに際し、宅地建物取引業者の相手方等に対し、次に掲げる行為をすること。

イ　当該契約の目的物である宅地又は建物の将来の環境又は交通その他の利便について誤解させるべき断定的判断を提供すること。

ロ　正当な理由なく、当該契約を締結するかどうかを判断するために必要な時間を与えることを拒むこと。

ハ　当該勧誘に先立つて宅地建物取引業者の商号又は名称及び当該勧誘を行う者の氏名並びに当該契約の締結について勧誘をする目的である旨を告げずに、勧誘を行うこと。

ニ　宅地建物取引業者の相手方等が当該契約を締結しない旨の意思（当該勧誘を引き続き受けることを希望しない旨の意思を含む。）を表示したにもかかわらず、当該勧誘を継続すること。

ホ　迷惑を覚えさせるような時間に電話し、又は訪問すること。

ヘ　深夜又は長時間の勧誘その他の私生活又は業務の平穏を害するような方法によりその者を困惑させること。

二　宅地建物取引業者の相手方等が契約の申込みの撤回を行うに際し、既に受領した預り金を返還することを拒むこと。

三　宅地建物取引業者の相手方等が手

［第47条の2第2項関係］

威迫行為の禁止について

契約を締結させるため、又は契約の解除若しくは申込みの撤回を妨げるため、相手方を威迫する行為の禁止である。相手方を威迫する行為とは、脅迫とは異なり、相手方に恐怖心を生じさせるまでは要しないが、相手方に不安の念を抱かせる行為が該当する。例えば、相手方に対して、「なぜ会わないのか」、「契約しないと帰さない」などと声を荒げ、面会を強要したり、拘束するなどして相手方を動揺させるような行為が該当する。

［第47条の2第3項関係］

法第47条の2第3項の省令事項（規則第16条の12）について

1　契約締結の勧誘に関する禁止行為について（規則第16条の12第1号関係）

(1)　将来の環境、交通等の状況に係る断定的判断の提供の禁止について（イ関係）

将来の環境、交通その他の利便の状況について相手方を誤解させるべき断定的判断の提供の禁止である。例えば、「将来南側に5階建て以上の建物が建つ予定は全くない」、「○○の位置には、国道が2～3年後に必ず開通する」というような判断を断定的に提供することを禁ずるものである。

なお、本規定は、故意であることを要しない。

(2)　契約の締結を不当に急がせる行為の禁止について（ロ関係）

正当な理由なく、契約締結の判断に通常必要と認められる時間を与えることを拒否することにより、契約の締結を不当に急がせる行為の禁止である。例えば、契約の相手方が「契約の締結をするかどうかしばら

※上記［第47条の２第３項関係］見出し及び文中、「第16条の12」は令和４年４月27日内閣府・国土交通省令第３号により、「第16条の11」と改正されておりますが、本書作成時点ではまだ本解釈・運用が訂正されておらず本書では現時点のまま掲載しております。

法令

法
47-2

令
4-2

則
16-11

付を放棄して契約の解除を行うに際し、正当な理由なく、当該契約の解除を拒み、又は妨げること。

解釈
47-2②
・
47-2③

く考えさせてほしい」と申し出た場合において、事実を歪めて「明日では契約締結はできなくなるので、今日しか待てない」と告げることが該当する。

(3) 規則第16条の12第1号ハからへに規定する行為の禁止について

「宅地建物取引業法施行規則の一部を改正する命令」の運用について（平成23年9月16日国土動指第26号）」の通知において、具体的な運用に当たって留意すべき事項等を通知しているので留意すること。

2 預り金の返還の拒否の禁止について（規則第16条の12第2号関係）

相手方が契約の申込みを撤回しようとする場合において、契約の申込み時に宅地建物取引業者が受領していた申込証拠金その他の預り金について、返還を拒むことの禁止である。例えば、「預り金は手付となっており、返還できない。」というように手付として授受していないのに手付だと主張して返還を拒むことを禁ずるものであり、預り金は、いかなる理由があっても一旦返還すべきであるという趣旨である。

3 手付放棄による契約解除の申出の拒否の禁止について（規則第16条の12第3号関係）

規則第16条の12第3号中「正当な理由」とは、売主が既に契約の履行に着手した場合、及び宅地建物取引業者により代理又は媒介が行われる取引において、宅地建物取引業者でない売主が、解約手付としての性格がないものとして手付を授受した場合が該当する。

（宅地建物取引業の業務に関し行つた行為の取消しの制限）

第四十七条の三　宅地建物取引業者（個人に限り、未成年者を除く。）が宅地建物取引業の業務に関し行つた行為は、行為能力の制限によつては取り消すことができない。

（証明書の携帯等）

第四十八条　宅地建物取引業者は、国土交通省令の定めるところにより、従業者に、その従業者であることを証する証明書を携帯させなければ、その者をその業務に従事させてはならない。

② 従業者は、取引の関係者の請求があつたときは、前項の証明書を提示しなければならない。

③ 宅地建物取引業者は、国土交通省令で定めるところにより、その事務所ごとに、従業者名簿を備え、従業者の氏名、第一項の証明書の番号その他国土交通省令で定める事項を記載しなければならない。

④ 宅地建物取引業者は、取引の関係者から請求があつたときは、前項の従業者名簿をその者の閲覧に供しなければならない。

（証明書の様式）

第十七条　法第四十八条第一項に規定する証明書の様式は、別記様式第八号によるものとする。

＊様式350頁参照

（従業者名簿の記載事項等）

第十七条の二　法第四十八条第三項の国土交通省令で定める事項は、次に掲げるものとする。

一　生年月日

二　主たる職務内容

三　宅地建物取引士であるか否かの別

四　当該事務所の従業者となつた年月日

五　当該事務所の従業者でなくなつたときは、その年月日

② 法第四十八条第三項に規定する従業者名簿の様式は、別記様式第八号の二によるものとする。

③ 法第四十八条第三項に規定する従業者の氏名、住所及び同条第一項の証明書の番号並びに第一項各号に掲げる事項が、電子計算機に備えられたファイル又は磁気ディスクに記録され、必要に応じ当該事務所において電子計算機

［第48条第1項関係］

従業者証明書の携帯について

従業者であることを表示する方法は証明書による方法に統一することとする。この従業者証明書を携帯させるべき者の範囲は、代表者（いわゆる社長）を含み、かつ、「法第31条の3第1項で定める従事者の範囲」の定めるところに、非常勤の役員、単に一時的に事務の補助をする者を加えるものとする。単に一時的に業務に従事するものに携帯させる証明書の有効期間については、他の者と異なり、業務に従事する期間に限って発行することとする。また、従業者証明書を発行した者については、すべて従業者名簿に記載するとともに、従業者証明書を携帯していない者が業務に従事することのないよう、すべての者が携帯することとする。

［第48条第3項関係］

1　従業者名簿の記載事項等について（規則第17条の2第1項第2号関係）

「主たる職務内容」の欄には、代表者又は役員である場合には役職名を記入し、それ以外の者については、総務、人事、経理、財務、企画、設計、広報、営業等に区分して記入することとする。なお、その者が所属する社内の組織名をなるべく付記することとする。

2　電子媒体による帳簿等の保存について

本項の規定により宅地建物取引業者がその

（帳簿の備付け）

第四十九条　宅地建物取引業者は、国土交通省令の定めるところにより、その事務所ごとに、その業務に関する帳簿を備え、宅地建物取引業に関し取引のあつたつど、その年月日、その取引に係る宅地又は建物の所在及び面積その他国土交通省令で定める事項を記載しなければならない。

その他の機器を用いて明確に紙面に表示されるときは、当該記録をもつて法第四十八条第三項に規定する従業者名簿への記載に代えることができる。この場合における同条第四項の規定による閲覧は、当該ファイル又は磁気ディスクに記録されている事項を紙面又は入出力装置の映像面に表示する方法で行うものとする。

④　宅地建物取引業者は、法第四十八条第三項に規定する従業者名簿（前項の規定による記録が行われた同項のファイル又は磁気ディスクを含む。）を最終の記載をした日から十年間保存しなければならない。

＊様式350頁参照

（帳簿の記載事項等）

第十八条　法第四十九条に規定する国土交通省令で定める事項は、次のとおりとする。

一　売買若しくは交換又は売買、交換若しくは貸借の代理若しくは媒介の別（取引一任代理等（法第五十条の二第一項に規定する取引一任代理等をいう。以下同じ。）に係るものである場合は、その旨を含む。）

二　売買、交換若しくは貸借の相手方若しくは代理を依頼した者又は媒介に係る売買、交換若しくは貸借の各当事者及びこれらの者の代理人の氏名及び住所

三　取引に関与した他の宅地建物取引業者の商号又は名称（当該宅地建物取引業者が個人である場合においては、その者の氏名）

事務所ごとに備える従業者名簿について法及び規則に定められた事項が電子計算機に備えられたファイル、磁気ディスク等に記録され、必要に応じ、電子計算機、プリンター等の機器により明確に紙面に表示することができる場合には、当該記録をもって名簿への記載に代えることができるものとする。また、ファイル、磁気ディスク等に記録した従業者名簿について、取引の関係者の閲覧に供する場合には、当該ファイル、磁気ディスク等に記録されている事項を紙面又はディスプレイ等の入出力装置の画面等に表示する方法で行うこととする。

［第49条関係］

１　帳簿の記載事項等について（規則第18条第8号ロ関係）

「床面積」は、各階ごとに壁その他の区画の中心線で囲まれた部分の水平投影面積による。

２　電子媒体による帳簿等の保存について

本条の規定により宅地建物取引業者がその事務所ごとに備える業務に関する帳簿について法及び規則に定められた事項が電子計算機に備えられたファイル、磁気ディスク等に記録され、必要に応じ、電子計算機、プリンター等の機器により明確に紙面に表示することができる場合には、当該記録をもって帳簿への記載に代えることができるものとする。

四　宅地の場合にあつては、現況地目、位置、形状その他当該宅地の概況

五　建物の場合にあつては、構造上の種別、用途その他当該建物の概況

六　売買金額、交換物件の品目及び交換差金又は賃料

七　報酬の額

八　宅地建物取引業者が自ら売主となる新築住宅（住宅の品質確保の促進等に関する法律第二条第二項に規定する新築住宅をいう。以下この条において同じ。）の場合にあつては、次に掲げる事項

イ　当該新築住宅を引き渡した年月日

ロ　当該新築住宅の床面積

ハ　当該新築住宅が特定住宅瑕疵担保責任の履行の確保等に関する法律施行令（平成十九年政令第三百九十五号）第六条第一項の販売新築住宅であるときは、同項の書面に記載された二以上の宅地建物取引業者それぞれの販売瑕疵かし負担割合（同項に規定する販売瑕疵かし負担割合をいう。以下この号において同じ。）の合計に対する当該宅地建物取引業者の販売瑕疵かし負担割合の割合

ニ　当該新築住宅について、住宅瑕疵かし担保責任保険法人（特定住宅瑕疵担保責任の履行の確保等に関する法律第十七条第一項に規定する住宅瑕疵かし担保責任保険法人をいう。）と住宅販売瑕疵かし担保責任保険契約（同法第二条第

法令

法49

令4-2

則18

六項に規定する住宅販売瑕疵かし担保責任保険契約をいう。）を締結し、保険証券又はこれに代わるべき書面を買主に交付しているときは、当該住宅瑕疵かし担保責任保険法人の名称

九　取引に関する特約その他参考となる事項

② 法第四十九条に規定する宅地建物取引のあつた年月日、その取引に係る宅地又は建物の所在及び面積並びに第一項各号に掲げる事項が、電子計算機に備えられたファイル又は磁気ディスクに記録され、必要に応じ当該事務所において電子計算機その他の機器を用いて明確に紙面に表示されるときは、当該記録をもつて法第四十九条に規定する帳簿への記載に代えることができる。

③ 宅地建物取引業者は、法第四十九条に規定する帳簿（前項の規定による記録が行われた同項のファイル又は磁気ディスクを含む。）を各事業年度の末日をもつて閉鎖するものとし、閉鎖後五年間（当該宅地建物取引業者が自ら売主となる新築住宅に係るものにあつては、十年間）当該帳簿を保存しなければならない。

解釈49

（標識の掲示等）

第五十条　宅地建物取引業者は、事務所等及び事務所等以外の国土交通省令で定めるその業務を行う場所ごとに、公衆の見やすい場所に、国土交通省令で定める標識を掲げなければならない。

②　宅地建物取引業者は、国土交通省令の定めるところにより、あらかじめ、第三十一条の三第一項の国土交通省令で定める場所について所在地、業務内容、業務を行う期間及び専任の宅地建物取引士の氏名を免許を受けた国土交通大臣又は都道府県知事及びその所在地を管轄する都道府県知事に届け出なければならない。

▽申請書等の経由→法第七八条の三参照

（標識の掲示等）

第十九条　法第五十条第一項の国土交通省令で定める業務を行う場所は、次に掲げるもので第十五条の五の二に規定する場所以外のものとする。

一　継続的に業務を行うことができる施設を有する場所で事務所以外のもの

二　宅地建物取引業者が一団の宅地建物の分譲をする場合における当該宅地又は建物の所在する場所

三　前号の分譲を案内所を設置して行う場合にあつては、その案内所

四　他の宅地建物取引業者が行う一団の宅地建物の分譲の代理又は媒介を案内所を設置して行う場合にあつては、その案内所

五　宅地建物取引業者が業務に関し展示会その他これに類する催しを実施する場合にあつては、これらの催しを実施する場所

②　法第五十条第一項の規定により宅地建物取引業者が掲げる標識の様式は、次の各号に掲げる場所の区分に応じ、当該各号に掲げる様式とする。

一　事務所　別記様式第九号

二　前項第一号、第三号又は第五号に規定する場所で法第三十一条の三第一項の規定により同項に規定する宅地建物取引士を置くべきもの　別記様式第十号

三　前項第一号、第三号又は第五号に規定する場所で前号に規定するもの以外のもの　別記様式第十号の二

四　前項第二号に規定する場所　別記

［第50条第2項関係］

1　業務を行う期間について

業務を行う期間は原則最長1年とし、引き続き業務を行う場合は改めて届出を行う必要がある。

2　専任の宅地建物取引士に関する事項について

専任の宅地建物取引士としては、実際に専任の宅地建物取引士として勤務する者1人を届け出れば足りるものとする。

3　既に届け出た場所に係る新たな届出の取扱いについて

(1)　既に届け出てある案内所等について次の事項を変更しようとする場合には、変更のない部分も含めて記入し届け出ることとする。

なお、以下に該当し新たな届出を行う場合、「物件の種類等」に記載する区画数、戸数及び面積については当初の届出に係るものを上段かっこ書きで記載したうえで、新たな届出を行う時点での数量を記載するものとし、引き続き案内所を設置する場合に限り、「一団の宅地建物の分譲」に係る案内所として取り扱って差し支えないものとする。

①　「業務を行う期間」を延長しようとする場合

②　「業務の種別」又は「業務の態様」の届出に係る業務を変更しようとする場合

③　「専任の宅地建物取引士に関する事項」

（取引一任代理等に係る特例）

第五十条の二　宅地建物取引業者が、宅地又は建物の売買、交換又は貸借に係る判断の全部又は一部を次に掲げる契約により一任されるとともに当該判断に基づきこれらの取引の代理又は媒介を行うこと（以下「取引一任代理等」という。）について、あらかじめ、国土交通省令で定めるところにより、国土交通大臣の認可を受けたときは、第三十四条の二及び第三十四条の三の規定は、当該宅地建物取引業者が行う取引一任代理等については、適用しない。

一　当該宅地建物取引業者が金融商品取引法（昭和二十三年法律第二十五号）第二十九条の登録（同法第二十八条第四項に規定する投資運用業の種別に係るものに限る。）を受けて次のイ又はロに掲げる者と締結する当該イ又はロに定める契約

様式第十一号

五　前項第四号に規定する場所で法第三十一条の三第一項の規定により同項に規定する宅地建物取引士を置くべきもの　別記様式第十一号の二

六　前項第四号に規定する場所で前号に規定するもの以外のもの　別記様式第十一号の三

③　法第五十条第二項の規定による届出をしようとする者は、その業務を開始する日の十日前までに、別記様式第十二号による届出書を提出しなければならない。

＊様式351～354頁・371～373頁参照

▽規則第三二条参照

（取引一任代理等に係る認可の申請）

第十九条の二　法第五十条の二第一項の認可を受けようとする者は、次に掲げる事項を記載した認可申請書を国土交通大臣に提出しなければならない。

一　商号

二　免許証番号

三　資本金の額（外国の法令に準拠して設立された法人にあつては、その本邦支店の持込資本金（資本金に対応する資産のうち国内に持ち込むものをいう。）の額とする。次条第一号において同じ。）並びに役員及び重要な使用人（取引一任代理等に係る業務を行う事務所の業務を統括する者及びこれに準ずる者、取引一任代理等に係る業務の用に供する目的で宅地若しくは建物の価値の分析又は当該分析に基づく投資判断を行う者並びに投資判断並びに宅地又は建

について、届け出ている専任の宅地建物取引士を変更しようとする場合

(2)　既に届け出たものが次に該当する場合は、変更の届出は要しないものとする。

①　「取り扱う宅地建物の内容等」欄の「所在地」以外の欄が変更になる場合

②　届出を行った宅地建物取引業者の代表者のみの変更の場合

イ　当該宅地建物取引業者がその運用の指図を行う委託者指図型投資信託（投資信託及び投資法人に関する法律（昭和二十六年法律第百九十八号）第二条第一項に規定する委託者指図型投資信託をいう。）の信託財産の受託会社（同法第九条に規定する受託会社をいう。）同法第三条に規定する投資信託契約

ロ　当該宅地建物取引業者がその資産の運用を行う投資法人（投資信託及び投資法人に関する法律第二条第十二項に規定する投資法人をいう。）同法第百八十八条第一項第四号に規定する委託契約

二　当該宅地建物取引業者が次のイ又はロに掲げる規定に基づき宅地又は建物の売買、交換又は賃貸に係る業務を受託する場合における当該業務を委託する当該イ又はロに定める者と締結する当該業務の委託に関する契約

イ　資産の流動化に関する法律（平成十年法律第百五号）第二百三条　同法第二条第三項に規定する特定目的会社

ロ　資産の流動化に関する法律第二百八十四条第二項　同法第二条第十六項に規定する受託信託会社等

三　当該宅地建物取引業者が不動産特定共同事業法（平成六年法律第七十七号）第三条第一項の許可（同法第二条第四項第三号に掲げる行為

物の売買、交換、貸借及び管理に係る各判断に関する業務を統括する者及びこれに準ずる者をいう。以下同じ。）の氏名

四　取引一任代理等に係る業務を行う事務所の名称及び所在地

五　取引一任代理等に係る業務の方法

六　認可を申請しようとする法人の発行済株式総数の百分の五以上の株式を有する株主又は出資の額の百分の五以上の額に相当する出資をしている者の氏名又は名称、住所及びその有する株式の数又はその者のなした出資の金額

七　認可を申請しようとする法人の役員が、他の会社の常務に従事し、又は事業を営んでいるときは、当該役員の氏名並びに当該他の会社の商号及び業務の種類又は当該事業の種類

②　前項の認可申請書には、次に掲げる書類を添えなければならない。

一　役員及び重要な使用人が、破産手続開始の決定を受けて復権を得ない者に該当しない旨の市町村の長の証明書又はこれに代わる書面

二　役員及び重要な使用人が、法第五条第一項各号に該当しないことを誓約する書面

三　役員及び重要な使用人の略歴を記載した書面

四　定款及び登記事項証明書又はこれに代わる書面

五　直前一年の各事業年度の貸借対照表、損益計算書及び株主資本等変動計算書

法50-2〜50-2-2

に係る事業に係るものに限る。）を受けて当該宅地建物取引業者に係る同法第二十六条の二第一号に規定する委託特例事業者と締結する業務の委託に関する契約

② 前項の認可を受けた宅地建物取引業者（以下「認可宅地建物取引業者」という。）が取引一任代理等を行う場合には、当該取引一任代理等に係る前項各号に掲げる契約の相手方に対しては、次の各号に掲げる規定にかかわらず、当該各号に定める行為をすることを要しない。

一 第三十五条第一項　同項に規定する書面の交付及び説明

二 第三十五条第二項　同項に規定する書面の交付及び説明

三 第三十五条の二　同条に規定する説明

四 第三十七条第二項　同項に規定する書面の交付

（認可の条件）

第五十条の二の二　国土交通大臣は、前条第一項の認可に条件を付し、及びこれを変更することができる。

② 前項の条件は、宅地及び建物の取引の公正を確保するため必要な最小限度のものに限り、かつ、当該認可を受ける者に不当な義務を課することとならないものでなければならない。

令4-2

則19-2

六 今後三年間（業務の開始を予定する日の属する事業年度及び当該事業年度の翌事業年度から起算して三事業年度をいう。以下同じ。）における当該業務の収支の見込みを記載した書面

七 今後三年間の純資産額（資産総額から負債総額を減じた金額をいう。以下同じ。）の見込みを記載した書面

八 今後三年間の取引一任代理等に係る契約に係る契約資産額の見込みを記載した書面

九 取引一任代理等に係る業務に関する管理体制の整備状況を記載した書面

十 取引一任代理等に係る業務に関する苦情処理体制の整備状況を記載した書面

③ 国土交通大臣は、法第五十条の二第一項の認可を受けようとする者の役員及び重要な使用人に係る機構保存本人確認情報のうち住民票コード以外のものについて、住民基本台帳法第三十条の九の規定によるその提供を受けることができないときは、法第五十条の二第一項の認可を受けようとする者に対し、住民票の抄本又はこれに代わる書面を提出させることができる。

④ 国土交通大臣は、法第五十条の二第一項の認可を受けようとする者に対し、第二項に規定するもののほか、必要と認める書類を提出させることができる。

⑤ 第一項に規定する認可申請書の様式

解釈50②

（認可の基準等）

第五十条の二の三　国土交通大臣は、第五十条の二第一項の認可を受けようとする者が次の各号のいずれかに該当するときは、認可をしてはならない。

一　その行おうとする取引一任代理等を健全に遂行するに足りる財産的基礎を有しないこと。

二　その営む業務の収支の見込みが良好でなく、取引一任代理等の公正を害するおそれがあること。

三　その行おうとする取引一任代理等を公正かつ的確に遂行することができる知識及び経験を有しないこと。

②　国土交通大臣は、第五十条の二第一項の認可をしない場合においては、その理由を付した書面をもつて、申請者にその旨を通知しなければならない。

③　国土交通大臣は、第五十条の二第一項の認可をした場合であつて、当該宅地建物取引業者が都道府県知事の免許を受けたものであるときは、遅滞なく、その旨を当該都道府県知事に通知しなければならない。

は、別記様式第十二号の二によるものとし、第二項第二号及び第三号並びに第六号から第十号までに掲げる添付書類の様式は、別記様式第十二号の三によるものとする。

＊様式355頁・359頁参照

（認可の具体的基準）

第十九条の二の二　国土交通大臣は、法第五十条の二第一項の規定による認可の申請が法第五十条の二の三第一項に掲げる基準に該当するかどうかを審査するに当たつては、次の各号のいずれかに該当するかどうかを審査しなければならない。

一　法第五十条の二の三第一項第一号に掲げる基準については、資本金の額が五千万円以上の株式会社（外国の法令に準拠して設立された株式会社と同種類の法人で国内に営業所を有するものを含む。）でないこと。

二　法第五十条の二の三第一項第二号に掲げる基準については、次のイ又はロのいずれかを満たしていないこと。

イ　今後三年間の純資産額が、五千万円を下回らない水準に維持されると見込まれること。

ロ　取引一任代理等に係る業務の収支の見込みが、今後三年間に黒字になると見込まれること。

三　法第五十条の二の三第一項第三号に掲げる基準として次のイからへのいずれかを満たしていないこと。

イ　取引一任代理等に係る業務を公正かつ的確に遂行できる経営体制

法 50-2-3～50-2-4

（不動産信託受益権等の売買等に係る特例）

第五十条の二の四　金融商品取引業者（金融商品取引法第二条第九項に規定する金融商品取引業者をいう。）、金融商品仲介業者（同条第十二項に規定する金融商品仲介業者をいう。）又は金

令 4-3

（不動産信託受益権等の売買等に係る特例）

第四条の三　法第五十条の二の四の規定により法第三十五条第八項の規定を読み替えて適用する場合における第三条の三第一項及び第二項の規定の適用については、同条第一項中「売買の相手

則 19-2～19-2-3

であり、かつ、経営方針も健全なものであること。

ロ　役員のうちに、経歴及び業務遂行上の能力等に照らして認可宅地建物取引業者としての業務運営に不適切な資質を有する者がいないこと。

ハ　重要な使用人のうちに、大規模な投資判断又は宅地若しくは建物の売買、交換、貸借及び管理に係る各判断に関する業務を的確に遂行することができる知識及び経験を有する者が含まれていること。

ニ　管理部門（法令その他の規則の遵守状況を管理し、その遵守を指導する部門をいう。）の責任者が定められ、法令その他の規則が遵守される体制が整つていること。

ホ　管理部門の責任者と取引一任代理等に係る業務に係る部門の担当者又はその責任者が兼任していないこと。

ヘ　顧客からの資産運用状況の照会に、短時間に回答できる体制となつていること等取引一任代理等に係る業務について管理体制が整備されていること。

（法第五十条の二の四の規定により読み替えて適用される法第三十五条第三項ただし書の国土交通省令で定める場合）

第十九条の二の三　法第五十条の二の四の規定により読み替えて適用される法第三十五条第三項ただし書の国土交通省令で定める場合は、次に掲げる場合とする。

解釈 50-2-4

［第50条の2の4関係］

書面について

本条において読み替えて適用する法第35条第3項の規定に基づき交付すべき書面の記載事項は、金融商品取引法（昭和23年法律第25号）第37条の3第1項の規定に基づき交付さ

融サービス仲介業者（金融サービスの提供に関する法律（平成十二年法律第百一号）第十一条第六項に規定する金融サービス仲介業者をいい、同条第四項に規定する有価証券等仲介業務の種別に係る同法第十二条の登録を受けているものに限る。）である宅地建物取引業者が、宅地若しくは建物に係る信託の受益権又は当該受益権に対する投資事業に係る組合契約（民法第六百六十七条第一項に規定する組合契約をいう。）、匿名組合契約（商法（明治三十二年法律第四十八号）第五百三十五条に規定する匿名組合契約をいう。）若しくは投資事業有限責任組合契約（投資事業有限責任組合契約に関する法律（平成十年法律第九十号）第三条第一項に規定する投資事業有限責任組合契約をいう。）に基づく権利（以下この条において「不動産信託受益権等」という。）の売主となる場合（暗号資産（金融商品取引法第二条第二十四項第三号の二に規定する暗号資産をいう。以下この条において同じ。）を対価とする譲渡をする場合を含む。）又は不動産信託受益権等の売買（暗号資産を対価とする譲渡又は譲受けを含む。）の代理若しくは媒介をする場合においては、これを当該宅地建物取引業者が宅地又は建物に係る信託（当該宅地建物取引業者を委託者とするものに限る。）の受益権の売主となる場合とみなして第三十五条第三項から第五項まで及び第八項の規定を適用する。この場合において、同条第三

方」とあるのは、「不動産信託受益権売買等の相手方」とする。

一　法第五十条の二の四に規定する投資事業が、主として宅地又は建物に係る信託の受益権以外に対するものである場合

二　金融商品取引法第二条第三十一項に規定する特定投資家（同法第三十四条の二第五項により特定投資家以外の顧客とみなされる者を除く。）及び同法第三十四条の三第四項により特定投資家とみなされる者を不動産信託受益権売買等の相手方とする場合

三　不動産信託受益権売買等の契約締結前一年以内に売買の相手方に対し当該契約と同一の内容の契約について書面を交付して説明をしている場合

四　売買の相手方に対し金融商品取引法第二条第十項に規定する目論見書（書面を交付して説明すべき事項のすべてが記載されているものに限る。）を交付している場合

②　書面を交付して説明をした日（この項の規定により書面を交付して説明をしたものとみなされた日を含む。）から一年以内に当該説明に係る売買契約と同一の内容の売買契約の締結を行つた場合には、当該締結の日において書面を交付して説明をしたものとみなして、前項第三号の規定を適用する。

（法第五十条の二の四の規定により読み替えて適用される法第三十五条第三項第五号の国土交通省令で定める事項）

第十九条の二の四　法第五十条の二の四の規定により読み替えて適用される法

れる書面の記載事項に含まれるため、当該書面を本条において読み替えて適用する法第35条第3項の規定に基づき交付すべき書面として使用しても差し支えないものとする。なお、この場合においても、宅地建物取引士による説明及び記名押印が必要であることに留意すること。

法 50-2-4

項本文中「売買の相手方に対して」とあるのは「売買の相手方又は代理を依頼した者若しくは媒介に係る売買の各当事者（以下「不動産信託受益権売買等の相手方」という。）に対して」と、「信託の受益権に係る」とあるのは「第五十条の二の四に規定する不動産信託受益権等に係る」と、同項ただし書中「売買の相手方」とあり、同項第七号中「信託の受益権の売買の相手方」とあり、及び同条第八項中「第三項に規定する売買の相手方」とあるのは「不動産信託受益権売買等の相手方」とする。

令 4-3

則 19-2-3～19-2-5

第三十五条第三項第五号に規定する国土交通省令で定める事項は、当該信託財産が宅地の場合にあつては宅地の造成の工事の完了時における当該宅地に接する道路の構造及び幅員、建物の場合にあつては建築の工事の完了時における当該建物の主要構造部、内装及び外装の構造又は仕上げ並びに設備の設置及び構造とする。

（法第五十条の二の四の規定により読み替えて適用される法第三十五条第三項第六号の国土交通省令で定める事項）

第十九条の二の五　法第五十条の二の四の規定により読み替えて適用される法第三十五条第三項第六号の国土交通省令で定める事項は、次に掲げるものとする。

一　当該信託財産である建物を所有するための一棟の建物の敷地に関する権利の種類及び内容

二　区分所有法第二条第四項に規定する共用部分に関する規約の定め（その案を含む。次号において同じ。）があるときは、その内容

三　区分所有法第二条第三項に規定する専有部分の用途その他の利用の制限に関する規約の定めがあるときは、その内容

四　当該信託財産である一棟の建物又はその敷地の一部を特定の者にのみ使用を許す旨の規約（これに類するものを含む。次号及び第六号において同じ。）の定め（その案を含む。次号及び第六号において同じ。）があるときは、その内容

解釈 50-2-4

五　当該信託財産である一棟の建物の計画的な維持修繕のための費用、通常の管理費用その他の当該建物の所有者が負担しなければならない費用を特定の者にのみ減免する旨の規約の定めがあるときは、その内容
六　当該信託財産である一棟の建物の計画的な維持修繕のための費用の積立てを行う旨の規約の定めがあるときは、その内容及び既に積み立てられている額
七　当該信託財産である建物の所有者が負担しなければならない通常の管理費用の額
八　当該信託財産である一棟の建物及びその敷地の管理が委託されているときは、その委託を受けている者の氏名（法人にあつては、その商号又は名称）及び住所（法人にあつては、その主たる事務所の所在地）
九　当該信託財産である一棟の建物の維持修繕の実施状況が記録されているときは、その内容

（法第五十条の二の四の規定により読み替えて適用される法第三十五条第三項第七号の国土交通省令で定める事項）

第十九条の二の六　法第五十条の二の四の規定により読み替えて適用される法第三十五条第三項第七号の国土交通省令で定める事項は、当該信託財産が宅地である場合にあつては第一号から第三号の二まで及び第七号に掲げるもの、当該信託財産が建物である場合にあつては第一号から第七号までに掲げるものとする。

法令

法 50-2-4

令 4-3

則 19-2-5～19-2-6

一　当該信託財産である宅地又は建物が宅地造成等規制法第二十条第一項により指定された造成宅地防災区域内にあるときは、その旨
二　当該信託財産である宅地又は建物が土砂災害警戒区域等における土砂災害防止対策の推進に関する法律第七条第一項により指定された土砂災害警戒区域内にあるときは、その旨
三　当該信託財産である宅地又は建物が津波防災地域づくりに関する法律第五十三条第一項により指定された津波災害警戒区域内にあるときは、その旨
三の二　水防法施行規則第十一条第一号の規定により当該信託財産である宅地又は建物が所在する市町村の長が提供する図面に当該信託財産である宅地又は建物の位置が表示されているときは、当該図面における当該信託財産である宅地又は建物の所在地
四　当該信託財産である建物について、石綿の使用の有無の調査の結果が記録されているときは、その内容
五　当該信託財産である建物（昭和五十六年六月一日以降に新築の工事に着手したものを除く。）が建築物の耐震改修の促進に関する法律第四条第一項に規定する基本方針のうち同条第二項第三号の技術上の指針となるべき事項に基づいて次に掲げる者が行う耐震診断を受けたものであるときは、その内容
イ　建築基準法第七十七条の二十一

解釈 50-2-4

第一項に規定する指定確認検査機関
ロ　建築士
ハ　住宅の品質確保の促進等に関する法律第五条第一項に規定する登録住宅性能評価機関
ニ　地方公共団体
六　当該信託財産である建物が住宅の品質確保の促進等に関する法律第五条第一項に規定する住宅性能評価を受けた新築住宅であるときは、その旨
七　当該信託財産である宅地又は建物が種類又は品質に関して契約の内容に適合しない場合におけるその不適合を担保すべき責任の履行に関し保証保険契約の締結その他の措置で次に掲げるものを講じられているときは、その概要
イ　当該信託財産である宅地又は建物が種類又は品質に関して契約の内容に適合しない場合におけるその不適合を担保すべき責任の履行に関する保証保険契約又は責任保険契約の締結
ロ　当該信託財産である宅地又は建物が種類又は品質に関して契約の内容に適合しない場合におけるその不適合を担保すべき責任の履行に関する保証保険又は責任保険を付保することを委託する契約の締結
ハ　当該信託財産である宅地又は建物が種類又は品質に関して契約の内容に適合しない場合におけるそ

法
50-2-5

第二節　指定流通機構

（指定等）

第五十条の二の五　第三十四条の二第五項の規定による指定（以下この節において「指定」という。）は、次に掲げる要件を備える者であつて、次条第一項各号に掲げる業務を適正かつ確実に行うことができると認められるものにつき、国土交通省令で定めるところにより、その者の同意を得て行わなければならない。

一　宅地及び建物の取引の適正の確保及び流通の円滑化を目的とする一般社団法人又は一般財団法人であること。

二　第五十条の二の十四第一項の規定により指定を取り消され、その取消しの日から五年を経過しない者でないこと。

三　役員のうちに次のいずれかに該当する者がないこと。

イ　第五条第一項第一号、第五号又は第六号に該当する者

ロ　指定流通機構が第五十条の二の十四第一項の規定により指定を取り消された場合において、当該取消しに係る聴聞の期日及び場所の公示の日前六十日以内にその指定流通機構の役員であつた者で当該取消

令
4-3

則
19-2-6
〜
19-2-7

の不適合を担保すべき責任の履行に関する債務について銀行等が連帯して保証することを委託する契約の締結

（指定流通機構の指定方法）

第十九条の二の七　法第五十条の二の五第一項の規定による指定は、宅地及び建物の流通の実情、相当数の登録の見込み、宅地及び建物の取引に係る情報ネットワークの効率的な構築の見通し等を勘案して国土交通大臣が定める地域ごとに一を限り、行うものとする。

解釈
50-2-4

しの日から五年を経過しないもの

ハ　心身の故障により指定流通機構の業務を適正に行うことができない者として国土交通省令で定めるもの

② 国土交通大臣は、指定をしたときは、指定流通機構の名称及び主たる事務所の所在地、当該指定をした日その他国土交通省令で定める事項を公示しなければならない。

③ 指定流通機構は、その名称又は主たる事務所の所在地を変更しようとするときは、変更しようとする日の二週間前までに、その旨を国土交通大臣に届け出なければならない。

④ 国土交通大臣は、前項の規定による届出があつたときは、その旨を公示しなければならない。

（指定流通機構の業務）

第五十条の三　指定流通機構は、この節の定めるところにより、次に掲げる業務を行うものとする。

一　専任媒介契約その他の宅地建物取引業に係る契約の目的物である宅地又は建物の登録に関すること。

二　前号の登録に係る宅地又は建物についての情報を、宅地建物取引業者に対し、定期的に又は依頼に応じて提供すること。

三　前二号に掲げるもののほか、前号の情報に関する統計の作成その他宅地及び建物の取引の適正の確保及び流通の円滑化を図るために必要な業務

② 指定流通機構は、国土交通省令で定

（心身の故障により指定流通機構の業務を適正に行うことができない者）

第十九条の二の八　法第五十条の二の五第一項第三号ハの国土交通省令で定める者は、精神の機能の障害により指定流通機構の業務を適正に行うに当たつて必要な認知、判断及び意思疎通を適切に行うことができない者とする。

（指定流通機構の指定の公示事項）

第十九条の三　法第五十条の二の五第二項の国土交通省令で定める事項は、前条の規定により国土交通大臣が定める地域のうち当該指定流通機構に係る地域とする。

（業務の一部委託の承認申請）

第十九条の四　指定流通機構は、法第

法
50-2-5
〜
50-4

めるところにより、その業務の一部を、国土交通大臣の承認を受けて、他の者に委託することができる。

（差別的取扱いの禁止）

第五十条の四　指定流通機構は、前条第一項第一号及び第二号に掲げる業務（以下この節において「登録業務」という。）の運営に関し、宅地又は建物を登録しようとする者その他指定流通機構を利用しようとする宅地建物取引業者に対して、不当に差別的な取扱いをしてはならない。

令
4-3

則
19-2-8
〜
19-4

五十条の三第二項の規定により、その業務の一部を他の者に委託しようとするときは、次に掲げる事項を記載した委託承認申請書を国土交通大臣に提出しなければならない。

一　受託者の商号又は名称及び代表者の氏名
二　受託者の事務所の所在地
三　委託しようとする業務内容及び範囲
四　委託の期間
五　委託を必要とする理由

②　前項の委託承認申請書には、次に掲げる書類を添付しなければならない。

一　受託者の定款又は寄附行為
二　受託者の登記事項証明書
三　受託者の役員の履歴書
四　業務の委託契約書の写し
五　受託者の業務の実施に関する基本的な計画
六　受託者の直前三年の各年度における事業報告書及び収支決算書
七　受託者の役員が法第五十条の二の五第一項第三号イに規定する破産手続開始の決定を受けて復権を得ない者に該当しない旨の市町村の長の証明書
八　受託者の役員が法第五十条の二の五第一項第三号イ（法第五条第一項第一号に係る部分を除く。）からハまでに該当しないことを誓約する書面

③　国土交通大臣は、指定流通機構に対し、前項に規定するもののほか、必要と認める書類を提出させることができ

解釈
50-2-4

（登録業務規程）

第五十条の五　指定流通機構は、登録業務に関する規程（以下この節において「登録業務規程」という。）を定め、国土交通大臣の認可を受けなければならない。これを変更しようとするときも、同様とする。

②　登録業務規程には、登録業務の実施方法（登録業務の連携、代行等に関する他の指定流通機構との協定の締結を含む。）、登録業務に関する料金その他の国土交通省令で定める事項を定めておかなければならない。この場合において、当該料金は、能率的な業務運営の下における適正な原価を償う限度のものであり、かつ、公正妥当なものでなければならない。

③　国土交通大臣は、第一項の認可をした登録業務規程が登録業務の適正かつ確実な実施上不適当となつたと認めるときは、指定流通機構に対し、その登録業務規程を変更すべきことを命ずることができる。

（登録を証する書面の発行）

第五十条の六　指定流通機構は、第三十四条の二第五項の規定による登録があつたときは、国土交通省令で定めるところにより、当該登録をした宅地

る。

④　第一項の規定による委託承認申請書の様式は、別記様式第十二号の四によるものとし、第二項第八号の誓約書の様式は、別記様式第十二号の五によるものとする。

＊様式361頁参照

（登録業務規程で定めるべき事項）

第十九条の五　法第五十条の五第二項の国土交通省令で定める事項は、次に掲げるものとする。

一　登録業務の実施方法（登録業務の連携、代行等に関する他の指定流通機構との協定の締結を含む。）
二　登録業務に関する料金
三　登録業務に関する契約約款
四　登録業務の一部委託に関する事項
五　その他登録業務に関し必要な事項

（登録を証する書面の発行）

第十九条の六　法第五十条の六の規定による登録を証する書面の発行は、少なくとも次に掲げる事項について行うものとする。

法 50-5〜50-9

建物取引業者に対し、当該登録を証する書面を発行しなければならない。

（売買契約等に係る件数等の公表）

第五十条の七　指定流通機構は、当該指定流通機構に登録された宅地又は建物について、国土交通省令で定めるところにより、毎月の売買又は交換の契約に係る件数その他国土交通省令で定める事項を公表しなければならない。

（事業計画等）

第五十条の八　指定流通機構は、毎事業年度、事業計画及び収支予算を作成し、当該事業年度の開始前に（指定を受けた日の属する事業年度にあつては、その指定を受けた後遅滞なく）、国土交通大臣の認可を受けなければならない。これを変更しようとするときも、同様とする。

②　指定流通機構は、毎事業年度、事業報告書及び収支決算書を作成し、当該事業年度の終了後三月以内に、国土交通大臣に提出しなければならない。

（登録業務に関する情報の目的外使用の禁止）

第五十条の九　指定流通機構の役員若しくは職員又はこれらの職にあつた者は、登録業務に関して得られた情報を、第五十条の三第一項に規定する業務の用に供する目的以外に使用してはならない。

令 4-3

則 19-4〜19-7

一　登録番号

二　登録年月日

三　法第三十四条の二第五項の規定により登録された事項

（売買契約等に係る件数等の公表）

第十九条の七　法第五十条の七の国土交通省令で定める事項は、毎月の売買又は交換の契約に係る物件についての都道府県別及び種類別の単位面積当たりの取引価格の平均とする。

②　法第五十条の七の規定による公表は、当該指定流通機構の事務所における備付けその他の適当な方法により、毎年少なくとも一回行うものとする。

解釈 50-2-4

（役員の選任及び解任）

第五十条の十　指定流通機構の役員の選任及び解任は、国土交通大臣の認可を受けなければ、その効力を生じない。

②　国土交通大臣は、指定流通機構の役員が、この法律の規定（この法律に基づく命令又は処分を含む。）若しくは第五十条の五第一項の規定により認可を受けた登録業務規程に違反する行為をしたとき、又は登録業務に関し著しく不適当な行為をしたときは、指定流通機構に対し、その役員を解任すべきことを命ずることができる。

（監督命令）

第五十条の十一　国土交通大臣は、第五十条の三第一項に規定する業務の適正な実施を確保するため必要があると認めるときは、指定流通機構に対し、当該業務に関し監督上必要な命令をすることができる。

（報告及び検査）

第五十条の十二　国土交通大臣は、第五十条の三第一項に規定する業務の適正な実施を確保するため必要があると認めるときは、指定流通機構に対し、当該業務の状況に関し必要な報告を求め、又はその職員に、指定流通機構の事務所に立ち入り、業務の状況若しくは設備、帳簿、書類その他の物件を検査させることができる。

②　前項の規定により立入検査をする職員は、その身分を示す証明書を携帯し、関係人の請求があつたときは、これを提示しなければならない。

③　第一項の規定による立入検査の権限

は、犯罪捜査のために認められたものと解してはならない。

（登録業務の休廃止）

第五十条の十三　指定流通機構は、登録業務の全部又は一部を休止し、又は廃止しようとするときは、休止し、又は廃止しようとする日の三十日前までに、国土交通省令で定める事項を国土交通大臣に届け出なければならない。

②　国土交通大臣は、前項の届出があつたときは、その旨を公示しなければならない。

（指定の取消し等）

第五十条の十四　国土交通大臣は、指定流通機構が次の各号のいずれかに該当するときは、当該指定流通機構に対し、その指定を取り消し、又は期間を定めて登録業務の全部若しくは一部の停止を命ずることができる。

一　登録業務を適正かつ確実に実施することができないと認められるとき。

二　この節の規定又は当該規定に基づく命令若しくは処分に違反したとき。

三　第五十条の五第一項の規定により認可を受けた登録業務規程によらないで登録業務を行つたとき。

②　第十六条の十五第三項から第五項までの規定は、前項の規定による処分に係る聴聞について準用する。

③　国土交通大臣は、第一項の規定による処分をしたときは、その旨を公示しなければならない。

＊関係法令387頁参照

（登録業務の休廃止の届出事項）

第十九条の八　法第五十条の十三の国土交通省令で定める事項は、次に掲げるものとする。

一　休止し、又は廃止しようとする登録業務の範囲

二　休止し、又は廃止しようとする年月日及び休止しようとする場合にあつては、その期間

三　休止又は廃止の理由

（他の指定流通機構による登録業務の実施等）

第五十条の十五　国土交通大臣は、第五十条の十三第一項の規定による登録業務の全部若しくは一部の休止若しくは廃止の届出があつたとき、前条第一項の規定により指定を取り消したとき若しくは登録業務の全部若しくは一部の停止を命じたとき、又は指定流通機構が天災その他の事態により登録業務の全部若しくは一部を実施することが困難となつた場合において必要があると認めるときは、当該登録業務の全部又は一部を、第五十条の五第一項の認可をした登録業務規程に従い、他の指定流通機構に行わせることができる。

②　国土交通大臣は、前項の規定により他の指定流通機構に登録業務を行わせることとしたときは、国土交通省令で定めるところにより、その旨を公示しなければならない。

③　前二項に定めるもののほか、第一項に規定する事由が生じた場合における所要の経過措置は、合理的に必要と判断される範囲内において、国土交通省令で定めることができる。

第三節　指定保証機関

（指　定）

第五十一条　第四十一条第一項第一号の指定（以下この節において「指定」という。）は、宅地又は建物の売買に関し宅地建物取引業者が買主から受領する手付金等の返還債務を保証する事業（以下「手付金等保証事業」という。）

（他の指定流通機構による登録業務の実施の公示）

第十九条の九　法第五十条の十五第二項の規定による公示は、次に掲げる事項について行うものとする。

一　代行される指定流通機構の名称
二　代行する指定流通機構の名称
三　代行する業務の範囲
四　代行する業務を開始する年月日

を営もうとする者の申請により行う。

② 指定を受けようとする者は、国土交通省令の定めるところにより、次に掲げる事項を記載した申請書を国土交通大臣に提出しなければならない。

一 商号
二 役員の氏名及び住所
三 本店、支店その他政令で定める営業所の名称及び所在地
四 資本金の額

③ 前項の申請書には、次に掲げる書類を添付しなければならない。

一 定款及び事業方法書
二 収支の見積りその他国土交通省令で定める事項を記載した事業計画書
三 手付金等保証事業に係る保証委託契約約款
四 その他国土交通省令で定める書類

④ 前項第一号の事業方法書には、保証の目的の範囲、支店及び政令で定めるその他の営業所の権限に関する事項、保証限度、各保証委託者からの保証の受託の限度、保証委託契約の締結の方法に関する事項、保証の受託の拒否の基準に関する事項その他国土交通省令で定める事項を記載しなければならない。

（法第五十一条第二項第三号及び第四項の政令で定める営業所）

第五条 法第五十一条第二項第三号及び第四項の政令で定める営業所は、常時手付金等保証事業に係る保証委託契約を締結する事務所とする。

▽令第五条参照

（事業計画書の記載事項）

第二十条 法第五十一条第三項第二号及び第六十三条第一項に規定する国土交通省令で定める事項は、主要な保証委託者別及び支店別保証計画とする。

（添付書類等）

第二十一条 法第五十一条第三項第四号に規定する国土交通省令で定める書類は、次に掲げるものとする。

一 登記事項証明書
二 申請時における貸借対照表
三 役員の履歴書
四 役員が法第五十二条第七号イに規定する破産手続開始の決定を受けて復権を得ない者に該当しない旨の市町村の長の証明書
五 役員が法第五十二条第七号ロからホまでに該当しないことを誓約する書面

② 国土交通大臣は、法第四十一条第一項第一号の指定を受けようとする者に対し、前項に規定するもののほか、必要と認める書類を提出させることがで

きる。

③　法第五十一条第二項の規定による申請書の様式は、別記様式第十三号によるものとし、第一項第五号の誓約書の様式は、別記様式第十四号によるものとする。

＊様式362頁参照

（事業方法書の記載事項）

第二十二条　法第五十一条第四項の国土交通省令で定める事項は、指定保証機関の資産の運用方法に関する事項並びに保証委託者の業務及び財産の状況の調査方法に関する事項とする。

（保証委託契約約款の基準）

第二十三条　保証委託契約約款には、少なくとも次に掲げる事項が定められていなければならない。

一　保証債務の範囲及び保証期間に関する事項

二　保証金の請求に関する事項

三　保証金の支払に関する事項

四　保証委託者の通知義務に関する事項

五　調査に関する事項

②　前項各号に掲げる事項の内容は、次に掲げる基準に合致するものでなければならない。

一　前項第一号に掲げる事項にあつては、法第四十一条第二項各号に掲げる要件に適合する保証契約を成立させる旨が定められていること。

二　前項第二号に掲げる事項にあつては、買主が保証金の支払を受けようとするときは、保証証書を提示して請求すべき旨が定められていること

法令

法51

令5

則21〜23

と。

三　前項第三号に掲げる事項にあつては、買主から保証金の支払の請求があつた場合においては、指定保証機関は、その日から三十日をこえない一定期間内に保証金を支払う旨が定められていること。

四　前項第四号に掲げる事項にあつては、保証に係る宅地又は建物の売買契約の内容の重大な変更その他保証債務の履行に重大な影響を及ぼすおそれのある事実が生じた場合には、保証委託者は、当該事実を、遅滞なく、指定保証機関に通知すべき旨が定められていること。

五　前項第五号に掲げる事項にあつては、指定保証機関は、保証債務を履行するうえで必要と認める場合に、保証委託者の業務及び財産の状況について調査を行ない、又は報告を求めることができる旨が定められていること。

③　保証委託契約約款には、次の事項が記載されていてはならない。

一　戦争、暴動その他の事変又は地震、噴火その他これらに類する天災等保証委託者の責に帰すことのできない事由以外の事由によつて手付金等の返還債務が生じた場合に正当の理由がなくてその保証債務の履行の責に任じない旨の定め

二　保証契約に基づいて、保証金を支払つた場合に、保証委託者に対し有することとなる求償権を放棄し、又は買主に代位しない旨の定め

解釈50-2-4

（指定の基準）
第五十二条 国土交通大臣は、指定を申請した者が次の各号のいずれかに該当すると認めるときは、その指定をしてはならない。
一 資本金の額が五千万円以上の株式会社でないこと。
二 前号に規定するほか、その行おうとする手付金等保証事業を健全に遂行するに足りる財産的基礎を有しないこと。
三 定款の規定又は事業方法書若しくは事業計画書の内容が法令に違反し、又は事業の適正な運営を確保するのに十分でないこと。
四 手付金等保証事業に係る保証委託契約約款の内容が国土交通省令で定める基準に適合しないこと。
五 第六十二条第二項の規定により指定を取り消され、その取消しの日から五年を経過しないこと。
六 この法律の規定に違反して罰金の刑に処せられ、その刑の執行を終わり、又は執行を受けることがなくなつた日から五年を経過しないこと。
七 役員のうちに次のいずれかに該当する者のあること。
イ 破産手続開始の決定を受けて復権を得ない者
ロ 禁錮以上の刑に処せられ、その刑の執行を終わり、又は執行を受

三 前二号に掲げる事項のほか買主に著しく不利となる定め又は指定保証機関の健全な運営に重大な支障となる定め

法令

法52~53

けることがなくなつた日から五年を経過しない者

ハ　この法律若しくは暴力団員による不当な行為の防止等に関する法律の規定に違反したことにより、又は刑法第二百四条、第二百六条、第二百八条、第二百八条の二、第二百二十二条若しくは第二百四十七条の罪若しくは暴力行為等処罰に関する法律の罪を犯したことにより、罰金の刑に処せられ、その刑の執行を終わり、又は執行を受けることがなくなつた日から五年を経過しない者

ニ　指定を受けた者（以下この節において「指定保証機関」という。）が第六十二条第二項の規定により指定を取り消された場合において、当該取消しに係る聴聞の期日及び場所の公示の日前六十日以内にその指定保証機関の役員であつた者で当該取消しの日から五年を経過しないもの

ホ　心身の故障により手付金等保証事業を適正に営むことができない者として国土交通省令で定めるもの

＊関係法令386頁参照

（変更の届出）

第五十三条　指定保証機関は、第五十一条第二項各号に掲げる事項又は同条第三項第一号若しくは第三号に掲げる書類に記載した事項について変更があつた場合においては、国土交通省令の定

令5

則23~24

（心身の故障により手付金等保証事業を適正に営むことができない者）

第二十三条の二　法第五十二条第七号ホの国土交通省令で定める者は、精神の機能の障害により手付金等保証事業を適正に営むに当たつて必要な認知、判断及び意思疎通を適切に行うことができない者とする。

（変更の届出）

第二十四条　指定保証機関は、法第五十三条の規定による届出を行なおうとするときは、その旨を書面で国土交通大臣に届け出なければならない。

②　前項の規定による変更の届出が商

解釈50-2-4

めるところにより、二週間以内に、その旨を国土交通大臣に届け出なければならない。

（事業の不開始又は休止に基づく指定の取消し）

第五十四条　国土交通大臣は、第六十二条第二項の規定により指定を取り消す場合のほか、指定保証機関が指定を受けた日から三月以内に手付金等保証事業を開始しないとき、又は引き続き三月以上その手付金等保証事業を休止したときは、当該指定保証機関の指定を取り消すことができる。

②　第十六条の十五第三項から第五項までの規定は、前項の規定による処分に係る聴聞について準用する。

＊関係法令387頁参照

（廃業等の届出）

第五十五条　指定保証機関が次の各号のいずれかに該当することとなつた場合においては、当該各号に定める者は、二週間以内に、その旨を国土交通大臣

号、役員の氏名若しくは住所、本店若しくは支店の名称若しくは所在地、資本金の額又は定款に係るものであるときは、その変更を証する書面を前項の書面に添付しなければならない。

③　第一項の規定による変更の届出が新たに就任した役員に係るものであるときは、前項に掲げる書面のほか、当該役員の履歴書、法第五十二条第七号イに規定する破産手続開始の決定を受けて復権を得ない者に該当しない旨の市町村の長の証明書及び同号ロからホまでに該当しないことを誓約する書面を第一項の書面に添付しなければならない。

に届け出なければならない。
一　合併により消滅した場合　消滅した会社を代表する役員であつた者
二　破産手続開始の決定により解散した場合　その破産管財人
三　合併又は破産手続開始の決定以外の理由により解散した場合　その清算人
四　手付金等保証事業を廃止した場合　その会社を代表する役員
②　前項第二号から第四号までの規定により届出があつたときは、指定は、その効力を失う。

（兼業の制限）
第五十六条　指定保証機関は、手付金等保証事業以外の事業を営んではならない。ただし、買主の利益の保護のため支障を生ずることがないと認められるものについて、国土交通大臣の承認を受けたときは、この限りでない。
②　指定保証機関が第四十一条の二第一項第一号の指定を受けたときは、前項ただし書の承認を受けたものとみなす。

（責任準備金の計上）
第五十七条　指定保証機関は、事業年度末においてまだ経過していない保証契約があるときは、次に掲げる金額のうちいずれか多い金額を、事業年度ごとに責任準備金として計上しなければならない。
一　当該保証契約の保証期間のうちまだ経過していない期間に対応する保

法
令

法53～57

令5

則24

解釈50-2-4

証料の総額に相当する金額

二　当該事業年度において受け取つた保証料の総額から当該保証料に係る保証契約に基づいて支払つた保証金（当該保証金の支払に基づく保証委託者からの収入金を除く。）、当該保証料に係る保証契約のために積み立てるべき支払備金及び当該事業年度の事業費の合計額を控除した残額に相当する金額

② 指定保証機関が前項の規定により責任準備金を計上した場合においては、その計上した金額は、法人税法（昭和四十年法律第三十四号）の規定によるその計上した事業年度の所得の金額の計算上、損金の額に算入する。

③ 前項の規定により損金の額に算入された責任準備金の金額は、法人税法の規定によるその翌事業年度の所得の金額の計算上、益金の額に算入する。

（支払備金の積立て）

第五十八条　指定保証機関は、決算期ごとに、次の各号の一に掲げる金額がある場合においては、支払備金として当該各号に掲げる金額を積み立てなければならない。

一　保証契約に基づいて支払うべき保証金その他の金額のうちに決算期までにその支払が終わらないものがある場合においては、その金額

二　保証契約に基づいて支払う義務が生じたと認められる保証金その他の金額がある場合においては、その支払うべきものと認められる金額

三　現に保証金その他の金額について

訴訟が係属しているために支払つていないものがある場合においては、その金額

（保証基金）
第五十九条　指定保証機関は、定款の定めるところにより、保証基金を設けなければならない。
②　指定保証機関は、責任準備金をもつて保証債務を支払うことができない場合においては、当該保証債務の弁済に充てる場合に限り、保証基金を使用することができる。

（契約締結の禁止）
第六十条　指定保証機関は、その者が宅地建物取引業者との間において締結する保証委託契約に係る保証債務の額の合計額が、政令で定める額をこえることとなるときは、保証委託契約を締結してはならない。

（改善命令）
第六十一条　国土交通大臣は、指定保証機関が第五十二条第二号から第四号までの規定に該当することとなつた場合において、買主の利益を保護するため必要かつ適当であると認めるときは、その必要の限度において、当該指定保証機関に対し、財産の状況又はその事業の運営を改善するため必要な措置を執るべきことを命ずることができる。

（指定の取消し等）
第六十二条　国土交通大臣は、指定保証機関が次の各号の一に該当する場合又はこの法律の規定に違反した場合においては、当該指定保証機関に対して、必要な指示をすることができる。

（法第六十条の政令で定める額）
第六条　法第六十条の政令で定める額は、指定保証機関の資本金の額、資本準備金の額、利益準備金の額及び保証基金の額の合計額に四十を乗じて得た額とする。

法令
法57～62
令6
則24
解釈50-2-4

一　手付金等保証事業に関しその関係者に損害を与えたとき、又は損害を与えるおそれが大であるとき。
二　手付金等保証事業に関し不誠実な行為をしたとき。
三　手付金等保証事業に関し他の法令に違反し、指定保証機関として不適当であると認められるとき。

② 国土交通大臣は、指定保証機関が次の各号の一に該当する場合においては、当該指定保証機関に対し、その指定を取り消し、又は六月以内の期間を定めて手付金等保証事業の全部若しくは一部の停止を命ずることができる。
一　不正の手段により指定を受けたとき。
二　第五十二条第一号、第六号又は第七号に該当することとなつたとき。
三　第五十三条の規定による届出を怠つたとき。
四　第五十五条第一項の規定による届出がなくて同項第二号から第四号までの一に該当する事実が判明したとき。
五　第五十六条第一項の規定に違反して手付金等保証事業以外の事業を営んだとき。
六　第六十条の規定に違反して保証委託契約を締結したとき。
七　前条の規定による改善命令に違反したとき。
八　前項の規定による指示に従わなかつたとき。
九　この法律の規定に基づく国土交通大臣の処分に違反したとき。

③　国土交通大臣は、第一項の規定により必要な指示をし、又は前項の規定により手付金等保証事業の全部若しくは一部の停止を命じようとするときは、行政手続法第十三条第一項の規定による意見陳述のための手続の区分にかかわらず、聴聞を行わなければならない。

④　第十六条の十五第三項から第五項までの規定は、第一項又は第二項の規定による処分に係る聴聞について準用する。

＊関係法令387頁参照

（事業報告書等の提出）

第六十三条　指定保証機関は、毎事業年度開始前に、収支の見積りその他国土交通省令で定める事項を記載した事業計画書を作成し、国土交通大臣に提出しなければならない。

②　指定保証機関は、事業計画書に記載した事項を変更したときは、遅滞なく、その旨を国土交通大臣に届け出なければならない。

③　指定保証機関は、事業年度ごとに、国土交通省令で定める様式による事業報告書を作成し、毎事業年度経過後三月以内に、国土交通大臣に提出しなければならない。

（報告及び検査）

第六十三条の二　国土交通大臣は、手付金等保証事業の適正な運営を確保するため必要があると認めるときは、指定保証機関に対しその業務に関して報告若しくは資料の提出を命じ、又はその職員をしてその業務を行う場所に立ち

▽規則第二〇条

（事業報告書の様式）

第二十五条　法第六十三条第三項に規定する事業報告書の様式は、別記様式第十五号によるものとする。

＊様式363頁参照

入り、業務若しくは財産の状況若しくは帳簿、書類その他業務に関係のある物件を検査させることができる。

② 前項の規定により立入検査をする職員は、その身分を示す証明書を携帯し、関係人の請求があつたときは、これを提示しなければならない。

③ 第一項の規定による立入検査の権限は、犯罪捜査のために認められたものと解してはならない。

第四節　指定保管機関

（指定等）

第六十三条の三　第四十一条の二第一項第一号の指定（以下この節において「指定」という。）は、宅地又は建物の売買（第四十一条第一項に規定する売買を除く。）に関し、宅地建物取引業者に代理して手付金等を受領し、当該宅地建物取引業者が受領した手付金等の額に相当する額の金銭を保管する事業（以下「手付金等保管事業」という。）を営もうとする者の申請により行う。

② 前節（第五十一条第一項、第五十七条から第六十条まで及び第六十二条第二項第六号を除く。）の規定は、指定保管機関について準用する。この場合において、第五十一条第二項第三号中「政令」とあるのは「国土交通省令」と、同条第三項第三号及び第五十二条第四号中「保証委託契約約款」とあるのは「手付金等寄託契約約款」と、第五十一条第四項中「保証の目的の範囲、支店及び政令で定めるその他の営業所の権限に関する事項、保証限度、各保

（法第六十三条の二第二項の身分証明書の様式）

第二十五条の二　法第六十三条の二第二項に規定する身分を示す証明書の様式は、別記様式第十六号によるものとする。

＊様式363頁参照

（法第六十三条の三第二項において準用する法第五十一条第二項第三号の国土交通省令で定める営業所）

第二十五条の三　法第六十三条の三第二項において読み替えて準用する法第五十一条第二項第三号の国土交通省令で定める営業所は、常時手付金等保管事業に係る手付金等寄託契約を締結する事務所とする。

（事業計画書の記載事項）

第二十五条の四　法第六十三条の三第二項において準用する法第五十一条第三項第二号及び第六十三条第一項の国土交通省令で定める事項は、主要な寄託者別及び支店別保管計画とする。

法令

法 63-2～63-3

証委託者からの保証の受託の限度、保証委託契約の締結の方法に関する事項、保証の受託の拒否の基準に関する事項」とあるのは「手付金等の保管に関する事項」と、第五十二条第五号及び第七号ニ中「の規定により」とあるのは「又は第六十四条第一項の規定により」と、第五十三条中「書類」とあるのは「書類（事業方法書を除く。）」と、第五十六条第二項中「第四十一条の二第一項第一号」とあるのは「第四十一条第一項第一号」と読み替えるものとする。

令 6

則 25-2～25-6

（添付書類等）

第二十五条の五　法第六十三条の三第二項において準用する法第五十一条第三項第四号の国土交通省令で定める書類は、次に掲げるものとする。

一　登記事項証明書
二　申請時における貸借対照表
三　役員の履歴書
四　役員が法第六十三条の三第二項において準用する法第五十二条第七号イに規定する破産手続開始の決定を受けて復権を得ない者に該当しない旨の市町村の長の証明書
五　役員が法第六十三条の三第二項において準用する法第五十二条第七号ロからホまでに該当しないことを誓約する書面
六　手付金等保管事業に係る質権設定契約約款

②　国土交通大臣は、法第四十一条の二第一項第一号の指定を受けようとする者に対し、前項に規定するもののほか、必要と認める書類を提出させることができる。

③　法第六十三条の三第二項において準用する法第五十一条第二項の規定による申請書の様式は、別記様式第十六号の二によるものとし、第一項第五号の誓約書の様式は、別記様式第十六号の三によるものとする。

＊様式364頁参照

（事業方法書の記載事項）

第二十五条の六　法第六十三条の三第二項において準用する法第五十一条第四項の国土交通省令で定める事項は、次

解釈 50-2-4

に掲げるものとする。
一　支店及び第二十五条の三に規定する営業所の権限に関する事項
二　手付金等寄託契約の締結の方法に関する事項
三　寄託金に係る質権の実行に関する事項
四　寄託金に係る質権の消滅に関する事項
五　指定保管機関の資産の運用方法に関する事項
六　寄託者の業務及び財産の状況の調査方法に関する事項
七　事業方法書の変更に関する事項

（手付金等寄託契約約款の基準等）

第二十五条の七　手付金等寄託契約約款には、少なくとも次に掲げる事項が定められていなければならない。
一　保管される金額及び保管期間に関する事項
二　寄託金に係る質権の実行に伴う寄託金の支払請求に関する事項
三　寄託金に係る質権の消滅に伴う寄託金の支払請求に関する事項
四　寄託金に係る質権の実行に伴う寄託金の支払に関する事項
五　手付金等を受領する権限に関する事項
六　寄託者の通知義務に関する事項
七　調査に関する事項

②　前項各号に掲げる事項の内容は、次に掲げる基準に合致するものでなければならない。
一　前項第一号に掲げる事項にあつては、法第四十一条の二第二項各号に

法
63-3

令
6

則
25-6
〜
25-7

掲げる要件に適合する手付金等寄託契約を成立させる旨が定められていること。

二　前項第二号に掲げる事項にあつては、買主が質権の実行に伴い指定保管機関から寄託金の支払を受けようとするときは、質権設定契約書及び寄託金の保管を証する書面を提示して請求すべき旨が定められていること。

三　前項第三号に掲げる事項にあつては、寄託者が質権の消滅に伴い指定保管機関から寄託金の支払を受けようとするときは、質権の消滅を証する書面及び寄託金の保管を証する書面を提示して請求すべき旨が定められていること。

四　前項第四号に掲げる事項にあつては、買主から寄託金の支払の請求があつた場合においては、指定保管機関は、その日から三十日を超えない一定期間内に寄託金を支払う旨が定められていること。

五　前項第五号に掲げる事項にあつては、寄託者が指定保管機関に対して自己に代理して手付金等を受領する権限を授与する旨の意思表示がなされる定め及び当該寄託者が自ら手付金等を受領せず、かつ、指定保管機関以外の者に対して自己に代理して手付金等を受領する権限を授与しない旨が定められていること。

六　前項第六号に掲げる事項にあつては、寄託に係る宅地又は建物の売買契約の内容の重大な変更その他寄託

解釈
50-2-4

金の返還債務の履行に重大な影響を及ぼすおそれのある事実が生じた場合には、寄託者は、当該事実を、遅滞なく、指定保管機関に通知すべき旨が定められていること。

七　前項第七号に掲げる事項にあつては、指定保管機関は、寄託金の返還債務を履行する上で必要と認める場合は、寄託者の業務及び財産の状況について調査を行い、又は報告を求めることができる旨が定められていること。

③　質権設定契約約款には、少なくとも次に掲げる事項が定められていなければならない。

一　質権の目的となる債権に関する事項

二　質権の存続期間に関する事項

三　質権の担保すべき債権に関する事項

④　前項各号に掲げる事項の内容は、次に掲げる基準に合致するものでなければならない。

一　前項第一号に掲げる事項にあつては、手付金等寄託契約に基づく寄託金の返還を目的とする債権について質権を設定する旨が定められていること。

二　前項第二号に掲げる事項にあつては、法第四十一条の二第三項に掲げる要件に適合する質権設定契約を成立させる旨が定められていること。

三　前項第三号に掲げる事項にあつては、買主が宅地建物取引業者に対して有することとなる手付金等の返還

法
63-3

令
6

則
25-7
〜
25-8

を目的とする債権の担保として質権を設定する旨が定められていること。

⑤　手付金等寄託契約約款及び質権設定契約約款には、買主に著しく不利となる定め又は指定保管機関の健全な運営に重大な支障となる定めが記載されていてはならない。

（心身の故障により手付金等保管事業を適正に営むことができない者）

第二十五条の七の二　法第六十三条の三第二項において準用する法第五十二条第七号ホの国土交通省令で定める者は、精神の機能の障害により手付金等保管事業を適正に営むに当たつて必要な認知、判断及び意思疎通を適切に行うことができない者とする。

（変更の届出）

第二十五条の八　指定保管機関は、法第六十三条の三第二項において準用する法第五十三条の規定による届出を行おうとするときは、その旨を書面で国土交通大臣に届け出なければならない。

②　前項の規定による変更の届出が商号、役員の氏名若しくは住所、本店若しくは支店の名称若しくは所在地、資本金の額又は定款に係るものであるときは、その変更を証する書面を前項の書面に添付しなければならない。

③　第一項の規定による変更の届出が新たに就任した役員に係るものであるときは、前項に掲げる書面のほか、当該役員の履歴書、法第六十三条の三第二項において準用する法第五十二条第七号イに規定する破産手続開始の決定を

解釈
50-2-4

（事業方法書の変更）
第六十三条の四　指定保管機関は、前条第二項において準用する第五十一条第三項第一号の事業方法書を変更しようとするときは、国土交通大臣の認可を受けなければならない。

（寄託金保管簿）
第六十三条の五　指定保管機関は、国土交通省令で定めるところにより、寄託金保管簿を備え、国土交通省令で定める事項を記載し、これを保存しなければならない。

受けて復権を得ない者に該当しない旨の市町村の長の証明書及び同号ロからホまでに該当しないことを誓約する書面を第一項の書面に添付しなければならない。

（事業報告書の様式）
第二十五条の九　法第六十三条の三第二項において準用する法第六十三条第三項に規定する事業報告書の様式は、別記様式第十六号の四によるものとする。

＊様式365頁参照

（法第六十三条の三第二項において準用する法第六十三条の二第二項の身分証明書の様式）
第二十五条の十　法第六十三条の三第二項において準用する法第六十三条の二第二項に規定する身分を示す証明書の様式は、別記様式第十六号の五によるものとする。

＊様式365頁参照

（寄託金保管簿の記載事項等）
第二十六条　法第六十三条の五の国土交通省令で定める事項は、次に掲げるものとする。
一　保管番号
二　手付金等寄託契約を締結した年月日

法令

法 63-4〜63-5

令 6

則 25-8〜26

三　民法第四百六十七条の規定による確定日付のある証書をもつて質権の設定の通知を受けた年月日
四　寄託金を受領した年月日
五　受領した寄託金の額
六　寄託者の商号又は名称（当該寄託者が個人である場合においては、その者の氏名）
七　質権者の氏名（当該質権者が法人である場合においては、その商号又は名称）
八　寄託金の保管を証する書面を発行した年月日
九　保管期間の終了予定年月日
十　寄託金を支払つた年月日
十一　支払つた寄託金の額
十二　寄託金を支払つた相手方の商号又は名称（当該相手方が個人である場合においては、その者の氏名）

②　前項各号に掲げる事項が、電子計算機に備えられたファイル又は磁気ディスクに記録され、必要に応じ当該指定保管機関において電子計算機その他の機器を用いて明確に紙面に表示されるときは、当該記録をもつて法第六十三条の五に規定する寄託金保管簿への記載に代えることができる。

③　指定保管機関は、法第六十三条の五に規定する寄託金保管簿（前項の規定による記録が行われた同項のファイル又は磁気ディスクを含む。）及び手付金等寄託契約に関する書類を、寄託金保管簿にあつては最終の記載をした日から、手付金等寄託契約に関する書類にあつては寄託金を支払つた日から十

解釈 50-2-4

（指定の取消し等）

第六十四条　国土交通大臣は、第六十三条の三第二項において準用する第五十四条第一項又は第六十二条第二項の規定により指定を取り消す場合のほか、指定保管機関が次の各号の一に該当する場合においては、当該指定保管機関に対し、その指定を取り消し、又は六月以内の期間を定めて手付金等保管事業の全部若しくは一部の停止を命ずることができる。

一　第六十三条の三第二項において準用する第五十一条第三項第一号の事業方法書（第六十三条の四の規定による認可を受けたものを含む。第八十二条において同じ。）によらないで手付金等保管事業を営んだとき。

二　前条の規定に違反して寄託金保管簿を備えず、これに同条に規定する事項を記載せず、若しくは虚偽の記載をし、又は寄託金保管簿を保存しなかつたとき。

②　国土交通大臣は、前項の規定により手付金等保管事業の全部又は一部の停止を命じようとするときは、行政手続法第十三条第一項の規定による意見陳述のための手続の区分にかかわらず、聴聞を行わなければならない。

③　第十六条の十五第三項から第五項ま

年間保存しなければならない。

④　法第六十三条の五に規定する寄託金保管簿の様式は、別記様式第十六号の六によるものとする。

＊様式366頁参照

での規定は、第一項の規定による処分に係る聴聞について準用する。

＊関係法令387頁参照

第五章の二　宅地建物取引業保証協会

（指　定）

第六十四条の二　国土交通大臣は、次に掲げる要件を備える者の申請があつた場合において、その者が次条第一項各号に掲げる業務の全部について適正な計画を有し、かつ、確実にその業務を行うことができると認められるときは、この章に定めるところにより同項各号に掲げる業務を行う者として、指定することができる。

一　申請者が一般社団法人であること。

二　申請者が宅地建物取引業者のみを社員とするものであること。

三　申請者が第六十四条の二十二第一項の規定により指定を取り消され、その取消しの日から五年を経過しない者でないこと。

四　申請者の役員のうちに次のいずれかに該当する者がないこと。

イ　第五条第一項第一号から第八号までのいずれかに該当する者

ロ　指定を受けた者（以下この章において「宅地建物取引業保証協会」という。）が第六十四条の二十二第一項の規定により指定を取り消された場合において、当該取消しに係る聴聞の期日及び場所の公示

法令

法64〜64-2

令6

則26

解釈50-2-4

の日前六十日以内にその役員であつた者で当該取消しの日から五年を経過しないもの
ハ　心身の故障により宅地建物取引業保証協会の業務を適正に行うことができない者として国土交通省令で定めるもの
② 国土交通大臣は、前項の規定による指定をしたときは、当該宅地建物取引業保証協会の名称、住所及び事務所の所在地並びに第六十四条の八第一項の規定により国土交通大臣の指定する弁済業務開始日を官報で公示するとともに、当該宅地建物取引業保証協会の社員である宅地建物取引業者が免許を受けた都道府県知事にその社員である旨を通知するものとする。
③ 宅地建物取引業保証協会は、その名称、住所又は事務所の所在地を変更しようとするときは、あらかじめ、その旨を国土交通大臣に届け出なければならない。
④ 国土交通大臣は、前項の規定による届出があつたときは、その旨を官報に公示しなければならない。
⑤ 第一項の指定の申請に関し必要な事項は、国土交通省令で定める。

（心身の故障により宅地建物取引業保証協会の業務を適正に行うことができない者）

第二十六条の二　法第六十四条の二第一項第四号ハの国土交通省令で定める者は、精神の機能の障害により宅地建物取引業保証協会の業務を適正に行うに当たつて必要な認知、判断及び意思疎通を適切に行うことができない者とする。

（宅地建物取引業保証協会の指定の申請）

第二十六条の二の二　法第六十四条の二第一項の指定を受けようとする者は、次の各号に掲げる事項を記載した別記様式第十七号による指定申請書を国土交通大臣に提出しなければならない。
一　名称及び住所並びに代表者の氏名
二　事務所の所在地
三　資産の総額
② 前項の指定申請書には、次の各号に掲げる書類を添付しなければならない。
一　登記事項証明書
二　社員である宅地建物取引業者の商号又は名称、住所、免許証番号及び免許の年月日を記載した書類
三　法第六十四条の三に掲げる業務の実施に関する基本的な計画
四　役員が法第六十四条の二第一項第四号イからハまでに該当しないことを誓約する書面
五　資産の種類及びこれを証する書類
③ 国土交通大臣は、法第六十四条の二第一項の指定を受けようとする者に対し、前項に規定するもののほか、必要

法 64-2～64-3

（業　務）

第六十四条の三　宅地建物取引業保証協会は、次に掲げる業務をこの章に定めるところにより適正かつ確実に実施しなければならない。

一　宅地建物取引業者の相手方等からの社員の取り扱つた宅地建物取引業に係る取引に関する苦情の解決

二　宅地建物取引士その他宅地建物取引業の業務に従事し、又は従事しようとする者（以下「宅地建物取引士等」という。）に対する研修

三　社員と宅地建物取引業に関し取引をした者（社員とその者が社員となる前に宅地建物取引業に関し取引をした者を含み、宅地建物取引業者に該当する者を除く。）の有するその取引により生じた債権に関し弁済をする業務（以下「弁済業務」という。）

②　宅地建物取引業保証協会は、前項の業務のほか、次に掲げる業務を行うことができる。

一　社員である宅地建物取引業者との契約により、当該宅地建物取引業者が受領した支払金又は預り金の返還債務その他宅地建物取引業に関する

令 6

則 26-2～26-2-2

と認める書類を提出させることができる。

④　第二項第二号の書類は、宅地建物取引業者の免許を受けた国土交通大臣又は各都道府県知事ごとに別紙として二部添付するものとし、第二項第四号の誓約書の様式は、別記様式第十八号によるものとする。

＊様式367頁参照

解釈 50-2-4

債務を負うこととなつた場合においてその返還債務その他宅地建物取引業に関する債務を連帯して保証する業務（第六十四条の十七において「一般保証業務」という。）

二　手付金等保管事業

三　全国の宅地建物取引業者を直接又は間接の社員とする一般社団法人による宅地建物取引士等に対する研修の実施に要する費用の助成

③　宅地建物取引業保証協会は、前二項に規定するもののほか、国土交通大臣の承認を受けて、宅地建物取引業の健全な発達を図るため必要な業務を行うことができる。

④　宅地建物取引業保証協会は、国土交通省令の定めるところにより、その業務の一部を、国土交通大臣の承認を受けて、他の者に委託することができる。

（宅地建物取引業保証協会の業務の一部委託承認申請）

第二十六条の三　宅地建物取引業保証協会は、法第六十四条の三第四項の規定により、その業務の一部を他の者に委託しようとするときは、次の各号に掲げる事項を記載した委託承認申請書を国土交通大臣に提出しなければならない。

一　受託者の名称及び代表者の氏名

二　受託者の事務所の所在地

三　委託しようとする法第六十四条の三に規定する業務内容及び範囲

四　委託の期間

五　委託を必要とする理由

②　前項の委託承認申請書には、次に掲げる書類を添付しなければならない。

一　受託者の定款

二　受託者の登記事項証明書

三　受託者の役員名簿及び履歴書

四　法第六十四条の三に規定する業務の委託契約書の写

法
64-3

令
6

則
26-3
～
26-4

五　受託者の業務の実施に関する基本的な計画
六　受託者の直前三年の各年度における事業報告書及び収支決算書
七　受託者の役員が法第五条第一項第一号に規定する破産手続開始の決定を受けて復権を得ない者に該当しない旨の市町村の長の証明書
八　受託者の役員が法第五条第一項第二号から第八号まで及び第十号に該当しないことを誓約する書面

③　国土交通大臣は、宅地建物取引業保証協会に対し、前項に規定するもののほか、必要と認める書類を提出させることができる。

④　第一項の規定による委託承認申請書の様式は、別記様式第十九号によるものとし、第二項第八号の誓約書の様式は、別記様式第二十号によるものとする。

＊様式367頁参照

（宅地建物取引業保証協会の業務の一部委託承認基準）

第二十六条の四　国土交通大臣は、前条第一項の委託承認申請書を受理した場合において、その申請が次の各号に掲げる基準に適合していると認められるときは、これを承認するものとする。
一　業務の委託が宅地建物取引業保証協会の業務を運営するために必要であること。
二　受託者が一般社団法人若しくは一般財団法人又は銀行等であること。
三　受託者がその受託する業務について、適正な計画を有し、かつ、確実

解釈
50-2-4

（社員の加入等）

第六十四条の四　一の宅地建物取引業保証協会の社員である者は、他の宅地建物取引業保証協会の社員となることができない。

② 宅地建物取引業保証協会は、新たに社員が加入し、又は社員がその地位を失つたときは、直ちに、その旨を当該社員である宅地建物取引業者が免許を受けた国土交通大臣又は都道府県知事に報告しなければならない。

③ 宅地建物取引業保証協会は、社員が社員となる前（第六十四条の八第一項の規定により国土交通大臣の指定する弁済業務開始日前に社員となつた者については当該弁済業務開始日前）に当該社員と宅地建物取引業に関し取引をした者の有するその取引により生じた債権に関し同項の規定による弁済が行なわれることにより弁済業務の円滑な運営に支障を生ずるおそれがあると認めるときは、当該社員に対し、担保の提供を求めることができる。

（苦情の解決）

第六十四条の五　宅地建物取引業保証協会は、宅地建物取引業者の相手方等から社員の取り扱つた宅地建物取引業に係る取引に関する苦情について解決の申出があつたときは、その相談に応じ、申出人に必要な助言をし、当該苦情に係る事情を調査するとともに、当該社員に対し当該苦情の内容を通知してその迅速な処理を求めなければなら

にその業務を行なうことができるものであること。

▽規則第三二条参照

法令

法64-4〜64-7

ない。

② 宅地建物取引業保証協会は、前項の申出に係る苦情の解決について必要があると認めるときは、当該社員に対し、文書若しくは口頭による説明を求め、又は資料の提出を求めることができる。

③ 社員は、宅地建物取引業保証協会から前項の規定による求めがあつたときは、正当な理由がある場合でなければ、これを拒んではならない。

④ 宅地建物取引業保証協会は、第一項の申出及びその解決の結果について社員に周知させなければならない。

（宅地建物取引業に関する研修）

第六十四条の六　宅地建物取引業保証協会は、一定の課程を定め、宅地建物取引士の職務に関し必要な知識及び能力についての研修その他宅地建物取引業の業務に従事し、又は従事しようとする者に対する宅地建物取引業に関する研修を実施しなければならない。

（弁済業務保証金の供託）

第六十四条の七　宅地建物取引業保証協会は、第六十四条の九第一項又は第二項の規定により弁済業務保証金分担金の納付を受けたときは、その日から一週間以内に、その納付を受けた額に相当する額の弁済業務保証金を供託しなければならない。

② 弁済業務保証金の供託は、法務大臣及び国土交通大臣の定める供託所にしなければならない。

③ 第二十五条第三項及び第四項の規定は、第一項の規定により供託する場合

令6

則26-4

▽規則第一五条・第一五条の二参照
▽規則第二二条参照

解釈50-2-4

に準用する。この場合において、同条第四項中「その旨をその免許を受けた国土交通大臣又は都道府県知事に」とあるのは、「当該供託に係る社員である宅地建物取引業者が免許を受けた国土交通大臣又は都道府県知事に当該社員に係る供託をした旨を」と読み替えるものとする。

＊告示382頁参照

（弁済業務保証金の還付等）

第六十四条の八　宅地建物取引業保証協会の社員と宅地建物取引業に関し取引をした者（社員とその者が社員となる前に宅地建物取引業に関し取引をした者を含み、宅地建物取引業者に該当する者を除く。）は、その取引により生じた債権に関し、当該社員が社員でないとしたならばその者が供託すべき第二十五条第二項の政令で定める営業保証金の額に相当する額の範囲内（当該社員について、既に次項の規定により認証した額があるときはその額を控除し、第六十四条の十第二項の規定により納付を受けた還付充当金があるときはその額を加えた額の範囲内）において、当該宅地建物取引業保証協会が供託した弁済業務保証金について、当該宅地建物取引業保証協会について国土交通大臣の指定する弁済業務開始日以後、弁済を受ける権利を有する。

② 前項の権利を有する者がその権利を実行しようとするときは、同項の規定により弁済を受けることができる額について当該宅地建物取引業保証協会の認証を受けなければならない。

（認証の申出）

第二十六条の五　法第六十四条の八第二項の規定により宅地建物取引業保証協会の認証を受けようとする者は、その者と取引をした社員が属する宅地建物取引業保証協会に別記様式第二十一号

保証協会弁済業務保証金規則（第一条〜四条）

（昭和四十八年法務省・建設省令第二号）
最終改正　令和二年一二月二三日
法務省・国土交通省令第三号

（法第六十四条の八第三項の日の指定）

③ 宅地建物取引業保証協会は、第一項の権利の実行があつた場合においては、法務省令・国土交通省令で定める日から二週間以内に、その権利の実行により還付された弁済業務保証金の額に相当する額の弁済業務保証金を供託しなければならない。

④ 前条第三項の規定は、前項の規定により供託する場合に準用する。

⑤ 第一項の権利の実行に関し必要な事項は法務省令・国土交通省令で、第二項の認証に関し必要な事項は国土交通省令で定める。

による認証申出書を三通提出しなければならない。

② 前項の認証申出書には、次の各号に掲げる書類を添附しなければならない。

一 債権発生の原因である事実、取引が成立した時期、債権の額及び認証を申し出るに至つた経緯を記載した書面

二 法第六十四条の八第一項の権利を有することを証する書面

三 認証の申出人が法人である場合においては、その代表者の資格を証する書面

四 代理人によつて認証の申出をしようとするときは、代理人の権限を証する書面

＊様式368頁参照

▽規則第一五条・第一五の二参照

（認証の基準）

第二十六条の六 宅地建物取引業保証協会は、認証の申出があつたときは、当該申出に理由がないと認める場合を除き、当該認証の申出をした者と宅地建物取引業に関し取引をした社員に係る法第六十四条の八第一項に規定する額の範囲内において、当該申出に係る債権に関し認証をしなければならない。

（認証事務の処理）

第二十六条の七 宅地建物取引業保証協会は、認証に係る事務を処理する場合には、認証申出書の受理の順序に従つてしなければならない。

② 宅地建物取引業保証協会は、第二十六条の五第一項の規定により受け

第一条 宅地建物取引業法（以下「法」という。）第六十四条の八第三項の省令で定める日は、宅地建物取引業保証協会が第四条の規定により通知書の送付を受けた日とする。

（弁済業務保証金の還付）

第二条 法第六十四条の八第一項の権利の実行のため供託物の還付を受けようとする者は、供託規則（昭和三十四年法務省令第二号）の定めるところによるほか、別記書式の通知書三通を供託所に提出しなければならない。

② 前項の者が、供託規則第二十四条第一項第一号の規定により供託物払渡請求書に添付すべき書面は、宅地建物取引業法施行規則（昭和三十二年建設省令第十二号）第二十六条の七第二項の規定による認証する旨を記載して送付した書面、当該認証に係る宅地建物取引業保証協会の代表者の資格を証する書面及び登記所が作成した当該代表者の印鑑の証明書とする。

＊様式375頁参照

第三条 供託所は、供託物を還付したときは、前条第一項の通知書のうち二通を国土交通大臣に送付しなければならない。

第四条 国土交通大臣は、前条の通知書を受けとつたときは、その一通に別記書式の奥書の式による記載をし、これを宅地建物取引業保証協会に送付しなければならない。

［第64条の8第5項関係（宅地建物取引業保証協会弁済業務保証金規則第2条第2項関係）］

還付請求に当たっては、認証を行った保証協会の代表者の資格を証する書面を必要とするが、この書面は法人の登記事項証明書を

（弁済業務保証金分担金の納付等）

第六十四条の九　次の各号に掲げる者は、当該各号に掲げる日までに、弁済業務保証金に充てるため、主たる事務所及びその他の事務所ごとに政令で定める額の弁済業務保証金分担金を当該宅地建物取引業保証協会に納付しなければならない。

一　宅地建物取引業者で宅地建物取引業保証協会に加入しようとする者　その加入しようとする日

二　第六十四条の二第一項の規定による指定の日にその指定を受けた宅地建物取引業保証協会の社員である者　前条第一項の規定により国土交通大臣の指定する弁済業務開始日の一月前の日

②　宅地建物取引業保証協会の社員は、前項の規定による弁済業務保証金分担金を納付した後に、新たに事務所を設置したとき（第七条第一項各号の一に該当する場合において事務所の増設があつたときを含むものとする。）は、その日から二週間以内に、同項の政令で定める額の弁済業務保証金分担金を当該宅地建物取引業保証協会に納付しなければならない。

③　宅地建物取引業保証協会の社員は、第一項第二号に規定する期日までに、又は前項に規定する期間内に、これらの規定による弁済業務保証金分担金を

（弁済業務保証金分担金の額）

第七条　法第六十四条の九第一項に規定する弁済業務保証金分担金の額は、主たる事務所につき六十万円、その他の事務所につき事務所ごとに三十万円の割合による金額の合計額とする。

取つた認証申出書に奥書の式により認証する旨、又は認証を拒否する旨、及びその理由を記載して、これを申出人に対し送付しなければならない。

もつて充てるものとする。

法令

法 64-9〜64-11

納付しないときは、その地位を失う。

④　第一項の規定に基づき政令を制定し、又は改廃する場合においては、その政令で、弁済業務保証金の追加の供託及び弁済業務保証金分担金の追加納付又は弁済業務保証金の取戻し及び弁済業務保証金分担金の返還に関して、所要の経過措置（経過措置に関し監督上必要な措置を含む。）を定めることができる。

（還付充当金の納付等）

第六十四条の十　宅地建物取引業保証協会は、第六十四条の八第一項の権利の実行により弁済業務保証金の還付があつたときは、当該還付に係る社員又は社員であつた者に対し、当該還付額に相当する額の還付充当金を宅地建物取引業保証協会に納付すべきことを通知しなければならない。

②　前項の通知を受けた社員又は社員であつた者は、その通知を受けた日から二週間以内に、その通知された額の還付充当金を当該宅地建物取引業保証協会に納付しなければならない。

③　宅地建物取引業保証協会の社員は、前項に規定する期間内に第一項の還付充当金を納付しないときは、その地位を失う。

（弁済業務保証金の取戻し等）

第六十四条の十一　宅地建物取引業保証協会は、社員が社員の地位を失つたときは当該社員であつた者が第六十四条の九第一項及び第二項の規定により納付した弁済業務保証金分担金の額に相当する額の弁済業務保証金を、社員が

令 7

則 26-7

解釈 64-8⑤・弁保 5

弁済業務保証金規則（第五条）

（弁済業務保証金の取戻し）

第五条　次の各号に掲げる場合において、宅地建物取引業保証協会が、法第六十四条の十一第一項の規定により弁済業務保証金の取戻しをしようとする場合に、供託規則第二十五条第一項の規定により供託物払渡請求書に添付すべき書類は、次の各号に掲げ

その一部の事務所を廃止したため当該社員につき同条第一項及び第二項の規定により納付した弁済業務保証金分担金の額が同条第一項の政令で定める額を超えることになつたときはその超過額に相当する額の弁済業務保証金を取り戻すことができる。

② 宅地建物取引業保証協会は、前項の規定により弁済業務保証金を取りもどしたときは、当該社員であつた者又は社員に対し、その取りもどした額に相当する額の弁済業務保証金分担金を返還する。

③ 前項の場合においては、当該社員が社員の地位を失つたときは次項に規定する期間が経過した後に、宅地建物取引業保証協会が当該社員であつた者又は社員に対して債権を有するときはその債権に関し弁済が完了した後に、宅地建物取引業保証協会が当該社員であつた者又は社員に関し第六十四条の八第二項の規定による認証をしたときは当該認証した額に係る前条第一項の還付充当金の債権に関し弁済が完了した後に、前項の弁済業務保証金分担金を返還する。

④ 宅地建物取引業保証協会は、社員が社員の地位を失つたときは、当該社員であつた者に係る宅地建物取引業に関する取引により生じた債権に関し第六十四条の八第一項の権利を有する者に対し、六月を下らない一定期間内に同条第二項の規定による認証を受けるため申し出るべき旨を公告しなければならない。

る書類をもつて足りる。

一　宅地建物取引業保証協会の社員が社員の地位を失つた場合　その旨の国土交通大臣又は都道府県知事の証明書

二　宅地建物取引業保証協会の社員がその一部の事務所を廃止した場合　その者が社員である旨の国土交通大臣又は都道府県知事の証明書及び当該事務所の廃止の事実を証する書面

⑤　宅地建物取引業保証協会は、前項に規定する期間内に申出のなかつた同項の債権に関しては、第六十四条の八第二項の規定による認証をすることができない。

⑥　第三十条第三項の規定は、第一項の規定により弁済業務保証金を取りもどす場合に準用する。

（弁済業務保証金準備金）

第六十四条の十二　宅地建物取引業保証協会は、第六十四条の八第三項の規定により弁済業務保証金を供託する場合において還付充当金の納付がなかつたときの弁済業務保証金の供託に充てるため、弁済業務保証金準備金を積み立てなければならない。

②　宅地建物取引業保証協会は、弁済業務保証金（第六十四条の七第三項及び第六十四条の八第四項において準用する第二十五条第三項の規定により供託された有価証券を含む。）から生ずる利息又は配当金を弁済業務保証金準備金に繰り入れなければならない。

③　宅地建物取引業保証協会は、第六十四条の八第三項の規定により弁済業務保証金を供託する場合において、第一項の弁済業務保証金準備金をこれに充ててなお不足するときは、その不足額に充てるため、社員に対し、その者に係る第六十四条の九第一項の政令で定める弁済業務保証金分担金の額に応じ特別弁済業務保証金分担金を宅地建物取引業保証協会に納付すべきことを通知しなければならない。

④　前項の通知を受けた社員は、その通

知を受けた日から一月以内に、その通知された額の特別弁済業務保証金分担金を当該宅地建物取引業保証協会に納付しなければならない。

⑤　第六十四条の十第三項の規定は、前項の場合に準用する。

⑥　宅地建物取引業保証協会は、弁済業務保証金準備金を第六十四条の八第三項の規定による弁済業務保証金の供託に充てた後において、第六十四条の十第二項の規定により当該弁済業務保証金の供託に係る還付充当金の納付を受けたときは、その還付充当金を弁済業務保証金準備金に繰り入れなければならない。

⑦　宅地建物取引業保証協会は、弁済業務保証金準備金の額が国土交通省令で定める額を超えることとなるときは、第六十四条の三第一項から第三項までに規定する業務の実施に要する費用に充て、又は宅地建物取引業の健全な発達に寄与する事業に出えんするため、国土交通大臣の承認を受けて、その超過額の弁済業務保証金準備金を取り崩すことができる。

（営業保証金の供託の免除）

第六十四条の十三　宅地建物取引業保証協会の社員は、第六十四条の八第一項の規定により国土交通大臣の指定する弁済業務開始日以後においては、宅地建物取引業者が供託すべき営業保証金を供託することを要しない。

（供託を免除された場合の営業保証金の取りもどし）

第六十四条の十四　宅地建物取引業者

（弁済業務保証金準備金の取りくずし）

第二十六条の八　法第六十四条の十二第七項に規定する国土交通省令で定める額は、次の表の上欄に掲げる宅地建物取引業保証協会ごとに同表の下欄に掲げる額とする。

公益社団法人全国宅地建物取引業保証協会	十五億円
公益社団法人不動産保証協会	三億円

営業保証金規則（第一〇条）

第十条　法第六十四条の十四第一項の規

は、前条の規定により営業保証金を供託することを要しなくなつたときは、供託した営業保証金を取りもどすことができる。

② 第三十条第三項の規定は、前項の規定により営業保証金を取りもどす場合に準用する。

（社員の地位を失つた場合の営業保証金の供託）

第六十四条の十五 宅地建物取引業者は、第六十四条の八第一項の規定により国土交通大臣の指定する弁済業務開始日以後に宅地建物取引業保証協会の社員の地位を失つたときは、当該地位を失つた日から一週間以内に、第二十五条第一項から第三項までの規定により営業保証金を供託しなければならない。この場合においては、同条第四項の規定の適用があるものとする。

（事業計画書等）

第六十四条の十六 宅地建物取引業保証協会は、毎事業年度開始前に（第六十四条の二第一項の規定による指定を受けた日の属する事業年度にあつては、その指定を受けた後すみやかに）、収支の見積りその他国土交通省令で定める事項を記載した事業計画書を作成し、国土交通大臣の承認を受けなければならない。これを変更しようとするときも同様とする。

② 宅地建物取引業保証協会は、事業年度ごとに、国土交通省令で定める様式による事業報告書を作成し、毎事業年度経過後三月以内に、国土交通大臣に提出しなければならない。

定により営業保証金を取り戻す場合において、供託物の取戻しをしようとする者が供託規則第二十五条第一項の規定により供託物払渡請求書に添付すべき書類は、宅地建物取引業保証協会の社員となつたことを証する国土交通大臣又は都道府県知事の書面とする。

▽規則第三二参照

（事業計画書の記載事項）

第二十六条の九 法第六十四条の十六第一項に規定する国土交通省令で定める事項は、宅地建物取引業保証協会の社員の加入計画及び弁済業務保証金の還付計画とする。

（事業報告書の様式）

第二十六条の十 法第六十四条の十六第二項に規定する事業報告書の様式は、別記様式第二十二号によるものとする。

＊様式368頁参照

（一般保証業務）

第六十四条の十七　宅地建物取引業保証協会は、一般保証業務を行なう場合においては、あらかじめ、国土交通省令の定めるところにより、国土交通大臣の承認を受けなければならない。

② 宅地建物取引業保証協会は、一般保証業務を廃止したときは、その旨を国土交通大臣に届け出なければならない。

③ 第五十七条から第六十条までの規定は、一般保証業務を行なう宅地建物取引業保証協会に準用する。この場合において、第六十条中「政令」とあるのは、「国土交通省令」と読み替えるものとする。

（一般保証業務の承認申請）

第二十六条の十一　宅地建物取引業保証協会は、法第六十四条の十七第一項の規定により、一般保証業務の承認を受けようとするときは、次の各号に掲げる事項を記載した別記様式第二十三号による一般保証業務承認申請書を国土交通大臣に提出しなければならない。

一　名称及び住所並びに代表者の氏名

二　資産の総額

② 前項の一般保証業務承認申請書には、次の各号に掲げる書類を添附しなければならない。

一　一般保証業務方法書

二　保証基金の収支の見積り書

三　一般保証委託契約約款

③ 前項第一号の規定による一般保証業務方法書には、保証の目的の範囲、保証限度、各保証委託者からの保証の受託の限度、一般保証委託契約の締結の方法に関する事項、保証受託の拒否の基準に関する事項、資産の運用方法に関する事項並びに保証委託者の業務及び財産の状況の調査方法に関する事項を記載しなければならない。

④ 第二十三条の規定は、宅地建物取引業保証協会の一般保証委託契約約款に準用する。この場合において、同条第二項第一号中「法第四十一条第二項各号」とあるのは、「第十六条の四第二項各号」と、同項第二号及び第三号中「買主」とあるのは、「宅地建物取引業者の相手方等」と、同項第四号中「売買契約」とあるのは、「売買、交換又は貸借契約」と、第三項第一号中「手

法
64-17
〜
64-17-2

（手付金等保管事業）

第六十四条の十七の二　宅地建物取引業保証協会は、手付金等保管事業を行う場合においては、あらかじめ、事業方法書を定め、国土交通省令で定めるところにより、国土交通大臣の承認を受けなければならない。

②　宅地建物取引業保証協会が手付金等保管事業について前項の承認を受けたときは、第四十一条の二第一項第一号の指定を受けたものとみなす。この場合においては、第六十三条の三及び第六十四条の規定は適用せず、第六十三条の四中「前条第二項において準用す

令
7

則
26-11
〜
26-13-2

付金等の返還債務」とあるのは、「支払金又は預り金の返還債務その他の当該支払金又は預り金に関する債務」、同項第二号及び第三号中「買主」とあるのは、「宅地建物取引業者の相手方等」と読み替えるものとする。

＊様式369頁参照

（一般保証業務の変更の届出）

第二十六条の十二　宅地建物取引業保証協会は、前条第一項第二号に掲げる事項又は同条第二項第一号若しくは第三号に掲げる書類に記載した事項について変更があつた場合においては、二週間以内に、その旨を国土交通大臣に届け出なければならない。

（一般保証の限度額）

第二十六条の十三　法第六十四条の十七第三項の規定により宅地建物取引業保証協会が行なう一般保証は、保証基金の額に七十五を乗じて得た額を限度とする。

（手付金等保管事業の承認申請）

第二十六条の十三の二　宅地建物取引業保証協会は、法第六十四条の十七の二第一項の規定により、手付金等保管事業の承認を受けようとするときは、次に掲げる事項を記載した別記様式第二十三号の二による手付金等保管事業承認申請書を国土交通大臣に提出しなければならない。

一　名称及び住所並びに代表者の氏名

二　常時手付金等保管事業に係る手付金等寄託契約を締結する事務所の名称及び所在地

三　資産の総額

解釈
64-8⑤

る第五十一条第三項第一号」とあるのは、「第六十四条の十七の二第一項」と読み替えて、同条の規定を適用する。

③　宅地建物取引業保証協会は、手付金等保管事業を廃止したときは、その旨を国土交通大臣に届け出なければならない。この場合において、届出があつたときは、第一項の承認は、その効力を失う。

---

②　前項の手付金等保管事業承認申請書には、次に掲げる書類を添付しなければならない。

一　定款
二　手付金等保管事業方法書
三　収支の見積り書
四　手付金等保管事業に係る手付金等寄託契約約款及び質権設定契約約款
五　登記事項証明書
六　申請時における貸借対照表

③　前項第二号の規定による手付金等保管事業方法書には、次に掲げる事項を記載しなければならない。

一　手付金等の保管に関する事項
二　事務所の権限に関する事項
三　手付金等寄託契約の締結の方法に関する事項
四　寄託金に係る質権の実行に関する事項
五　寄託金に係る質権の消滅に関する事項
六　資産の運用方法に関する事項
七　寄託者の業務及び財産の状況の調査方法に関する事項
八　手付金等保管事業方法書の変更に関する事項

④　第二十五条の七の規定は、宅地建物取引業保証協会の手付金等保管事業に係る手付金等寄託契約約款及び質権設定契約約款に準用する。

＊様式369頁参照

（手付金等保管事業の変更の届出）

第二十六条の十三の三　宅地建物取引業保証協会は、前条第一項第二号若しくは第三号に掲げる事項又は同条第二項

法令

法 64-17-2 ～ 64-21

（報告及び検査）

第六十四条の十八　第六十三条の二の規定は、宅地建物取引業保証協会について準用する。この場合において、同条第一項中「手付金等保証事業」とあるのは、「宅地建物取引業保証協会の業務」と読み替えるものとする。

（役員の選任等）

第六十四条の十九　宅地建物取引業保証協会の役員の選任及び解任並びに解散の決議は、国土交通大臣の認可を受けなければ、その効力を生じない。

（改善命令）

第六十四条の二十　国土交通大臣は、この章の規定を施行するため必要があると認めるときは、その必要の限度において、宅地建物取引業保証協会に対し、財産の状況又はその事業の運営を改善するため必要な措置をとるべきことを命ずることができる。

（解任命令）

第六十四条の二十一　国土交通大臣は、宅地建物取引業保証協会の役員が、この法律、この法律に基づく命令若しくは処分に違反したとき、又はその在任により当該宅地建物取引業保証協会が第六十四条の二第一項第四号に掲げる要件に適合しなくなるときは、当該宅地建物取引業保証協会に対し、その役員を解任すべきことを命ずることができる。

令 7

則 26-13-2 ～ 26-13-3

第四号に掲げる書類に記載した事項について変更があつた場合においては、二週間以内に、その旨を国土交通大臣に届け出なければならない。

解釈 64-8⑤

（指定の取消し等）

第六十四条の二十二　国土交通大臣は、宅地建物取引業保証協会が次の各号の一に該当するときは、当該宅地建物取引業保証協会に対して、第六十四条の二第一項の規定による指定を取り消すことができる。

一　弁済業務を適正かつ確実に実施することができないと認められるとき。

二　この法律又はこの法律に基づく命令に違反したとき。

三　第六十四条の二十又は前条の規定による処分に違反したとき。

②　国土交通大臣は、第六十四条の二第一項の規定による指定を取り消したとき、又は宅地建物取引業保証協会が解散したときは、その旨を官報で公示しなければならない。

③　第十六条の十五第三項から第五項までの規定は、第一項の規定による処分に係る聴聞について準用する。

＊関係法令387頁参照

（指定の取消し等の場合の営業保証金の供託）

第六十四条の二十三　宅地建物取引業保証協会が第六十四条の二第一項の規定による指定を取り消され、又は解散した場合においては、当該宅地建物取引業保証協会の社員であつた宅地建物取引業者は、前条第二項の規定による公示の日から二週間以内に、第二十五条第一項から第三項までの規定により営業保証金を供託しなければならない。この場合においては、同条第四項の規定の適用があるものとする。

▽規則第三二参照

（指定の取消し等の場合の弁済業務）

第六十四条の二十四　第六十四条の二第一項の規定による指定を取り消され、又は解散した宅地建物取引業保証協会（以下この条及び次条において「旧協会」という。）は、第六十四条の二十二第二項の規定による公示の日から一週間以内に、指定を取り消され、又は解散した日において社員であつた宅地建物取引業者に係る宅地建物取引業に関する取引により生じた債権に関し第六十四条の八第一項の権利を有する者に対し、六月を下らない一定期間内に同条第二項の規定による認証を受けるため申し出るべき旨を公告しなければならない。

②　旧協会は、前項の規定による公告をした後においては、当該公告に定める期間内に申出のあつた同項に規定する債権について、なお第六十四条の八第二項の規定による認証の事務を行なうものとする。

③　旧協会は、第一項の公告に定める期間内に第六十四条の八第二項の規定による認証を受けるための申出があつた場合において、同項に規定する認証に係る事務が終了したときは、その時において供託されている弁済業務保証金のうちその時までに同項の規定により認証した額で同条第一項の権利が実行されていないものの合計額を控除した額の弁済業務保証金を取りもどすことができる。

④　旧協会は、第一項の公告に定める期間内に第六十四条の八第二項の規定に

法
64-22
～
64-24

令
7

則
26-13-3

解釈
64-8⑤

よる認証を受けるための申出がなかつたときは、供託されている弁済業務保証金を取りもどすことができる。ただし、同項の規定により認証した額で同条第一項の権利が実行されていないものの合計額に相当する額の弁済業務保証金については、この限りでない。

⑤　旧協会は、第六十四条の八第二項の規定又は第二項の規定により認証した額で第六十四条の二十二第二項の規定による公示の日から十年を経過する日までに第六十四条の八第一項の権利が実行されていないものに係る弁済業務保証金については、これを取りもどすことができる。

⑥　第三十条第三項の規定は、第一項の規定による公告及び前三項の規定による弁済業務保証金の取りもどしについて準用する。

（指定の取消し等の場合の弁済業務保証金等の交付）

第六十四条の二十五　旧協会は、前条第三項から第五項までの規定により取り戻した弁済業務保証金、第六十四条の二第一項の規定による指定を取り消され、又は解散した日（以下この条において「指定取消し等の日」という。）以後において第六十四条の十第二項の規定により納付された還付充当金並びに弁済業務保証金準備金（指定取消し等の日以後において第六十四条の十二第四項の規定により納付された特別弁済業務保証金分担金を含む。）を、指定取消し等の日に社員であつた者に対し、これらの者に係る第六十四条の九

法64-24～65

第一項の政令で定める弁済業務保証金分担金の額に応じ、国土交通省令の定めるところにより、交付する。

第六章　監督

（指示及び業務の停止）

第六十五条　国土交通大臣又は都道府県知事は、その免許（第五十条の二第一項の認可を含む。次項及び第七十条第二項において同じ。）を受けた宅地建物取引業者が次の各号のいずれかに該当する場合又はこの法律の規定若しくは特定住宅瑕疵担保責任の履行の確保等に関する法律（平成十九年法律第六十六号。以下この条において「履行確保法」という。）第十一条第一項若しくは第六項、第十二条第一項、第十三条、第十五条第一項若しくは履行確保法第十六条において読み替えて準用する履行確保法第七条第一項若しくは第二項若しくは第八条第一項若しくは第二項の規定に違反した場合においては、当該宅地建物取引業者に対して、必要な指示をすることができる。

一　業務に関し取引の関係者に損害を与えたとき又は損害を与えるおそれが大であるとき。

二　業務に関し取引の公正を害する行為をしたとき又は取引の公正を害するおそれが大であるとき。

三　業務に関し他の法令（履行確保法及びこれに基づく命令を除く。）に違反し、宅地建物取引業者として不適当であると認められるとき。

令7

則27～28

（処分した旨等の通知）

第二十七条　国土交通大臣は、法第六十五条第一項若しくは第二項、第六十六条、第六十七条第一項又は第六十七条の二第一項若しくは第二項の規定による処分をしたときは、遅滞なく、その旨を、宅地建物取引業者の事務所の所在地を管轄する都道府県知事に通知するものとする。

②　都道府県知事は、法第三条第二項の有効期間が満了した場合において認可宅地建物取引業者の免許の更新がなされなかつたとき、法第十一条第二項の規定により認可宅地建物取引業者の免許が効力を失つたとき、又は認可宅地建物取引業者が同条第一項第二号に該当したとき、若しくは法第二十五条第七項、第六十六条若しくは第六十七条第一項の規定により認可宅地建物取引業者の免許を取り消したときは、遅滞なく、その旨を国土交通大臣に通知するものとする。

▽規則第三一条参照

第二十八条　削除

解釈64-8⑤

四　宅地建物取引士が、第六十八条又は第六十八条の二第一項の規定による処分を受けた場合において、宅地建物取引業者の責めに帰すべき理由があるとき。

②　国土交通大臣又は都道府県知事は、その免許を受けた宅地建物取引業者が次の各号のいずれかに該当する場合においては、当該宅地建物取引業者に対し、一年以内の期間を定めて、その業務の全部又は一部の停止を命ずることができる。

一　前項第一号又は第二号に該当するとき（認可宅地建物取引業者の行う取引一任代理等に係るものに限る。）。

一の二　前項第三号又は第四号に該当するとき。

二　第十三条、第二十五条第五項（第二十六条第二項において準用する場合を含む。）、第二十八条第一項、第三十一条の三第三項、第三十二条、第三十三条の二、第三十四条、第三十四条の二第一項若しくは第二項（第三十四条の三において準用する場合を含む。）、第三十五条第一項から第三項まで、第三十六条、第三十七条第一項若しくは第二項、第四十一条第一項、第四十一条の二第一項、第四十三条から第四十五条まで、第四十六条第二項、第四十七条、第四十七条の二、第四十八条第一項若しくは第三項、第六十四条の九第二項、第六十四条の十第二項、第六十四条の十二第四項、第六十四

▽規則第二七条参照
▽規則第三二条参照

法65

条の十五前段若しくは第六十四条の二十三前段の規定又は履行確保法第十一条第一項、第十三条若しくは履行確保法第十六条において読み替えて準用する履行確保法第七条第一項の規定に違反したとき。

三　前項又は次項の規定による指示に従わないとき。

四　この法律の規定に基づく国土交通大臣又は都道府県知事の処分に違反したとき。

五　前三号に規定する場合のほか、宅地建物取引業に関し不正又は著しく不当な行為をしたとき。

六　営業に関し成年者と同一の行為能力を有しない未成年者である場合において、その法定代理人（法定代理人が法人である場合においては、その役員を含む。）が業務の停止をしようとするとき以前五年以内に宅地建物取引業に関し不正又は著しく不当な行為をしたとき。

七　法人である場合において、その役員又は政令で定める使用人のうちに業務の停止をしようとするとき以前五年以内に宅地建物取引業に関し不正又は著しく不当な行為をした者があるに至つたとき。

八　個人である場合において、政令で定める使用人のうちに業務の停止をしようとするとき以前五年以内に宅地建物取引業に関し不正又は著しく不当な行為をした者があるに至つたとき。

③　都道府県知事は、国土交通大臣又は

令7

▽令第二条の二参照

▽令第二条の二参照

則28

解釈64-8⑤

他の都道府県知事の免許を受けた宅地建物取引業者で当該都道府県の区域内において業務を行うものが、当該都道府県の区域内における業務に関し、第一項各号のいずれかに該当する場合又はこの法律の規定若しくは履行確保法第十一条第一項若しくは第六項、第十二条第一項、第十三条、第十五条第一項若しくは履行確保法第十六条において読み替えて準用する履行確保法第七条第一項若しくは第二項若しくは第八条第一項若しくは第二項の規定に違反した場合においては、当該宅地建物取引業者に対して、必要な指示をすることができる。

④ 都道府県知事は、国土交通大臣又は他の都道府県知事の免許を受けた宅地建物取引業者で当該都道府県の区域内において業務を行うものが、当該都道府県の区域内における業務に関し、次の各号のいずれかに該当する場合においては、当該宅地建物取引業者に対し、一年以内の期間を定めて、その業務の全部又は一部の停止を命ずることができる。

一 第一項第三号又は第四号に該当するとき。

二 第十三条、第三十一条の三第三項（事務所に係る部分を除く。）、第三十二条、第三十三条の二、第三十四条、第三十四条の二第一項若しくは第二項（第三十四条の三において準用する場合を含む。）、第三十五条第一項から第三項まで、第三十六条、第三十七条第一項若しくは第二項、第四十一条第一項、第四十一条の二第一項、第四十三条から第四十五条まで、第四十六条第二項、第四十七条、第四十七条の二又は第四十八条第一項若しくは第三項の規定に違反したとき。

三　第一項又は前項の規定による指示に従わないとき。

四　この法律の規定に基づく国土交通大臣又は都道府県知事の処分に違反したとき。

五　前三号に規定する場合のほか、不正又は著しく不当な行為をしたとき。

（免許の取消し）

第六十六条　国土交通大臣又は都道府県知事は、その免許を受けた宅地建物取引業者が次の各号のいずれかに該当する場合においては、当該免許を取り消さなければならない。

一　第五条第一項第一号、第五号から第七号まで、第十号又は第十四号のいずれかに該当するに至つたとき。

二　営業に関し成年者と同一の行為能力を有しない未成年者である場合において、その法定代理人（法定代理人が法人である場合においては、その役員を含む。）が第五条第一項第一号から第七号まで又は第十号のいずれかに該当するに至つたとき。

三　法人である場合において、その役員又は政令で定める使用人のうちに第五条第一項第一号から第七号まで又は第十号のいずれかに該当する者があるに至つたとき。

▽令第二条の二参照

▽規則第四条の四参照
▽規則第六条参照
▽規則第二七条参照
▽規則第三二条参照

法令

法65〜66

令7

則28

解釈64-8⑤

四　個人である場合において、政令で定める使用人のうちに第五条第一項第一号から第七号まで又は第十号のいずれかに該当する者があるに至つたとき。
五　第七条第一項各号のいずれかに該当する場合において第三条第一項の免許を受けていないことが判明したとき。
六　免許を受けてから一年以内に事業を開始せず、又は引き続いて一年以上事業を休止したとき。
七　第十一条第一項の規定による届出がなくて同項第三号から第五号までのいずれかに該当する事実が判明したとき。
八　不正の手段により第三条第一項の免許を受けたとき。
九　前条第二項各号のいずれかに該当し情状が特に重いとき又は同条第二項若しくは第四項の規定による業務の停止の処分に違反したとき。
②　国土交通大臣又は都道府県知事は、その免許を受けた宅地建物取引業者が第三条の二第一項の規定により付された条件に違反したときは、当該宅地建物取引業者の免許を取り消すことができる。

第六十七条　国土交通大臣又は都道府県知事は、その免許を受けた宅地建物取引業者の事務所の所在地を確知できないとき、又はその免許を受けた宅地建物取引業者の所在（法人である場合においては、その役員の所在をいう。）を確知できないときは、官報又は当該

▽令第二条の二参照

▽規則第三二条参照

▽規則第四条の四参照
▽規則第六条参照
▽規則第二七条参照
▽規則第三二条参照

都道府県の公報でその事実を公告し、その公告の日から三十日を経過しても当該宅地建物取引業者から申出がないときは、当該宅地建物取引業者の免許を取り消すことができる。

② 前項の規定による処分については、行政手続法第三章の規定は、適用しない。

（認可の取消し等）

第六十七条の二 国土交通大臣は、認可宅地建物取引業者が次の各号のいずれかに該当する場合においては、当該認可を取り消すことができる。

一 認可を受けてから一年以内に第五十条の二第一項各号のいずれかに該当する契約を締結せず、又は引き続いて一年以上同項各号のいずれかに該当する契約を締結していないとき。

二 不正の手段により第五十条の二第一項の認可を受けたとき。

三 第六十五条第二項各号のいずれかに該当し情状が特に重いとき、又は同項の規定による業務の停止の処分に違反したとき。

② 国土交通大臣は、認可宅地建物取引業者が第五十条の二第一項の規定により付された条件に違反したときは、当該認可宅地建物取引業者に係る認可を取り消すことができる。

③ 第三条第二項の有効期間が満了した場合において免許の更新がなされなかつたとき、第十一条第二項の規定により免許が効力を失つたとき、又は認可宅地建物取引業者が同条第一項第二号

▽規則第六条参照
▽規則第二七条参照

▽規則第六条参照
▽規則第二七条参照

▽規則第六条参照

に該当したとき、若しくは第二十五条第七項、第六十六条若しくは第六十七条第一項の規定により免許を取り消されたときは、当該認可宅地建物取引業者に係る認可は、その効力を失う。

（宅地建物取引士としてすべき事務の禁止等）

第六十八条 都道府県知事は、その登録を受けている宅地建物取引士が次の各号のいずれかに該当する場合においては、当該宅地建物取引士に対し、必要な指示をすることができる。

一 宅地建物取引業者に自己が専任の宅地建物取引士として従事している事務所以外の事務所の専任の宅地建物取引士である旨の表示をすることを許し、当該宅地建物取引業者がその旨の表示をしたとき。

二 他人に自己の名義の使用を許し、当該他人がその名義を使用して宅地建物取引士である旨の表示をしたとき。

三 宅地建物取引士として行う事務に関し不正又は著しく不当な行為をしたとき。

② 都道府県知事は、その登録を受けている宅地建物取引士が前項各号のいずれかに該当する場合又は同項若しくは次項の規定による指示に従わない場合においては、当該宅地建物取引士に対し、一年以内の期間を定めて、宅地建物取引士としてすべき事務を行うことを禁止することができる。

③ 都道府県知事は、当該都道府県の区域内において、他の都道府県知事の登

▽規則第十四条の九参照

▽規則第十四条の九参照

▽規則第十四条の九参照

法令

法67-2～68-2

録を受けている宅地建物取引士が第一項各号のいずれかに該当する場合においては、当該宅地建物取引士に対し、必要な指示をすることができる。

④　都道府県知事は、当該都道府県の区域内において、他の都道府県知事の登録を受けている宅地建物取引士が第一項各号のいずれかに該当する場合又は同項若しくは前項の規定による指示に従わない場合においては、当該宅地建物取引士に対し、一年以内の期間を定めて、宅地建物取引士としてすべき事務を行うことを禁止することができる。

（登録の消除）

第六十八条の二　都道府県知事は、その登録を受けている宅地建物取引士が次の各号のいずれかに該当する場合においては、当該登録を消除しなければならない。

一　第十八条第一項第一号から第八号まで又は第十二号のいずれかに該当するに至つたとき。

二　不正の手段により第十八条第一項の登録を受けたとき。

三　不正の手段により宅地建物取引士証の交付を受けたとき。

四　前条第一項各号のいずれかに該当し情状が特に重いとき又は同条第二項若しくは第四項の規定による事務の禁止の処分に違反したとき。

②　第十八条第一項の登録を受けている者で宅地建物取引士証の交付を受けていないものが次の各号のいずれかに該当する場合においては、当該登録をし

令7

則28

▽規則第十四条の九参照

解釈64-8⑤

ている都道府県知事は、当該登録を消除しなければならない。

一　第十八条第一項第一号から第八号まで又は第十二号のいずれかに該当するに至つたとき。

二　不正の手段により第十八条第一項の登録を受けたとき。

三　宅地建物取引士としてすべき事務を行い、情状が特に重いとき。

（聴聞の特例）

第六十九条　国土交通大臣又は都道府県知事は、第六十五条又は第六十八条の規定による処分をしようとするときは、行政手続法第十三条第一項の規定による意見陳述のための手続の区分にかかわらず、聴聞を行わなければならない。

②　第十六条の十五第三項から第五項までの規定は、第六十五条、第六十六条、第六十七条の二第一項若しくは第二項、第六十八条又は前条の規定による処分に係る聴聞について準用する。

＊関係法令387頁・388頁参照

（監督処分の公告等）

第七十条　国土交通大臣又は都道府県知事は、第六十五条第二項若しくは第四項、第六十六条又は第六十七条の二第一項若しくは第二項の規定による処分をしたときは、国土交通省令の定めるところにより、その旨を公告しなければならない。

②　国土交通大臣は、第六十五条第二項の規定による処分（第五十条の二第一項の認可に係る処分に限る。）又は第六十七条の二第一項若しくは第二項の

▽規則第三二条条参照

▽規則第三二条条参照

（監督処分の公告）

第二十九条　法第七十条第一項の規定による公告は、国土交通大臣の処分に係るものにあつては官報により、都道府県知事の処分に係るものにあつては当該都道府県の公報又はウェブサイトへの掲載その他の適切な方法により行うものとする。

▽規則第三二条条参照

規定による処分をした場合であつて、当該認可宅地建物取引業者が都道府県知事の免許を受けたものであるときは、遅滞なく、その旨を当該都道府県知事に通知しなければならない。

③　都道府県知事は、第六十五条第三項又は第四項の規定による処分をしたときは、遅滞なく、その旨を、当該宅地建物取引業者が国土交通大臣の免許を受けたものであるときは国土交通大臣に報告し、当該宅地建物取引業者が他の都道府県知事の免許を受けたものであるときは当該他の都道府県知事に通知しなければならない。

④　都道府県知事は、第六十八条第三項又は第四項の規定による処分をしたときは、遅滞なく、その旨を当該宅地建物取引士の登録をしている都道府県知事に通知しなければならない。

（指導等）

第七十一条　国土交通大臣はすべての宅地建物取引業者に対して、都道府県知事は当該都道府県の区域内で宅地建物取引業を営む宅地建物取引業者に対して、宅地建物取引業の適正な運営を確保し、又は宅地建物取引業の健全な発達を図るため必要な指導、助言及び勧告をすることができる。

（内閣総理大臣との協議等）

第七十一条の二　国土交通大臣は、その免許を受けた宅地建物取引業者が第三十一条第一項、第三十二条から第三十四条まで、第三十四条の二第一項（第三十四条の三において準用する場合を含む。次項において同じ。）、第

▽規則第三二条条参照

▽規則第三二条条参照

三十五条（第三項を除き、同条第四項及び第五項にあつては、同条第一項及び第二項に係る部分に限る。次項において同じ。）、第三十五条の二から第四十五条まで、第四十七条又は第四十七条の二の規定に違反した場合（当該宅地建物取引業者が、第三十五条第一項第十四号イに規定する宅地建物取引業者の相手方等と契約を締結する場合に限る。）において、第六十五条第一項（第二号から第四号までを除く。）若しくは第二項（第一号及び第一号の二を除く。）又は第六十六条第一項（第一号から第八号までを除く。）の規定による処分をしようとするときは、あらかじめ、内閣総理大臣に協議しなければならない。

② 内閣総理大臣は、国土交通大臣の免許を受けた宅地建物取引業者の第三十五条第一項第十四号イに規定する宅地建物取引業者の相手方等の利益の保護を図るため必要があると認めるときは、国土交通大臣に対し、前項に規定する処分（当該宅地建物取引業者が第三十一条第一項、第三十二条から第三十四条まで、第三十四条の二第一項、第三十五条から第四十五条まで、第四十七条又は第四十七条の二の規定に違反した場合（当該宅地建物取引業者が同号イに規定する宅地建物取引業者の相手方等と契約を締結する場合に限る。）におけるものに限る。）に関し、必要な意見を述べることができる。

法令

法71-2～72

（報告及び検査）

第七十二条　国土交通大臣は、宅地建物取引業を営むすべての者に対して、都道府県知事は、当該都道府県の区域内で宅地建物取引業を営む者に対して、宅地建物取引業の適正な運営を確保するため必要があると認めるときは、その業務について必要な報告を求め、又はその職員に事務所その他その業務を行なう場所に立ち入り、帳簿、書類その他業務に関係のある物件を検査させることができる。

② 内閣総理大臣は、前条第二項の規定による意見を述べるため特に必要があると認めるときは、同項に規定する宅地建物取引業者に対して、その業務について必要な報告を求め、又はその職員に事務所その他その業務を行う場所に立ち入り、帳簿、書類その他業務に関係のある物件を検査させることができる。

③ 国土交通大臣は、全ての宅地建物取引士に対して、都道府県知事は、その登録を受けている宅地建物取引士及び当該都道府県の区域内でその事務を行う宅地建物取引士に対して、宅地建物取引士の事務の適正な遂行を確保するため必要があると認めるときは、その事務について必要な報告を求めることができる。

④ 第一項及び第二項の規定により立入検査をする職員は、その身分を示す証明書を携帯し、関係人の請求があつたときは、これを提示しなければならない。

令7

則30

▽規則第三二条条参照

▽規則第三二条条参照

（身分証明書の様式）

第三十条　法第七十二条第四項に規定する身分を示す証明書の様式は、別記様式第二十四号によるものとする。

＊様式370頁参照

解釈64-8⑤

⑤　第一項及び第二項の規定による立入検査の権限は、犯罪捜査のために認められたものと解してはならない。
⑥　内閣総理大臣は、第二項の規定による報告を求め、又は立入検査をしようとするときは、あらかじめ、国土交通大臣に協議しなければならない。

第七章　雑則

（宅地建物取引業審議会）
第七十三条　都道府県は、都道府県知事の諮問に応じて宅地建物取引業に関する重要事項を調査審議させるため、地方自治法第百三十八条の四第三項の規定により、宅地建物取引業審議会を置くことができるものとする。

（宅地建物取引業協会及び宅地建物取引業協会連合会）
第七十四条　その名称中に宅地建物取引業協会という文字を用いる一般社団法人（次項に規定するものを除く。）は、宅地建物取引業の適正な運営を確保するとともに宅地建物取引業の健全な発達を図るため、社員の指導及び連絡に関する事務を行うことを目的とし、かつ、一の都道府県の区域内において事業を行う旨及び宅地建物取引業者を社員とする旨の定款の定めがあるものでなければならない。
②　その名称中に宅地建物取引業協会連合会という文字を用いる一般社団法人は、宅地建物取引業の適正な運営を確保するとともに宅地建物取引業の健全

な発達を図るため、社員の指導及び連絡に関する事務を行うことを目的とし、かつ、全国において事業を行う旨及び前項に規定する一般社団法人（以下「宅地建物取引業協会」という。）を社員とする旨の定款の定めがあるものでなければならない。

③ 前二項に規定する定款の定めは、これを変更することができない。

④ 宅地建物取引業協会及び第二項に規定する一般社団法人（以下「宅地建物取引業協会連合会」という。）は、成立したときは、成立の日から二週間以内に、登記事項証明書及び定款の写しを添えて、その旨を、宅地建物取引業協会にあつては都道府県知事に、宅地建物取引業協会連合会にあつては国土交通大臣に届け出なければならない。

⑤ 国土交通大臣は、宅地建物取引業協会連合会に対して、都道府県知事は、宅地建物取引業協会に対して、宅地建物取引業の適正な運営を確保し、又は宅地建物取引業の健全な発達を図るため、必要な事項に関して報告を求め、又は必要な指導、助言及び勧告をすることができる。

（名称の使用制限）

第七十五条 宅地建物取引業協会及び宅地建物取引業協会連合会でない者は、宅地建物取引業協会又は宅地建物取引業協会連合会という文字をその名称中に用いてはならない。

法令

法72〜75

令7

則30

解釈64-8⑤

（宅地建物取引業者を社員とする一般社団法人による体系的な研修の実施）

第七十五条の二　宅地建物取引業者を直接又は間接の社員とする一般社団法人は、宅地建物取引士等がその職務に関し必要な知識及び能力を効果的かつ効率的に習得できるよう、法令、金融その他の多様な分野に係る体系的な研修を実施するよう努めなければならない。

（宅地建物取引業者の使用人等の秘密を守る義務）

第七十五条の三　宅地建物取引業者の使用人その他の従業者は、正当な理由がある場合でなければ、宅地建物取引業の業務を補助したことについて知り得た秘密を他に漏らしてはならない。宅地建物取引業者の使用人その他の従業者でなくなつた後であつても、また同様とする。

（内閣総理大臣への資料提供等）

第七十五条の四　内閣総理大臣は、国土交通大臣の免許を受けた宅地建物取引業者の第三十五条第一項第十四号イに規定する宅地建物取引業者の相手方等の利益の保護を図るため必要があると認めるときは、国土交通大臣に対し、資料の提供、説明その他必要な協力を求めることができる。

（免許の取消し等に伴う取引の結了）

［法第75条の2関係］

宅地建物取引士等の宅地建物取引業の業務に従事する者が、不動産取引に関連する制度やサービスに関する最新の知識及びこれを消費者に対して適切に説明や提案をすることができる能力を効果的かつ効率的に習得することができるよう、宅地建物取引業者を直接又は間接の社員とする一般社団法人は、その組織力を活かし、法令、金融等の不動産取引に関連する多様な分野に係る体系的な研修を実施するよう努めるものとする。なお、宅地建物取引業者を間接の社員とする一般社団法人とは、宅地建物取引業者を社員とする一般社団法人が社員である一般社団法人を指す。

▽法第45条関係参照

第七十六条　第三条第二項の有効期間が満了したとき、第十一条第二項の規定により免許が効力を失つたとき、又は宅地建物取引業者が第十一条第一項第一号若しくは第二号に該当したとき、若しくは第二十五条第七項、第六十六条若しくは第六十七条第一項の規定により免許を取り消されたときは、当該宅地建物取引業者であつた者又はその一般承継人は、当該宅地建物取引業者が締結した契約に基づく取引を結了する目的の範囲内においては、なお宅地建物取引業者とみなす。

（信託会社等に関する特例）

第七十七条　第三条から第七条まで、第十二条、第二十五条第七項、第六十六条及び第六十七条第一項の規定は、信託業法（平成十六年法律第百五十四号）第三条又は第五十三条第一項の免許を受けた信託会社（政令で定めるものを除く。次項及び第三項において同じ。）には、適用しない。

②　宅地建物取引業を営む信託会社については、前項に掲げる規定を除き、国土交通大臣の免許を受けた宅地建物取引業者とみなしてこの法律の規定を適用する。

③　信託会社は、宅地建物取引業を営もうとするときは、国土交通省令の定めるところにより、その旨を国土交通大臣に届け出なければならない。

④　信託業務を兼営する金融機関及び第一項の政令で定める信託会社に対するこの法律の規定の適用に関し必要な事項は、政令で定める。

（信託業務を兼営する金融機関等に関する特例）

第八条　法第七十七条第一項の政令で定める信託会社は、次に掲げるものとする。

一　農業協同組合法（昭和二十二年法律第百三十二号）第十一条の六十六第一項第四号に掲げる会社であつて、農業協同組合連合会の子会社（同法第十一条の二第二項に規定する子会社をいう。）であるもの

二　水産業協同組合法（昭和二十三年法律第二百四十二号）第八十七条の二第一項第四号に掲げる会社であつて、漁業協同組合連合会の子会社（同法第九十二条第一項において準用する同法第十一条の八第二項に規定する子会社をいう。）であるもの

三　協同組合による金融事業に関する法律（昭和二十四年法律第百八十三号）第四条の四第一項第五号に掲げる会社であつて、信用協同組合連合会の子会社（同法第四条第一項に規

（信託会社等の届出）

第三十一条　法第七十七条第三項又は令第九条第三項の規定による届出は、次の各号に掲げる事項（法第七十七条第三項の規定による届出にあつては第五号に掲げる事項を除く。）を記載した届出書により行うものとする。

一　商号

二　役員の氏名及び住所並びに令第二

定する子会社をいう。）であるもの
四　信用金庫法（昭和二十六年法律第二百三十八号）第五十四条の十七第一項第五号に掲げる会社であつて、信用金庫連合会の子会社（同法第三十二条第六項に規定する子会社をいう。）であるもの
五　長期信用銀行法（昭和二十七年法律第百八十七号）第十三条の二第一項第六号に掲げる会社であつて、長期信用銀行（同法第二条に規定する長期信用銀行をいう。）の子会社（同法第十三条の二第二項に規定する子会社をいう。以下この号において同じ。）であるもの及び同法第十六条の四第一項第五号に掲げる会社であつて、長期信用銀行持株会社（同項に規定する長期信用銀行持株会社をいう。）の子会社であるもの
六　労働金庫法（昭和二十八年法律第二百二十七号）第五十八条の五第一項第五号に掲げる会社であつて、労働金庫連合会の子会社（同法第三十四条第五項に規定する子会社をいう。）であるもの
七　銀行法（昭和五十六年法律第五十九号）第十六条の二第一項第六号に掲げる会社であつて、銀行（同法第二条第一項に規定する銀行をいう。）の子会社（同法第二条第八項に規定する子会社をいう。以下この号において同じ。）であるもの及び同法第五十二条の二十三第一項第五号に掲げる会社であつて、銀行持株会社（同法第二条第十三項に規定す

条の二で定める使用人があるときは、その者の氏名及び住所
三　事務所の名称及び所在地
四　前号の事務所ごとに置かれる法第三十一条の三第一項に規定する宅地建物取引士の氏名及び住所（同条第二項の規定により同条第一項の宅地建物取引士とみなされる者にあつては、その氏名）
五　金融機関の信託業務の兼営等に関する法律（昭和十八年法律第四十三号。以下この条において「兼営法」という。）第一条第一項に規定する信託業務のうち宅地建物取引業として行おうとするものの内容
②　前項の届出書には、次に掲げる書類を添付しなければならない。
一　法第五条第一項各号に該当しないことを誓約する書面
二　事務所について法第三十一条の三第一項に規定する要件を備えていることを証する書面
三　届出をしようとする者の役員（相談役及び顧問を含む。）、令二条の二で定める使用人及び事務所ごとに置かれる法第三十一条の三第一項に規定する宅地建物取引士が法第五条第一項第一号に規定する破産手続開始の決定を受けて復権を得ない者に該当しない旨の市町村の長の証明書
四　相談役及び顧問の氏名及び住所並びに発行済株式総数の百分の五以上の株式を有する株主の氏名又は名称、住所及びその有する株式の数を記載した書面

る銀行持株会社をいう。）の子会社であるもの

八　保険業法（平成七年法律第百五号）第百六条第一項第七号に掲げる会社であつて、保険会社（同法第二条第二項に規定する保険会社をいう。）の子会社（同法第二条第十二項に規定する子会社をいう。以下この号において同じ。）であるもの及び同法第二百七十一条の二十二第一項第七号に掲げる会社であつて、保険持株会社（同法第二条第十六項に規定する保険持株会社をいう。）の子会社であるもの

九　農林中央金庫法（平成十三年法律第九十三号）第七十二条第一項第四号に掲げる会社であつて、農林中央金庫の子会社（同法第二十四条第四項に規定する子会社をいう。）であるもの

十　株式会社商工組合中央金庫法（平成十九年法律第七十四号）第三十九条第一項第五号に掲げる会社であつて、株式会社商工組合中央金庫の子会社（同法第二十三条第二項に規定する子会社をいう。）であるもの

第九条　法第七十七条第一項に規定する規定は、信託業務を兼営する金融機関及び特別信託会社（前条各号に掲げる信託会社をいう。以下この条において同じ。）には、適用しない。

②　信託業務を兼営する金融機関（銀行法等の一部を改正する法律（平成十三年法律第百十七号）附則第十一条の規

五　事務所を使用する権原に関する書面

六　事務所付近の地図及び事務所の写真

七　届出をしようとする者の役員（相談役及び顧問を含む。）、令第二条の二で定める使用人及び事務所ごとに置かれる法第三十一条の三第一項に規定する宅地建物取引士の略歴を記載した書面

八　直前三年の各事業年度の貸借対照表及び損益計算書

九　宅地建物取引業に従事する者の名簿

十　法人税の直前三年の各年度における納付すべき額及び納付済額を証する書面

十一　登記事項証明書

十二　信託業務を兼営する金融機関にあつては、兼営法第一条第一項の認可を受けたことを証する書面及び金融機関の信託業務の兼営等に関する法律施行規則（昭和五十七年大蔵省令第十六号）第一条第一項に規定する業務の種類及び方法書

十三　令第九条第一項に規定する特別信託会社にあつては、信託業法（平成十六年法律第百五十四号）第三条の免許を受けたことを証する書面及び同法第四条第二項第三号に掲げる業務方法書

③　国土交通大臣は、法第七十七条第三項又は令第九条第三項の規定による届出をしようとする者に対し、前項に規定するもののほか、必要と認める書類

第七十七条の二　第三条から第七条まで、第十二条、第二十五条第七項、第六十六条及び第六十七条第一項の規定は、認可宅地建物取引業者がその資産の運用を行う登録投資法人（投資信託及び投資法人に関する法律第二条第十三項に規定する登録投資法人をいう。）には、適用しない。

② 前項の登録投資法人については、前項に掲げる規定並びに第三十一条の三、第三十五条、第三十五条の二、第三十七条及び第四十八条から第五十条までの規定を除き、国土交通大臣の免許を受けた宅地建物取引業者とみなし

定によりなお従前の例によるものとされ、引き続き宅地建物取引業を営んでいるものを除く。次項において同じ。）及び特別信託会社で宅地建物取引業を営むものについては、前項に規定する規定を除き、法第三条の二第一項の規定により業として行うことができる行為の範囲を法第二条第二号に規定する行為のうち金融機関の信託業務の兼営等に関する法律（昭和十八年法律第四十三号）第一条第一項に規定する信託業務に該当するものに限る旨の条件が付された国土交通大臣の免許を受けた宅地建物取引業者とみなして、法の規定を適用する。

③ 信託業務を兼営する金融機関及び特別信託会社は、宅地建物取引業を営もうとするときは、国土交通省令で定めるところにより、その旨を国土交通大臣に届け出なければならない。

を提出させることができる。

（準　用）

第三十一条の二　令第九条第二項の規定により信託業務を兼営する金融機関について法第五十条第一項を適用する場合においては、第十九条第二項第一号中「別記様式第九号」とあるのは「別記様式第二十七号」と、同項第二号中「別記様式第十号」とあるのは「別記様式第二十八号」と、同項第三号中「別記様式第十号の二」とあるのは「別記様式第二十九号」と、同項第四号中「別記様式第十一号」とあるのは「別記様式第三十号」と読み替えるものとする。

＊様式371頁～373頁参照

▽規則第三一条参照

▽規則第六条参照

てこの法律の規定を適用する。

第七十七条の三　第三条から第七条まで、第十二条、第二十五条第七項、第六十六条及び第六十七条第一項の規定は、特例事業者（不動産特定共同事業法第二条第九項に規定する特例事業者をいう。次項において同じ。）には、適用しない。

②　特例事業者については、前項に掲げる規定並びに第三十一条の三、第三十五条、第三十五条の二、第三十七条及び第四十八条から第五十条までの規定を除き、国土交通大臣の免許を受けた宅地建物取引業者とみなしてこの法律の規定を適用する。

（適用の除外）

第七十八条　この法律の規定は、国及び地方公共団体には、適用しない。

②　第三十三条の二及び第三十七条の二から第四十三条までの規定は、宅地建物取引業者相互間の取引については、適用しない。

（権限の委任）

第七十八条の二　この法律に規定する国土交通大臣の権限は、国土交通省令で定めるところにより、その一部を地方整備局長又は北海道開発局長に委任することができる。

②　この法律に規定する内閣総理大臣の権限（政令で定めるものを除く。）は、消費者庁長官に委任する。

（消費者庁長官に委任されない権限）

第十条　法第七十八条の二第二項の政令で定める権限は、法第七十一条の二及び第七十五条の四に規定する内閣総理大臣の権限とする。

（権限の委任）

第三十二条　法及びこの省令に規定する国土交通大臣の権限のうち、次に掲げるものは、宅地建物取引業者又は法第三条第一項の免許を受けようとする者の本店又は主たる事務所の所在地を管轄する地方整備局長及び北海道開発局長に委任する。ただし、第十三号から第十九号まで及び第二十六号に掲げる権限については、国土交通大臣が自ら行うことを妨げない。

［法第78条の2関係］

1　信託会社等及び登録投資法人に係る事務の取扱いについて

法第77条第3項に規定する信託会社等による届出の受理に係る事務は、地方整備局長等に委任せず国土交通大臣が自ら行うこととされているため、規則第32条各号に規定する事務についても信託会社等に係るものは、当該届出の受理に係る事務を行う国土交通大臣が自ら行うものとみなされ、地方整備局長等には委任されない。

一　法第三条第一項の規定による免許をし、及び同条第三項の規定による免許の更新をすること。
二　法第三条の二第一項の規定により免許に条件を付し、及びこれを変更すること。
三　法第四条第一項の規定による免許申請書を受理すること。
四　法第六条の規定により免許証を交付すること。
五　法第八条第一項の規定により宅地建物取引業者名簿を備え、及び同条第二項の規定により国土交通大臣の免許を受けた宅地建物取引業者に関する同項各号に掲げる事項を登載すること。
六　法第九条の規定による届出を受理すること。
七　法第十条の規定により一般の閲覧に供すること。
八　法第十一条第一項の規定による届出を受理すること。
九　法第二十五条第四項（法第二十六条第二項、法第六十四条の七第三項、法第六十四条の十五及び法第六十四条の二十三において準用する場合を含む。）の規定による届出を受理し、同条第六項の規定により催告をし、及び同条第七項の規定により免許を取り消すこと。
十　法第二十八条第二項の規定による届出を受理すること。
十一　法第五十条第二項の規定による届出を受理すること。
十二　法第六十四条の四第二項の規定

2　地方整備局長等による宅地建物取引業者の監督権限の行使について

規則第32条第1項第13号から第19号まで及び第26号に掲げる宅地建物取引業者の監督権限については、原則として主たる事務所の所在地を管轄する地方整備局長等が行うものとするが、免許の取消しに係る権限以外の監督権限については、当該宅地建物取引業者の従たる事務所等を管轄する地方整備局長等も行うことができるものとする。

3　委任された監督権限の具体的運用方針について

地方整備局長等に委任する国土交通大臣の権限のうち、規則第32条第1項第13号から第19号及び第26号に掲げる権限については、国土交通大臣が自ら行うことを妨げないこととされているが、これは、同一業者により組織的に行われたもので、全国的に被害が頻発するような事案など相当な社会的混乱を招くおそれがあり、国土交通大臣自らが機敏に対応することを求められる事件の発生に際しては、個別の状況に応じて国土交通大臣が処分を行うこともあり得るものとしたものである。

弁済業務保証金規則

（第六条～附則）

（権限の委任）

第六条　前条第一号及び第二号の規定による国土交通大臣の権限は、宅地建物取引業保証協会の事務所の所在地を管轄する地方整備局長及び北海道開発局長に委任する。

附　則

による報告を徴収すること。

十三　法第六十五条第一項の規定により必要な指示をし、及び同条第二項の規定により業務の全部又は一部の停止を命ずること（認可宅地建物取引業者が行う取引一任代理等についてするものを除く。）。

十四　法第六十六条第一項及び第二項の規定により免許を取り消すこと。

十五　法第六十七条第一項の規定により公告し、及び免許を取り消すこと。

十六　法第六十九条第一項の規定により聴聞を行い、並びに同条第二項において準用する法第十六条の十五第三項の規定により通知をし、及び公示すること（認可宅地建物取引業者が行う取引一任代理等についてするものを除く。）。

十七　法第七十条第一項の規定により公告し、及び同条第三項の規定による報告を徴収すること（認可宅地建物取引業者が行う取引一任代理等についてするものを除く。）。

十八　法第七十一条の規定により必要な指導、助言及び勧告をすること（認可宅地建物取引業者が行う取引一任代理等についてするものを除く。）。

十九　法第七十二条第一項の規定により必要な報告を求め、又はその職員に立入検査させ、及び同条第二項の規定により必要な報告を求めること（認可宅地建物取引業者が行う取引一任代理等についてするものを除く。）。

二十　第四条の二第一項及び第四条の

この省令は、公布の日から施行する。

附　則　（平成一二年一一月七日法務省・建設省令第一号）

この省令は、内閣法の一部を改正する法律（平成十一年法律第八十八号）の施行の日（平成十三年一月六日）から施行する。

附　則　（平成一五年一月六日法務省・国土交通省令第一号）

この省令は、公布の日から施行する。

附　則　（平成一七年二月一〇日法務省・国土交通省令第一号）

この省令は、平成十七年三月七日から施行する。

附　則　（令和元年六月二八日法務省・国土交通省令第一号）

この省令は、不正競争防止法等の一部を改正する法律の施行の日（令和元年七月一日）から施行する。

附　則　（令和二年一二月二三日法務省・国土交通省令第三号）

（施行期日）

①　この省令は、令和三年一月一日から施行する。

（経過措置）

②　この省令の施行の際現にあるこの省令による改正前の様式による用紙は、当分の間、これを取り繕って使用することができる。

三第一項の規定による申請を受理すること。

二十一　第四条の四第一項及び第二項の規定による受納をすること。

二十二　第四条の五の規定により通知すること。

二十三　第五条の四の規定により訂正すること。

二十四　第六条第一項の規定により消除し、及び同条第二項の規定により通知すること。

二十五　第十五条の四及び第十五条の四の二の規定による届出を受理すること。

二十六　第二十七条第一項の規定により通知すること（認可宅地建物取引業者が行う取引一任代理等についてするものを除く。）。

②　前項第十三号、第十六号から第十九号まで及び第二十六号に掲げる権限で宅地建物取引業者の支店、従たる事務所又は令第一条の二第二号に規定する事務所（以下本条において「支店等」という。）に関するものについては、前項に規定する地方整備局長及び北海道開発局長のほか、当該支店等の所在地を管轄する地方整備局長及び北海道開発局長も当該権限を行うことができる。

営業保証金規則（第一一条）

（権限の委任）

第十一条　この省令に規定する国土交通

法令

法
78-2

令
10

則
32～33／営保
11

大臣の権限（第一条に規定する権限を除く。）は、当該宅地建物取引業者が免許を受けた地方整備局長及び北海道開発局長に委任する。

（フレキシブルディスクによる手続）

第三十三条　申請者又は届出者が、次の各号に掲げる書類の各欄に掲げる事項を様式第二十五号により記録したフレキシブルディスク及び様式第二十六号のフレキシブルディスク提出票（以下「フレキシブルディスク等」という。）により、法の規定による申請又は届出をしたときは、その提出を受けた国土交通大臣又は都道府県知事は、そのフレキシブルディスク等の提出を、次の各号に掲げる書類による申請又は届出に代えて、受理することができる。

一　第一条の免許申請書
二　第四条の二第二項の宅地建物取引業者免許証書換え交付申請書
三　第四条の三第三項の宅地建物取引業者免許証再交付申請書
四　第五条の三第一項の宅地建物取引業者名簿登載事項変更届出書
五　第五条の五の廃業等届出書

②　前項の規定によるフレキシブルディスク等の提出については、第二条の規定にかかわらず、フレキシブルディスク並びにフレキシブルディスク提出票の正本及びその写し一通を提出することにより行うことができる。

＊様式370・371頁参照

解釈
78-2

▽その他の留意すべき事項4参照

（フレキシブルディスクの構造）

第三十四条　前条のフレキシブルディスクは、次のいずれかに該当するものでなければならない。

一　産業標準化法（昭和二十四年法律第百八十五号）に基づく日本産業規格（以下「日本産業規格」という。）X六二二一（一九八七）に適合する九十ミリメートルフレキシブルディスクカートリッジ

二　日本産業規格X六二二三（一九八七）に適合する九十ミリメートルフレキシブルディスクカートリッジ

（フレキシブルディスクの記録方式）

第三十五条　第三十三条の規定によるフレキシブルディスクへの記録は、次に掲げる方式に従つてしなければならない。

一　トラックフォーマットについては、前条第一号のフレキシブルディスクに記録する場合にあつては日本産業規格X六二二二（一九九〇）に、同条第二号のフレキシブルディスクに記録する場合にあつては日本産業規格X六二二五（一九九五）に規定する方式

二　ボリューム及びファイル構成については、日本産業規格X〇六〇五（一九九七）に規定する方式

三　文字の符号化表現については、日本産業規格X〇二〇八（二〇一二）附属書一に規定する方式

②　第三十三条の規定によるフレキシブルディスクへの記録は、日本産業

▽その他の留意すべき事項4参照

▽その他の留意すべき事項4参照

法 78-3

（申請書等の経由）

第七十八条の三　第四条第一項、第九条及び第十一条第一項の規定により国土交通大臣に提出すべき申請書その他の書類は、その主たる事務所（同項の規定の場合にあつては、同項各号の一に該当することとなつた者の主たる事務所）の所在地を管轄する都道府県知事を経由しなければならない。

②　第五十条第二項の規定により国土交通大臣に提出すべき届出書は、その届出に係る業務を行う場所の所在地を管轄する都道府県知事を経由しなければならない。

▽事務の区分→法第七八条の四参照

傍線部改正　令和3年5月26日法44号（施行日　公布の日から3年以内）

→314頁参照

令 10

則 34～36

規格X〇二〇一（一九九七）及びX〇二〇八（二〇一二）に規定する図形文字並びに日本産業規格X〇二一一（一九九四）に規定する制御文字のうち「復帰」及び「改行」を用いてしなければならない。

（フレキシブルディスクにはり付ける書面）

第三十六条　第三十三条のフレキシブルディスクには、日本産業規格X六二二一（一九八七）又はX六二二三（一九八七）に規定するラベル領域に、次に掲げる事項を記載した書面をはり付けなければならない。

一　提出者の氏名又は名称

二　提出年月日

解釈 78-2

▽その他の留意すべき事項4参照

（事務の区分）

第七十八条の四　第八条、第十条、第十四条及び前条の規定により都道府県が処理することとされている事務（第八条、第十条及び第十四条の規定により処理することとされているものについては、国土交通大臣の免許を受けた宅地建物取引業者に係る宅地建物取引業者名簿の備付け、登載、閲覧、訂正及び消除に関するものに限る。）は、地方自治法第二条第九項第一号に規定する第一号法定受託事務とする。

傍線部改正　令和3年5月26日法44号（施行日　公布の日の日から3年以内）→314頁参照

第八章　罰則

第七十九条　次の各号のいずれかに該当する者は、三年以下の懲役若しくは三百万円以下の罰金に処し、又はこれを併科する。

一　不正の手段によつて第三条第一項の免許を受けた者

二　第十二条第一項の規定に違反した者

三　第十三条第一項の規定に違反して他人に宅地建物取引業を営ませた者

四　第六十五条第二項又は第四項の規定による業務の停止の命令に違反して業務を営んだ者

第七十九条の二　第四十七条の規定に違反して同条第一号に掲げる行為をした者は、二年以下の懲役若しくは三百万

［その他の留意すべき事項］

1　宅地建物取引業者の社会的責務に関する意識の向上について

宅地建物取引業務に係る人権問題の最近の状況を見ると、一部において同和地区に関する問い合わせ、差別意識を助長するような広告、賃貸住宅の媒介業務に係る不当な入居差別等の事象が発生している。

宅地建物取引業は、住生活の向上等に寄与するという重要な社会的責務を担っており、また、人権問題の早期解決は国民的課題であるので、基本的人権の尊重、特にあらゆる差別の解消に関する教育・啓発が重要であることにかんがみ、同和地区、在日外国人、障害者、高齢者等をめぐる人権問題に対する意識の向上を図るため、宅地建物取引士等の従事者に対する講習等を通じて人権に関する教育・啓発活動のより一層の推進を図るとともに、宅地建物取引業者に対する周知徹底及び指導を

円以下の罰金に処し、又はこれを併科する。

第八十条　第四十七条の規定に違反して同条第二号に掲げる行為をした者は、一年以下の懲役若しくは百万円以下の罰金に処し、又はこれを併科する。

第八十条の二　第十六条の八第一項の規定に違反した者は、一年以下の懲役又は百万円以下の罰金に処する。

第八十条の三　第十六条の十五第二項又は第十七条の十四の規定による試験事務又は講習業務の停止の命令に違反したときは、その違反行為をした指定試験機関の役員若しくは職員又は登録講習機関（その者が法人である場合にあつては、その役員）若しくはその職員（第八十三条の二において「指定試験機関等の役員等」という。）は、一年以下の懲役又は百万円以下の罰金に処する。

第八十一条　次の各号のいずれかに該当する者は、六月以下の懲役若しくは百万円以下の罰金に処し、又はこれを併科する。

一　第二十五条第五項（第二十六条第二項において準用する場合を含む。）、第三十二条又は第四十四条の規定に違反した者

二　第四十七条の規定に違反して同条第三号に掲げる行為をした者

第八十二条　次の各号のいずれかに該当する者は、百万円以下の罰金に処する。

一　第四条第一項の免許申請書又は同条第二項の書類に虚偽の記載をして提出した者

行う必要がある。

２　消費税等相当額の扱いについて

法第32条、第38条、第39条、第41条及び第41条の2等の規定の適用に当たっては、売買、賃借等につき課されるべき消費税等相当額については、「代金、借賃等の対価の額」の一部に含まれるものとして取り扱うものとする。なお、割賦販売については、法第35条第2項の規定に基づき、現金販売価額と割賦販売価額が区分されている場合で、契約書に分割支払に係る利子額を記載したときは、その利子の額については、非課税となる。

また、法第37条第1項第3号又は第2項第2号の規定により、宅地建物取引業者は、契約を締結したときは、遅滞なく、「代金の額」又は「借賃の額」を記載した書面を交付しなければならないこととされているが、消費税等相当額は、代金、借賃等の額の一部となるものであり、かつ、代金、借賃に係る重要な事項に該当するので、「代金の額」又は「借賃の額」の記載に当たっては、「当該売買、貸借等につき課されるべき消費税等相当額」を明記することとなる。また、交換については、「交換差金の額」に関する事項として、「当該交換につき課されるべき消費税等相当額」を明示することとなる。同様に、法第34条の2第1項第6号又は法第34条の3の規定により、媒介又は代理契約を締結したときは、遅滞なく「報酬に関する事項」を記載した書面を交付しなければならないこととされているが、その記載に当たっては、当該報酬の額に含まれる消費税等相当額に関する事項についても記載することとなる。

なお、譲渡、賃貸等に課されるべき消費税等相当額は、法第47条第1号の重要な事項に

二　第十二条第二項、第十三条第二項、第三十一条の三第三項又は第四十六条第二項の規定に違反した者

三　不正の手段によつて第四十一条第一項第一号又は第四十一条の二第一項第一号の指定を受けた者

四　第五十六条第一項の規定に違反して手付金等保証事業以外の事業を営んだ者

五　第六十条（第六十四条の十七第三項において準用する場合を含む。）の規定に違反して保証委託契約を締結した者

六　第六十一条（第六十三条の三第二項において準用する場合を含む。）又は第六十四条の二十の規定による命令に違反した者

七　第六十三条の三第二項において準用する第五十六条第一項の規定に違反して手付金等保管事業以外の事業を営んだ者

八　第六十三条の三第二項において準用する第五十一条第三項第一号の事業方法書によらないで手付金等保管事業を営んだ者

第八十三条　次の各号のいずれかに該当する者は、五十万円以下の罰金に処する。

一　第九条、第五十条第二項、第五十三条（第六十三条の三第二項において準用する場合を含む。）、第六十三条第二項（第六十三条の三第二項において準用する場合を含む。）又は第七十七条第三項の規定による

該当することとなるので、宅地若しくは建物の売買、交換又は貸借の各当事者に対して故意に事実を告げず、又は不実のことを告げた場合には、法第47条違反となる。

また、消費税法第63条の2の規定により、不特定多数の一般消費者に対して物件価格、賃料等を表示する場合は、譲渡、賃貸等に係る消費税等相当額を含んだ額を表示しなければならないことに留意すること。

3　暴力団員による不当な行為の防止等に関する法律関係

(1)　宅地建物取引業者が、宅地建物取引業に関し、暴力団員による不当な行為の防止等に関する法律（以下「暴力団対策法」という。）第12条の再発防止命令を受けた場合には、業務に関する他法令違反として、情状に応じ、法第65条第1項第3号の指示処分、法第65条第2項第1号の業務停止処分、法第66条第1項第9号の免許取消処分のいずれかを行うことにより、厳正に対応する必要がある。暴力団対策法第12条の再発防止命令を受けていなくても、宅地建物取引業に関し、暴力団対策法第10条に違反する行為を行ったことが明らかである場合においては、情状に応じ、法第65条第1項第2号の指示処分、法第65条第2項第5号の業務停止処分、法第66条第1項第9号の免許取消処分のいずれかを行うことにより、厳正に対応する必要がある。

(2)　暴力団を利用した悪質な地上げ等に対する措置について

宅地建物取引業者が、宅地建物取引業に関し、暴力団を利用し当該暴力団の構成員が違反行為を行った場合又は自ら暴行、脅迫、詐欺、恐喝等の違法行為を行った場合は、法第

届出をせず、又は虚偽の届出をした者

二　第三十七条、第四十六条第四項、第四十八条第一項又は第五十条第一項の規定に違反した者

三　第四十五条又は第七十五条の三の規定に違反した者

三の二　第四十八条第三項の規定に違反して従業者名簿を備えず、又はこれに同項に規定する事項を記載せず、若しくは虚偽の記載をした者

四　第四十九条の規定による帳簿を備え付けず、又はこれに同条に規定する事項を記載せず、若しくは虚偽の記載をした者

五　第五十条の十二第一項、第六十三条第一項若しくは第三項（これらの規定を第六十三条の三第二項において準用する場合を含む。）、第六十三条の二第一項（第六十三条の三第二項及び第六十四条の十八において準用する場合を含む。）又は第七十二条第一項から第三項までの規定による報告をせず、若しくは事業計画書、事業報告書若しくは資料の提出をせず、又は虚偽の報告をし、若しくは虚偽の記載をした事業計画書、事業報告書若しくは虚偽の資料を提出した者

六　第五十条の十二第一項、第六十三条の二第一項（第六十三条の三第二項及び第六十四条の十八において準用する場合を含む。）又は第七十二条第一項若しくは第二項の規定による検査を拒み、妨げ、又は忌避した者

65条第2項第5号、法第66条第1項第9号等に該当するものである。

この場合、借地人からの借地権の買い取りや借家人の立ち退き交渉などのいわゆる地上げ行為についても、宅地建物取引業に関する行為として、法第6章の監督の規定が適用されるものである。

4　フレキシブルディスクによる手続について

規則第33条から第36条までにおいては、免許申請書等に代えてフレキシブルディスクによる提出が行われた場合には、国土交通大臣又は都道府県知事はこれを受理することができるものとする。これは免許権者等にフレキシブルディスクによる提出の受理を義務付けるものではなく、受理することもその裁量によって可能とするものである。

5　不動産の売主等による告知書の提出について

宅地又は建物の過去の履歴や性状など、取引物件の売主や所有者しか分からない事項について、売主等の協力が得られるときは、売主等に告知書を提出してもらい、これを買主等に渡すことにより将来の紛争の防止に役立てることが望ましい。

告知書の記載事項としては、例えば売買であれば、

①　土地関係：境界確定の状況、土壌汚染調査等の状況、土壌汚染等の存否又は可能性の有無、過去の所有者と利用状況、周辺の土地の過去及び現在の利用状況

②　建物関係：新築時の設計図書等、増改築及び修繕の履歴、石綿の使用の有無の調査の存否、耐震診断の有無、住宅性能評価等の状況、建物の傾

七　第六十三条の五の規定に違反して寄託金保管簿を備えず、これに同条に規定する事項を記載せず、若しくは虚偽の記載をし、又は寄託金保管簿を保存しなかつた者

②　前項第三号の罪は、告訴がなければ公訴を提起することができない。

第八十三条の二　次の各号のいずれかに該当するときは、その違反行為をした指定試験機関等の役員等は、五十万円以下の罰金に処する。

一　第十六条の十一又は第十七条の十五の規定に違反して帳簿を備えず、帳簿に記載せず、若しくは帳簿に虚偽の記載をし、又は帳簿を保存しなかつたとき。

二　第十六条の十三第一項若しくは第二項又は第十七条の十六の規定による報告を求められて、報告をせず、若しくは虚偽の報告をし、又はこれらの規定による検査を拒み、妨げ、若しくは忌避したとき。

三　第十六条の十四第一項の規定による許可を受けないで試験事務の全部を廃止し、又は第十七条の十の規定による届出をしないで講習業務の全部を廃止したとき。

第八十四条　法人の代表者又は法人若しくは人の代理人、使用人その他の従業者が、その法人又は人の業務に関し、次の各号に掲げる規定の違反行為をしたときは、その行為者を罰するほか、その法人に対して当該各号に定める罰

き、腐食等の存否又は可能性の有無、過去の所有者と利用状況

③　その他：消費生活用製品安全法（昭和48年法律第31号）第2条第4項に規定する特定保守製品の有無、従前の所有者から引き継いだ資料、新築・増改築等に関わった建設業者、不動産取得時に関わった不動産流通業者等

などが考えられ、売主等が知り得る範囲でこれらを記載してもらうこととなる。

なお、売主等の告知書を買主等に渡す際には、当該告知書が売主等の責任の下に作成されたものであることを明らかにすること。

6　マンションの管理の適正化の推進に関する法律関係について

宅地建物取引業者は、新築マンションの分譲に際し、マンションの管理の適正化の推進に関する法律（平成12年法律第１４９号）第１０３条第１項の規定により、同法施行規則第１０２条に定める11種類の図書を当該マンションの管理者等に対し交付することとされている。この場合において、図書の内容は次のとおりであるので留意すること。

(1)　11種類の図書は、建築基準法第7条第1項又は第7条の2第1項の規定による完了検査に要した付近見取図、配置図、各階平面図、二面以上の立面図、断面図又は矩計図、基礎伏図、各階床伏図、小屋伏図、構造詳細図及び構造計算書と同一の内容のもの並びに同法第2条第12号に規定する設計図書の一部として作成する仕様書とする。

(2)　建築基準法施行規則第3条の2に規定する計画の変更に係る確認を要しない軽微な変更があった場合には、当該変更内容を明

金刑を、その人に対して各本条の罰金刑を科する。

一　第七十九条又は第七十九条の二　一億円以下の罰金刑

二　第八十条又は第八十一条から第八十三条まで（同条第一項第三号を除く。）　各本条の罰金刑

第八十五条　第五十条の十一の規定による命令に違反した者は、三十万円以下の過料に処する。

第八十五条の二　第十七条の十一第一項の規定に違反して財務諸表等を備えて置かず、財務諸表等に記載すべき事項を記載せず、若しくは虚偽の記載をし、又は正当な理由がないのに同条第二項各号の規定による請求を拒んだ者は、二十万円以下の過料に処する。

第八十六条　第二十二条の二第六項若しくは第七項、第三十五条第四項又は第七十五条の規定に違反した者は、十万円以下の過料に処する。

確にする措置を講じるものとする。

附　則（抄）

（施行期日）

① この法律の施行期日は、公布の日から起算して九十日をこえない期間内において、政令で定める。（昭和二七年六月政令一九八号により、昭和二七年八月一日から施行）

附　則（昭和二九年六月一二日法律第一七八号）

この法律は、公布の日から施行する。

附　則（抄）（昭和三二年五月二七日法律第一三一号）

（施行期日）

① この法律は、昭和三十二年八月一日から施行する。

附　則（昭和三四年四月一一日法律第一一一号）

この法律は、公布の日から施行する。

附　則（抄）（昭和三九年七月一〇日法律第一六六号）

（施行期日）

① この法律は、昭和四十年四月一日から施行する。

附　則（抄）（昭和四二年六月一二日法律第三六号）

① この法律は、登録免許税法の施行の日（昭和四二年八月一日）から施行する。

附　則（抄）

（施行期日）

① この政令は、宅地建物取引業法の一部を改正する法律（昭和三十九年法律第百六十六号）の施行の日（昭和四十年四月一日）から施行する。

附　則（抄）

（施行期日）

① この省令は、昭和三十二年八月一日から施行する。

（旧省令の廃止）

⑤ 宅地建物取引業法施行規則（昭和二十七年建設省令第十八号）は、廃止する。

附　則（抄）（昭和三三年一二月二五日省令第二五号）

（施行期日）

第一条　この省令は、昭和三十三年八月一日から施行する。ただし、次条の規定は、公布の日から施行する。

附　則（抄）（昭和四〇年二月一五日省令第四号）

（施行期日）

① この省令は、昭和四十年四月一日から施行する。

附　則（昭和四二年八月一日省令第二〇号）

この省令は、公布の日から施行する。

附則（昭和四二年八月一日法律第一一五号）

（施行期日）

① この法律は、公布の日から起算して二月を経過した日から施行する。

附則（抄）（昭和四三年六月一五日法律第一〇一号）

この法律（第一条を除く。）は、新法（都市計画法＝昭和四三年六月法律第一〇〇号）の施行の日（昭和四四年六月一四日）から施行する。

附則（昭和四二年八月一日政令第二二七号）

この政令は、宅地建物取引業法の一部を改正する法律（昭和四十二年法律第百十五号）の施行の日から施行する。

附則（抄）（昭和四二年一一月一五日政令第三四五号）

（施行期日）

第一条 この政令は、土地収用法の一部を改正する法律（昭和四十二年法律第七十四号）の施行の日（昭和四十三年一月一日）から施行する。

附則（抄）（昭和四三年一月二九日政令第九号）

（施行期日）

① この政令は、近畿圏の保全区域の整備に関する法律の施行の日（昭和四十三年一月三十日）から施行する。

附則（抄）（昭和四四年六月一三日政令第一五八号）

（施行期日）

第一条 この政令は、法の施行の日（昭和四十四年六月十四日）から施行する。

附則（抄）（昭和四四年七月三一日政令第二〇六号）

（施行期日）

① この政令は、法の施行の日（昭和四十四年八月一日）から施行する。

附則（抄）（昭和四四年八月二六日政令第二三二号）

（施行期日）

第一条 この政令は、公布の日から施行する。

附則（抄）（昭和四六年六月一六日法律第一一〇号）

（施行期日）

① この法律は、公布の日から起算して六月をこえない範囲内において政令で定める日（昭和四六年一二月一五日）から施行する。ただし、次項の規定は、公布の日から施行する。

附則（抄）（昭和四七年六月二四日法律第一〇〇号）

（施行期日）

① この法律は、公布の日から施行する。ただし、第二十五条第二項の改正規定及び附則第二項から第四項までの規定は、公布の日から起算して一年を経過した日から施行する。

附則（抄）（昭和五五年五月二一日法律第五六号）

（施行期日）

① この法律は、公布の日から起算して一年を超えない範囲内において政令で定める日から施行する。ただし、第一条中宅地建物取引業法第六十四条の三第三項を同条第四項とし、同条第二項の次に一項を加える改正規定及び同法第六十四条の十二第七項の改正規定並びに附則第六項の規定は公布の日から、同法第三十四条の次に二条を加え

附則（抄）（昭和四六年一一月一五日政令第三四一号）

（施行期日）

① この政令は、宅地建物取引業法の一部を改正する法律（昭和四十六年法律第百十号）の施行の日（昭和四十六年十二月十五日）から施行する。

宅地建物取引業法及び積立式宅地建物販売業法の一部を改正する法律の施行期日を定める政令

（昭和五五年八月一九日政令第二二二号）

宅地建物取引業法及び積立式宅地建物販売業法の一部を改正する法律（以下「法」という。）の施行期日は、次の各号に掲げる区分に応じ、それぞれ当該各号に定める日とする。

一　法第一条中宅地建物取引業法（昭和二十七年法律第百七十六号）第四条第一項第五号及び第二項第三号、第八条第二項第六号、第十五条並びに第十八条第一項第四号の改正

附則（抄）（昭和四六年一二月一四日省令第二八号）

（施行期日）

① この省令は、宅地建物取引業法の一部を改正する法律（昭和四十六年法律第百十号）の施行の日（昭和四十六年十二月十五日）から施行する。

附則（昭和四七年一二月二七日省令第三八号）

この省令は、昭和四十八年一月一日から施行する。

附則（昭和四九年八月一日省令第一〇号）

この省令は、公布の日から施行する。

附則（昭和五〇年九月九日省令第一五号）

この省令は、昭和五十年十月一日から施行する。

附則（抄）（昭和五一年一月三〇日省令第二号）

（施行期日）

第一条　この省令は、公布の日から施行する。

附則（昭和五三年九月一日省令第一五号）

この省令は、公布の日から施行する。

附則（抄）（昭和五五年一一月二九日省令第一四号）

（施行期日）

① この省令の施行期日は、次の各号に掲げる区分に応じ、それぞれ当該各号に定める日とする。

一　第一条の二の見出しの改正規定、同条第一項第一号、第三号及び第五号の改正規定、同項第六号を削る改正規定、同項第七号の改正規定、同号を同項第六号とし、同項第八号から第十三号までを一号ずつ繰り上げ

る改正規定は公布の日から起算して二年を経過する日から施行する。

規定、同号の次に二号を加える改正規定、同項第五号及び第六号の改正規定、同項第七号を同項第八号とし、同項第六号の次に一号を加える改正規定、同法第二十二条第三号の改正規定、同条第四号を削り、同条第五号を同条第四号とする改正規定、同条の次に三条を加える改正規定、同法第三十五条第三項を同条第四項とし、同条第二項の次に一項を加える改正規定、同法第四十八条第三項の改正規定、同条第二項を削り、同条第三項を同条第二項とする改正規定、同法第六十八条の改正規定、同条の次に一条を加える改正規定、同法第八十五条の改正規定(「第七十五条」を「第二十二条の二第六項若しくは第七項、第三十五条第三項又は第七十五条」に改める部分に限る。)並びに法附則第二項から第五項まで及び第七項の規定昭和五十六年四月一日

二　法第一条中法附則第一項ただし書及び前号に規定する改正規定以外の改正規定並びに法第二条及び法附則第八項から第十項までの規定昭和五十五年十二月一日

附　則（抄）

（昭和五五年八月一九日政令第二一三号）

（施行期日）

① この政令は、昭和五十五年十二月一日から施行する。ただし、第一条中宅地建物取引業法施行令第二条の二の改正規定並びに第二条中地方公共団体手数料令第一条第一項第百八十七号の四

る改正規定、同条第二項、第二条第一項及び第五条の三第一項の改正規定、第六条の次に一条を加える改正規定、第十四条の三第二項の改正規定、同条第三項を同条第四項とし、同条第二項を同条第三項とし、同条第一項の次に一項を加える改正規定、第十四条の九の次に八条を加える改正規定、第十七条第三項の改正規定、同条第二項を削り、同条第三項を同条第二項とする改正規定、第十九条第一項及び第二項の改正規定、第三十一条第四号の改正規定、別記様式第一号、様式第二号、様式第四号、様式第五号及び様式第六号の改正規定、別記様式第七号の次に五様式を加える改正規定（様式第七号の六に係る部分を除く。）、別記様式第九号の改正規定及び別記様式第十一号の次に一様式を加える改正規定　昭和五十六年四月一日

二　第二十六条の三第一項の改正規定、別記様式第十九号の改正規定及び附則第二項の規定　この省令の公布の日

三　前二号に掲げる改正規定以外の改正規定並びに附則第三項及び第四項の規定　昭和五十五年十二月一日

附　則（抄）

（昭和五六年九月二八日省令第一二号）

（施行期日）

第一条　この省令は、公布の日から施行する。ただし、附則第二条から第二十条までの規定は、昭和五十六年十月一日から施行する。

附　則（抄）（昭和六一年一二月二六日法律第一〇九号）

（施行期日）

第一条　この法律は、公布の日から施行する。ただし、次の各号に掲げる規定は、それぞれ当該各号に定める日から施行する。

一～四　略

五　第十四条の規定、第十五条の規定（身体障害者福祉法第十九条第四項及び第十九条の二の改正規定を除く。附則第七条第二項において同じ。）、第十六条の規定、第十七条の規定（児童福祉法第二十条第四項の改正規定を除く。附則第七条第二項において同じ。）、第十八条、第十九条、第二十六条及び第三十九条の規定並びに附則第七条第二項及び第

の次に三号を加える改正規定（同項第百八十七号の六及び第百八十七号の七に係る部分に限る。）は、昭和五十六年四月一日から施行する。

附　則（抄）（昭和五六年四月二四日政令第一四四号）

（施行期日）

①　この政令は、都市計画法及び建築基準法の一部を改正する法律（昭和五十五年法律第三十五号）の施行の日（昭和五十六年四月二十五日）から施行する。

地方公共団体の執行機関が国の機関として行う事務の整理及び合理化に関する法律の一部の施行期日を定める政令

（昭和六二年三月二五日政令六六号）

地方公共団体の執行機関が国の機関として行う事務の整理及び合理化に関する法律第三十九条（宅地建物取引業法）の規定の施行期日は、昭和六十二年四月一日とする。

附　則（昭和五七年五月七日省令第五号）

この省令は、昭和五十七年五月二十日から施行する。

附　則（昭和五八年六月二九日省令第八号）

この省令は、公布の日から施行する。

十一条から第十三条までの規定　公布の日から起算して六月を超えない範囲内において政令で定める日

附　則（昭和六三年五月六日法律第二七号）

（施行期日）

① この法律は、公布の日から起算して一年を超えない範囲内において政令で定める日から施行する。ただし、第一条中宅地建物取引業法第三十四条の二の改正規定は、公布の日から起算して二年を経過した日から施行する。

附　則（抄）（昭和六二年三月二五日政令第五七号）

（施行期日）

① この政令は、昭和六十二年四月一日から施行する。

附　則（抄）（昭和六二年一〇月六日政令第三四八号）

（施行期日）

① この政令は、建築基準法の一部を改正する法律（昭和六十二年法律第六十六号）の施行の日（昭和六十二年十一月十六日）から施行する。

附　則（抄）（昭和六三年二月二三日政令第二五号）

（施行期日）

第一条　この政令は、法の施行の日（昭和六十三年三月一日）から施行する。

宅地建物取引業法及び積立式宅地建物販売業法の一部を改正する法律の施行期日を定める政令

（昭和六三年七月二九日政令第二三五号）

宅地建物取引業法及び積立式宅地建物販売業法の一部を改正する法律の施行期日は、昭和六十三年十一月二十一日とする。

附　則（抄）（昭和六三年七月二九日政令第二三六号）

（施行期日）

① この政令は、昭和六十三年十一月二十一日から施行する。

附　則（昭和六二年四月一日省令第七号）

この省令は、公布の日から施行する。

附　則（抄）（昭和六三年一一月一八日省令第二三号）

（施行期日）

① この省令は、昭和六十三年十一月二十一日から施行する。ただし、第一条中宅地建物取引業法施行規則別記様式第七号の三の改正規定は、昭和六十四年四月一日から施行する。

（経過措置）

② 改正後の宅地建物取引業法第十五条及び第五十条第二項の規定は、この法律の施行の際現に宅地建物取引業者である者が設置する場所で事務所以外のもの及びその場所における取引主任者については、この法律の施行の日から六月を経過する日までの間は、適用しない。

③ 改正後の宅地建物取引業法第三十七条の二（改正後の積立式宅地建物販売業法第四十条第一項において適用する場合を含む。）の規定は、この法律の施行前にされた宅地又は建物の買受けの申込み若しくは売買契約又は積立式宅地建物販売の相手方となる申込み若しくはその契約については、適用しない。

④ 改正後の宅地建物取引業法第四十一条の二の規定は、この法律の施行前に締結された宅地又は建物の売買契約については、適用しない。

⑤ この法律の施行の際現に改正前の宅地建物取引業法第五十一条第一項の規定による指定を受けている者は、この法律の施行の日において改正後の宅地建物取引業法第五十一条第一項の規定による指定を受けたものとみなす。

⑥ この法律の施行の際現に改正前の宅地建物取引業法第三条第一項の免許、同法第十八条第一項の登録若しくは同法第六十四条の二第一項の指定又は積立式宅地建物販売業法第三条第一項の許可（以下「免許等」という。）を受けている者に対する免許等の取消しそ

（経過措置）

② 宅地建物取引業者は、この政令の施行の際に供託している営業保証金の額が改正後の宅地建物取引業法施行令（以下「新令」という。）第二条の四に規定する営業保証金の額に不足することとなる場合においては、この政令の施行の日から三月以内に、その不足額を主たる事務所の最寄りの供託所に供託し、その供託物受入れの記載のある供託書の写しを添付して、その旨を免許を受けた建設大臣又は都道府県知事に届け出なければならない。

③ 宅地建物取引業法（以下「法」という。）第二十五条第三項の規定は、前項の規定により供託する場合に準用する。

④ 建設大臣又は都道府県知事は、その免許を受けた宅地建物取引業者が附則第二項の期間内に同項の規定による届出をしないときは、その届出をすべき旨の催告をしなければならない。

⑤ 建設大臣又は都道府県知事は、前項の催告が到達した日から一月以内に宅地建物取引業者が附則第二項の規定による届出をしないときは、当該宅地建物取引業者に対し、同項の規定による届出をするまでの間、その業務の全部又は一部の停止を命ずることができる。

⑥ 法第六十六条第九号の規定は宅地建物取引業者が前項の規定による処分に違反した場合について、法第六十九条の規定は建設大臣又は都道府県知事がこの項において準用する法第六十六条

（経過措置）

② この省令の施行の際現に宅地建物取引業者である者が事務所ごとに置くべき宅地建物取引業法第十五条第一項に規定する取引主任者の数については、この省令の施行の日から六月を経過する日までの間は、この省令による改正後の宅地建物取引業法施行規則（以下「新省令」という。）第六条の三の規定にかかわらず、なお従前の例による。

③ 第一条中宅地建物取引業法施行規則別記様式第七号の三の改正規定の施行の際現に交付されている取引主任者証の様式については、新省令別記様式第七号の三の様式にかかわらず、なお従前の例による。

④ この省令の施行の際現に交付されている改正前の宅地建物取引業法施行規則（以下「旧省令」という。）第十七条第一項の規定による証明書は、この省令の施行の日から六月を経過する日までの間は、新省令第十七条の規定による証明書とみなす。

⑤ この省令の施行の際現に宅地建物取引業者である者が掲げる旧省令第十九条第二項の規定による標識は、この省令の施行の日から六月を経過する日までの間は、新省令第十九条第二項の規定による標識とみなす。

（宅地建物取引業法施行令及び積立式宅地建物販売業法施行令の一部を改正する政令附則第二項の規定による営業保証金の供託の届出書の様式）

⑦ 宅地建物取引業法施行令及び積立式宅地建物販売業法施行令の一部を

の他の監督上の処分に関しては、この法律の施行前に生じた事由については、なお従前の例による。

⑦　この法律の施行前にした行為に対する罰則の適用については、なお従前の例による。

第九号の規定による処分をしようとする場合について、法第七十条の規定は建設大臣又は都道府県知事が前項の規定による処分をした場合及びこの項において準用する法第六十六条第九号の規定による処分をした場合について準用する。

⑦　この政令の施行の際に宅地建物取引業保証協会の社員である者は、この政令の施行の際に納付している弁済業務保証金分担金の額が新令第七条に規定する弁済業務保証金分担金の額に不足することとなる場合においては、この政令の施行の日から三月以内に、当該宅地建物取引業保証協会にその不足額を納付しなければならない。

⑧　宅地建物取引業保証協会は、前項の規定により弁済業務保証金分担金の不足額の納付を受けたときは、その日から一週間以内に、法第六十四条の七第二項に規定する供託所にその納付を受けた額に相当する額の弁済業務保証金を供託しなければならない。

⑨　法第六十四条の七第三項の規定は、前項の規定により供託する場合に準用する。

⑩　宅地建物取引業保証協会の社員は、附則第七項に規定する期間内に、同項の規定による弁済業務保証金分担金の不足額の納付をしないときは、その地位を失う。

附　則（抄）（昭和六三年一一月一一日政令第三二二号）

（施行期日）

①　この政令は、都市再開発法及び建築

改正する政令（昭和六十三年政令第二百三十六号）附則第二項の規定による営業保証金の供託をした旨の届出は、次の様式による営業保証金追加供託済届出書により行うものとする。

※届出書省略

附　則（平成元年三月二七日省令第三号）

この省令は、公布の日から施行する。

附　則（平成二年一月三〇日省令第一号）

この省令は、平成二年五月六日から施行する。

附　則（平成二年五月一一日省令第四号）

この省令は、平成二年九月一日から施行する。ただし、第一条中宅地建物取引業法施行規則第十五条の二の改正規定及び第二条の規定は、公布の日から施行する。

附　則（抄）（平成三年六月二〇日省令第一一号）

（施行期日）

①　この省令は、公布の日から施行する。

基準法の一部を改正する法律の施行の日（昭和六十三年十一月十五日）から施行する。

附　則（抄）（平成元年一一月二一日政令第三〇九号）

（施行期日）

① この政令は、道路法等の一部を改正する法律の施行の日（平成元年十一月二十二日）から施行する。

附　則（抄）（平成二年一一月九日政令第三二三号）

この政令は、都市計画法及び建築基準法の一部を改正する法律の施行の日（平成二年十一月二十日）から施行する。

附　則（抄）（平成二年一一月九日政令第三二五号）

（施行期日）

① この政令は、大都市地域における住宅地等の供給の促進に関する特別措置法の一部を改正する法律（平成二年法律第六十二号）の施行の日（平成二年十一月二十日）から施行する。

附　則（抄）（平成三年三月一三日政令第二五号）

（施行期日）

① この政令は、平成三年四月一日から施行する。

附　則（抄）（平成三年四月二六日政令第一五四号）

この政令は、公布の日から施行する。

附　則（抄）（平成三年七月一二日政令第二三四号）

（施行期日）

① この政令は、森林法等の一部を改正する法律（平成三年法律第三十八号）の施行の日（平成三年七月二十五日）

から施行する。

附　則（抄）（平成三年一〇月二五日政令第三三三号）

（施行期日）

① この政令は、河川法の一部を改正する法律（平成三年法律第六十一号）の施行の日（平成三年十一月一日）から施行する。

附　則（抄）（平成四年七月三一日政令第二六六号）

（施行期日）

第一条　この政令は、平成四年八月一日から施行する。

附　則（抄）（平成五年一月五日政令第二号）

この政令は、公布の日から施行する。

附　則（抄）（平成五年五月六日政令第一六四号）

この政令は、公布の日から施行する。ただし、第二条（注・宅地建物取引業法施行令の一部改正）の規定（中略）は、土地区画整理法及び都市開発資金の貸付けに関する法律の一部を改正する法律附則第一条ただし書の政令で定める日（注・平成五年七月三〇日）から施行する。

附　則（抄）（平成五年五月一二日政令第一七〇号）

（施行期日）

第一条　この政令は、都市計画法及び建築基準法の一部を改正する法律（以下「改正法」という。）の施行の日（平成五年六月二十五日）から施行する。

附　則（抄）（平成六年三月二四日政令第六九号）

（施行期日）

① この政令は、平成六年四月一日から

附　則（平成六年一月二四日省令第二号）

この省令は、平成六年四月一日から施行する。

附則（抄）（平成五年一一月一二日法律第八九号）

（施行期日）

第一条 この法律は、行政手続法（平成五年法律第八十八号）の施行の日から施行する。

附則（平成七年四月一九日法律第六七号）

（施行期日）

① この法律は、公布の日から起算して一年を超えない範囲内において政令で施行する。

附則（抄）（平成六年一一月一一日政令第三五二号）

この政令は、公布の日から施行する。

附則（抄）（平成七年二月二六日政令第三六号）

（施行期日）

第一条 この政令は、法（注・被災市街地復興特別措置法）の施行の日（注・平成七年二月二六日）から施行する。

附則（抄）（平成七年五月二四日政令第二一四号）

（施行期日）

① この政令は、都市再開発法等の一部を改正する法律の一部の施行の日（平成七年五月二十五日）から施行する。

附則（抄）（平成七年九月二七日政令第三四五号）

（施行期日）

① この政令は、河川法の一部を改正する法律（平成七年法律第六十四号）の施行の日（平成七年十月一日）から施行する。

宅地建物取引業法の一部を改正する法律の施行期日を定める政令

（平成七年一二月八日政令四〇一号）

宅地建物取引業法の一部を改正する法律の施行期日は、平成八年四月一日とする。

附則（平成六年九月一九日省令第二五号）

この省令は、行政手続法の施行に伴う関係法律の整備に関する法律の施行の日（平成六年十月一日）から施行する。

附則（平成七年四月一九日省令第一三号）

（施行期日）

① この省令は、公布の日から施行する。

（経過措置）

定める日から施行する。ただし、次の各号に掲げる規定は、当該各号に定める日から施行する。

一　第四条第一項の改正規定（「前条第一項」を「第三条第一項」に改める部分及び「（同条第三項の免許の更新を含む。第二十五条第六項を除き、以下同じ。）」を削る部分を除く。）、第八条第二項、第九条、第十六条の五第一項、第十六条の十六第二項及び第五十条第二項の改正規定並びに附則第五項及び第八項の規定　この法律の公布の日

二　目次及び第三十四条の二の改正規定、第五章の改正規定（第三節を第四節とし、第二節を第三節とし、第一節の次に一節を加える改正規定に限る。）、第八十三条第一項第五号及び第六号の改正規定、第八十五条を第八十六条とし、第八十四条の次に一条を加える改正規定並びに附則第六項の規定　この法律の公布の日から起算して二年を経過した日

（指定流通機構の指定手続の特例）

②　改正後の宅地建物取引業法（以下「新法」という。）第三十四条の二第五項の規定による指定に関し必要な手続その他の行為は、前項第二号に掲げる改正規定の施行前においても、新法の例によりすることができる。

（免許の有効期間に関する経過措置）

③　この法律の施行の際現に改正前の宅地建物取引業法（以下「旧法」という。）第三条第一項の免許（同条第三項の免許の更新を含む。以下同じ。）を受け

附　則（抄）（平成七年一二月八日政令第四〇二号）

この政令は、宅地建物取引業法の一部を改正する法律の施行の日（平成八年四月一日）から施行する。

②　この省令による改正前の別記様式第一号による申請書並びに別記様式第三号の四及び別記様式第十二号による届出書は、この省令の施行の日から三月間は、それぞれこの省令による改正後の別記様式第一号による申請書並びに別記様式第三号の四及び別記様式第十二号による届出書とみなす。

附　則（平成八年一月二三日省令第一号）

（施行期日）

①　この省令は、宅地建物取引業法の一部を改正する法律（附則第三項において「改正法」という。）の施行の日（平成八年四月一日）から施行する。

（経過措置）

②　この省令による改正前の別記様式第二号による宅地建物取引業経歴書は、この省令の施行の日から三月間は、この省令による改正後の別記様式第二号による宅地建物取引業経歴書とみなす。

③　改正法附則第三項に規定する者の宅地建物取引業法第四十九条に規定する帳簿を保存する期間については、なお従前の例による。

④　この省令の施行の際現に宅地建物取引業者が掲げているこの省令による改正前の別記様式第十号から別記様式第十一号の三までによる標識は、この省令の施行の日から三月間は、それぞれこの省令による改正後の別記様式第十号から別記様式第十一号の三までによる標識とみなす。

ている者又はこの法律の施行前にした免許の申請に基づきこの法律の施行後に同条第一項の免許を受けた者（免許の更新の場合にあっては、この法律の施行後に免許の有効期間が満了する者を除く。）の当該免許の有効期間については、なお従前の例による。

（免許、登録又は指定の基準に関する経過措置）

④　この法律の施行前に旧法第三条第一項の免許の申請をした者（免許の更新の場合にあっては、この法律の施行後に免許の有効期間が満了する者を除く。）、旧法第十八条第一項の登録の申請をした者又は旧法第四十一条第一項第一号、第四十一条の二第一項第一号若しくは第六十四条の二第一項の指定の申請をした者の当該申請に係る免許、登録又は指定の基準については、なお従前の例による。

（変更等の届出に関する経過措置）

⑤　附則第一項第一号に掲げる改正規定の施行前に生じた事由に係る旧法第九条の変更の届出又は旧法第五十条第二項の届出については、なお従前の例による。

（媒介の契約に関する経過措置）

⑥　附則第一項第二号に掲げる改正規定の施行前に締結された宅地又は建物の売買又は交換の媒介の契約については、新法第三十四条の二の規定にかかわらず、なお従前の例による。

（監督処分に関する経過措置）

⑦　附則第三項に規定する者に対する免許の取消しその他の監督上の処分、こ

附　則（平成八年一〇月一五日省令第一四号）

（施行期日）

①　この省令は、平成九年四月十九日から施行する。ただし、第十五条の二の改正規定及び次項の規定は、公布の日から施行する。

（宅地建物取引業法の一部を改正する法律附則第二項の規定による指定流通機構の指定）

②　宅地建物取引業法の一部を改正する法律（平成七年法律第六十七号）附則第二項の規定による指定に関し必要な手続その他の行為については、この省令による改正後の宅地建物取引業法施行規則第十九条の二及び第十九条の三の規定の例による。

法令

法附則

の法律の施行の際現に旧法第十八条第一項の登録を受けている者若しくはこの法律の施行前にした当該登録の申請に基づきこの法律の施行後に登録を受けた者に対する登録の消除その他の監督上の処分又はこの法律の施行の際現に旧法第四十一条第一項第一号、第四十一条の二第一項第一号若しくは第六十四条の二第一項の指定を受けている者若しくはこの法律の施行前にしたこれらの指定の申請に基づきこの法律の施行後に指定を受けた者に対する指定の取消しその他の監督上の処分に関しては、この法律の施行前に生じた事由については、なお従前の例による。

附 則（抄）

（平成七年五月一二日法律第九一号）

（罰則に関する経過措置）

⑧ この法律（附則第一項第一号に掲げる改正規定にあっては、当該改正規定）の施行前にした行為及び附則第五項の規定によりなお従前の例によることとされる場合における当該規定の施行後にした行為に対する罰則の適用については、なお従前の例による。

附 則（抄）

（施行期日）

第一条 この法律は、公布の日から起算して二十日を経過した日から施行する。

附 則（抄）

（平成七年六月七日法律第一〇六号）

（施行期日）

第一条 この法律は、保険業法（平成七年法律第百五号）の施行の日から施行する。

令附則

則附則

（政令への委任）

第七条　附則第二条から前条までに定めるもののほか、この法律の施行に関し必要な経過措置は、政令で定める。

附　則（抄）（平成九年一一月二一日法律第一〇五号）

（施行期日）

① この法律は、公布の日から施行する。ただし、次の各号に掲げる規定は、当該各号に定める日から施行する。

一　第十五条及び第十六条の規定並びに附則第七項及び第八項の規定　公布の日から起算して一月を経過した日

二　第四条の規定　交付の日から起算して三月を経過した日

（宅地建物取引業法の一部改正に伴う経過措置）

⑧ 第十六条の規定による改正後の宅地建物取引業法第二十二条の二第三項（同法第二十二条の三第二項において準用する場合を含む。）の規定は、第十六条の規定の施行後に交付され、又は有効期間の更新を受ける宅地建物取引業法第二十二条の二第一項の取引主任者証から適用する。

附　則（抄）（平成九年三月二六日政令第七四号）

（施行期日）

① この政令は、平成九年四月一日から施行する。

附　則（抄）（平成九年六月一三日政令第一九六号）

この政令は、公布の日から施行する。

附　則（抄）（平成九年八月二九日政令第二七四号）

この政令は、都市計画法及び建築基準法の一部を改正する法律の施行の日（平成九年九月一日）から施行する。

附　則（抄）（平成九年一一月六日政令第三二五号）

この政令は、密集市街地における防災街区の整備の促進に関する法律の施行の日（平成九年十一月八日）から施行する。

附　則（抄）（平成一〇年八月二六日政令第二八四号）

（施行期日）

第一条　この政令は、国土利用計画法の一部を改正する法律（平成十年法律第八十六号）の施行の日（平成十年九月一日）から施行する。

附　則（抄）（平成一一年一月一三日政令第五号）

この政令は、建築基準法の一部を改正する法律の一部の施行の日（平成十一年五月一日）から施行する。

附　則（平成九年一二月二二日省令第一二号）

（施行期日）

① この省令は、公布の日から施行する。ただし、別記様式第一号、第三号の四、第五号、第六号の二及び第七号の改正規定は、平成十年二月二日から施行する。

（経過措置）

② 宅地建物取引主任者証及び従業者証明書の様式については、改正後の宅地建物取引業法施行規則（以下「新省令」という。）別記様式第七号の三及び第八号の様式にかかわらず、平成十年三月三十一日までの間、なお従前の例によることができる。

③ 前項に規定する日までに交付された従前の様式による宅地建物取引主任者証及び従業者証明書の様式については、新省令別記様式第七号の三及び第八号の様式にかかわらず、平成十年四月一日以後においてもなお従前の例による。

附　則（抄）（平成一一年九月二七日省令第四一号）

（施行期日）

第一条　この省令は、公布の日から施行する。ただし、次条から附則第二十九条までの規定は、法の一部の施行の日（平成十一年十月一日）から施行する。

（宅地建物取引業法施行規則の一部改正に伴う経過措置）

法附則

附　則（抄）（平成一一年七月一六日法律第八七号）

（施行期日）

第一条　この法律は、平成十二年四月一日から施行する。（以下略）

附　則（抄）（平成一一年一二月八日法律第一五一号）

（施行期日）

第一条　この法律は、平成十二年四月一日から施行する。（以下略）

附　則（抄）（平成一一年一二月二二日法律第一六〇号）

（施行期日）

第一条　この法律（第二条及び第三条を除く。）は、平成十三年一月六日から施行する。（以下略）

令附則

附　則（抄）（平成一一年一一月一〇日政令第三五二号）

（施行期日）

第一条　この政令は、平成十二年四月一日から施行する。

附　則（抄）（平成一二年六月七日政令第三一二号）

（施行期日）

①　この政令は、内閣法の一部を改正する法律（平成十一年法律第八十八号）の施行の日（平成十三年一月六日）から施行する。（以下略）

則附則

第十三条　住宅・都市整備公団が旧公団法第五十五条第一項の規定により発行した住宅・都市整備債券は、前条の規定による改正後の宅地建物取引業法施行規則第十五条の二各号に規定する有価証券とみなす。

附　則（平成一二年一月三一日省令第一〇号）

この省令は、平成十二年四月一日から施行する。

附　則（平成一二年二月一七日省令第一二号）

この省令は、平成十二年三月一日から施行する。

附　則（平成一二年三月三一日省令第一七号）

（施行期日）

①　この省令は、後見登記等に関する法律及び民事再生法の施行の日（平成十二年四月一日）から施行する。

（経過措置）

②　廃止前の和議法による和議開始の決定を受け、この省令の施行の際和議認可の決定の確定がない会社に係る改正後の第十五条の二の規定の適用については、なお従前の例による。

附　則（平成一二年九月二九日省令第三四号）

この省令は、信用金庫法の一部を改正する法律の施行の日（平成十二年十月一日）から施行する。

附　則（抄）（平成一二年一一月二〇日省令第四一号）

（施行期日）

①　この省令は、内閣法の一部を改正する法律（平成十一年法律第八十八号）の施行の日（平成十三年一月六日）から施行する。

附　則（抄）（平成一一年五月一九日法律第七三号）

（施行期日）

第一条　この法律は、公布の日から起算して一年を超えない範囲内において政令で定める日から施行する。

附　則（抄）（平成一二年五月三一日法律第九七号）

（施行期日）

第一条　この法律は、公布の日から起算して六月を超えない範囲内において政令で定める日（以下「施行日」という。）から施行する。（以下略）

附　則（抄）（平成一二年一一月二七日法律第一二六号）

（施行期日）

第一条　この法律は、公布の日から起算して五月を超えない範囲内において政令で定める日から施行する。

（罰則に関する経過措置）

第二条　この法律の施行前にした行為に対する罰則の適用については、なお従前の例による。

附　則（抄）（平成一三年六月二七日法律第七五号）

（施行期日等）

第一条　この法律は、平成十四年四月一日（以下「施行日」という。）から施行し、施行日以後に発行される短期社債等について適用する。

（罰則の適用に関する経過措置）

第七条　施行日前にした行為及びこの附

附　則（抄）（平成一三年一月四日政令第四号）

（施行期日）

①　この政令は、書面の交付等に関する情報通信の技術の利用のための関係法律の整備に関する法律の施行の日（平成十三年四月一日）から施行する。

（罰則に関する経過措置）

②　この政令の施行前にした行為に対する罰則の適用については、なお従前の例による。

附　則（抄）（平成一三年三月二八日政令第八四号）

（施行期日）

第一条　この政令は、法の施行の日（平成十三年四月一日）から施行する。

附　則（抄）（平成一三年三月三〇日政令第九八号）

（施行期日）

附　則（抄）（平成一二年一一月三〇日省令第四五号）

（施行期日）

第一条　この省令は、特定目的会社による特定資産の流動化に関する法律等の一部を改正する法律の施行の日（平成十二年十一月三十日）から施行する。

附　則（平成一三年三月二一日省令第四一号）

この省令は、平成十三年三月三十一日から施行する。

附　則（平成一三年三月二六日省令第四二号）

この省令は、書面の交付等に関する情報通信の技術の利用のための関係法律の整備に関する法律の施行の日（平成十三年四月一日）から施行する。

附　則（抄）（平成一三年三月三〇日省令第七一号）

（施行期日）

第一条　この省令は、法の施行の日（平成十三年四月一日）から施行する。

附　則（平成一三年三月三〇日省令第七二号）

この省令は、平成十三年四月一日から施行する。

附　則（抄）（平成一三年四月一九日省令第八五号）

（施行期日）

則の規定によりなおその効力を有することとされる場合における施行日以後にした行為に対する罰則の適用については、なお従前の例による。

（その他の経過措置の政令への委任）

第八条　この附則に規定するもののほか、この法律の施行に関し必要な経過措置は、政令で定める。

附　則（抄）（平成一三年一一月九日法律第一一七号）

（施行期日）

第一条　この法律は、公布の日から起算して六月を超えない範囲内において政令で定める日（以下「施行日」という。）から施行する。ただし、次の各号に掲げる規定は、当該各号に定める日から施行する。

一　第一条中銀行法第十七条の二を削る改正規定及び第四十七条第二項の改正規定（「、第十七条の二」を削る部分に限る。）、第三条中保険業法第百十二条の二を削る改正規定及び第二百七十条の六第二項第一号の改正規定、第四条中第五十五条の三を削る改正規定、第八条、第九条、第十三条並びに第十四条の規定並びに次条、附則第九条及び第十三条から第十六条までの規定　公布の日から起算して一月を経過した日

二　第十条から第十二条までの規定並びに附則第十条から第十二条まで及び第十七条の規定　公布の日から起算して三月を超えない範囲内において政令で定める日

第一条　この政令は、都市計画法及び建築基準法の一部を改正する法律（以下「改正法」という。）の施行の日（平成十三年五月十八日。以下「施行日」という。）から施行する。

附　則（抄）（平成一三年八月八日政令第二六一号）

（施行期日）

第一条　この政令は、都市緑地保全法の一部を改正する法律の施行の日（平成十三年八月二十四日）から施行する。

附　則（抄）（平成一四年一月二三日政令第一〇号）

（施行期日）

第一条　この政令は、平成十四年二月一日から施行する。

附　則（抄）（平成一四年五月三一日政令第一九一号）

この政令は、都市再生特別措置法の施行の日（平成十四年六月一日）から施行する。

附　則（抄）（平成一四年一一月一三日政令第三三一号）

（施行期日）

第一条　この政令は、建築基準法等の一部を改正する法律の施行の日（平成十五年一月一日）から施行する。

附　則（抄）（平成一四年一一月一三日政令第三三六号）

（施行期日）

第一条　この政令は、法の施行の日（平成十五年二月十五日）から施行する。

①　この省令は、都市計画法及び建築基準法の一部を改正する法律の施行の日（平成十三年五月十八日）から施行する。

附　則（抄）（平成一三年八月三日省令第一一五号）

（施行期日）

①　この省令は、法の施行の日（平成十三年八月五日）から施行する。

附　則（平成一四年二月一日省令第八号）

この省令は、公布の日から施行する。

附　則（平成一四年三月二七日省令第二七号）

この省令は、公布の日から施行する。

附　則（平成一四年八月二日省令第九三号）

この省令は、住民基本台帳法の一部を改正する法律の施行の日（平成十四年八月五日）から施行する。

附　則（平成一四年一二月二七日省令第一二一号）

この省令は、証券決済制度等の改革による証券市場の整備のための関係法律の整備等に関する法律の施行の日（平成十五年一月六日）から施行する。

附　則（平成一五年三月二〇日省令第二六号）

この省令は、公布の日から施行する。

附　則（抄）（平成一五年三月二六日省令第三六号）

（施行期日）

第一条　この省令は、公布の日から施行する。

附　則（平成一五年五月一三日省令第六五号）

この省令は、公布の日から施行する。

附　則（抄）（平成一五年一〇月一日省令第一〇九号）

（施行期日）

第一条　この省令は、公布の日から施行

（宅地建物取引業法の一部改正に伴う経過措置）

第十一条　信託業務を兼営する銀行で第十一条の規定の施行の際現に宅地建物取引業を営んでいるものについては、同条の規定による改正後の宅地建物取引業法第七十七条の規定にかかわらず、なお従前の例による。

（権限の委任）

第十三条　内閣総理大臣は、この附則の規定による権限（政令で定めるものを除く。）を金融庁長官に委任する。

②　前項の規定により金融庁長官に委任された権限については、政令で定めるところにより、その一部を財務局長又は財務支局長に委任することができる。

（処分等の効力）

第十四条　この法律の各改正規定の施行前に改正前のそれぞれの法律（これに基づく命令を含む。以下この条において同じ。）の規定によってした処分、手続その他の行為であって、改正後のそれぞれの法律の規定に相当の規定があるものは、この附則に別段の定めがあるものを除き、改正後のそれぞれの法律の相当の規定によってしたものとみなす。

（罰則に関する経過措置）

第十五条　この法律の各改正規定の施行前にした行為及びこの附則の規定によりなお従前の例によることとされる事項に係る各改正規定の施行後にした行為に対する罰則の適用については、それぞれなお従前の例による。

附　則（抄）（平成一五年二月五日政令第三四号）

（施行期日）

第一条　この政令は、自然公園法の一部を改正する法律の施行の日（平成十五年四月一日）から施行する。

附　則（抄）（平成一五年一二月一〇日政令第四九六号）

この政令は、平成十六年三月一日から施行する。

附　則（抄）（平成一五年一二月一七日政令第五二三号）

（施行期日）

第一条　この政令は、密集市街地における防災街区の整備の促進に関する法律等の一部を改正する法律の施行の日（平成十五年十二月十九日）から施行する。

附　則（抄）（平成一六年三月一九日政令第五〇号）

（施行期日）

第一条　この政令は、公布の日から施行する。ただし、附則第九条から第四十四条までの規定は、平成十六年四月一日から施行する。

附　則（抄）（平成一六年三月二四日政令第五四号）

この政令は、平成十六年三月三十一日から施行する。

附　則（抄）（平成一六年四月二一日政令第一六八号）

（施行期日）

第一条　この政令は、法の施行の日（平成十六年五月十五日）から施行する。

附　則（抄）

する。

（宅地建物取引業法施行規則の一部改正に伴う経過措置）

第六条　水資源開発公団が独立行政法人水資源機構法（平成十四年法律第百八十二号）附則第六条の規定による廃止前の水資源開発公団法（昭和三十六年法律第二百十八号）第三十九条第一項の規定により発行した水資源開発債券、日本鉄道建設公団が独立行政法人鉄道建設・運輸施設整備支援機構法（平成十四年法律第百八十号）附則第十四条の規定による廃止前の日本鉄道建設公団法（昭和三十九年法律第三号）第二十九条第一項の規定により発行した鉄道建設債券及び運輸施設整備事業団が独立行政法人鉄道建設・運輸施設整備支援機構法附則第十四条の規定による廃止前の運輸施設整備事業団法（平成九年法律第八十三号）第三十条第一項の規定により発行した運輸施設整備事業団債券は、第十一条の規定による改正後の宅地建物取引業法施行規則第十五条の二各号に規定する有価証券とみなす。

附　則（平成一六年二月一七日省令第四号）

この省令は、平成十六年三月一日から施行する。

附　則（平成一六年三月一六日省令第一七号）

①　この省令は、平成十六年四月一日から施行する。

②　この省令による改正後の建設業法施行規則、測量法施行規則、公共工事の前払金保証事業に関する法律施行規則、宅地建物取引業法施行規則、自動

（その他の経過措置の政令への委任）

第十六条　附則第二条から前条までに定めるもののほか、この法律の施行に関し必要な経過措置（罰則に係る経過措置を含む。）は、政令で定める。

附　則（抄）（平成一三年一二月五日法律第一三八号）

（施行期日）

第一条　この法律は、公布の日から起算して二十日を経過した日から施行する。

附　則（抄）（平成一四年五月二九日法律第四五号）

（施行期日）

①　この法律は、公布の日から起算して一年を超えない範囲内において政令で定める日から施行する。

附　則（抄）（平成一四年六月一二日法律第六五号）

（施行期日）

第一条　この法律は、平成十五年一月六日から施行する。

（罰則の適用に関する経過措置）

第八十四条　この法律（附則第一条各号に掲げる規定にあっては、当該規定。以下この条において同じ。）の施行前にした行為及びこの附則の規定によりなお従前の例によることとされる場合におけるこの法律の施行後にした行為に対する罰則の適用については、なお従前の例による。

（その他の経過措置の政令への委任）

第八十五条　この附則に規定するもののほか、この法律の施行に関し必要な経過措置は、政令で定める。

（平成一六年一二月一五日政令第三九六号）

（施行期日）

第一条　この政令は、都市緑地保全法等の一部を改正する法律（以下「改正法」という。）の施行の日（平成十六年十二月十七日。以下「施行日」という。）から施行する。

（処分、手続等の効力に関する経過措置）

第四条　改正法附則第二条から第五条まで及び前二条に規定するもののほか、施行日前に改正法による改正前のそれぞれの法律又はこの政令による改正前のそれぞれの政令の規定によってした処分、手続その他の行為であって、改正法による改正後のそれぞれの法律又はこの政令による改正後のそれぞれの政令に相当の規定があるものは、これらの規定によってした処分、手続その他の行為とみなす。

附　則（抄）（平成一六年一二月一五日政令第三九九号）

（施行期日）

第一条　この政令は、景観法の施行の日（平成十六年十二月十七日）から施行する。

附　則（抄）（平成一六年一二月二七日政令第四二二号）

この政令は、平成十七年四月一日から施行する。

附　則（抄）（平成一六年一二月二八日政令第四二九号）

（施行期日）

第一条　この政令は、法の施行の日（平成十六年十二月三十日）から施行する。

車道事業会計規則、積立式宅地建物販売業法施行規則、港湾運送事業会計規則及び東京湾横断道路事業会計規則の規定は、平成十六年三月三十一日以後に終了する事業年度に係る会計の整理又は書類について適用し、同日前に終了した事業年度に係るものについては、なお従前の例による。

附　則（抄）（平成一六年三月一二日省令第一九号）

（施行期日）

第一条　この省令は、公布の日から施行する。ただし、次条から附則第十一条までの規定は、平成十六年四月一日から施行する。

（宅地建物取引業法施行規則の一部改正に伴う経過措置）

第五条　新東京国際空港公団（以下「公団」という。）が法附則第二十条の規定による廃止前の新東京国際空港公団法（昭和四十年法律第百十五号。以下「公団法」という。）第二十九条第一項の規定により発行した新東京国際空港債券は、前条の規定による改正後の宅地建物取引業法施行規則第十五条の二各号に規定する有価証券とみなす。

附　則（平成一六年三月三一日省令第三四号）

この省令は、公布の日から施行する。

附　則（抄）（平成一六年六月一八日省令第七〇号）

（施行期日）

第一条　この省令は、平成十六年七月一日から施行する。

附則（抄）　（平成一四年七月三日法律第七九号）

（施行期日）

第一条　この法律は、平成十四年八月一日から施行する。

附則（抄）　（平成一五年六月一八日法律第九六号）

（施行期日）

第一条　この法律は、平成十六年三月一日から施行する。

（宅地建物取引業法の一部改正に伴う経過措置）

第八条　第七条の規定による改正後の宅地建物取引業法（以下この条において「新取引業法」という。）第十六条第三項の登録を受けようとする者は、第七条の規定の施行前においても、その申請を行うことができる。新取引業法第十七条の九第一項の規定による講習業務規程の届出についても、同様とする。

②　第七条の規定の施行の際現に同条の規定による改正前の宅地建物取引業法（以下この条において「旧取引業法」という。）第十六条第三項の指定を受けている者は、第七条の規定の施行の日から起算して六月を経過する日までの間は、新取引業法第十六条第三項の登録を受けているものとみなす。

③　第七条の規定の施行前三年以内に修了した旧取引業法第十六条第三項の指定を受けた者が同項の規定により行った講習は、その講習の課程を修了した日から起算して三年を経過する日までの間は、新取引業法第十六条第三項の登録を受けた者が同項の規定により行

附則（抄）　（平成一七年一月六日政令第五号）

（施行期日）

第一条　この政令は、平成十七年四月一日から施行する。

附則（抄）　（平成一七年五月二五日政令第一八二号）

この政令は、景観法附則ただし書に規定する規定の施行の日（平成十七年六月一日）から施行する。

附則（抄）　（平成一七年五月二七日政令第一九二号）

（施行期日）

第一条　この政令は、建築物の安全性及び市街地の防災機能の確保等を図るための建築基準法等の一部を改正する法律（以下「改正法」という。）の施行の日（平成十七年六月一日。附則第四条において「施行日」という。）から施行する。

附則（抄）　（平成一八年四月二六日政令第一八一号）

（施行期日）

第一条　この政令は、会社法の施行の日（平成十八年五月一日）から施行する。

附則（抄）　（平成一八年九月二二日政令第三一〇号）

（施行期日）

①　この政令は、宅地造成等規制法等の一部を改正する法律の施行の日（平成十八年九月三十日）から施行する。

附則（抄）　（平成一八年一一月六日政令第三五〇号）

この政令は、都市の秩序ある整備を図るための都市計画法等の一部を改正する

（宅地建物取引業法施行規則の一部改正に伴う経過措置）

第二十一条　都市公団が旧都市公団法第五十五条第一項の規定により発行した都市基盤整備債券は、前条の規定による改正後の宅地建物取引業法施行規則第十五条の二各号に規定する有価証券とみなす。

附則（抄）　（平成一六年六月三〇日省令第七四号）

（施行期日）

第一条　この省令は、独立行政法人中小企業基盤整備機構の成立の時から施行する。

（宅地建物取引業法施行規則の一部改正に伴う経過措置）

第二条　地域振興整備公団が中小企業金融公庫法及び独立行政法人中小企業基盤整備機構法の一部を改正する法律（平成十六年法律第三十五号）附則第八条の規定による廃止前の地域振興整備公団法（昭和三十七年法律第九十五号。次条において「旧地域公団法」という。）第二十六条第一項の規定により発行した地域振興整備債券は、第二条の規定による改正後の宅地建物取引業法施行規則第十五条の二各号に規定する有価証券とみなす。

附則　（平成一六年一二月二八日省令第一一一号）

この省令は、信託業法の施行の日（平成十六年十二月三十日）から施行する。

附則　（平成一六年一二月二八日省令第一一四号）

この省令は、破産法の施行の日（平成

う講習とみなす。

（処分、手続等の効力に関する経過措置）

第十四条　附則第二条から前条までに規定するもののほか、この法律の施行前にこの法律による改正前のそれぞれの法律（これに基づく命令を含む。）の規定によってした処分、手続その他の行為であって、この法律による改正後のそれぞれの法律（これに基づく命令を含む。）中相当する規定があるものは、これらの規定によってした処分、手続その他の行為とみなす。

（罰則の適用に関する経過措置）

第十五条　この法律の施行前にした行為及びこの附則の規定によりなお従前の例によることとされる場合におけるこの法律の施行後にした行為に対する罰則の適用については、なお従前の例による。

（その他の経過措置の政令への委任）

第十六条　附則第二条から前条までに定めるもののほか、この法律の施行に関し必要となる経過措置（罰則に関する経過措置を含む。）は、政令で定める。

附　則（抄）（平成一六年六月二日法律第七六号）

（施行期日）

第一条　この法律は、破産法（平成十六年法律第七十五号。次条第八項並びに附則第三条第八項、第五条第八項、第十六項及び第二十一項、第八条第三項並びに第十三条において「新破産法」という。）の施行の日から施行する。

（政令への委任）

第十四条　附則第二条から前条までに規

法律の施行の日（平成十九年十一月三十日）から施行する。

附　則（抄）（平成一八年一二月八日政令第三七九号）

（施行期日）

第一条　この政令は、法の施行の日（平成十八年十二月二十日）から施行する。

附　則（抄）（平成一九年八月三日政令第二三三号）

（施行期日）

第一条　この政令は、改正法の施行の日から施行する。

附　則（抄）（平成一九年九月二五日政令第三〇四号）

（施行期日）

①　この政令は、都市再生特別措置法等の一部を改正する法律の施行の日（平成十九年九月二十八日）から施行する。

附　則（抄）（平成二〇年五月二一日政令第一八〇号）

（施行期日）

第一条　この政令は、平成二十年十月一日から施行する。

附　則（抄）（平成二〇年七月二五日政令第二三七号）

（施行期日）

第一条　この政令は、平成二十年十月一日から施行する。

附　則（抄）（平成二〇年一〇月三一日政令第三三八号）

（施行期日）

①　この政令は、地域における歴史的風致の維持及び向上に関する法律の施行の日（平成二十年十一月四日）から施行する。

十七年一月一日）から施行する。

附　則（抄）（平成一七年三月七日省令第一二号）

（施行期日）

第一条　この省令は、公布の日から施行する。

附　則（平成一七年三月二八日省令第二一号）

この省令は、民法の一部を改正する法律の施行の日（平成十七年四月一日）から施行する。

附　則（抄）（平成一七年六月一日省令第六六号）

この省令は、法の施行の日（平成十七年十月一日）から施行する。

附　則（平成一七年七月一日省令第七七号）

この省令は、公布の日から施行する。

附　則（平成一八年三月一三日省令第九号）

この省令は、平成十八年四月二十四日から施行する。

附　則（抄）（平成一八年三月三一日省令第二五号）

（施行期日）

第一条　この省令は、公布の日から施行する。

（宅地建物取引業法施行規則の一部改正に伴う経過措置）

第二条　この省令の施行の際現に第一条の規定による改正前の宅地建物取引業法施行規則（次項において「旧規則」という。）第十三条の十六第一項第一号の指定を受けている講習は、この省令の施行の日から起算して一年を経過する日までの間は、第一条の規定による改正後の宅地建物取引業法施行規則（次項において「新規則」という。）第

定するもののほか、この法律の施行に関し必要な経過措置は、政令で定める。

附　則（抄）（平成一六年六月九日法律第八八号）

（施行期日）

第一条　この法律は、公布の日から起算して五年を超えない範囲内において政令で定める日（以下「施行日」という。）から施行する。

（罰則の適用に関する経過措置）

第百三十五条　この法律の施行前にした行為並びにこの附則の規定によりなお従前の例によることとされる場合及びなおその効力を有することとされる場合におけるこの法律の施行後にした行為に対する罰則の適用については、なお従前の例による。

（その他の経過措置の政令への委任）

第百三十六条　この附則に規定するもののほか、この法律の施行に関し必要な経過措置は、政令で定める。

附　則（抄）（平成一六年六月一八日法律第一二四号）

（施行期日）

第一条　この法律は、新不動産登記法の施行の日から施行する。

附　則（抄）（平成一六年一二月一日法律第一四七号）

（施行期日）

第一条　この法律は、公布の日から起算して六月を超えない範囲内において政令で定める日から施行する。

附　則（抄）（平成一六年一二月三日法律第一五四号）

（施行期日）

附　則（抄）（平成二〇年一二月三日政令第三六四号）

（施行期日）

①　この政令は、平成二十一年四月一日から施行する。

附　則（抄）（平成二一年八月一四日政令第二〇八号）

この政令は、都市再生特別措置法及び都市開発資金の貸付けに関する法律の一部を改正する法律の施行の日（平成二十一年十月一日）から施行する。

附　則（抄）（平成二一年八月一四日政令第二一七号）

（施行期日）

①　この政令は、消費者庁及び消費者委員会設置法の施行の日（平成二十一年九月一日）から施行する。

附　則（抄）（平成二一年一〇月一五日政令第二四六号）

（施行期日）

①　この政令は、土壌汚染対策法の一部を改正する法律の施行の日（平成二十二年四月一日）から施行する。

附　則（抄）（平成二一年一二月一一日政令第二八五号）

（施行期日）

第一条　この政令は、農地法等の一部を改正する法律（以下「改正法」という。）の施行の日（平成二十一年十二月十五日）から施行する。

（宅地建物取引業法施行令の一部改正に伴う経過措置）

第二十一条　改正法附則第六条第四項の規定によりなお従前の例によることとされる場合における旧農地法第七十三条の十六第一号の登録を受けているものとみなす。

②　この省令の施行前に旧規則第十三条の十六第一項第一号の指定を受けた講習を修了した者は、新規則第十三条の十六第一号に該当する者とみなす。

附　則（平成一八年四月二八日省令第六〇号）

（施行期日）

①　この省令は、会社法の施行の日（平成十八年五月一日）から施行する。

（経過措置）

②　この省令の施行の際現にあるこの省令による改正前の様式又は書式による申請書その他の文書は、この省令による改正後のそれぞれの様式又は書式にかかわらず、当分の間、なおこれを使用することができる。

③　この省令の施行前にこの省令による改正前のそれぞれの省令の規定によってした処分、手続その他の行為であって、この省令による改正後のそれぞれの省令の規定に相当の規定があるものは、これらの規定によってした処分、手続その他の行為とみなす。

附　則（抄）（平成一八年九月二〇日省令第八八号）

（施行期日）

第一条　この省令は、平成十八年十月一日から施行する。

附　則（平成一八年九月二七日省令第九〇号）

この省令は、宅地造成等規制法等の一部を改正する法律の施行の日（平成十八年九月三十日）から施行する。

附　則（平成一八年一二月一日省令第一〇七号）

この省令は、平成十八年十二月二十日

第一条　この法律は、公布の日から起算して六月を超えない範囲内において政令で定める日（以下「施行日」という。）から施行する。

（処分等の効力）

第百二十一条　この法律の施行前のそれぞれの法律（これに基づく命令を含む。以下この条において同じ。）の規定によってした処分、手続その他の行為であって、改正後のそれぞれの法律の規定に相当の規定があるものは、この附則に別段の定めがあるものを除き、改正後のそれぞれの法律の相当の規定によってしたものとみなす。

（罰則に関する経過措置）

第百二十二条　この法律の施行前にした行為並びにこの附則の規定によりなお従前の例によることとされる場合及びこの附則の規定によりなおその効力を有することとされる場合におけるこの法律の施行後にした行為に対する罰則の適用については、なお従前の例による。

（その他の経過措置の政令への委任）

第百二十三条　この附則に規定するもののほか、この法律の施行に伴い必要な経過措置は、政令で定める。

附　則（抄）（平成一七年七月二六日法律第八七号）

この法律は、会社法の施行の日から施行する。（以下略）

附　則（抄）（平成一七年一〇月二一日法律第一〇二号）

（施行期日）

第一条　この法律は、郵政民営化法の施

条第一項の規定に基づく土地等の処分の制限については、前条の規定による改正後の宅地建物取引業法施行令第二条の五及び第三条第一項の規定にかかわらず、なお従前の例による。

附　則（抄）（平成二二年二月一五日政令第一三号）

（施行期日）

第一条　この政令は、自然公園法及び自然環境保全法の一部を改正する法律（以下「改正法」という。）の施行の日（平成二十二年四月一日）から施行する。

附　則（抄）（平成二三年一二月二一日政令第四〇九号）

（施行期日）

第一条　この政令は、法の施行の日（平成二十三年十二月二十六日）から施行する。

附　則（抄）（平成二三年一二月二六日政令第四二七号）

この政令は、津波防災地域づくりに関する法律の施行の日（平成二十三年十二月二十七日）から施行する。

附　則（抄）（平成二四年六月一日政令第一五八号）

この政令は、津波防災地域づくりに関する法律附則ただし書に規定する規定の施行の日（平成二十四年六月十三日）から施行する。

附　則（抄）（平成二四年六月二九日政令第一七八号）

（施行期日）

①　この政令は、都市再生特別措置法の一部を改正する法律の施行の日（平成二十四年七月一日）から施行する。

から施行する。

附　則（抄）（平成一九年三月三〇日省令第二七号）

（施行期日）

①　この省令は、平成十九年四月一日から施行する。

（助教授の在職に関する経過措置）

②　この省令の規定による改正後の次に掲げる省令の規定の適用については、この省令の施行前における助教授としての在職は、准教授としての在職とみなす。

一から五まで　略

六　宅地建物取引業法施行規則第十三条の五

附　則（平成一九年四月六日省令第五五号）

①　この省令は、公布の日から施行する。

②　この省令による改正後の宅地建物取引業法施行規則の規定は、平成十八年五月一日以後に決算期の到来した事業年度に係る書類について適用する。

附　則（平成一九年七月一〇日省令第七〇号）

この省令は、公布の日から施行する。

附　則（平成一九年八月六日省令第七七号）

この省令は、証券取引法等の一部を改正する法律（平成十八年法律第六十五号）の施行の日（平成十九年九月三十日）から施行する。

附　則（抄）（平成二〇年三月二四日省令第一〇号）

（施行期日）

第一条　この省令は、法の施行の日（平成二十年四月一日）から施行する。ただし、第二章、第三章及び第四十二条第一項並びに附則第三条及び附則第四

行の日から施行する。（以下略）

附　則（抄）　（平成一八年六月二日法律第五〇号）

この法律は、一般社団・財団法人法の施行の日から施行する。

附　則（抄）　（平成一八年六月一四日法律第六六号）

この法律は、平成十八年証券取引法改正法の施行の日から施行する。

附　則（抄）　（平成一八年六月二一日法律第九二号）

（施行期日）

第一条　この法律は、公布の日から起算して一年を超えない範囲内において政令で定める日から施行する。ただし、次の各号に掲げる規定は、当該各号に定める日から施行する。

一　第三条、第四条並びに附則第五条から第七条まで及び第十一条の規定　公布の日から起算して六月を超えない範囲内において政令で定める日

（宅地建物取引業法の一部改正に伴う経過措置）

第六条　附則第一条第一号に掲げる規定の施行の際現に第四条の規定による改正前の宅地建物取引業法第三条第一項の免許を受けている者に対する免許の取消しその他の監督上の処分に関しては、同号に掲げる規定の施行前に生じた事由については、なお従前の例による。

（政令への委任）

第七条　この附則に定めるもののほか、この法律の施行に関して必要な経過措置（罰則に関する経過措置を含む。）は、

附　則（抄）　（平成二四年一一月三〇日政令第二八六号）

（施行期日）

第一条　この政令は、法の施行の日（平成二十四年十二月四日）から施行する。

附　則（抄）　（平成二五年八月一九日政令第二三七号）

（施行期日）

第一条　この政令は、法附則第一条ただし書に規定する規定の施行の日（平成二十五年八月二十日）から施行する。

附　則（抄）　（平成二五年九月二六日政令第二八五号）

（施行期日）

第一条　この政令は、災害対策基本法等の一部を改正する法律附則第一条第一号に掲げる規定の施行の日（平成二十五年十月一日）から施行する。ただし、第一条（災害対策基本法施行令第三十五条第一号、第三号及び第五号並びに第四十三条第一項の改正規定を除く。）、第五条及び第九条の規定は、同法附則第一条第二号に掲げる規定の施行の日（平成二十六年四月一日）から施行する。

附　則（抄）　（平成二五年一一月二九日政令第三二三号）

（施行期日）

① この政令は、港湾法の一部を改正する法律（平成二十五年法律第三十一号）附則第一条第一号に掲げる規定の施行の日（平成二十五年十二月一日）から施行する。

附　則（抄）　（平成二六年一月二四日政令第一五号）

条の規定は、法附則第一条ただし書に規定する規定の施行の日（平成二十一年十月一日）から施行する。

附　則（抄）　（平成二〇年一二月一日省令第九七号）

（施行期日）

① この省令は、公布の日から施行する。

附　則　（平成二一年四月一日省令第三〇号）

この省令は、公布の日から施行する。

附　則　（平成二一年八月二六日省令第五一号）

この省令は、特定住宅瑕疵担保責任の履行の確保等に関する法律附則第一条ただし書に規定する規定の施行の日（平成二十一年十月一日）から施行する。ただし、附則第四条の改正規定は、公布の日から施行する。

附　則　（平成二二年三月三一日省令第一二号）

この省令は、平成二十二年四月一日から施行する。

附　則　（平成二三年五月九日省令第四一号）

この省令は、公布の日から施行する。

附　則　（平成二三年八月一二日省令第六四号）

この省令は、高齢者の居住の安定確保に関する法律等の一部を改正する法律の施行の日（平成二十三年十月二十日）から施行する。

附　則　（平成二三年八月三一日内閣府・国土交通省令第一号）

この命令は、平成二十三年十月一日から施行する。

附　則　（平成二三年一二月二六日内閣府・国土交通省令第七号）

この命令は、津波防災地域づくりに関する法律の施行の日（平成二十三年十二月二十七日）から施行する。

政令で定める。

（検討）

第八条 政府は、この法律の施行後五年を経過した場合において、第一条から第四条までの規定による改正後の規定の施行の状況について検討を加え、必要があると認めるときは、その結果に基づいて必要な措置を講ずるものとする。

附則（抄）（平成一九年五月三〇日法律第六六号）

（施行期日）

第一条 この法律は、公布の日から起算して一年を超えない範囲内で政令で定める日から施行する。ただし、第二章、第三章、第三十九条、第四十一条及び第四十三条並びに附則第三条、第四条、第六条及び第七条の規定は、公布の日から起算して二年六月を超えない範囲内で政令で定める日から施行する。

附則（抄）（平成二〇年五月二日法律第二八号）

（施行期日）

第一条 この法律は、公布の日から施行する。

附則（抄）（平成二一年六月五日法律第四九号）

（施行期日）

第一条 この法律は、消費者庁及び消費者委員会設置法（平成二十一年法律第四十八号）の施行の日から施行する。ただし、次の各号に掲げる規定は、当該各号に定める日から施行する。

一 附則第九条の規定 この法律の公布の日

（施行期日）

① この政令は、金融商品取引法等の一部を改正する法律の施行の日（平成二十六年四月一日）から施行する。

附則（抄）（平成二六年五月二八日政令第一八七号）

（施行期日）

第一条 この政令は、道路法等の一部を改正する法律附則第一条ただし書に規定する規定の施行の日（平成二十六年五月三十日）から施行する。

附則（抄）（平成二六年七月二日政令第二三九号）

この政令は、都市再生特別措置法等の一部を改正する法律の施行の日（平成二十六年八月一日）から施行する。

附則（抄）（平成二六年八月二〇日政令第二八三号）

（施行期日）

① この政令は、マンションの建替えの円滑化等に関する法律の一部を改正する法律の施行の日（平成二十六年十二月二十四日）から施行する。

附則（平成二四年三月一五日省令第一七号）

この省令は、民法等の一部を改正する法律の施行の日（平成二十四年四月一日）から施行する。

附則（平成二四年四月二四日省令第五一号）

この省令は、公布の日から施行する。

附則（平成二五年四月一日省令第一九号）

（施行期日）

① この省令は、平成二十五年四月一日から施行する。

（経過措置）

② この省令による改正後の宅地建物取引業法施行規則の規定は、平成二十四年四月一日以後に開始した事業年度に係る決算期に関して作成すべき書類について適用し、同日前に開始した事業年度に係る決算期に関して作成すべき書類については、なお従前の例によることができる。

附則（平成二五年九月一三日省令第七六号）

この省令は、地域の自主性及び自立性を高めるための改革の推進を図るための関係法律の整備に関する法律附則第一条第一号に掲げる規定の施行の日（平成二十五年九月十四日）から施行する。

附則（平成二六年一〇月一日省令第七九号）

（施行期日）

① この省令は、宅地建物取引業法の一部を改正する法律（平成二十六年法律第八十一号）の施行の日（平成二十七年四月一日）から施行する。

（経過措置）

② この省令による改正後の宅地建物取引業法施行規則別記様式第十五号及び第十六号の四並びに積立式宅地建物販

（罰則の適用に関する経過措置）

第八条　この法律の施行前にした行為及びこの法律の附則においてなお従前の例によることとされる場合におけるこの法律の施行後にした行為に対する罰則の適用については、なお従前の例による。

（政令への委任）

第九条　附則第二条から前条までに定めるもののほか、この法律の施行に関し必要な経過措置（罰則に関する経過措置を含む。）は、政令で定める。

附　則（抄）（平成二三年六月三日法律第六一号）

（施行期日）

第一条　この法律は、公布の日から起算して一年を超えない範囲内において政令で定める日（以下「施行日」という。）から施行する。

附　則（抄）（平成二三年六月二四日法律第七四号）

（施行期日）

第一条　この法律は、公布の日から起算して二十日を経過した日から施行する。

附　則（抄）（平成二四年八月一日法律第五三号）

（施行期日）

第一条　この法律は、公布の日から起算して三月を超えない範囲内において政令で定める日から施行する。ただし、次の各号に掲げる規定は、当該各号に定める日から施行する。

一　第二条の規定並びに附則第五条、第七条、第十条、第十二条、第十四条、第

売業法施行規則別記様式第十は、平成二十七年三月三十一日以後に終了する事業年度に係る事業報告書について適用し、同日前に終了した事業年度に係るものについては、なお従前の例による。

附　則（抄）（平成二七年一月一六日省令第二号）

（施行期日）

第一条　この省令は、土砂災害警戒区域等における土砂災害防止対策の推進に関する法律の一部を改正する法律の施行の日（平成二十七年一月十八日）から施行する。

附　則（抄）（平成二七年一二月九日省令第八二号）

（施行期日）

第一条　この省令は、公布の日から施行する。ただし、第三条、第八条、第十七条、第二十四条及び第二十五条の規定は、行政手続における特定の個人を識別するための番号の利用等に関する法律（平成二十五年法律第二十七号。以下「番号利用法」という。）附則第一条第四号に掲げる規定の施行の日（平成二十八年一月一日）から施行する。

（宅地建物取引業法施行規則の一部改正に伴う経過措置）

第五条　当分の間、第二十四条及び第二十五条の規定による改正後の宅地建物取引業法施行規則第一条の二第二項、第十条の二第二項、第十四条の三第四項及び第十九条の二第三項の規定の適用については、同令第一条の二第

第十六条、第十八条、第二十条、第二十三条、第二十八条及び第三十一条第二項の規定　公布の日から起算して六月を超えない範囲内において政令で定める日

附　則（抄）（平成二五年六月二一日法律第五六号）

（施行期日）
第一条　この法律は、公布の日から起算して六月を超えない範囲内において政令で定める日から施行する。

附　則（抄）（平成二五年一一月二七日法律第八六号）

（施行期日）
第一条　この法律は、公布の日から起算して六月を超えない範囲内において政令で定める日から施行する。

附　則（抄）（平成二六年六月一三日法律第六九号）

（施行期日）
第一条　この法律は、行政不服審査法（平成二十六年法律第六十八号）の施行の日から施行する。

附　則（抄）（平成二六年六月二五日法律第八一号）

（施行期日）
第一条　この法律は、公布の日から起算して一年を超えない範囲内において政令で定める日から施行する。

宅地建物取引業法の一部を改正する法律の施行期日を定める政令

（平成二六年一〇月一日政令第三二二号）

内閣は、宅地建物取引業法の一部を改正する法律（平成二十六年法律第八十一号）附則第一条の規定に基づき、この政令を制定する。

宅地建物取引業法の一部を改正する法律の施行期日は、平成二十七年四月一日とする。

二項中「のうち住民票コード（同法第七条第十三号に規定する住民票コードをいう。以下同じ。）以外のものについて」とあるのは「について」と、同令第十条の二第二項、第十四条の三第四項及び第十九条の二第三項中「のうち住民票コード以外のものについて」とあるのは「について」とする。

附　則（平成二九年三月二八日省令第一三号）

（施行期日）
第一条　この省令は、宅地建物取引業法の一部を改正する法律の施行の日（平成二十九年四月一日）から施行する。ただし、第二条の規定は、平成三十年四月一日から施行する。

（経過措置）
第二条　この省令による改正後の宅地建物取引業法施行規則別記様式第二十二号は、平成二十九年三月三十一日以後に終了する事業年度に係る事業報告書について適用し、同日前に終了した事業年度に係るものについては、なお従前の例による。

（宅地建物取引主任者資格試験に合格した者に関する経過措置）
第二条 この法律の施行前にこの法律による改正前の宅地建物取引業法（以下「旧法」という。）第十六条第一項の宅地建物取引主任者資格試験に合格した者は、この法律による改正後の宅地建物取引業法（以下「新法」という。）第十六条第一項の宅地建物取引士資格試験に合格した者とみなす。

（秘密保持義務に関する経過措置）
第三条 旧法第十六条の二第一項の試験事務に従事する旧法第十六条の四第二項の指定試験機関の役員若しくは職員（旧法第十六条の七第一項の試験委員を含む。）又はこれらの職にあった者に係る当該試験事務に関して知り得た秘密を漏らしてはならない義務については、この法律の施行後も、なお従前の例による。

（取引主任者証に関する経過措置）
第四条 この法律の施行の際現に交付されている旧法第二十二条の二第一項の宅地建物取引主任者証は、新法第二十二条の二第一項の宅地建物取引士証とみなす。

（処分、手続等に関する経過措置）
第八条 この法律の施行前にこの法律による改正前のそれぞれの法律（これに基づく命令を含む。以下この条において同じ。）の規定によってした処分、手続その他の行為であって、この法律による改正後のそれぞれの法律の規定に相当の規定があるものは、この附則に別段の定めがあるものを除き、この

附　則（抄）（平成二七年一月一五日政令第六号）

この政令は、土砂災害警戒区域等における土砂災害防止対策の推進に関する法律の一部を改正する法律の施行の日（平成二十七年一月十八日）から施行する。

附　則（抄）（平成二七年一月二一日政令第一一号）

（施行期日）
第一条 この政令は、建築基準法の一部を改正する法律の施行の日（平成二十七年六月一日）から施行する。

附　則（抄）（平成二七年七月一七日政令第二七三号）

この政令は、水防法等の一部を改正する法律の施行の日（平成二十七年七月十九日）から施行する。

附　則（抄）（平成二七年八月七日政令第二八九号）

（施行期日）
① この政令は、地域再生法の一部を改正する法律の施行の日（平成二十七年八月十日）から施行する。

附　則（抄）（平成二八年一月二九日政令第二七号）

（施行期日）
第一条 この政令は、平成二十八年四月一日から施行する。

附　則（抄）（平成二八年八月二九日政令第二八八号）

この政令は、都市再生特別措置法等の一部を改正する法律の施行の日（平成二十八年九月一日）から施行する。

法律による改正後のそれぞれの法律の相当の規定によってしたものとみなす。

（罰則に関する経過措置）

第九条　この法律の施行前にした行為及び附則第三条の規定によりなお従前の例によることとされる事項に係るこの法律の施行後にした行為に対する罰則の適用については、なお従前の例による。

（政令への委任）

第十条　この附則に定めるもののほか、この法律の施行に関して必要な経過措置（罰則に関する経過措置を含む。）は、政令で定める。

附　則（平成二八年六月三日法律第五六号）

（施行期日）

第一条　この法律は、公布の日から起算して一年を超えない範囲内において政令で定める日から施行する。ただし、第三十四条の二第一項の改正規定、第三十五条第一項第六号の次に一号を加える改正規定及び第三十七条第一項第二号の次に一号を加える改正規定並びに附則第三条の規定は、公布の日から起算して二年を超えない範囲内において政令で定める日から施行する。

（経過措置）

第二条　この法律の施行の日（以下「施行日」という。）前に宅地建物取引業

宅地建物取引業法の一部を改正する法律の施行期日を定める政令

（平成二八年一二月二六日政令第三九四号）

内閣は、宅地建物取引業法の一部を改正する法律（平成二十八年法律第五十六号）附則第一条の規定に基づき、この政令を制定する。

宅地建物取引業法の一部を改正する法律（附則第一条ただし書に規定する規定を除く。）の施行期日は平成二十九年四月一日とし、同条ただし書に規定する規定の施行期日は平成三十年四月一日とする。

附　則（抄）（平成二九年六月一四日政令第一五六号）

（施行期日）

第一条　この政令は、都市緑地法等の一

に関する取引がされた場合におけるその取引により生じた債権に係る営業保証金の還付及び弁済業務保証金の還付については、この法律による改正後の宅地建物取引業法（以下「新法」という。）第二十七条第一項及び第六十四条の八第一項の規定にかかわらず、なお従前の例による。

② 新法第三十四条の二第八項の規定は、施行日前に締結された宅地又は建物の売買又は交換の媒介の契約（以下「媒介契約」という。）については、適用しない。

③ 施行日前に締結された媒介契約については、新法第三十四条の二第十項の規定にかかわらず、なお従前の例による。

④ 施行日前に宅地建物取引業に関する取引がされた場合におけるその取引により生じた債権に係る弁済については、新法第六十四条の三第一項の規定にかかわらず、なお従前の例による。

第三条 附則第一条ただし書に規定する規定の施行の日（次項において「一部施行日」という。）前に締結された媒介契約に係る書面の交付については、新法第三十四条の二第一項の規定にかかわらず、なお従前の例による。

② 一部施行日前に宅地又は建物の売買又は交換の契約が締結され又は成立した場合におけるその契約に係る書面の交付については、新法第三十七条第一項の規定にかかわらず、なお従前の例による。

（罰則に関する経過措置）

部を改正する法律の施行の日（平成二十九年六月十五日）から施行する。ただし、第一条の規定、第二条中都市公園法施行令第十条を同令第十条の二とし、同令第二章中同条の前に一条を加える改正規定並びに第五条から第十六条まで及び第十八条から第二十二条までの規定は、同法附則第一条第二号に掲げる規定の施行の日（平成三十年四月一日）から施行する。

附　則（抄）（平成二九年六月一四日政令第一五八号）

（施行期日）

① この政令は、水防法等の一部を改正する法律の施行の日（平成二十九年六月十九日）から施行する。

附　則（抄）（平成二九年七月七日政令第一八八号）

この政令は、港湾法の一部を改正する法律の施行の日（平成二十九年七月八日）から施行する。

附　則（令和元年五月七日省令第一号）

この省令は、公布の日から施行する。

附　則（令和元年六月二〇日省令第一五号）

（施行期日）

第一条 この省令は、建築基準法の一部を改正する法律の施行の日（令和元年六月二十五日）から施行する。

（経過措置）

第二条 この省令の施行の際現にある第一条の規定による改正前の様式による用紙は、当分の間、これを取り繕って使用することができる。

② この省令の施行の際現に第三条の規定による改正前の建築基準法に基づく指定建築基準適合判定資格者検定機関等に関する省令（次項において「旧機関省令」という。）第五十九条第一号、第四号又は第十四号に掲げる区分に従い建築基準法第六十八条の二十五第三項の規定による指定を受けている者は、それぞれ施行日に第三条の規定による改正後の建築基準法に基づく指定建築基準適合判定資格者検定機関等に関する省令（次項において「新機関省令」という。）第五十九条第一号、第四号又は第十四号に掲げる区分に従い同項の規定による指定を受けた者とみなす。

③ この省令の施行の際現に旧機関省令第五十九条第三号の二に掲げる区分に従い建築基準法第六十八条の二十五第三項の規定による指定を受けている者は、施行日に新機関省令第五十九条第一号及び第三号の二に掲げる区分に従い同項の規定による指定を受けた者と

第四条　施行日前にした行為に対する罰則の適用については、なお従前の例による。

（政令への委任）

第五条　前三条に定めるもののほか、この法律の施行に関して必要な経過措置は、政令で定める。

（検　討）

第六条　政府は、この法律の施行後五年を経過した場合において、新法の施行の状況について検討を加え、その結果に基づいて必要な措置を講ずるものとする。

附　則（平成二九年六月二日法律第四五号）

この法律は、民法改正法の施行の日（令和2年4月1日）から施行する。（以下略）

附　則（抄）（平成二九年六月二日法律第四六号）

（施行期日）

第一条　この法律は、公布の日から起算して六月を超えない範囲内において政令で定める日から施行する。

（罰則に関する経過措置）

第十五条　この法律の施行前にした行為及びこの附則の規定によりなお従前の例によることとされる場合におけるこの法律の施行後にした行為に対する罰則の適用については、なお従前の例による。

（政令への委任）

第十六条　この附則に定めるもののほか、この法律の施行に関し必要な経過

不動産特定共同事業法の一部を改正する法律の施行期日を定める政令

（平成二九年八月一四日政令第二二〇号）

不動産特定共同事業法の一部を改正する法律の施行期日は、平成二十九年十二月一日とする。

附　則（抄）（平成三〇年六月一日政令第一七八号）

この政令は、公布の日から施行する。

附　則（抄）（平成三〇年七月一一日政令第二〇二号）

この政令は、都市再生特別措置法等の一部を改正する法律の施行の日（平成三十年七月十五日）から施行する。

みなす。

附　則（令和元年六月二八日省令第二〇号）

この省令は、不正競争防止法等の一部を改正する法律の施行の日（令和元年七月一日）から施行する。

附　則（抄）（令和元年九月一三日省令第三四号）

（施行期日）

第一条　この省令は、成年被後見人等の権利の制限に係る措置の適正化等を図るための関係法律の整備に関する法律（以下「整備法」という。）の施行の日（令和元年九月十四日）から施行する。（以下略）

附　則（令和元年一二月一六日省令第四七号）

（施行期日）

第一条　この省令は、情報通信技術の活用による行政手続等に係る関係者の利便性の向上並びに行政運営の簡素化及び効率化を図るための行政手続等における情報通信の技術の利用に関する法律等の一部を改正する法律の施行の日（令和元年十二月十六日）から施行する。

附　則（令和元年一二月二七日省令第五二号）

この省令は、民法の一部を改正する法律の施行の日（令和二年四月一日）から施行する。

附　則（令和二年七月一七日内閣府・国土交通省令第二号）

この命令は、令和二年八月二十八日から施行する。

措置（罰則に関する経過措置を含む。）は、政令で定める。

（検討）

第十七条　政府は、この法律の施行後五年を経過した場合において、新法の施行の状況について検討を加え、必要があると認めるときは、その結果に基づいて所要の措置を講ずるものとする。

附　則（抄）（令和元年六月七日法律第二八号）

（施行期日）

第一条　この法律は、公布の日から起算して一年を超えない範囲内において政令で定める日から施行する。ただし、附則第三十一条の規定は、公布の日から施行する。

附　則（抄）（令和元年六月一四日法律第三七号）

（施行期日）

第一条　この法律は、公布の日から起算して三月を経過した日から施行する。

附　則（抄）（令和二年三月三一日法律第八号）

（施行期日）

第一条　この法律は、令和二年四月一日から施行する。ただし、次の各号に掲げる規定は、当該各号に定める日から施行する。

一から四まで　略

五　次に掲げる規定　令和四年四月一日

イ　略

ロ　第三条の規定（同条中法人税法第五十二条第一項の改正規定（同項第一号に係る部分を除く。）及び同法第五十四条第一項の改正規定を除く。）並びに附則第十四条から第十八条まで、第二十条から第三十七条まで、第

附　則（抄）（平成三〇年九月一二日政令第二五五号）

（施行期日）

①　この政令は、建築基準法の一部を改正する法律附則第一条第二号に掲げる規定の施行の日（平成三十年九月二十五日）から施行する。

附　則（抄）（平成三〇年九月二八日政令第二八〇号）

（施行期日）

第一条　この政令は、道路法等の一部を改正する法律の施行の日（平成三十年九月三十日）から施行する。

附　則（抄）（平成三〇年九月二八日政令第二八一号）

この政令は、原子力利用における安全対策の強化のための核原料物質、核燃料物質及び原子炉の規制に関する法律等の一部を改正する法律附則第一条第四号に掲げる規定の施行の日（平成三十年十月一日）から施行する。

附　則（抄）（平成三〇年一〇月一九日政令第二九八号）

（施行期日）

①　この政令は、高齢者、障害者等の移動等の円滑化の促進に関する法律の一部を改正する法律（平成三十年法律第三十二号）の施行の日（平成三十年十一月一日）から施行する。ただし、次の各号に掲げる規定は、当該各号に定める日から施行する。

一　第二十四条（見出しを含む。）の改正規定及び附則第三項の規定　平成三十一年四月一日

附　則（抄）

附　則（抄）（令和二年一二月二三日省令第九八号）

（施行期日）

1　この省令は、令和三年一月一日から施行する。

（経過措置）

②　この省令の施行の際現にあるこの省令による改正前の様式による用紙は、当分の間、これを取り繕って使用することができる。

附　則（抄）（令和三年八月三一日国土交通省令第五三号）

（施行期日）

1　この省令は、令和三年九月一日から施行する。

（経過措置）

②　この省令の施行の際現にあるこの省令による改正前の様式による用紙は、当分の間、これを取り繕って使用することができる。

附　則（令和四年四月二七日内閣府・国土交通省令第三号）

この命令は、デジタル社会の形成を図るための関係法律の整備に関する法律附則第一条第四号に掲げる規定（同法第十七条及び第四十四条の規定に限る。）の施行の日（令和四年五月十八日）から施行する。

附　則（抄）（令和四年四月二七日国土交通省令第四三号）

（施行期日）

1　この省令は、デジタル社会の形成を図るための関係法律の整備に関する法律附則第一条第四号に掲げる規定（同法第十七条及び第四十四条の規定に限

百三十九条（地価税法（平成三年法律第六十九号）第三十二条第五項の改正規定に限る。）、第百四十三条、第百五十条（地方自治法（昭和二十二年法律第六十七号）第二百六十条の二第十六項の改正規定に限る。）、第百五十一条から第百五十六条まで、第百五十九条から第百六十二条まで、第百六十三条（銀行等の株式等の保有の制限等に関する法律（平成十三年法律第百三十一号）第五十八条第一項の改正規定に限る。）、第百六十四条、第百六十五条及び第百六十七条の規定

（罰則に関する経過措置）

第百七十一条　この法律（附則第一条各号に掲げる規定にあっては、当該規定。以下この条において同じ。）の施行前にした行為並びにこの附則の規定によりなお従前の例によることとされる場合及びこの附則の規定によりなおその効力を有することとされる場合におけるこの法律の施行後にした行為に対する罰則の適用については、なお従前の例による。

（政令への委任）

第百七十二条　この附則に規定するもののほか、この法律の施行に関し必要な経過措置は、政令で定める。

附　則（抄）（令和二年六月一二日法律第五〇号）

（施行期日）

第一条　この法律は、公布の日から起算して一年六月を超えない範囲内において政令で定める日から施行する。ただし、次の各号に掲げる規定は、当該各号に定める日から施行する。

（平成三〇年一一月二一日政令第三二〇号）

（施行期日）

第一条　この政令は、平成三十一年四月一日から施行する。

附　則（抄）（令和元年六月一九日政令第三〇号）

（施行期日）

第一条　この政令は、建築基準法の一部を改正する法律の施行の日（令和元年六月二十五日）から施行する。

附　則（抄）（令和元年九月六日政令第九一号）

（施行期日）

①　この政令は、成年被後見人等の権利の制限に係る措置の適正化等を図るための関係法律の整備に関する法律の施行の日（令和元年九月一四日）から施行する。

附　則（抄）（令和元年一二月一三日政令第一八三号）

（施行期日）

第一条　この政令は、情報通信技術の活用による行政手続等に係る関係者の利便性の向上並びに行政運営の簡素化及び効率化を図るための行政手続等における情報通信の技術の利用に関する法律等の一部を改正する法律（次条において「改正法」という。）の施行の日（令和元年十二月十六日）から施行する。

附　則（抄）（令和二年七月八日政令第二一七号）

（施行期日）

第一条　この政令は、改正法施行日（令和二年十二月一日）から施行する。

る。）の施行の日（令和四年五月十八日）から施行する。

一　附則第二十七条の規定　公布の日

（政令への委任）

第二十七条　この附則に規定するもののほか、この法律の施行に関し必要な経過措置（罰則に関する経過措置を含む。）は、政令で定める。

附　則（抄）（令和三年五月一九日法律第三七号）

（施行期日）

第一条　この法律は、令和三年九月一日から施行する。ただし、次の各号に掲げる規定は、当該各号に定める日から施行する。

四　第十七条（宅地建物取引業法）、（略）公布の日から起算して一年を超えない範囲内において、各規定につき、政令で定める日

附　則（抄）（令和三年五月二八日法律第四八号）

（施行期日）

第一条　この法律は、公布の日から起算して九月を超えない範囲内において政令で定める日から施行する。ただし、次の各号に掲げる規定は、当該各号に定める日から施行する。

一　略

二　第三条（住宅の品質確保の促進等に関する法律の目次の改正規定、同法第六条の次に一条を加える改正規定、同法第十四条の改正規定及び同法第百一条第一項第一号の改正規定を除く。）及び第五条（特定住宅瑕疵担保責任の履行の確保等に関する法律の目次の改正規定（「新築住宅」を「新築住宅等」に改める部分に限る。）、同法第五章の

（罰則に関する経過措置）

第五条　この政令の施行前にした行為及び附則第二条の規定によりなおその効力を有することとされる場合におけるこの政令の施行後にした行為に対する罰則の適用については、なお従前の例による。

附　則（令和二年九月四日政令第二六八号）

この政令は、都市再生特別措置法等の一部を改正する法律の施行の日（令和二年九月七日）から施行する。

附　則（抄）（令和二年一一月二〇日政令第三三九号）

（施行期日）

第一条　この政令は、道路法等の一部を改正する法律の施行の日（令和二年十一月二十五日）から施行する。

附　則（抄）（令和三年九月二四日政令第二六一号）

（施行期日）

第一条　この政令は、踏切道改良促進法等の一部を改正する法律附則第一条第二号に掲げる規定の施行の日（令和三年九月二十五日）から施行する。

附　則（令和三年一〇月四日政令第二八二号）

この政令は、住宅の質の向上及び円滑な取引環境の整備のための長期優良住宅の普及の促進に関する法律等の一部を改正する法律（令和三年法律第四十八号）の施行の日（令和四年二月二十日）から施行する。

附　則（令和三年一〇月二九日政令第二九六号）

この政令は、特定都市河川浸水被害対策法等の一部を改正する法律の施行の日（令和三年十一月一日）から施行する。

営業保証金規則（付則）

附　則

この省令は、昭和三十二年八月一日から施行する。

附　則（昭和三四年四月一一日法務省・建設省令第一号）

この省令は、公布の日から施行する。

附　則（昭和四〇年二月一五日法務省・建設省令第一号）

この省令は、昭和四十年四月一日から施行する。

附　則（抄）（昭和四二年三月一六日法務省・建設省令第一号）

1　この省令は、昭和四十二年四月一日から施行する。

附　則（昭和四六年一二月一四日法務省・建設省令第一号）

この省令は、昭和四十六年十二月十五日から施行する。

附　則（昭和四八年五月七日法務省・建設省令第一号）

この省令は、公布の日から施行する。

附　則（平成一二年一一月七日法務省・建設省令第一号）

この省令は、内閣法の一部を改正する法律（平成十一年法律第八十八号）の施行の日（平成十三年一月六日）から施行する。

附　則（平成一五年一月六日法務省・国土交通省令第一号）

この省令は、公布の日から施行する。

附　則（平成一七年二月一〇日法務省・国土交通省令第一号）

章名の改正規定及び同法第三十三条第一項の改正規定を除く。）の規定並びに附則第三条、第四条、第七条及び第八条の規定　令和三年九月三十日

別表（第十七条の五関係）

科目	講師
一　この法律その他関係法令に関する科目 二　宅地及び建物の取引に係る紛争の防止に関する科目	一　弁護士 二　宅地建物取引士であつて、宅地建物取引業に従事した経験を有する者 三　前号に掲げる者と同等以上の知識及び経験を有する者
三　土地の形質、地積、地目及び種別並びに建物の形質、構造及び種別に関する科目 四　宅地及び建物の需給に関する科目 五　宅地及び建物の調査に関する科目	一　不動産鑑定士 二　宅地建物取引士であつて、宅地建物取引業に従事した経験を有する者 三　前号に掲げる者と同等以上の知識及び経験を有する者
六　宅地及び建物の取引に係る税務に関する科目	一　税理士 二　宅地建物取引士であつて、宅地建物取引業に従事した経験を有する者 三　前号に掲げる者と同等以上の知識及び経験を有する者

附　則（令和三年一二月八日政令第三三五号）

この政令は、道路法等の一部を改正する法律附則第一条第二号に掲げる規定の施行の日（令和四年四月一日）から施行する。

デジタル社会の形成を図るための関係法律の整備に関する法律の一部の施行期日を定める政令

（令和四年四月二七日政令第一八〇号）

内閣は、デジタル社会の形成を図るための関係法律の整備に関する法律（令和三年法律第三十七号）附則第一条第四号の規定に基づき、この政令を制定する。

デジタル社会の形成を図るための関係法律の整備に関する法律附則第一条第四号に掲げる規定（同法第十七条（注・宅地建物取引業法）、（略）の規定に限る。）の施行期日は、令和四年五月十八日とする。

附　則（令和四年四月二七日政令第一八一号）

この政令は、デジタル社会の形成を図るための関係法律の整備に関する法律（令和三年法律第三十七号）第十七条及び第四十四条の規定の施行の日（令和四年五月十八日）から施行する。

この省令は、平成十七年三月七日から施行する。

附　則（平成二九年三月二四日法務省・国土交通省令第一号）

（施行期日）

第一条　この省令は、宅地建物取引業法の一部を改正する法律（以下「改正法」という。）の施行の日（平成二十九年四月一日）から施行する。

（経過措置）

第二条　この省令の施行前に改正法による改正前の法第二十七条第一項に規定する権利について、この省令による改正前の宅地建物取引業者営業保証金規則第一条及び供託規則第二十二条の規定により払渡請求がされた営業保証金の還付については、なお従前の例による。

附　則（令和元年六月二八日法務省・国土交通省令第一号）

この省令は、不正競争防止法等の一部を改正する法律の施行の日（令和元年七月一日）から施行する。

附　則（令和二年一二月二三日法務省・国土交通省令第三号）

（施行期日）

①　この省令は、令和三年一月一日から施行する。

（経過措置）

②　この省令の施行の際現にあるこの省令による改正前の様式による用紙は、当分の間、これを取り繕って使用することができる。

宅地建物取引業法未施行条文（法改正後）

地域の自主性及び自立性を高めるための改革の推進を図るための関係法律の整備に関する法律（令和３年５月26日公布（法律第44号））による改正（施行日　交付の日から３年を超えない範囲内において政令で定める日）……傍線部が改正箇所

（都道府県知事への書類の写しの送付等）

第七十八条の三　国土交通大臣は、次の各号に掲げる場合には、当該各号に定める書類の写しを、遅滞なく、宅地建物取引業者の主たる事務所の所在地を管轄する都道府県知事に送付しなければならない。

一　第三条第一項の免許をした場合　第四条第一項の免許申請書及び同条第二項各号に掲げる書類

二　第九条の規定による届出を受理した場合　当該届出に係る書類

２　国土交通大臣は、第十一条第一項の規定による届出を受理したときは、遅滞なく、同項各号のいずれかに該当することとなつた者の主たる事務所の所在地を管轄する都道府県知事にその旨を通知しなければならない。

（事務の区分）

第七十八条の四　第八条、第十条及び第十四条の規定により都道府県が処理することとされている事務（国土交通大臣の免許を受けた宅地建物取引業者に係る宅地建物取引業者名簿の備付け、登載、閲覧、訂正及び消除に関するものに限る。）は、地方自治法第二条第九項第一号に規定する第一号法定受託事務とする。

附　則（抄）

（施行期日）

第一条　この法律は、公布の日から起算して三月を経過した日から施行する。ただし、次の各号に掲げる規定は、当該各号に定める日から施行する。

二～四　略

五　第一条（地方自治法別表第一宅地建物取引業法（昭和二十七年法律第百七十六号）の項の改正規定に限る。）及び第七条の規定　公布の日から起算して三年を超えない範囲内において政令で定める日

様式

別　記

様式第一号（第一条関係）

（A４）
1:1:0

免　許　申　請　書

（第一面）

宅地建物取引業法第４条第１項の規定により、同法第３条第１項の免許を申請します。
この申請書及び添付書類の記載事項は、事実に相違ありません。

年　　月　　日

地方整備局長
北海道開発局長　殿
知　事

申請者　商号又は名称
郵便番号　（　）
主たる事務所の所在地
氏　名
（法人にあつては、代表者の氏名）
電話番号（　）　—
ファクシミリ番号（　）　—

受付番号	受付年月日	申請時の免許証番号
*	*	（　）

免許の種類 □　1.新規　2.免許換え新規　3.更新 → 免許換え後の免許権者コード □

（有効期間：　年　月　日～　年　月　日）

* 免許証番号	国土交通大臣／知　事　（　）第　　号
* 免許年月日	年　月　日
* 有効期間	年　月　日から 年　月　日まで

項番 ◎ 商号又は名称

11	
フリガナ	
商号又は名称	

法人・個人の別 □　1.法人　2.個人

確認欄 *

◎ 代表者又は個人に関する事項

12		
役名コード		登録番号
フリガナ		
氏名		
生年月日	年　月　日	

確認欄 *

◎ 宅地建物取引業以外に行つている事業がある場合にはその種類

13	

◎ 所属している不動産業関係業界団体がある場合にはその名称

	（加入：　年　月　日）
	（加入：　年　月　日）
	（加入：　年　月　日）
	（加入：　年　月　日）
	（加入：　年　月　日）

確認欄 *

◎ 資本金（千円）

億	千万	百万	十万	万	千

（第二面）

1:2:0

受付番号	申請時の免許証番号
*	（　）

項番 ◎ 役員に関する事項（法人の場合）

21		
役名コード		登録番号
フリガナ		
氏名		
生年月日	年　月　日	

確認欄 *

21		
役名コード		登録番号
フリガナ		
氏名		
生年月日	年　月　日	

確認欄 *

21		
役名コード		登録番号
フリガナ		
氏名		
生年月日	年　月　日	

確認欄 *

21		
役名コード		登録番号
フリガナ		
氏名		
生年月日	年　月　日	

確認欄 *

21		
役名コード		登録番号
フリガナ		
氏名		
生年月日	年　月　日	

確認欄 *

（第三面）

1:3:0

受付番号 * 　　申請時の免許証番号 （　）

項番

30	事務所の別	1.主たる事務所 2.従たる事務所　* 事務所コード
	事務所の名称	

◎事務所に関する事項

31	郵便番号	—
	所在地市区町村コード	都道府県　市郡区　区町村
	所在地	
	電話番号	
	従事する者の数	

確認欄 *

◎政令第２条の２で定める使用人に関する事項

32	登録番号	— —
	フリガナ	
	氏名	
	生年月日	— 年 月 日

確認欄 *

◎専任の宅地建物取引士に関する事項

41	登録番号	— —
	フリガナ	
	氏名	
	生年月日	— 年 月 日

確認欄 *

41	登録番号	— —
	フリガナ	
	氏名	
	生年月日	— 年 月 日

確認欄 *

41	登録番号	— —
	フリガナ	
	氏名	
	生年月日	— 年 月 日

確認欄 *

（第四面）

1:4:0

受付番号 * 　　申請時の免許証番号 （　）

項番

30	事務所の名称	*事務所コード

◎専任の宅地建物取引士に関する事項（続き）

41	登録番号	— —
	フリガナ	
	氏名	
	生年月日	— 年 月 日

確認欄 *

41	登録番号	— —
	フリガナ	
	氏名	
	生年月日	— 年 月 日

確認欄 *

41	登録番号	— —
	フリガナ	
	氏名	
	生年月日	— 年 月 日

確認欄 *

41	登録番号	— —
	フリガナ	
	氏名	
	生年月日	— 年 月 日

確認欄 *

41	登録番号	— —
	フリガナ	
	氏名	
	生年月日	— 年 月 日

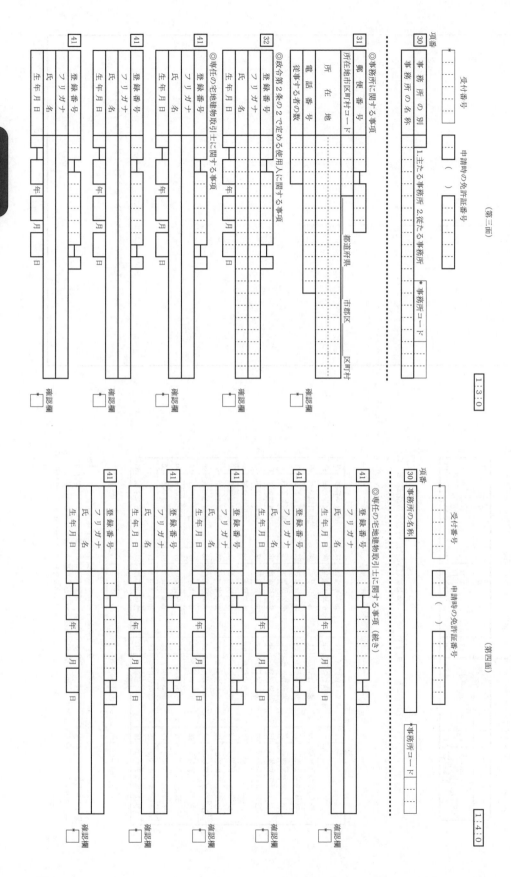

確認欄 *

（第五面）

登録免許税納付書・領収証書、収入印紙又は証紙はり付け欄

（消印してはならない）

備　考

1　各面共通事項

①　申請者は、＊印の欄には記入しないこと。

②　「申請時の免許証番号」の欄は、免許換え新規又は更新の場合にのみ記入すること。この場合、免許権者については、下表より該当するコードを記入すること。ただし、免許権者が北海道知事である場合には、５１～６４のうち該当するコードを記入すること。

（記入例）　0 0　（5）　　　1 0 0　［国土交通大臣（5）第１００号の場合］

00	国土交通大臣	16	富山県知事	32	島根県知事	51	北海道知事（石狩）
		17	石川県知事	33	岡山県知事	52	北海道知事（渡島）
02	青森県知事	18	福井県知事	34	広島県知事	53	北海道知事（檜山）
03	岩手県知事	19	山梨県知事	35	山口県知事	54	北海道知事（後志）
04	宮城県知事	20	長野県知事	36	徳島県知事	55	北海道知事（空知）
05	秋田県知事	21	岐阜県知事	37	香川県知事	56	北海道知事（上川）
06	山形県知事	22	静岡県知事	38	愛媛県知事	57	北海道知事（留萌）
07	福島県知事	23	愛知県知事	39	高知県知事	58	北海道知事（宗谷）
08	茨城県知事	24	三重県知事	40	福岡県知事	59	北海道知事（オホ）
09	栃木県知事	25	滋賀県知事	41	佐賀県知事	60	北海道知事（胆振）
10	群馬県知事	26	京都府知事	42	長崎県知事	61	北海道知事（日高）
11	埼玉県知事	27	大阪府知事	43	熊本県知事	62	北海道知事（十勝）
12	千葉県知事	28	兵庫県知事	44	大分県知事	63	北海道知事（釧路）
13	東京都知事	29	奈良県知事	45	宮崎県知事	64	北海道知事（根室）
14	神奈川県知事	30	和歌山県知事	46	鹿児島県知事		
15	新潟県知事	31	鳥取県知事	47	沖縄県知事		

③　「役名コード」の欄には、下表により該当する役名のコードを記入すること。

ア　個人の場合には記入しないこと。

イ　代表取締役が複数存在するときには、そのすべての者について「０１」を記入すること。

ウ　農業協同組合法等に基づく代表理事の場合には、「０１」を記入すること。

01	代表取締役（株式会社）	04	代表社員（持分会社）	08	監事	15	会計参与（株式会社）
02	取締役（株式会社）	05	社員（持分会社）	13	代表執行役（株式会社）	09	その他
03	監査役（株式会社）	07	理事	14	執行役（株式会社）		

④　「登録番号」の欄は、宅地建物取引士である場合にのみ、その登録番号を記入すること。この場合、登録を受けている都道府県知事については、上記②の表より該当するコードを記入すること。ただし、北海道知事の登録を受けている場合には、51～64のうち該当するコードを記入すること。また、登録番号に「選考」とある場合にのみ最後の□に「１」を記入すること。

（記入例）　1 3 ― 0 0 0 1 0 0 ― □　［東京都知事登録第０００１００号の場合］

⑤　氏名の「フリガナ」の欄は、カタカナで、姓と名の間に１文字分空けて左詰めで記入し、その際、濁点及び半濁点は１文字として扱うこと。また、「氏名」の欄も姓と名の間に１文字分空けて左詰めで記入すること。

⑥　「生年月日」の欄は、最初の□には下表より該当する元号のコードを記入するとともに、□に数字を記入するに当たつては、空位の□に「０」を記入すること。

（記入例）H－０１年０８月２３日
［平成元年８月２３日の場合］

M	明治	S	昭和	R	令和
T	大正	H	平成		

⑦　「所在地市区町村コード」の欄は、都道府県の窓口備付けのコードブック（総務省編「全国地方公共団体コード」）により該当する市区町村のコードを記入すること。

⑧　「所在地」の欄は、⑦により記入した所在地市区町村コードによつて表される市区町村に続く町名、街区符号、住居番号等を、「丁目」「番」及び「号」をそれぞれ－（ダッシュ）で区切り、上段から左詰めで記入すること。

（記入例）霞が関２－１－３

⑨　申請者が未成年者である場合は、法定代理人の同意書を添付すること。

2　第一面関係

①　「免許の種類」の欄は、該当する番号を記入すること。

②　「免許換え後の免許権者コード」の欄は、「免許の種類」の欄において「２」を記入した場合にのみ、上記１②の表より該当する免許換え後の免許権者のコードを記入すること。この場合、免許換え後の免許権者が北海道知事である場合には５１～６４のうち該当するコードを記入すること。

③　商号又は名称の「フリガナ」の欄は、カタカナで上段から左詰めで記入し、その際、濁点及び半濁点は１文字として扱うこと。また、「商号又は名称」の欄も、上段から左詰めで記入すること。

④　「法人・個人の別」の欄は、該当する番号を記入すること。

⑤　代表者又は個人に関する事項については、法人の場合で代表者が複数存在するときには、申請者である代表者について記入し、その他の者については、第二面の役員に関する事項の欄に記入すること。

例えば、株式会社の場合で代表取締役が複数存在するときには、申請者である代表取締役について記入し、その他の者については、第二面の役員に関する事項の欄に記入すること（第二面であつても代表取締役の役名コードは「０１」を記入すること。）。

⑥　「兼業コード」の欄は、下表より該当する事業のコードを記入すること。なお、宅地建物取引業以外に行つている事業がない場合には「５０」を記入すること。

01	農業	05	建設業	09	卸売・小売業、飲食店	13	サービス業
02	林業	06	製造業			14	その他
03	漁業	07	電気・ガス・熱供給・水道業	10	金融・保険業		
				11	不動産賃貸業		
04	鉱業	08	運輸・通信業	12	不動産管理業		

⑦　「所属団体コード」の欄は、下表より該当する所属団体のコードを記入すること。なお、所属している不動産業関係業界団体がない場合には「５０」を記入すること。

01	（一社）マンション管理業協会	10	（一社）不動産協会
04	（公社）全国宅地建物取引業協会連合会の会員である各協会	11	（一社）不動産流通経営協会
05	（公社）全日本不動産協会	12	その他
09	（一社）日本ビルヂング協会連合会の会員である各協会	13	（一社）全国住宅産業協会又はその会員である各協会

⑧　「資本金」の欄は、法人の場合にのみ右詰めで記入すること。

3　第二面関係

①　第二面は、申請者が法人の場合にのみ記入すること。

②　役員に関する事項の欄は、第一面で代表者として記入した者については記入しないこと。

③　第二面に記載しきれない場合は、同じ様式により作成した書面に記載して当該面の次に添付すること。

4　第三面関係

①　第三面は、項番30の事務所ごとに作成すること。

②　「事務所の別」の欄は、該当する番号を記入すること。

③　「電話番号」の欄は、市外局番、市内局番、番号をそれぞれ－（ダッシュ）で区切り、左詰めで記入すること。

（記入例）０３－５２５３－８１１１

④　「従事する者の数」の欄は、右詰めで記入すること。この場合に、「従事する者」には、営業に従事する者のみならず、宅地建物取引業に係る一般管理部門に所属する者や補助的な事務に従事する者も含めること。

また、申請者が個人である場合において、その家族が宅地建物取引業に従事し、又は従事しようとしているときは、その者についても記入すること。

なお、宅地建物取引業を他の事業と兼業する場合は、宅地建物取引業に従事する者についてのみ記入すること。

5　第四面関係

①　「専任の宅地建物取引士に関する事項（続き）」の欄は、第三面に記載しきれない場合に使用することとし、第三面の次に添付すること。

②　第四面は、項番30の事務所ごとに作成すること。

③　第四面に記載しきれない場合は、同じ様式により作成した書面に記載して当該面の次に添付すること。

様式第二号（第一条の二関係）

（A４）

添　付　書　類　（１）

（第一面）

宅地建物取引業経歴書

１．事業の沿革

最初の免許	組織変更					
年　月　日	年　月　日	年　月　日	年　月　日	年　月　日	年　月　日	年　月　日

２．事業の実績

イ．代理又は媒介の実績

期間		年　月　日から 年　月　日まで の1年間		年　月　日から 年　月　日まで の1年間		年　月　日から 年　月　日まで の1年間		年　月　日から 年　月　日まで の1年間		年　月　日から 年　月　日まで の1年間	
内容	種類	売買・交換	貸借	売買・交換	貸借	売買・交換	貸借	売買・交換	貸借	売買・交換	貸借
宅地	件数										
	価額（千円）										
	手数料										
建物	件数										
	価額（千円）										
	手数料										
宅地及び建物	件数										
	価額（千円）										
	手数料										
合計	件数										
	価額（千円）										
	手数料										

（第二面）

ロ．売買・交換の実績

種類		期間	年　月　日から 年　月　日まで の1年間	年　月　日から 年　月　日まで の1年間	年　月　日から 年　月　日まで の1年間	年　月　日から 年　月　日まで の1年間	年　月　日から 年　月　日まで の1年間
売却	宅地	件数					
		価額（千円）					
	建物	件数					
		価額（千円）					
	宅地及び建物	件数					
		価額（千円）					
	合計	件数					
		価額（千円）					
購入	宅地	件数					
		価額（千円）					
	建物	件数					
		価額（千円）					
	宅地及び建物	件数					
		価額（千円）					
	合計	件数					
		価額（千円）					
交換	宅地	件数					
		価額（千円）					
	建物	件数					
		価額（千円）					
	宅地及び建物	件数					
		価額（千円）					
	合計	件数					
		価額（千円）					

備　考

1　新規に免許を申請する者は、「最初の免許」の欄に「新規」と記入すること。
2　「組織変更」の欄には、合併又は商号若しくは名称の変更について記入すること。
3　「期間」の欄には、事業年度を記入すること。
4　「売買・交換」の欄には、上段に売買の実績を、下段に交換の実績を記入すること。

（A４）

（添　付　書　類　（２）

誓　約　書

申請者、申請者の役員、令第２条の２に規定する使用人、法定代理人及び法定代理人の役員は、法第５条第１項各号に該当しない者であることを誓約します。

年　　月　　日

商号又は名称

氏　　　名

法定代理人

商号又は名称

氏　　　名

地方整備局長
北海道開発局長　殿
知　事

（A４）

添　付　書　類　（３）

専任の宅地建物取引士設置証明書

下記の事務所は、宅地建物取引業法第15条第１項に規定する要件を備えていることを証明します。

年　　月　　日

地方整備局長
北海道開発局長　殿
知　事

商号又は名称

氏　　　名
（法人にあつては、代表者の氏名）

記

事務所の名称	所　　在　　地	専任の宅地建物取引士の数	宅地建物取引業に従事する者の数
		名	名
		名	名
		名	名
		名	名

添 付 書 類 （4）

（A 4）
1 5 0

（第一面）

相 談 役 及 び 顧 問 （法 人 の 場 合）

受付番号 * 　　申請時の免許証番号 （　）

項番

51	役名コード	就任年月日 　年　月　日
	フリガナ	
	氏　　名	
	生年月日	年　月　日
	住所市区町村コード	都道府県　市郡区　区町村
	住　　所	

確認欄 *

51	役名コード	就任年月日 　年　月　日
	フリガナ	
	氏　　名	
	生年月日	年　月　日
	住所市区町村コード	都道府県　市郡区　区町村
	住　　所	

確認欄 *

51	役名コード	就任年月日 　年　月　日
	フリガナ	
	氏　　名	
	生年月日	年　月　日
	住所市区町村コード	都道府県　市郡区　区町村
	住　　所	

確認欄 *

51	役名コード	就任年月日 　年　月　日
	フリガナ	
	氏　　名	
	生年月日	年　月　日
	住所市区町村コード	都道府県　市郡区　区町村
	住　　所	

確認欄 *

（第二面）

1 6 0

100分の5以上の株式を有する株主又は100分の5以上の額に相当する出資をしている者(法人の場合)

受付番号 * 　　申請時の免許証番号 （　）

項番

52	フ リ ガ ナ	
	氏名又は名称	
	生 年 月 日	年　月　日
	保有株式の数（出資金額）	株（円）　割 合　%
	市区町村コード	都道府県　市郡区　区町村
	住所又は所在地	

確認欄 *

52	フ リ ガ ナ	
	氏名又は名称	
	生 年 月 日	年　月　日
	保有株式の数（出資金額）	株（円）　割 合　%
	市区町村コード	都道府県　市郡区　区町村
	住所又は所在地	

確認欄 *

52	フ リ ガ ナ	
	氏名又は名称	
	生 年 月 日	年　月　日
	保有株式の数（出資金額）	株（円）　割 合　%
	市区町村コード	都道府県　市郡区　区町村
	住所又は所在地	

確認欄 *

52	フ リ ガ ナ	
	氏名又は名称	
	生 年 月 日	年　月　日
	保有株式の数（出資金額）	株（円）　割 合　%
	市区町村コード	都道府県　市郡区　区町村
	住所又は所在地	

確認欄 *

備　考

1　各面共通関係

①　この書面は、申請者が法人である場合にのみ記入すること。

②　申請者は、＊印の欄には記入しないこと。

③　「申請時の免許証番号」の欄は、免許換え新規又は更新の場合にのみ記入すること。この場合、免許権者については、下表より該当するコードを記入すること。ただし、免許権者が北海道知事である場合には、51～64のうち該当するコードを記入すること。

（記入例）［0｜0］（5）［ ｜ ｜ ｜1｜0｜0］　［国土交通大臣（5）第１００号の場合］

00	国土交通大臣	16	富山県知事	32	島根県知事	51	北海道知事(石狩)
		17	石川県知事	33	岡山県知事	52	北海道知事(渡島)
02	青森県知事	18	福井県知事	34	広島県知事	53	北海道知事(檜山)
03	岩手県知事	19	山梨県知事	35	山口県知事	54	北海道知事(後志)
04	宮城県知事	20	長野県知事	36	徳島県知事	55	北海道知事(空知)
05	秋田県知事	21	岐阜県知事	37	香川県知事	56	北海道知事(上川)
06	山形県知事	22	静岡県知事	38	愛媛県知事	57	北海道知事(留萌)
07	福島県知事	23	愛知県知事	39	高知県知事	58	北海道知事(宗谷)
08	茨城県知事	24	三重県知事	40	福岡県知事	59	北海道知事(オホ)
09	栃木県知事	25	滋賀県知事	41	佐賀県知事	60	北海道知事(胆振)
10	群馬県知事	26	京都府知事	42	長崎県知事	61	北海道知事(日高)
11	埼玉県知事	27	大阪府知事	43	熊本県知事	62	北海道知事(十勝)
12	千葉県知事	28	兵庫県知事	44	大分県知事	63	北海道知事(釧路)
13	東京都知事	29	奈良県知事	45	宮崎県知事	64	北海道知事(根室)
14	神奈川県知事	30	和歌山県知事	46	鹿児島県知事		
15	新潟県知事	31	鳥取県知事	47	沖縄県知事		

④　「住所市区町村コード」及び「市区町村コード」の欄は、都道府県の窓口備付けのコードブック（総務省編「全国地方公共団体コード」）により該当する市区町村のコードを記入すること。

⑤　「住所」及び「住所又は所在地」の欄は、④により記入した住所市区町村コード及び市区町村コードによつて表される市区町村に続く町名、街区符号、住居番号等を、「丁目」「番」及び「号」をそれぞれ－（ダッシュ）で区切り、上段から左詰めで記入すること。

（記入例）［霞｜が｜関｜2｜－｜1｜－｜3｜ ｜ ］

⑥　第一面又は第二面に記載しきれない場合は、同じ様式により作成した書面に記載して当該それぞれの面の次に添付すること。

2　第一面関係

①　「役名コード」の欄は、下表より該当する役名のコードを記入すること。

11	相談役
12	顧問

②　「就任年月日」及び「生年月日」の欄は、最初の□には下表より該当する元号のコードを記入するとともに、□に数字を記入するに当たつては、空位の□に「0」を記入すること。

（記入例）［H］－［0｜1］年［0｜8］月［2｜3］日
［平成元年８月２３日の場合］

M	明治	S	昭和	R	令和
T	大正	H	平成		

③　氏名の「フリガナ」の欄は、カタカナで姓と名の間に１文字分空けて左詰めで記入し、その際、濁点及び半濁点は１文字として扱うこと。また、「氏名」の欄も姓と名の間に１文字分空けて左詰めで記入すること。

3　第二面関係

①　氏名又は名称の「フリガナ」の欄は、カタカナで左詰めで記入し、濁点及び半濁点は１文字として扱うこと。また、「氏名又は名称」の欄も左詰めで記入すること。なお、株主又は出資者が個人である場合には、姓と名の間に１文字分空けて記入すること。

②　「生年月日」の欄は、株主又は出資者が個人の場合にのみ記入すること。その場合に最初の□には下表より該当する元号のコードを記入するとともに、□に数字を記入するに当たつては、空位の□に「0」を記入すること。

（記入例）［H］－［0｜1］年［0｜8］月［2｜3］日
［平成元年８月２３日の場合］

M	明治	S	昭和	R	令和
T	大正	H	平成		

③　「割合」の欄は、株式会社にあつては該当する株主につき保有株式の発行済株式総数に対する割合を、その他の法人にあつては該当する出資者につき出資金額の出資金総額に対する割合を記入すること。

（A 4）

添付書類（5）

事務所を使用する権原に関する書面

事項	所有者	事務所の所有者が申請者と異なる場合				
		契約相手	契約日	契約期間	契約形態	用途
（事務所名） （所在地）						
（事務所名） （所在地）						
（事務所名） （所在地）						
（事務所名） （所在地）						
（事務所名） （所在地）						

上記の記載内容について、事実と相違ないことを誓約します。

年　月　日

商号又は名称

氏　名

備考

1　「所有者」の欄は、事務所の所有者の氏名又は法人名（法人の代表者名を含む。）を記入すること。

2　「事務所の所有者が申請者と異なる場合」の欄は、事務所の所有者が免許申請者と異なる場合にのみ次により記入すること。

①　「契約形態」の欄は、賃貸借又は使用貸借の別を記入すること。

②　「用途」の欄は、登記事項証明書、建物賃貸借契約書又は建物使用貸借契約書等に記載された用途（住居、事務所等）について記入すること。

（A 4）

添付書類（6）

略歴書

住所	電話番号（　　）　―		
(フリガナ) 氏名		生年月日	年　月　日
職名		登録番号	

職歴	期間	従事した職務の内容
	自　年　月　日 至　年　月　日	
	自　年　月　日 至　年　月　日	
	自　年　月　日 至　年　月　日	
	自　年　月　日 至　年　月　日	
	自　年　月　日 至　年　月　日	
	自　年　月　日 至　年　月　日	
	自　年　月　日 至　年　月　日	
	自　年　月　日 至　年　月　日	
	自　年　月　日 至　年　月　日	
	自　年　月　日 至　年　月　日	

上記のとおり相違ありません。

年　月　日

氏　名

(A4)

添　付　書　類　(7)

資産に関する調書

年　月　日現在

資　産	価　格	摘　要
資産		
現金預金		
有価証券		
未収入金		
土地		
建物		
備品		
権利		
その他		
計		
負債		
借入金		
未払金		
預り金		
前受金		
その他		
計		

備　考

1　この調書は、個人の業者のみが記入すること。

2　「権利」とは、営業権、地上権、電話加入権その他の無形固定資産をいう。

添　付　書　類　(8)

(A4)
1 7 0

宅地建物取引業に従事する者の名簿

受付番号 *

申請時の免許証番号 (　)

事務所コード *

事務所の名称 ______

従事する者 ______ 名　うち専任の宅地建物取引士 ______ 名

項番 61

	業務に従事する者					
	氏　名	生年月日	性別	従業者証明書番号	主たる職務内容	宅地建物取引士であるか否かの別
1			1男 2女			[　]
2			1男 2女			[　]
3			1男 2女			[　]
4			1男 2女			[　]
5			1男 2女			[　]
6			1男 2女			[　]
7			1男 2女			[　]
8			1男 2女			[　]
9			1男 2女			[　]
10			1男 2女			[　]
11			1男 2女			[　]
12			1男 2女			[　]
13			1男 2女			[　]
14			1男 2女			[　]
15			1男 2女			[　]
16			1男 2女			[　]
17			1男 2女			[　]
18			1男 2女			[　]
19			1男 2女			[　]
20			1男 2女			[　]
21			1男 2女			[　]
22			1男 2女			[　]
23			1男 2女			[　]
24			1男 2女			[　]
25			1男 2女			[　]

確認欄 *

備　考

① この書面は、事務所ごとに作成すること。

② 申請者は、＊印の欄には記入しないこと。

③ 「申請時の免許証番号」の欄は、免許換え新規又は更新の場合にのみ記入すること。この場合、免許権者については、下表より該当するコードを記入すること。ただし、免許権者が北海道知事である場合には、５１～６４のうち該当するコードを記入すること。

（記入例）［0:0］（5）［ : : :1:0:0］［国土交通大臣（５）第１００号の場合］

00	国土交通大臣	16	富山県知事	32	島根県知事	51	北海道知事(石狩)
		17	石川県知事	33	岡山県知事	52	北海道知事(渡島)
02	青森県知事	18	福井県知事	34	広島県知事	53	北海道知事(檜山)
03	岩手県知事	19	山梨県知事	35	山口県知事	54	北海道知事(後志)
04	宮城県知事	20	長野県知事	36	徳島県知事	55	北海道知事(空知)
05	秋田県知事	21	岐阜県知事	37	香川県知事	56	北海道知事(上川)
06	山形県知事	22	静岡県知事	38	愛媛県知事	57	北海道知事(留萌)
07	福島県知事	23	愛知県知事	39	高知県知事	58	北海道知事(宗谷)
08	茨城県知事	24	三重県知事	40	福岡県知事	59	北海道知事(オホ)
09	栃木県知事	25	滋賀県知事	41	佐賀県知事	60	北海道知事(胆振)
10	群馬県知事	26	京都府知事	42	長崎県知事	61	北海道知事(日高)
11	埼玉県知事	27	大阪府知事	43	熊本県知事	62	北海道知事(十勝)
12	千葉県知事	28	兵庫県知事	44	大分県知事	63	北海道知事(釧路)
13	東京都知事	29	奈良県知事	45	宮崎県知事	64	北海道知事(根室)
14	神奈川県知事	30	和歌山県知事	46	鹿児島県知事		
15	新潟県知事	31	鳥取県知事	47	沖縄県知事		

④ 「宅地建物取引業に従事する者」には、営業に従事する者のみならず、宅地建物取引業に係る一般管理部門に所属する者や補助的な事務に従事する者も含めること。
　また、申請者が個人である場合において、その家族が宅地建物取引業に従事し、又は従事しようとしているときは、その者についても記入すること。
　なお、宅地建物取引業を他の事業と兼業する場合は、宅地建物取引業に従事する者についてのみ記入すること。

⑤ 「氏名」の欄は、姓と名の間に１文字分空けて左詰めで記入すること。

⑥ 「生年月日」の欄は、最初の□には下表より該当する元号のコードを記入するとともに、□に数字を記入するに当たつては、空位の□に「０」を記入すること。

（記入例）［H 0:1 0:8 2:3］［平成元年8月23日の場合］

M	明治	S	昭和	R	令和
T	大正	H	平成		

⑦ 「性別」の欄は、該当する番号を○で囲むこと。

⑧ 「従業者証明書番号」の欄は、法第４８条第１項の証明書の番号を記入すること。なお、新規の免許の申請の場合には、あらかじめ同項の証明書の番号を定め、その番号を記入すること。

⑨ 宅地建物取引士である者については、［　］内に登録番号を記入し、このうち専任の宅地建物取引士である者については、［　］の前に○印を付けること。

（記入例）［○［(東京)０００１００］］［東京都知事登録第０００１００号である専任の宅地建物取引士の場合］

⑩ この書面に記載しきれない場合は、同じ様式により作成した書面に記載して当該面の次に添付すること。

様式第三号（第四関係）　　（Ａ４）

宅地建物取引業者免許証

商号又は名称

代表者氏名

主たる事務所

免許証番号

国土交通大臣
　　　知　事　（　　）第　　　　号

有効期間　　　年　　月　　日から　　年　　月　　日まで

宅地建物取引業法第３条第１項の規定により、宅地建物取引業者の免許を与えたことを証する。

年　　月　　日

地方整備局長
北海道開発局長
知　事　　　　　　印

様式第三号の二（第四条の二関係）

（A４）
2:1:0

宅地建物取引業者免許証書換え交付申請書

宅地建物取引業者免許証の記載事項に下記のとおり変更を生じましたので、宅地建物取引業法施行規則第4条の2の規定により、宅地建物取引業者免許証の書換え交付を申請します。

年　月　日

地方整備局長
北海道開発局長　殿
知　事

申請者　商号又は名称

郵便番号（　　）
主たる事務所の所在地

氏名
（法人にあつては、代表者の氏名）
電話番号（　　）　－
ファクシミリ番号（　　）　－

受付番号 *
受付年月日 *
申請時の免許証番号 （　）

変更に係る事項	変更後	変更前	変更年月日
（フリガナ） 商号又は名称			
（フリガナ） 代表者氏名			
主たる事務所の 所在地			

確認欄 *

備　考

① 申請者は、＊印の欄には記入しないこと。

② 「申請時の免許証番号」の欄は、免許権者については、下表より該当するコードを記入すること。ただし、免許権者が北海道知事である場合には、51～64のうち該当するコードを記入すること。

（記入例）0:0 (5) 1:0:0 ［国土交通大臣（5）第１００号の場合］

00	国土交通大臣	16	富山県知事	32	島根県知事	51	北海道知事(石狩)
		17	石川県知事	33	岡山県知事	52	北海道知事(渡島)
02	青森県知事	18	福井県知事	34	広島県知事	53	北海道知事(檜山)
03	岩手県知事	19	山梨県知事	35	山口県知事	54	北海道知事(後志)
04	宮城県知事	20	長野県知事	36	徳島県知事	55	北海道知事(空知)
05	秋田県知事	21	岐阜県知事	37	香川県知事	56	北海道知事(上川)
06	山形県知事	22	静岡県知事	38	愛媛県知事	57	北海道知事(留萌)
07	福島県知事	23	愛知県知事	39	高知県知事	58	北海道知事(宗谷)
08	茨城県知事	24	三重県知事	40	福岡県知事	59	北海道知事(オホ)
09	栃木県知事	25	滋賀県知事	41	佐賀県知事	60	北海道知事(胆振)
10	群馬県知事	26	京都府知事	42	長崎県知事	61	北海道知事(日高)
11	埼玉県知事	27	大阪府知事	43	熊本県知事	62	北海道知事(十勝)
12	千葉県知事	28	兵庫県知事	44	大分県知事	63	北海道知事(釧路)
13	東京都知事	29	奈良県知事	45	宮崎県知事	64	北海道知事(根室)
14	神奈川県知事	30	和歌山県知事	46	鹿児島県知事		
15	新潟県知事	31	鳥取県知事	47	沖縄県知事		

様式第三号の三（第四条の三関係）

（A４）
2:2:0

宅地建物取引業者免許証再交付申請書

宅地建物取引業法施行規則第４条の３の規定により、下記のとおり宅地建物取引業者免許証の再交付を申請します。

年　月　日

地方整備局長
北海道開発局長　殿
知　事

申請者　商号又は名称

郵便番号（　　）
主たる事務所の
所在地

氏　名
（法人にあつては、代表者の氏名）
電話番号（　　）　－
ファクシミリ番号（　　）　－

受付番号 *
受付年月日 *
申請時の免許証番号 （　）

（フリガナ） 商号又は名称	
（フリガナ） 代表者氏名	
主たる事務所の所在地	
再交付を申請する理由	1.亡　失　2.滅　失　3.汚　損　4.破　損

確認欄 *

備　考
① 申請者は、＊印の欄には記入しないこと。
② 「申請時の免許証番号」の欄は、免許権者については、下表より該当するコードを記入すること。ただし、免許権者が北海道知事である場合には、51～64のうち該当するコードを記入すること。

（記入例）0:0（５）　1:0:0　［国土交通大臣（５）第１００号の場合］

00	国土交通大臣	16	富山県知事	32	島根県知事	51	北海道知事(石狩)
		17	石川県知事	33	岡山県知事	52	北海道知事(渡島)
02	青森県知事	18	福井県知事	34	広島県知事	53	北海道知事(檜山)
03	岩手県知事	19	山梨県知事	35	山口県知事	54	北海道知事(後志)
04	宮城県知事	20	長野県知事	36	徳島県知事	55	北海道知事(空知)
05	秋田県知事	21	岐阜県知事	37	香川県知事	56	北海道知事(上川)
06	山形県知事	22	静岡県知事	38	愛媛県知事	57	北海道知事(留萌)
07	福島県知事	23	愛知県知事	39	高知県知事	58	北海道知事(宗谷)
08	茨城県知事	24	三重県知事	40	福岡県知事	59	北海道知事(オホ)
09	栃木県知事	25	滋賀県知事	41	佐賀県知事	60	北海道知事(胆振)
10	群馬県知事	26	京都府知事	42	長崎県知事	61	北海道知事(日高)
11	埼玉県知事	27	大阪府知事	43	熊本県知事	62	北海道知事(十勝)
12	千葉県知事	28	兵庫県知事	44	大分県知事	63	北海道知事(釧路)
13	東京都知事	29	奈良県知事	45	宮崎県知事	64	北海道知事(根室)
14	神奈川県知事	30	和歌山県知事	46	鹿児島県知事		
15	新潟県知事	31	鳥取県知事	47	沖縄県知事		

③ 「再交付を申請する理由」の欄は、該当するものの番号を○で囲み、具体的な理由を記すこと。
④ 汚損又は破損を理由に申請する場合は、その汚損し、又は破損した免許証を添えること。

様式第三号の四（第五条の三関係）

（A４）
2:3:0

宅地建物取引業者名簿登載事項変更届出書

（第一面）

下記のとおり、宅地建物取引業者名簿の登載事項のうち、
(1)商号又は名称 (2)代表者又は個人 (3)役員 (4)事務所 (5)政令第２条の２で定める使用人 (6)専任の宅地建物取引士について変更がありましたので、宅地建物取引業法第９条の規定により届け出ます。

年　月　日

地方整備局長
北海道開発局長　殿
知　事

届出者　商号又は名称
郵便番号（　　　）
主たる事務所の所在地
氏名
（法人にあつては、代表者の氏名）
電話番号（　　　）　―
ファクシミリ番号（　　　）　―

受付番号	受付年月日	届出時の免許証番号
*	*	（　）

項番　◎商号又は名称

11		
変更年月日		年　月　日
変更後	フリガナ	
	商号又は名称	
変更前	フリガナ	
	商号又は名称	

確認欄 *

◎代表者又は個人に関する事項

変更区分 1.就退任 2.氏　名

12		
変更年月日		年　月　日
変更後	役名コード	
	登録番号	
	フリガナ	
	氏名	
	生年月日	年　月　日
	変更年月日	年　月　日
変更前	役名コード	
	登録番号	
	フリガナ	
	氏名	
	生年月日	年　月　日

確認欄 *

（第二面）

2:4:0

受付番号	届出時の免許証番号
*	（　）

項番　◎役員に関する事項（法人の場合）

変更区分 1.就退任 2.氏　名

21		
変更年月日		年　月　日
変更後	役名コード	
	登録番号	
	フリガナ	
	氏名	
	生年月日	年　月　日
	変更年月日	年　月　日
変更前	役名コード	
	登録番号	
	フリガナ	
	氏名	
	生年月日	年　月　日

確認欄 *

変更区分 1.就退任 2.氏　名

21		
変更年月日		年　月　日
変更後	役名コード	
	登録番号	
	フリガナ	
	氏名	
	生年月日	年　月　日
	変更年月日	年　月　日
変更前	役名コード	
	登録番号	
	フリガナ	
	氏名	
	生年月日	年　月　日

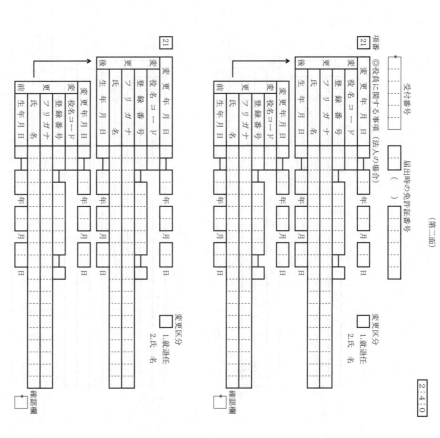

確認欄 *

（第三面）

2 5 0

受付番号 *

届出時の免許証番号 （　）

項番

30	事務所の別	1. 主たる事務所　2.従たる事務所　*事務所コード
	事務所の名称	

◎事務所に関する事項

変更区分　1.新設・廃止　2.名称・所在地

31		変更年月日	年　月　日
	変更後	事務所の別	1.主たる事務所　2.従たる事務所　*事務所コード
		事務所の名称	
		郵便番号	
		所在地市区町村コード	都道府県　市郡区　区町村
		所在地	
		電話番号	
		従事する者の数	
		変更年月日	年　月　日
	変更前	事務所の名称	
		所在地	

確認欄 *

◎政令第2条の2で定める使用人に関する事項

変更区分　1.就退任　2.氏　名

32		変更年月日	年　月　日
	変更後	登録番号	
		フリガナ	
		氏名	
		生年月日	年　月　日
		変更年月日	年　月　日
	変更前	登録番号	
		フリガナ	
		氏名	
		生年月日	年　月　日

確認欄 *

（第四面）

2 6 0

受付番号 *

届出時の免許証番号 （　）

項番

30	事務所の別	1.主たる事務所　2.従たる事務所　*事務所コード
	事務所の名称	

◎専任の宅地建物取引士に関する事項

変更区分　1.就退任　2.氏　名

41		変更年月日	年　月　日
	変更後	登録番号	
		フリガナ	
		氏名	
		生年月日	年　月　日
		変更年月日	年　月　日
	変更前	登録番号	
		フリガナ	
		氏名	

確認欄 *

変更区分　1.就退任　2.氏　名

41		変更年月日	年　月　日
	変更後	登録番号	
		フリガナ	
		氏名	
		生年月日	年　月　日
		変更年月日	年　月　日
	変更前	登録番号	
		フリガナ	
		氏名	

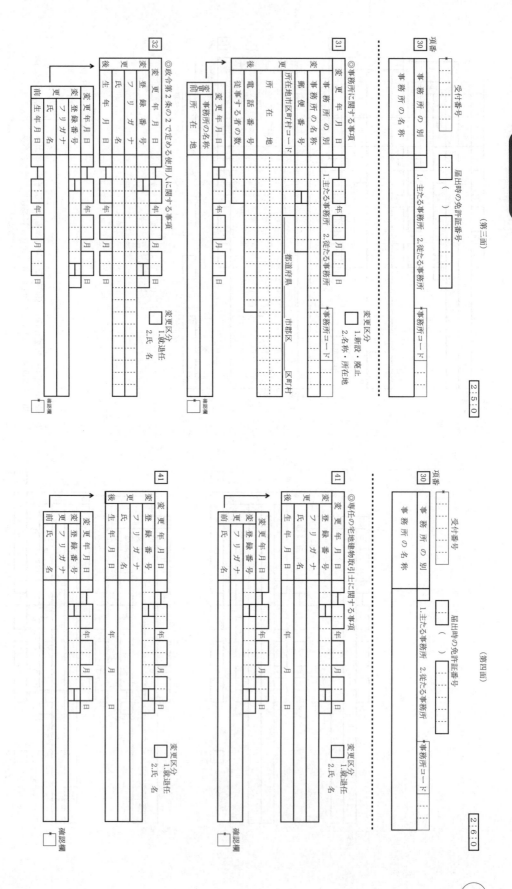

確認欄 *

備　考

1　各面共通関係

①　届出者は、＊印の欄には記入しないこと。

②　「届出時の免許証番号」の欄は、免許権者については、下表より該当するコードを記入すること。ただし、免許権者が北海道知事である場合には、51～64のうち該当するコードを記入することとし、信託会社及び信託業務を兼営する銀行については、（記入例）④に従うこと。

（記入例）⑦ [0¦0] (5) [¦ ¦ ¦1¦0¦0] ［国土交通大臣（5）第１００号の場合］

④ [9¦9] ( ) [¦ ¦ ¦ ¦5¦0] ［国土交通大臣届出第５０号の場合］

00	国土交通大臣	16	富山県知事	32	島根県知事	51	北海道知事(石狩)
		17	石川県知事	33	岡山県知事	52	北海道知事(渡島)
02	青森県知事	18	福井県知事	34	広島県知事	53	北海道知事(檜山)
03	岩手県知事	19	山梨県知事	35	山口県知事	54	北海道知事(後志)
04	宮城県知事	20	長野県知事	36	徳島県知事	55	北海道知事(空知)
05	秋田県知事	21	岐阜県知事	37	香川県知事	56	北海道知事(上川)
06	山形県知事	22	静岡県知事	38	愛媛県知事	57	北海道知事(留萌)
07	福島県知事	23	愛知県知事	39	高知県知事	58	北海道知事(宗谷)
08	茨城県知事	24	三重県知事	40	福岡県知事	59	北海道知事(オホ)
09	栃木県知事	25	滋賀県知事	41	佐賀県知事	60	北海道知事(胆振)
10	群馬県知事	26	京都府知事	42	長崎県知事	61	北海道知事(日高)
11	埼玉県知事	27	大阪府知事	43	熊本県知事	62	北海道知事(十勝)
12	千葉県知事	28	兵庫県知事	44	大分県知事	63	北海道知事(釧路)
13	東京都知事	29	奈良県知事	45	宮崎県知事	64	北海道知事(根室)
14	神奈川県知事	30	和歌山県知事	46	鹿児島県知事		
15	新潟県知事	31	鳥取県知事	47	沖縄県知事		

③　「変更年月日」及び「生年月日」の欄は、最初の□には下表より該当する元号のコードを記入するとともに、□に数字を記入するに当たつては、空位の□に「0」を記入すること。

（記入例）[H]－[0¦1]年[0¦8]月[2¦3]日
［平成元年８月２３日の場合］

M	明治	S	昭和	R	令和
T	大正	H	平成		

④　「役名コード」の欄は、下表より該当する役名のコードを記入すること。

ア　個人の場合には記入しないこと。

イ　代表取締役が複数存在するときには、そのすべての者について「０１」を記入すること。

ウ　農業協同組合法等に基づく代表理事の場合には、「０１」を記入すること。

01	代表取締役 （株式会社）	04	代表社員 （持分会社）	08	監事	15	会計参与 （株式会社）
02	取締役 （株式会社）	05	社員 （持分会社）	13	代表執行役 （株式会社）	09	その他
03	監査役 （株式会社）	07	理事	14	執行役 （株式会社）		

⑤　「登録番号」の欄は、宅地建物取引士である場合にのみ、その登録番号を記入すること。この場合、登録を受けている都道府県知事については、上記②の表より該当するコードを記入すること。ただし、北海道知事の登録を受けている場合には、51～64のうち該当するコードを記入すること。また、登録番号に「選考」とある場合にのみ最後の□に「1」を記入すること。

（記入例）[1¦3]－[0¦0¦0¦1¦0¦0]－[ ] ［東京都知事登録第０００１００号の場合］

⑥　氏名の「フリガナ」の欄は、カタカナで姓と名の間に１文字分空けて左詰めで記入し、その際、濁点及び半濁点は１文字として扱うこと。また、「氏名」の欄も姓と名の間に１文字分空けて左詰めで記入すること。

⑦　「所在地市区町村コード」の欄は、都道府県の窓口備付けのコードブック（総務省編「全国地方公共団体コード」）により該当する市区町村のコードを記入すること。

⑧　「所在地」の欄は、⑦により記入した所在地市区町村コードによつて表される市区町村に続く町名、街区符号、住居番号等を、「丁目」「番」及び「号」をそれぞれ－（ダッシュ）で区切り、上段から左詰めで記入すること。

（記入例）[霞¦が¦関¦2¦－¦1¦－¦3¦ ¦]

2　第一面関係

①　(1)から(6)までの事項については、該当するものの番号を○で囲むこと。

②　商号又は名称の「フリガナ」の欄は、カタカナで上段から左詰めで記入し、その際、濁点及び半濁点は１文字として扱うこと。また、「商号又は名称」の欄も、上段から左詰めで記入すること。

③　項番[12]の届出は、次の区分に応じ、それぞれ当該区分に定めるところにより作成すること。

ア　代表者に交代があつた場合

「変更区分」の欄に「１」を記入するとともに、「変更後」の欄及び「変更前」の欄の両方に記載すること。

イ　代表者の氏名に変更があつた場合

「変更区分」の欄に「２」を記入するとともに、「変更後」の欄及び「変更前」の欄の両方に記載すること。

3　第二面関係

項番[21]の届出は、次の区分に応じ、それぞれ当該区分に定めるところにより作成すること。

ア　代表者以外の役員に交代があつた場合

「変更区分」の欄に「１」を記入するとともに、「変更後」の欄及び「変更前」の欄の両方に記載すること。

イ　代表者以外の役員に新たな者を追加した場合

「変更区分」の欄に「１」を記入するとともに、「変更後」の欄にのみ記載すること。

ウ　代表者以外の役員を削減した場合

「変更区分」の欄に「１」を記入するとともに、「変更前」の欄にのみ記載すること。

エ　代表者以外の役員の氏名に変更があつた場合

「変更区分」の欄に「２」を記入するとともに、「変更後」の欄及び「変更前」の欄の両方に記載すること。

4　第三面関係

①　第三面は、項番[30]の事務所ごとに作成すること。

② 「事務所の別」の欄は、該当する番号を記入すること。

③ 項番[30]の「事務所の別」及び「事務所の名称」の欄は、その変更の有無にかかわらず、変更前の「事務所の別」及び「事務所の名称」を記入すること。ただし、事務所を新設した場合は、当該事務所の「事務所の別」及び「事務所の名称」を記入すること。

④ 項番[31]の届出は、次の区分に応じ、それぞれ当該区分に定めるところにより作成すること。

ア　事務所を新設した場合

「変更区分」の欄に「１」を記入するとともに、「変更後」の欄にのみ記載すること。

イ　事務所を廃止した場合

「変更区分」の欄に「１」を記入するとともに、「変更前」の欄にのみ記載すること。

ウ　事務所の名称又は所在地に変更があつた場合

「変更区分」の欄に「２」を記入するとともに、「変更後」の欄及び「変更前」の欄の両方 に記載すること。

⑤ 「電話番号」の欄は、市外局番、市内局番、番号をそれぞれー（ダッシュ）で区切り、左詰めで記入すること。

（記入例）

0	3	−	5	2	5	3	−	8	1	1	1	

⑥ 「従事する者の数」の欄は、右詰めで記入すること。

⑦ 項番[32]の届出は、次の区分に応じ、それぞれ当該区分に定めるところにより、項番[30]の事務所ごとに作成すること。

ア　政令第２条の２で定める使用人に交代があつた場合

「変更区分」の欄に「１」を記入するとともに、「変更後」の欄及び「変更前」の欄の両方に記載すること。

イ　事務所の新設に伴い、政令第２条の２で定める使用人を就任させた場合

「変更区分」の欄に「１」を記入するとともに、「変更後」の欄にのみ記載すること。

ウ　事務所の廃止に伴い、政令第２条の２で定める使用人を退任させた場合

「変更区分」の欄に「１」を記入するとともに、「変更前」の欄にのみ記載すること。

エ　政令第２条の２で定める使用人の氏名に変更があつた場合

「変更区分」の欄に「２」を記入するとともに、「変更後」の欄及び「変更前」の欄の両方に記載すること。

5　第四面関係

① 第四面は、項番[30]の事務所ごとに作成すること。

② 「事務所の別」の欄は、該当する番号を記入すること。

③ 項番[30]の「事務所の別」及び「事務所の名称」の欄は、その変更の有無にかかわらず、変更前の「事務所の別」及び「事務所の名称」を記入すること。ただし、事務所を新設した場合は、当該事務所の「事務所の別」及び「事務所の名称」を記入すること。

④ 項番[41]の届出は、次の区分に応じ、それぞれ当該区分に定めるところにより、項番[30]の事務所ごとに作成すること。

ア　専任の宅地建物取引士に交代があつた場合

「変更区分」の欄に「１」を記入するとともに、「変更後」の欄及び「変更前」の欄の両方に記載すること。

イ　専任の宅地建物取引士に新たな者を追加した場合

「変更区分」の欄に「１」を記入するとともに、「変更後」の欄にのみ記載すること。

ウ　専任の宅地建物取引士を削減した場合

「変更区分」の欄に「１」を記入するとともに、「変更前」の欄にのみ記載すること。

エ　専任の宅地建物取引士の氏名に変更があつた場合

「変更区分」の欄に「２」を記入するとともに、「変更後」の欄及び「変更前」の欄の両方に記載すること。

様式第三号の五（第五条の五関係）

（Ａ４）
2:7:0

廃 業 等 届 出 書

宅地建物取引業法第11条第1項の規定により、下記のとおり届け出ます。

年　月　日

地方整備局長
北海道開発局長　殿
知　事

届出者　住　所
氏　名

受付番号 ＊　　受付年月日 ＊　　届出時の免許証番号（　）

届出の理由	1.死亡　2.合併による消滅　3.破算手続開始の決定　4.解散　5.廃止
商号又は名称	
氏名（法人にあつては、代表者の氏名）	
主たる事務所の所在地	
届出事由の生じた日	
宅地建物取引業者と届出人との関係	1.相続人 2.元代表役員 3.破産管財人 4.清算人 5.本人

確認欄 ＊

備　考

① 届出者は、＊印の欄には記入しないこと。

② 「届出時の免許証番号」の欄は、免許権者については、下表より該当するコードを記入すること。ただし、免許権者が北海道知事である場合には、51～64のうち該当するコードを記入すること。

（記入例）　0:0　（5）　1:0:0　［国土交通大臣（5）第１００号の場合］

00	国土交通大臣	16	富山県知事	32	島根県知事	51	北海道知事(石狩)
		17	石川県知事	33	岡山県知事	52	北海道知事(渡島)
02	青森県知事	18	福井県知事	34	広島県知事	53	北海道知事(檜山)
03	岩手県知事	19	山梨県知事	35	山口県知事	54	北海道知事(後志)
04	宮城県知事	20	長野県知事	36	徳島県知事	55	北海道知事(空知)
05	秋田県知事	21	岐阜県知事	37	香川県知事	56	北海道知事(上川)
06	山形県知事	22	静岡県知事	38	愛媛県知事	57	北海道知事(留萌)
07	福島県知事	23	愛知県知事	39	高知県知事	58	北海道知事(宗谷)
08	茨城県知事	24	三重県知事	40	福岡県知事	59	北海道知事(オホ)
09	栃木県知事	25	滋賀県知事	41	佐賀県知事	60	北海道知事(胆振)
10	群馬県知事	26	京都府知事	42	長崎県知事	61	北海道知事(日高)
11	埼玉県知事	27	大阪府知事	43	熊本県知事	62	北海道知事(十勝)
12	千葉県知事	28	兵庫県知事	44	大分県知事	63	北海道知事(釧路)
13	東京都知事	29	奈良県知事	45	宮崎県知事	64	北海道知事(根室)
14	神奈川県知事	30	和歌山県知事	46	鹿児島県知事		
15	新潟県知事	31	鳥取県知事	47	沖縄県知事		

③ 「届出の理由」及び「宅地建物取引業者と届出人との関係」の欄は、該当するものの番号を○で囲むこと。

④ 死亡の場合にあつては、「届出事由の生じた日」の欄に死亡の事実を知つた日を付記すること。

様式第三号の六（第十条の二関係）

（表　面）

（A 4）

登録講習機関登録申請書

登録の種類	新規・更新	※ 登録番号	
		※ 登録・更新年月日	年　月　日

この申請書により、宅地建物取引業法 第１６条第３項の登録／第１７条の６第１項の登録の更新 を申請します。

年　月　日

申請者

国土交通大臣　殿

フリガナ 氏名又は名称	
住　所	郵便番号（　—　） 電話番号（　）　—
登録講習業務を行う主たる事務所の所在地	郵便番号（　—　） 電話番号（　）　—
フリガナ 法人である場合の代表者の氏名	
登録講習業務を開始しようとする年月日	年　月　日

備考

1　※印のある欄には、記入しないこと。

2　「新規・更新」及び「第１６条第３項の登録／第１７条の６第１項の登録の更新」については、不要のものを消すこと。

（裏　面）

（A 4）

講師に関する事項	
フリガナ 氏　名	担当する予定の科目

様式第三号の七（第十条の五関係）

（A５）

登　録　講　習　修　了　者　証　明　書

氏　　名

生年月日　　　　　　　　　年　　月　　日

この者は、宅地建物取引業法第16条第3項の規定に基づく講習の課程を修了した者であることを証します。

登録講習修了試験合格年月日　　　　　　年　　月　　日

交　付　年　月　日　　　　　　年　　月　　日

修　了　番　号　　　　　　第　　　　号

登 録 講 習 機 関　　　　印
（登録番号　第　　番）

様式第三号の八（第十条の十三関係）

表

第　　　号　　　　　　年　　月　　日（有効期間１カ年）

所属局部課名

職　　　名

氏　　　名

年　　月　　日生

上記の者は、宅地建物取引業法第１７条の１７第１項の規定により立入検査をすることができる者であることを証する。

国 土 交 通 大 臣　　　印

8.5㎝

6㎝

裏

宅地建物取引業法抜粋

第 17 条の 17　国土交通大臣は、講習業務の適正な実施を確保するため必要があると認めるときは、その職員に、登録講習機関の事務所に立ち入り、講習業務の状況又は設備、帳簿、書類その他の物件を検査させることができる。

2　前項の規定により立入検査をする職員は、その身分を示す証明書を携帯し、関係人の請求があつたときは、これを提示しなければならない。

3　第１項の規定による立入検査の権限は、犯罪捜査のために認められたものと解してはならない。

様式第三号の九（第十三条の十七関係）

（表面）

（A４）

<table>
<tr><td colspan="4">登録実務講習登録申請書</td></tr>
<tr><td rowspan="2">登録の種類</td><td rowspan="2">新規・更新</td><td>※登録番号</td><td></td></tr>
<tr><td>※登録・更新
年月日</td><td>年　月　日</td></tr>
<tr><td colspan="4">この申請書により、宅地建物取引業法施行規則｛第13条の16第1項第1号登録／第13条の20第1項の登録の更新｝を申請します。
年　月　日
申請者
国土交通大臣　殿</td></tr>
<tr><td>フリガナ
氏名又は名称</td><td colspan="3"></td></tr>
<tr><td>住　所</td><td colspan="3">郵便番号（　－　）
電話番号　（　）　－</td></tr>
<tr><td rowspan="2">登録実務講習事務を行う事務所</td><td>名　称</td><td colspan="2">電話番号　（　）　－</td></tr>
<tr><td>所在地</td><td colspan="2">郵便番号（　－　）</td></tr>
<tr><td>フ　リ　ガ　ナ
法人である場合の代表者の氏名</td><td colspan="3"></td></tr>
<tr><td colspan="2">登録実務講習事務を開始しようとする年月日</td><td colspan="2">年　月　日</td></tr>
</table>

備考
1　※印のある欄には、記入しないこと。
2　「新規・更新」及び「｛第13条の16第1項第1号登録／第13条の20第1項の登録の更新｝」については、不要のものを消すこと。

（裏面）

（A４）

<table>
<tr><td colspan="2">講師に関する事項</td></tr>
<tr><td>フ　リ　ガ　ナ
氏　　名</td><td>担当する予定の科目</td></tr>
<tr><td></td><td></td></tr>
</table>

様式第三号の十（第十三条の二十一関係）

（Ａ５）

登 録 実 務 講 習 修 了 証

氏名

生年月日　　　　　　　　　　年　　月　　日

試験受験地

合格年度　　　　　　　　　　年度

合格証書番号

この者は、宅地建物取引業法施行規則第１３条の１６第１項第１号の規定に基づく講習を修了した者であることを証します。

登録実務講習修了年月日　　　年　　月　　日

交　付　年　月　日　　　　　年　　月　　日

修　了　証　番　号　　　　　第　　　　号

登録実務講習実施機関　　　　　　　　　　印
（登録番号　第　　　　番）

様式第四号（第十四条の二の二関係）

（Ａ４）

宅地建物取引士資格登録簿

登録番号　　　　　　　　登録年月日

（１）氏名（フリガナ）

（２）生年月日

（３）本籍　　　　　　　性別

（４）住所

（５）試験合格年月日　　　　　合格証書番号

（６）実務経験に関する事項

実務経験先の免許証番号、商号又は名称及びそこでの職務内容　　　期　間

合計

（７）国土交通大臣の認定に関する事項

認定の内容　　　認定年月日

（８）業務に従事する宅地建物取引業者に関する事項

商号又は名称

免許証番号

（９）事務禁止等の処分

年月日　　　内容

年月日　　　内容

（10）宅地建物取引士証に関する事項

交付年月日　　　有効期間の満了する日　　　発行番号

（11）登録の移転に関する事項

試験を行った都道府県知事　　　移転前の都道府県知事

様式第五号（第十四条の三関係）

（A 4）
3:1:0

登　録　申　請　書

（第一面）

写真
2.4 cm × 3 cm

宅地建物取引業法第19条第1項の規定により、同法第18条第1項の登録を申請します。

年　　月　　日

知事　殿

郵便番号　（　　）
申請者　住　　所

氏　　名

受付番号	受付年月日	登録番号
*	*	*

項番

11 ◎申請者に関する事項

フ リ ガ ナ	
氏　　名	
生 年 月 日	年　月　日　性 別 　1.男 2.女
郵 便 番 号	
住所市区町村コード	都道府県　市郡区　区町村
住　　所	
電 話 番 号	
本籍市区町村コード	都道府県　市郡区　区町村
本　　籍	

確認欄 *

12 ◎実務経験に関する事項

実務経験先の免許証番号	（　）	商号又は名称	
実務経験先での職務内容		期　間	〜
実務経験先の免許証番号	（　）	商号又は名称	
実務経験先での職務内容		期　間	〜
実務経験先の免許証番号	（　）	商号又は名称	
実務経験先での職務内容		期　間	〜
		合　計	年　月間

確認欄 *

13 ◎国土交通大臣の認定に関する事項

認 定 コ ー ド		認定年月日	年　月　日

確認欄 *

14 ◎試験に関する事項

合格証書番号		合格年月日	年　月　日

確認欄 *

15 ◎業務に従事する宅地建物取引業者に関する事項

商号又は名称	
免 許 証 番 号	（　）

確認欄 *

（第二面）

証　紙　欄
（消印してはならない）

備　考

① 申請者は、＊印の欄には記入しないこと。

② 氏名の「フリガナ」の欄は、カタカナで姓と名の間に１文字分空けて左詰めで記入し、その際、濁点及び半濁点は１文字として扱うこと。また、「氏名」の欄も姓と名の間に１文字分空けて左詰めで記入すること。

③ 「生年月日」、「認定年月日」及び「合格年月日」の欄は、最初の□には下表より該当する元号のコードを記入するとともに、□に数字を記入するに当たつては、空位の□に「０」を記入すること。

（記入例）［H］－［0¦1］年［0¦8］月［2¦3］日
［平成元年８月２３日の場合］

M	明治	S	昭和	R	令和
T	大正	H	平成		

④ 「性別」の欄は、該当する番号を記入すること。

⑤ 「住所市区町村コード」の欄は、都道府県の窓口備付けのコードブック（総務省編「全国地方公共団体コード」）により該当する市区町村のコードを記入すること。

⑥ 「住所」の欄は、⑤により記入した住所市区町村コードによつて表される市区町村に続く町名、街区符号、住居番号等を、「丁目」「番」及び「号」をそれぞれ－（ダッシュ）で区切り、上段から左詰めで記入すること。

（記入例）［霞¦が¦関¦2¦－¦1¦－¦3¦ ¦ ］

⑦ 「電話番号」の欄は、市外局番、市内局番、番号をそれぞれ－（ダッシュ）で区切り、左詰めで記入すること。

（記入例）［0¦3¦－¦5¦2¦5¦3¦－¦8¦1¦1¦1¦ ］

⑧ 「本籍市区町村コード」の欄は、都道府県の窓口備付けのコードブック（総務省編「全国地方公共団体コード」）により、本籍地の所在する市区町村のコードを記入すること。なお、外国籍の場合には、［9¦9¦0¦0¦0］と記入すること。

⑨ 「本籍」の欄は、⑧により記入した本籍市区町村コードによつて表される市区町村に続く町名、街区符号、住居番号等を、戸籍のとおりに、上段から左詰めで記入すること。なお、外国籍の場合には記入しないこと。

（記入例）［霞¦が¦関¦弐¦丁¦目¦壱¦番¦参¦号］

⑩ 「免許証番号」の欄は、免許権者については、下表より該当するコードを記入すること。ただし、免許権者が北海道知事である場合には、51～64のうち該当するコードを記入することとし、信託会社及び信託業務を兼営する銀行については、（記入例）㋑に従うこと。

（記入例）㋐ ［0¦0］（5）［ ¦ ¦ ¦1¦0¦0］［国土交通大臣（5）第１００号の場合］

㋑ ［9¦9］（ ）［ ¦ ¦ ¦ ¦5¦0］［国土交通大臣届出第５０号の場合］

00	国土交通大臣	16	富山県知事	32	島根県知事	51	北海道知事(石狩)
		17	石川県知事	33	岡山県知事	52	北海道知事(渡島)
02	青森県知事	18	福井県知事	34	広島県知事	53	北海道知事(檜山)
03	岩手県知事	19	山梨県知事	35	山口県知事	54	北海道知事(後志)
04	宮城県知事	20	長野県知事	36	徳島県知事	55	北海道知事(空知)
05	秋田県知事	21	岐阜県知事	37	香川県知事	56	北海道知事(上川)
06	山形県知事	22	静岡県知事	38	愛媛県知事	57	北海道知事(留萌)
07	福島県知事	23	愛知県知事	39	高知県知事	58	北海道知事(宗谷)
08	茨城県知事	24	三重県知事	40	福岡県知事	59	北海道知事(オホ)
09	栃木県知事	25	滋賀県知事	41	佐賀県知事	60	北海道知事(胆振)
10	群馬県知事	26	京都府知事	42	長崎県知事	61	北海道知事(日高)
11	埼玉県知事	27	大阪府知事	43	熊本県知事	62	北海道知事(十勝)
12	千葉県知事	28	兵庫県知事	44	大分県知事	63	北海道知事(釧路)
13	東京都知事	29	奈良県知事	45	宮崎県知事	64	北海道知事(根室)
14	神奈川県知事	30	和歌山県知事	46	鹿児島県知事		
15	新潟県知事	31	鳥取県知事	47	沖縄県知事		

⑪ 「実務経験に関する事項」の「商号又は名称」の欄は、左詰めで記入すること。

⑫ 「実務経験に関する事項」について記入しきれないときは、欄外に必要事項を記入し、「合計」の欄は、欄外に記入した実務経験を含めて記入すること。

⑬ 「期間」の欄は、それぞれ、最初の□には下表より該当する元号のコードを記入するとともに、□に数字を記入するに当たつては、空位の□に「０」を記入すること。

（記入例）［H¦0¦1¦1¦1¦0¦3］～［H¦0¦2¦1¦2¦3¦1］
［平成元年１１月３日から平成２年１２月３１日までの場合］

S	昭和	H	平成	R	令和

⑭ 「認定コード」の欄は、下表より該当する認定の内容のコードを記入すること。

1	国土交通大臣が指定する宅地又は建物の取引に関する実務についての講習を修了した者
2	国、地方公共団体又はこれらの出資を伴い設立された法人における宅地又は建物の取得、交換又は処分に関する業務に主として従事した期間が通算して２年以上である者
3	上記に掲げる者のほか、国土交通大臣が宅地建物取引業法第18条第１項に規定する宅地又は建物の取引に関し国土交通省令で定める期間以上の実務の経験を有する者と同等以上の能力を有すると認めた者

⑮ 「合格証書番号」の欄は、右詰めで記入すること。

⑯ 業務に従事する宅地建物取引業者に関する事項の「商号又は名称」の欄は、上段から左詰めで記入すること。

様式第五号の二（第十四条の三関係）

（A 4）

実務経験証明書

		（フリガナ） 被証明者氏名	
実務経験先及び在職期間		証　明　者	
免許証番号		免許証番号	国土交通大臣 （　）第　　号 知事
商号又は名称			
職務内容		商号又は名称	
従業者証明書番号			
在職期間	年　月　日から 年　月　日まで 年　月間	代表者氏名	
免許証番号		免許証番号	国土交通大臣 （　）第　　号 知事
商号又は名称			
職務内容		商号又は名称	
従業者証明書番号			
在職期間	年　月　日から 年　月　日まで 年　月間	代表者氏名	
免許証番号		免許証番号	国土交通大臣 （　）第　　号 知事
商号又は名称			
職務内容		商号又は名称	
従業者証明書番号			
在職期間	年　月　日から 年　月　日まで 年　月間	代表者氏名	
	在職期間計　年　月間		

備考

1　証明は実務経験先の宅地建物取引業者等が行うものとし、申請者が宅地建物取引業者（法人であるときは、その役員）であるときは、他の宅地建物取引業者等が証明すること。

2　証明者が法人である場合においては、代表者が証明すること。

3　実務経験先の免許が変更されているときは、区別して記載すること。

様式第六号（第十四条の三関係）

（A 4）

誓　約　書

私は、宅地建物取引業法第 18 条第1項第3号から第 12 号までに該当しない者であることを誓約します。

年　　月　　日

氏　名

知事　　　　殿

様式第六号の二（第十四条の五関係）

（A４）
3 2 0

登録移転申請書

証　紙　欄
（消印してはならない）

写真 2.4 cm × 3 cm

宅地建物取引業法第19条の2の規定により、登録の移転を申請します。

年　月　日

知事　殿

郵便番号（　　）
申請者　住　所

氏　名

移転前の都道府県知事の受付番号	移転前の都道府県知事の受付年月日	移転前の登録番号
*	*	

移転後の都道府県知事	移転後の都道府県知事の受付番号	移転後の都道府県知事の受付年月日	移転後の登録番号
	*	*	*

項番　◎申請者に関する事項

11		
	フリガナ	
	氏名	
	生年月日	年　月　日　性別　1.男 2.女
	郵便番号	
	住所市区町村コード	都道府県　市郡区　区町村
	住所	
	電話番号	
	本籍市区町村コード	都道府県　市郡区　区町村
	本籍	

確認欄 *

◎移転に関する事項

12	移転前の都道府県知事		移転の理由	

◎移転後において業務に従事し、又は従事しようとする宅地建物取引業者に関する事項

商号又は名称	
免許証番号	（　）

確認欄 *

備　考

① あて名は移転後の都道府県知事とし、その都道府県の発行する証紙をはり付けること。なお、申請書の提出は移転前の都道府県知事にすること。

② 申請者は、＊印の欄には記入しないこと。

③ 「移転前の登録番号」の欄は、登録を受けている都道府県知事については、下表より該当するコードを記入すること。ただし、北海道知事の登録を受けている場合には、51～64のうち該当するコードを記入すること。また、登録番号に「選考」とある場合にのみ最後の□に「１」を記入すること。

（記入例）1 3 ― 0 0 0 1 0 0 ― □［東京都知事登録第０００１００号の場合］

00	国土交通大臣	16	富山県知事	32	島根県知事	51	北海道知事(石狩)
		17	石川県知事	33	岡山県知事	52	北海道知事(渡島)
02	青森県知事	18	福井県知事	34	広島県知事	53	北海道知事(檜山)
03	岩手県知事	19	山梨県知事	35	山口県知事	54	北海道知事(後志)
04	宮城県知事	20	長野県知事	36	徳島県知事	55	北海道知事(空知)
05	秋田県知事	21	岐阜県知事	37	香川県知事	56	北海道知事(上川)
06	山形県知事	22	静岡県知事	38	愛媛県知事	57	北海道知事(留萌)
07	福島県知事	23	愛知県知事	39	高知県知事	58	北海道知事(宗谷)
08	茨城県知事	24	三重県知事	40	福岡県知事	59	北海道知事(オホ)
09	栃木県知事	25	滋賀県知事	41	佐賀県知事	60	北海道知事(胆振)
10	群馬県知事	26	京都府知事	42	長崎県知事	61	北海道知事(日高)
11	埼玉県知事	27	大阪府知事	43	熊本県知事	62	北海道知事(十勝)
12	千葉県知事	28	兵庫県知事	44	大分県知事	63	北海道知事(釧路)
13	東京都知事	29	奈良県知事	45	宮崎県知事	64	北海道知事(根室)
14	神奈川県知事	30	和歌山県知事	46	鹿児島県知事		
15	新潟県知事	31	鳥取県知事	47	沖縄県知事		

④ 「移転後の都道府県知事」の欄は、上記③の表より該当する都道府県知事のコードを記入すること。この場合、移転後に北海道知事の登録を受ける場合には51～64のうち該当するコードを記入すること。

⑤ 氏名の「フリガナ」の欄は、カタカナで姓と名の間に１文字分空けて左詰めで記入し、その際、濁点及び半濁点は１文字として扱うこと。また、「氏名」の欄も姓と名の間に１文字分空けて左詰めで記入すること。

⑥ 「生年月日」の欄は、最初の□には下表より該当する元号のコードを記入するとともに、□に数字を記入するに当たっては、空位の□に「０」を記入すること。

（記入例）H ― 0 1 年 0 8 月 2 3 日
［平成元年８月23日の場合］

M	明治	S	昭和	R	令和
T	大正	H	平成		

⑦ 「性別」の欄は、該当する番号を記入すること。

⑧ 移転前と移転後において住所、電話番号が異なる場合には、「住所」、「電話番号」の欄には、移転後におけるものを記入すること。

⑨ 「住所市区町村コード」の欄は、都道府県の窓口備付けのコードブック（総務省編「全国地方公共団体コード」）により該当する市区町村のコードを記入すること。

様式第七号（第十四条の七関係）
（Ａ４）

3	3	0

宅地建物取引士資格登録簿
変　更　登　録　申　請　書

宅地建物取引業法第20条の規定により、下記の事項について変更の登録を申請します。

年　月　日

知 事 殿

申 請 者 氏　名

生年月日　　年　　月　　日

受付番号	受付年月日	申請時の登録番号
*	*	－ －

項番 ◎申請者に関する事項

11			
	変更年月日	年　月　日	
変更後	フリガナ		
変更後	氏　名		
変更前	フリガナ		確認欄
変更前	氏　名		*

12			
	変更年月日	年　月　日	
変更後	郵便番号		
変更後	住所市区町村コード	都道府県　　市郡区　　区町村	
変更後	住　所		
変更後	電話番号		
	変更前 住所		確認欄 *

13			
	変更年月日	年　月　日	
変更後	本籍市区町村コード	都道府県　　市郡区　　区町村	
変更後	本　籍		
	変更前 本籍		確認欄 *

◎業務に従事する宅地建物取引業者に関する事項

14			
	変更年月日	年　月　日	
変更後	商号又は名称		
変更後	免許証番号	（　）	
	変更年月日	年　月　日	
変更前	商号又は名称		
変更前	免許証番号	国土交通大臣（　　）第　　　号	確認欄

⑩ 「住所」の欄は、⑨により記入した住所市区町村コードによつて表される市区町村に続く町名、街区符号、住居番号等を、「丁目」「番」及び「号」をそれぞれ－（ダッシュ）で区切り、上段から左詰めで記入すること。

（記入例） 霞|が|関|2|－|1|－|3

⑪ 「電話番号」の欄は、市外局番、市内局番、番号をそれぞれ－（ダッシュ）で区切り、左詰めで記入すること。

（記入例） 0|3|－|5|2|5|3|－|8|1|1|1

⑫ 「本籍市区町村コード」の欄は、都道府県の窓口備付けのコードブック（総務省編「全国地方公共団体コード」）により、本籍地の所在する市区町村のコードを記入すること。なお、外国籍の場合には、9|9|0|0|0 と記入すること。

⑬ 「本籍」の欄は、⑫により記入した本籍市区町村コードによつて表される市区町村に続く町名、街区符号、住居番号等を、戸籍のとおりに、上段から左詰めで記入すること。なお、外国籍の場合には記入しないこと。

（記入例） 霞|が|関|弐|丁|目|壱|番|参|号

⑭ 「移転前の都道府県知事」の欄は、上記③の表より該当する都道府県知事のコードを記入すること。ただし、移転前の登録を受けている都道府県知事が北海道知事である場合には、51～64のうち該当するコードを記入すること。

⑮ 「商号又は名称」の欄は、上段から左詰めで記載すること。

⑯ 「免許証番号」の欄は、免許権者については、上記③の表より該当するコードを記入すること。ただし、免許権者が北海道知事である場合には、51～64のうち該当するコードを記入することとし、信託会社及び信託業務を兼営する銀行については、（記入例）に従うこと。また、移転後において、業務に従事しようとする宅地建物取引業者が新規免許申請中の場合は、記入しないこと。

（記入例） ㋐ 0|0 (5) 1|0|0 ［国土交通大臣（５）第１００号の場合］

㋑ 9|9 ( ) 5|0 ［国土交通大臣届出第５０号の場合］

知事　＊

備考

① 申請者は、＊印の欄には記入しないこと。

② 登録を受けている事項のうち、変更があつたものについてのみ記入すること。

③ 「申請時の登録番号」の欄は、登録を受けている都道府県知事については、下表より該当するコードを記入すること。ただし、北海道知事の登録を受けている場合には、51～64のうち該当するコードを記入すること。また、登録番号に「選考」とある場合にのみ最後の□に「1」を記入すること。

（記入例） 1 3 ― 0 0 0 1 0 0 ― □ ［東京都知事登録第０００１００号の場合］

00	国土交通大臣	16	富山県知事	32	島根県知事	51	北海道知事(石狩)
		17	石川県知事	33	岡山県知事	52	北海道知事(渡島)
02	青森県知事	18	福井県知事	34	広島県知事	53	北海道知事(檜山)
03	岩手県知事	19	山梨県知事	35	山口県知事	54	北海道知事(後志)
04	宮城県知事	20	長野県知事	36	徳島県知事	55	北海道知事(空知)
05	秋田県知事	21	岐阜県知事	37	香川県知事	56	北海道知事(上川)
06	山形県知事	22	静岡県知事	38	愛媛県知事	57	北海道知事(留萌)
07	福島県知事	23	愛知県知事	39	高知県知事	58	北海道知事(宗谷)
08	茨城県知事	24	三重県知事	40	福岡県知事	59	北海道知事(オホ)
09	栃木県知事	25	滋賀県知事	41	佐賀県知事	60	北海道知事(胆振)
10	群馬県知事	26	京都府知事	42	長崎県知事	61	北海道知事(日高)
11	埼玉県知事	27	大阪府知事	43	熊本県知事	62	北海道知事(十勝)
12	千葉県知事	28	兵庫県知事	44	大分県知事	63	北海道知事(釧路)
13	東京都知事	29	奈良県知事	45	宮崎県知事	64	北海道知事(根室)
14	神奈川県知事	30	和歌山県知事	46	鹿児島県知事		
15	新潟県知事	31	鳥取県知事	47	沖縄県知事		

④ 「変更年月日」の欄は、最初の□には元号のコードとして「R」を記入するとともに、□に数字を記入するに当たつては、空位の□に「0」を記入すること。

（記入例） R ― 0 5 年 1 1 月 3 0 日
［令和5年11月30日の場合］

⑤ 氏名の「フリガナ」の欄は、カタカナで姓と名の間に１文字分空けて左詰めで記入し、その際、濁点及び半濁点は１文字として扱うこと。また、「氏名」の欄も、姓と名の間に１文字分空けて左詰めで記入すること。

⑥ 「住所市区町村コード」の欄は、都道府県の窓口備付けのコードブック（総務省編「全国地方公共団体コード」）により該当する市区町村のコードを記入すること。

⑦ 「住所」の欄は、⑥により記入した住所市区町村コードによつて表される市区町村に続く町名、街区符号、住居番号等を、「丁目」「番」及び「号」をそれぞれ－（ダッシュ）で区切り、上段から左詰めで記入すること。

（記入例） 霞 が 関 2 － 1 － 3

⑧ 「電話番号」の欄は、市外局番、市内局番、番号をそれぞれ－（ダッシュ）で区切り、左詰めで記入すること。

（記入例） 0 3 － 5 2 5 3 － 8 1 1 1

⑨ 「本籍市区町村コード」の欄は、都道府県の窓口備付けのコードブック（総務省編「全国地方公共団体コード」）により、本籍地の所在する市区町村のコードを記入すること。なお、外国籍の場合には、 9 9 0 0 0 と記入すること。

⑩ 「本籍」の欄は、⑨により記入した本籍市区町村コードによつて表される市区町村に続く町名、街区符号、住居番号等を、戸籍のとおりに、上段から左詰めで記入すること。なお、外国籍の場合には記入しないこと。

（記入例） 霞 が 関 弐 丁 目 壱 番 参 号

⑪ 「商号又は名称」の欄は、上段から左詰めで記載すること。

⑫ 「免許証番号」の欄は、免許権者については、上記③の表より該当するコードを記入すること。ただし、免許権者が北海道知事である場合には、51～64のうち該当するコードを記入することとし、信託会社及び信託業務を兼営する銀行については、（記入例）④に従うこと。また、変更後において、業務に従事しようとする宅地建物取引業者が新規免許申請中の場合は、記入しないこと。

（記入例）㋐ 0 0 （5） 1 0 0 ［国土交通大臣（5）第１００号の場合］

㋑ 9 9 （ ） 5 0 ［国土交通大臣届出第５０号の場合］

様式第七号の二（第十四条の七の二関係）

（A４）
3:4:0

宅地建物取引士死亡等届出書

宅地建物取引士について、宅地建物取引業法第 21 条の規定により、次のとおり届け出ます。

年　月　日

知事　殿

届出者 住　所

氏　名

受付番号 *□□□□□□　受付年月日 *□□□□□□　届出時の登録番号 □□―□□□□□□―□

宅地建物取引業法第18条第1項の登録を受けている者と届出人との関係	1.相続人　2.本人　3.法定代理人　4.同居の親族		
届　出　の　理　由	1. 死亡 2. 法第18条第１項第１号 3. 法第18条第１項第２号 4. 法第18条第１項第３号 5. 法第18条第１項第４号 6. 法第18条第１項第５号 7. 法第18条第１項第６号 8. 法第18条第１項第７号 9. 法第18条第１項第８号 10. 法第18条第１項第12号		
宅地建物取引業法第18条第1項の登録を受けている者の氏名		性　別	1.男 2.女
生　年　月　日	年　月　日		
登　録　年　月　日	年　月　日		
本　籍			
住　所			
業務に従事する（又はしていた）宅地建物取引業者に関する事項　商号又は名称			
業務に従事する（又はしていた）宅地建物取引業者に関する事項　免許証番号	国土交通大臣 知事　（　）第　号		
届出事由の生じた日	年　月　日		

確認欄 *□

備　考

① 届出者は、＊印の欄には記入しないこと。

② 「届出時の登録番号」の欄は、登録を受けている都道府県知事については、下表より該当するコードを記入すること。ただし、北海道知事の登録を受けている場合には、51～64のうち該当するコードを記入すること。また、登録番号に「選考」とある場合にのみ最後の□に「1」を記入すること。

（記入例） 1:3―0:0:0:1:0:0―□ ［東京都知事登録第０００１００号の場合］

02	青森県知事	17	石川県知事	32	島根県知事	47	沖縄県知事
03	岩手県知事	18	福井県知事	33	岡山県知事	51	北海道知事(石狩)
04	宮城県知事	19	山梨県知事	34	広島県知事	52	北海道知事(渡島)
05	秋田県知事	20	長野県知事	35	山口県知事	53	北海道知事(檜山)
06	山形県知事	21	岐阜県知事	36	徳島県知事	54	北海道知事(後志)
07	福島県知事	22	静岡県知事	37	香川県知事	55	北海道知事(空知)
08	茨城県知事	23	愛知県知事	38	愛媛県知事	56	北海道知事(上川)
09	栃木県知事	24	三重県知事	39	高知県知事	57	北海道知事(留萌)
10	群馬県知事	25	滋賀県知事	40	福岡県知事	58	北海道知事(宗谷)
11	埼玉県知事	26	京都府知事	41	佐賀県知事	59	北海道知事(オホ)
12	千葉県知事	27	大阪府知事	42	長崎県知事	60	北海道知事(胆振)
13	東京都知事	28	兵庫県知事	43	熊本県知事	61	北海道知事(日高)
14	神奈川県知事	29	奈良県知事	44	大分県知事	62	北海道知事(十勝)
15	新潟県知事	30	和歌山県知事	45	宮崎県知事	63	北海道知事(釧路)
16	富山県知事	31	鳥取県知事	46	鹿児島県知事	64	北海道知事(根室)

③ 「宅地建物取引業法第 18 条第１項の登録を受けている者と届出人との関係」、「届出の理由」及び「性別」の欄は、該当するものの番号を○で囲むこと。

④ 死亡の場合にあつては、「届出事由の生じた日」の欄に死亡の事実を知つた日を付記すること。

様式第七号の二の二（第十四条の十関係）

（Ａ４）
３５０

宅地建物取引士証 交付申請書

証紙欄
（消印してはならない）

写真（3 cm × 4 cm）

下記により、宅地建物取引士証の交付を申請します。

年　月　日

知事　殿

申請者　郵便番号（　　）
住　所
氏　名

申請の種類 □　1.新規　2.更新　3.登録の移転

＊受付番号　＊受付年月日　申請時の登録番号 □□-□□□□□□-□

＊受講年月日

住所	電話番号（　　）　－	
（フリガナ）氏名		
生年月日	年　月　日	
業務に従事している宅地建物取引業者に関する事項	商号又は名称	
	免許証番号	国土交通大臣／知事（　　）第　　号
新規の場合	試験の合格後１年を経過しているか否かの別	１年を経過して｛いる／いない｝
更新又は登録の移転の場合	現に有する宅地建物取引士証の有効期限	年　月　日

＊この者は、宅地建物取引業法第 22 条の２第２項又は第 22 条の3第2項の規定において準用する同法第 22 条の２第２項の規定による講習を修了したことを証します。

年　月　日

講習実施者　印

＊確認欄 □

備　考

① 申請者は、＊印の欄には記入しないこと。
② 「申請の種類」の欄は、該当する番号を記入すること。
③ 「申請時の登録番号」の欄は、登録を受けている都道府県知事については、下表より該当するコードを記入すること。ただし、北海道知事の登録を受けている場合には、51～64のうち該当するコードを記入すること。また、登録番号に「選考」とある場合にのみ最後の□に「1」を記入すること。

（記入例）１３－０００１００－□　［東京都知事登録第０００１００号の場合］

02	青森県知事	17	石川県知事	32	島根県知事	47	沖縄県知事
03	岩手県知事	18	福井県知事	33	岡山県知事	51	北海道知事(石狩)
04	宮城県知事	19	山梨県知事	34	広島県知事	52	北海道知事(渡島)
05	秋田県知事	20	長野県知事	35	山口県知事	53	北海道知事(檜山)
06	山形県知事	21	岐阜県知事	36	徳島県知事	54	北海道知事(後志)
07	福島県知事	22	静岡県知事	37	香川県知事	55	北海道知事(空知)
08	茨城県知事	23	愛知県知事	38	愛媛県知事	56	北海道知事(上川)
09	栃木県知事	24	三重県知事	39	高知県知事	57	北海道知事(留萌)
10	群馬県知事	25	滋賀県知事	40	福岡県知事	58	北海道知事(宗谷)
11	埼玉県知事	26	京都府知事	41	佐賀県知事	59	北海道知事(オホ)
12	千葉県知事	27	大阪府知事	42	長崎県知事	60	北海道知事(胆振)
13	東京都知事	28	兵庫県知事	43	熊本県知事	61	北海道知事(日高)
14	神奈川県知事	29	奈良県知事	44	大分県知事	62	北海道知事(十勝)
15	新潟県知事	30	和歌山県知事	45	宮崎県知事	63	北海道知事(釧路)
16	富山県知事	31	鳥取県知事	46	鹿児島県知事	64	北海道知事(根室)

④ 「試験の合格後１年を経過しているか否かの別」の欄は、該当するものを○で囲むこと。
⑤ 登録の移転の申請と同時に宅地建物取引士証の交付の申請をする場合には、「申請時の登録番号」の欄は記入しないこと。

様式第七号の三（第十四条の十一関係）

表

宅地建物取引士証

（写真欄　2.4 cm × 3.0cm）

写

真

氏　　名　　　　（　年　月　日生）

住　　所

登録番号　　第　　　号

登録年月日　　　年　月　日

年　月　日まで有効

知事　　　印

交付年月日　　　年　月　日

発行番号　　第　　　号

8.547 cm以上 8.572 cm以下 × 5.392cm 以上 5.403cm 以下

裏

備　考

注意事項

1　取引の関係者から請求があったとき、又は重要事項説明のときは、本証を提示すること。
2　登録が消除されたとき、又は本証が失効したときは、速やかに本証を返納すること。
3　事務禁止の処分を受けたときは、速やかに本証を提出すること。
4　本証は他人に貸与し、又は譲渡してはならない。
5　本証を更新する場合は、交付申請前６月以内に行われる都道府県知事が指定する講習を受講すること。

様式第七号の四（第十四条の十三関係）

（A４）
3 6 0

宅地建物取引士証書換え交付申請書

年　月　日

知　事　殿

申請者　発行番号

郵便番号（　　　）
住　　所

氏　　名

電話番号（　　　）　　—

受付番号 *

受付年月日 *

申請時の登録番号 □—□—□

受講年月日 *

宅地建物取引士証記載事項を下記のとおり変更しましたので、宅地建物取引業法施行規則第14条の13の規定により、宅地建物取引士証の書換え交付を申請します。

変更に係る事項	変更後	変更前	交付年月日
（フリガナ） 氏名			
住所			

確認欄 *

備　考

① 申請者は、＊印の欄には記入しないこと。

② 「申請時の登録番号」の欄は、登録を受けている都道府県知事については、下表より該当するコードを記入すること。ただし、北海道知事の登録を受けている場合には、51～64のうち該当するコードを記入すること。また、登録番号に「選考」とある場合にのみ最後の□に「1」を記入すること。

（記入例）　1 3 — 0 0 0 1 0 0 — □　［東京都知事登録第０００１００号の場合］

02	青森県知事	17	石川県知事	32	島根県知事	47	沖縄県知事
03	岩手県知事	18	福井県知事	33	岡山県知事	51	北海道知事(石狩)
04	宮城県知事	19	山梨県知事	34	広島県知事	52	北海道知事(渡島)
05	秋田県知事	20	長野県知事	35	山口県知事	53	北海道知事(檜山)
06	山形県知事	21	岐阜県知事	36	徳島県知事	54	北海道知事(後志)
07	福島県知事	22	静岡県知事	37	香川県知事	55	北海道知事(空知)
08	茨城県知事	23	愛知県知事	38	愛媛県知事	56	北海道知事(上川)
09	栃木県知事	24	三重県知事	39	高知県知事	57	北海道知事(留萌)
10	群馬県知事	25	滋賀県知事	40	福岡県知事	58	北海道知事(宗谷)
11	埼玉県知事	26	京都府知事	41	佐賀県知事	59	北海道知事(オホ)
12	千葉県知事	27	大阪府知事	42	長崎県知事	60	北海道知事(胆振)
13	東京都知事	28	兵庫県知事	43	熊本県知事	61	北海道知事(日高)
14	神奈川県知事	29	奈良県知事	44	大分県知事	62	北海道知事(十勝)
15	新潟県知事	30	和歌山県知事	45	宮崎県知事	63	北海道知事(釧路)
16	富山県知事	31	鳥取県知事	46	鹿児島県知事	64	北海道知事(根室)

様式第七号の五（第十四条の十五関係）

（A 4）
3:7:0

宅地建物取引士証再交付申請書

年　月　日

知 事 殿

郵便番号（　　）
申請者 住　所
氏　名
電話番号（　　）　－

＊受付番号
＊受付年月日
申請時の登録番号
＊受講年月日

宅地建物取引業法施行規則第 14 条の 15 の規定により、下記のとおり宅地建物取引士証の再交付を申請します。

住　所	
（フリガナ） 氏　名	
生年月日	年　月　日
再交付を申請する理由	1. 亡失　2. 滅失　3. 汚損　4. 破損　5. その他の事由

確認欄 ＊

備　考

① 申請者は、＊印の欄には記入しないこと。

② 「申請時の登録番号」の欄は、登録を受けている都道府県知事については、下表より該当するコードを記入すること。ただし、北海道知事の登録を受けている場合には、51～64のうち該当するコードを記入すること。また、登録番号に「選考」とある場合にのみ最後の□に「1」を記入すること。

（記入例） 1:3 － 0:0:0:1:0:0 － □ ［東京都知事登録第０００１００号の場合］

02	青森県知事	17	石川県知事	32	島根県知事	47	沖縄県知事
03	岩手県知事	18	福井県知事	33	岡山県知事	51	北海道知事(石狩)
04	宮城県知事	19	山梨県知事	34	広島県知事	52	北海道知事(渡島)
05	秋田県知事	20	長野県知事	35	山口県知事	53	北海道知事(檜山)
06	山形県知事	21	岐阜県知事	36	徳島県知事	54	北海道知事(後志)
07	福島県知事	22	静岡県知事	37	香川県知事	55	北海道知事(空知)
08	茨城県知事	23	愛知県知事	38	愛媛県知事	56	北海道知事(上川)
09	栃木県知事	24	三重県知事	39	高知県知事	57	北海道知事(留萌)
10	群馬県知事	25	滋賀県知事	40	福岡県知事	58	北海道知事(宗谷)
11	埼玉県知事	26	京都府知事	41	佐賀県知事	59	北海道知事(オホ)
12	千葉県知事	27	大阪府知事	42	長崎県知事	60	北海道知事(胆振)
13	東京都知事	28	兵庫県知事	43	熊本県知事	61	北海道知事(日高)
14	神奈川県知事	29	奈良県知事	44	大分県知事	62	北海道知事(十勝)
15	新潟県知事	30	和歌山県知事	45	宮崎県知事	63	北海道知事(釧路)
16	富山県知事	31	鳥取県知事	46	鹿児島県知事	64	北海道知事(根室)

③ 「再交付を申請する理由」の欄は、該当するものの番号を○で囲み、具体的な理由を記すこと。

④ 汚損、破損又はその他の事由を理由に申請する場合は、申請者が現に有する宅地建物取引士証を添付すること。

様式第七号の六（第十五条の五関係）

（A 4）
4 1 0

営業保証金供託済届出書

年　月　日

地方整備局長
北海道開発局長　殿
知　事

届出者　商号又は名称
郵便番号（　　）
主たる事務所の
所在地
氏　名
（法人にあつては、代表者の氏名）
電話番号（　　）　－
ファクシミリ番号（　　）　－

下記のとおり、宅地建物取引業に係る営業保証金を供託しましたので、供託物受入れの記載のある供託書の写しを添付して届け出ます。

受付番号	受付年月日	届出時の免許証番号
*	*	（　）

供託の原因 □	1.新規免許の取得(法第25条)　2.事務所の新設(法第26条) 3.不足額の発生(法第28条)　4.保管替え等(法第29条) 5.宅地建物取引業保証協会の社員の地位の喪失(法第64条の15) 6.変換(差し替え)		
供託番号		供託年月日	供託所
年度 1.金 2.証 3.国 第　号		年　月　日	法務局　支局　出張所
金銭の場合の供託額（円）			
有価証券の場合の供託額		額面　円	
有価証券の場合の営業保証金に充当される額（円）			
振替国債の場合の供託額（円）			
変換の場合には、変換前の供託物に関する事項	供託番号	供託年月日	
	年度 1金 2証 3国 第　号	年　月　日	
	年度 1金 2証 3国 第　号	年　月　日	
	年度 1金 2証 3国 第　号	年　月　日	
今回の供託に係る事務所に関する事項	名称	所在地	

確認欄 *□

備　考

① 届出者は、＊印の欄には記入しないこと。

② 「届出時の免許証番号」の欄は、免許権者については、下表より該当するコードを記入すること。ただし、免許権者が北海道知事である場合には、51～64のうち該当するコードを記入することとし、信託会社及び信託業務を兼営する銀行については、（記入例）㋑に従うこと。

（記入例）㋐ 0 0 （5） 1 0 0 ［国土交通大臣（5）第１００号の場合］

㋑ 9 9 （ ） 5 0 ［国土交通大臣届出第５０号の場合］

00	国土交通大臣	16	富山県知事	32	島根県知事	51	北海道知事(石狩)
		17	石川県知事	33	岡山県知事	52	北海道知事(渡島)
02	青森県知事	18	福井県知事	34	広島県知事	53	北海道知事(檜山)
03	岩手県知事	19	山梨県知事	35	山口県知事	54	北海道知事(後志)
04	宮城県知事	20	長野県知事	36	徳島県知事	55	北海道知事(空知)
05	秋田県知事	21	岐阜県知事	37	香川県知事	56	北海道知事(上川)
06	山形県知事	22	静岡県知事	38	愛媛県知事	57	北海道知事(留萌)
07	福島県知事	23	愛知県知事	39	高知県知事	58	北海道知事(宗谷)
08	茨城県知事	24	三重県知事	40	福岡県知事	59	北海道知事(オホ)
09	栃木県知事	25	滋賀県知事	41	佐賀県知事	60	北海道知事(胆振)
10	群馬県知事	26	京都府知事	42	長崎県知事	61	北海道知事(日高)
11	埼玉県知事	27	大阪府知事	43	熊本県知事	62	北海道知事(十勝)
12	千葉県知事	28	兵庫県知事	44	大分県知事	63	北海道知事(釧路)
13	東京都知事	29	奈良県知事	45	宮崎県知事	64	北海道知事(根室)
14	神奈川県知事	30	和歌山県知事	46	鹿児島県知事		
15	新潟県知事	31	鳥取県知事	47	沖縄県知事		

③ 「供託の原因」の欄は、該当する番号を記入すること。

④ 「供託番号」の欄は、右詰めで、最初の□には下表より該当する元号のコードを記入すること。

（記入例） H 1 年度 1.金 ②証 3.国 第 5 0 0 号
［平成元年度　証　第５００号の場合］

S 昭和　H 平成　R 令和

⑤ 「金銭の場合の供託額」の欄は、右詰めで記入すること。

（記入例） 5 0 0 0 0 0 0 ［金銭　５００万円の場合］

⑥ 「有価証券の場合の供託額」の欄には、振替国債を除いた有価証券の供託額の額面金額を記入すること。

（記入例） 額面　5,000,000円 ［地方債証券　５００万円の場合］

⑦ 「有価証券の場合の営業保証金に充当される額」の欄は、その有価証券を営業保証金に充てることができる金額を記入すること。

（記入例） 4 5 0 0 0 0 0 ［地方債証券　５００万円の場合］

⑧ 有価証券のうち振替国債を供託する場合は、「振替国債の場合の供託額」の欄に、その金額を記入すること。

⑨ 「今回の供託に係る事務所に関する事項」の欄は、供託の原因が不足額の発生である場合には記入しないこと。

様式第八号（第十七条関係）

表

従業者証明書

従業者証明書番号

（写真 2.4cm × 3.0cm）

（　年　月撮影）

従業者氏名　　　　　　（　年　月　日生）
業務に従事する事務所の名称及び所在地

この者は、宅地建物取引業者の従業者であることを証明します。

証明書有効期間　　年　月　日から
　　　　　　　　　年　月　日まで

免許証番号　国土交通大臣／知事（　）第　号

商号又は名称

主たる事務所の所在地

代表者氏名

← 8.547 cm以上 8.572 cm以下 →　　　5.392cm 以上 5.403cm 以下

裏

備　考

宅地建物取引業法抜すい

第48条　宅地建物取引業者は、国土交通省令の定めるところにより、従業者に、その従業者であることを証する証明書を携帯させなければ、その者をその業務に従事させてはならない。

2　従業者は、取引の関係者の請求があつたときは、前項の証明書を提示しなければならない。

備　考

1　従業者証明書番号の付し方は、次の方法によること。

(1)　第１けた及び第２けたには、当該従業者が雇用された年を西暦で表したときの西暦年の下２けたを記載するものとする。

(2)　第３けた及び第４けたには、当該従業者が雇用された月を記載するものとする。ただし、その月が１月から９月までである場合においては、第３けたは０とし、第４けたにその月を記載するものとする。

(3)　第５けた以下には、従業者ごとに、重複がないように付した番号を記載するものとする。

2　業務に従事する事務所に変更があつたときは、裏面に変更後の内容を記入すること。

3　従業者の現住所等必要な事項がある場合には、裏面に記入すること。

4　用紙の色彩は青色以外とすること。

5　証明書の有効期間は５年以下とすること。

様式第八号の二（第十七条の二関係）

従業者名簿

氏名	性別	生年月日	従業者証明書番号	主たる職務内容	宅地建物取引士であるか否かの別	この事務所の従業者となった年月日	この事務所の従業者でなくなった年月日

備　考

1　「従業者証明書番号」の欄には、法第４８条第１項の証明書の番号を記入すること。

2　「宅地建物取引士であるか否かの別」の欄には、宅地建物取引士である者には○印をつけること。

3　一時的に業務に従事する者についても記載すること。

4　記載すべき事由が発生した場合には、２週間以内に記載すること。なお、記載事項について変更、訂正等をするときは、変更、訂正等をする前の文字等は、なお読むことができるようにしておくこと。

様式第九号（第十九条関係）

標　　識

宅地建物取引業者票	
免許証番号	国土交通大臣 知事　（　　）第　　　　号
免許有効期間	年　月　日から 年　月　日まで
商号又は名称	
代表者氏名	
この事務所に置かれている専任の宅地建物取引士の氏名	
主たる事務所の所在地	電話番号　（　　）

35 cm以上 × 30cm 以上

様式第十号（第十九条関係）

標　　識

<table>
<tr><td colspan="4">宅地建物取引業者票
この標識は、宅地建物取引業者としての免許の主要な内容とこの場所における業務の内容を表示しています。</td></tr>
<tr><td colspan="2">免許証番号</td><td colspan="2">国土交通大臣
知事　（　　）第　　　　号</td></tr>
<tr><td colspan="2">免許有効期間</td><td colspan="2">年　月　日から
年　月　日まで</td></tr>
<tr><td colspan="2">代表者氏名</td><td colspan="2"></td></tr>
<tr><td colspan="2">商号又は名称</td><td colspan="2"></td></tr>
<tr><td colspan="2">この場所に置かれている専任の宅地建物取引士の氏名</td><td colspan="2"></td></tr>
<tr><td colspan="2">主たる事務所の所在地</td><td colspan="2">電話番号（　）　－</td></tr>
<tr><td rowspan="3">この場所における業務の内容</td><td>業務の態様</td><td colspan="2">契約の締結・契約の申込みの受理等</td></tr>
<tr><td rowspan="2">取り扱う宅地建物の内容</td><td>名　称</td><td></td></tr>
<tr><td>所在地</td><td></td></tr>
</table>

35 cm以上 × 40cm 以上

備　考

本標識を掲示すべき場所が宅地建物取引業法施行規則第16条の５に該当しない場所においては、標識中に次の文言を２センチメートル四方以上の大きさの文字で表示すること。

「この場所においてした契約等については、宅地建物取引業法第37条の２の規定によるクーリング・オフ制度の適用があります。」

様式第十号の二（第十九条関係）

標　　識

<table>
<tr><td colspan="4">宅地建物取引業者票
この標識は、宅地建物取引業者としての免許の主要な内容とこの場所で行うこととしている業務の内容を表示しています。</td></tr>
<tr><td colspan="2">免許証番号</td><td colspan="2">国土交通大臣
知事　（　）第　号</td></tr>
<tr><td colspan="2">免許有効期間</td><td colspan="2">年　月　日から
年　月　日まで</td></tr>
<tr><td colspan="2">商号又は名称</td><td colspan="2"></td></tr>
<tr><td colspan="2">代表者氏名</td><td colspan="2"></td></tr>
<tr><td colspan="2">主たる事務所の所在地</td><td colspan="2">電話番号（　）　―</td></tr>
<tr><td rowspan="3">この場所における業務の内容</td><td>業務の態様</td><td colspan="2">案内等</td></tr>
<tr><td rowspan="2">取り扱う宅地建物の内容</td><td>名称</td><td></td></tr>
<tr><td>所在地</td><td></td></tr>
<tr><td colspan="4">この場所においてした契約等については、宅地建物取引業法第 37 条の2の規定によるクーリング・オフ制度の適用があります。</td></tr>
</table>

48cm 以上

35 cm以上

備　考

本標識中の次の文言は2センチメートル四方以上の大きさの文字で表示すること。

「この場所においてした契約等については、宅地建物取引業法第37条の２の規定によるクーリング・オフ制度の適用があります。」

様式第十一号（第十九条関係）

標　　識

<table>
<tr><td colspan="2">宅地建物取引業者票
この標識は、宅地建物取引業者としての免許の主要な内容とこの場所で分譲する宅地建物の内容を表示しています。</td></tr>
<tr><td>免許証番号</td><td>国土交通大臣
知事　（　）第　号</td></tr>
<tr><td>免許有効期間</td><td>年　月　日から
年　月　日まで</td></tr>
<tr><td>代表者氏名</td><td></td></tr>
<tr><td>主たる事務所の所在地</td><td>電話番号（　）　―</td></tr>
<tr><td>商号又は名称</td><td></td></tr>
<tr><td>現況地目及び地目別面積</td><td>宅地　山林
農地　その他</td></tr>
<tr><td>道路位置指定年月日及び番号</td><td>年　月　日　第　号</td></tr>
<tr><td>建築確認年月日及び番号</td><td>年　月　日　第　号</td></tr>
</table>

105cm 以上

70 cm以上

様式第十一号の二（第十九条関係）

標　　識

宅地建物取引業者票（代理・媒介）

この標識は、宅地建物取引業者としての免許の主要な内容とこの場所で分譲する宅地建物の内容を表示しています。

免許証番号	国土交通大臣 知事（　）第　　号				
免許有効期間	年　月　日から 年　月　日まで				
商号又は名称					
代表者氏名					
この場所に置かれている専任の宅地建物取引士の氏名					
主たる事務所の所在地	電話番号（　）　－				
この場所における業務の内容	業務の態様	契約の締結・契約の申込みの受理等			
	取り扱う宅地建物の内容	名称			
		所在地			
売主	商号又は名称		免許証番号	国土交通大臣 知事（　）第　　号	

45cm 以上 ／ 35 cm以上

備　考

本標識を掲示すべき場所が宅地建物取引業法施行規則第16条の５に該当しない場所においては、標識中に次の文言を２センチメートル四方以上の大きさの文字で表示すること。

「この場所においてした契約等については、宅地建物取引業法第37条の２の規定によるクーリング・オフ制度の適用があります。」

様式第十一号の三（第十九条関係）

標　　識

宅地建物取引業者票（代理・媒介）

この標識は、宅地建物取引業者としての免許の主要な内容とこの場所で分譲する宅地建物の内容を表示しています。

免許証番号	国土交通大臣 知事（　）第　　号				
免許有効期間	年　月　日から 年　月　日まで				
商号又は名称					
代表者氏名					
主たる事務所の所在地	電話番号（　）　－				
この場所における業務の内容	業務の態様	案内等			
	取り扱う宅地建物の内容	名称			
		所在地			
売主	商号又は名称		免許証番号	国土交通大臣 知事（　）第　　号	
この場所においてした契約等については、宅地建物取引業法第37条の２の規定によるクーリング・オフ制度の適用があります					

53cm 以上 ／ 35 cm以上

備　考

本標識中の次の文言は２センチメートル四方以上の大きさの文字で表示すること。

「この場所においてした契約等については、宅地建物取引業法第37条の２の規定によるクーリング・オフ制度の適用があります。」

様式第十二号（第十九条関係）　（A４）

届　出　書

宅地建物取引業法第 50 条第２項の規定により、下記の場所について、下記の事項を届け出ます。

年　月　日

地方整備局長
北海道開発局長　殿
知　事

商号又は名称
免許証番号　国土交通大臣／知事　(　)第　号
代表者氏名

1 所在地	届出の対象となる案内所、展示会等の場所		名　称	
			所在地	電話番号
2 業務の内容	業務の種別		(1) 売買　(2) 交換　(3) 代理　(4) 媒介	
	業務の態様		(1) 契約の締結　(2) 契約の申込みの受理	
	取り扱う宅地建物の内容等	売主である宅地建物取引業者の商号又は名称等	(商号又は名称) 国土交通大臣／知事(　)　号	
		物件の種類等	名　称	
			所在地	
			宅　地	区画　敷地面積の合計　m²
			戸建住宅	戸　延べ面積の合計　m²
			区分所有建物	戸　延べ面積の合計　m²
3 業務を行う期間			年　月　日　から　年　月　日　まで	
4 専任の宅地建物取引士に関する事項			氏　名	登録番号

備　考

1　「1　所在地」関係
「届出の対象となる案内所、展示会等の場所」の欄は、規則第 15 条５の２各号に該当する場所の名称、所在地及び電話番号を記入すること。

2　「2　業務の内容」関係
①　「業務の種別」の欄は、届出をしようとする者が行おうとする業務の内容について該当するものの番号を○で囲むこと。
②　「業務の態様」の欄は、案内所、展示会等（以下「案内所等」という。）の場所で行う業務の態様について該当するものの番号をすべて○で囲むこと。
③　「売主である宅地建物取引業者の商号又は名称等」の欄は、届出をしようとする者が売主の場合にあつては共同で売主となる者を、代理又は媒介をしようとする者の場合にあつては取り扱う物件の売主業者の「商号又は名称」及び「免許証番号」をすべて記入すること。

3　「4　専任の宅地建物取引士に関する事項」関係
案内所等に派遣するすべての専任の宅地建物取引士の氏名及び登録番号を記入すること。

様式第十二号の二（第十九条の二関係）　（Ａ４）

認　可　申　請　書

（第一面）

宅地建物取引業法第 50 条の２第１項の規定により、同項の認可を申請します。
この申請書及び添付書類の記載事項は、事実に相違ありません。

年　月　日

国土交通大臣　殿

申請者　商　　号
郵便番号（　）
主たる事務所の
所在地
氏　　名
（代表者の氏名）
電話番号（　）　－
ファクシミリ番号（　）　－

受付番号	受付年月日	申請時の免許証番号
*	*	（　）

（有効期間：　年　月　日～　年　月　日）

* 免許証番号	国土交通大臣 知　事　（　）第　号	
* 免許年月日	年　月　日	
* 有効期間	年　月　日から 年　月　日まで	

◎ 商　号

フリガナ		
商　号		確認欄 *

◎ 代表者に関する事項

役名コード	登録番号　— 　—	
フリガナ		
氏　名		確認欄 *
生年月日	— 　年　月　日	

◎ 資本金の額（千円）

億	千万	百万	十万	万	千	確認欄 *

（第二面）

受付番号	申請時の免許証番号
*	（　）

◎ 役員に関する事項

役名コード	登録番号　— 　—	
フリガナ		確認欄
氏　名		*
常勤・非常勤の別		

役名コード	登録番号　— 　—	
フリガナ		
氏　名		確認欄 *
常勤・非常勤の別		

役名コード	登録番号　— 　—	
フリガナ		
氏　名		確認欄 *
常勤・非常勤の別		

役名コード	登録番号　— 　—	
フリガナ		
氏　名		確認欄 *
常勤・非常勤の別		

役名コード	登録番号　— 　—	
フリガナ		
氏　名		確認欄 *
常勤・非常勤の別		

（第三面）

受付番号 *

申請時の免許証番号 （　　）

事務所の別	1.主たる事務所 2.従たる事務所	* 事務所コード	
事務所の名称			

◎取引一任代理等に係る業務を行う事務所に関する事項

郵便番号	
所在地市区町村コード	都道府県　市郡区　区町村
所在地	
電話番号	
従事する者の数	

確認欄 *

◎重要な使用人に関する事項

使用人の種類コード		登録番号	
職名		統括業務コード	
フリガナ			
氏名			
生年月日	年　月　日		

確認欄 *

使用人の種類コード		登録番号	
職名		統括業務コード	
フリガナ			
氏名			
生年月日	年　月　日		

確認欄 *

（第四面）

◎業務の方法に関する事項

（第五面）

100分の5以上の株式を有する株主又は100分の5以上の額に相当する出資をしている者

受付番号 *

申請時の免許証番号 （　　）

フリガナ			
氏名又は名称			
生年月日	年　月　日		
保有株式の数（出資金額）	株（円）	割合	%
市区町村コード	都道府県　市郡区　区町村		
住所又は所在地			

確認欄 *

フリガナ			
氏名又は名称			
生年月日	年　月　日		
保有株式の数（出資金額）	株（円）	割合	%
市区町村コード	都道府県　市郡区　区町村		
住所又は所在地			

確認欄 *

フリガナ			
氏名又は名称			
生年月日	年　月　日		
保有株式の数（出資金額）	株（円）	割合	%
市区町村コード	都道府県　市郡区　区町村		
住所又は所在地			

確認欄 *

フリガナ			
氏名又は名称			
生年月日	年　月　日		
保有株式の数（出資金額）	株（円）	割合	%
市区町村コード	都道府県　市郡区　区町村		
住所又は所在地			

確認欄 *

（第六面）

受付番号 ＊□□□□□□　申請時の免許証番号 □□（　　）□□□□□□

◎役員の兼職状況

（フリガナ）役員の氏名	常務に従事している他の会社の商号及び業務の種類又は他に営んでいる事業の種類

備　考

1　各面共通事項

①　申請者は、＊印の欄には記入しないこと。

②　免許権者については、下表より該当するコードを記入すること。ただし、免許権者が北海道知事である場合には、５１～６４のうち該当するコードを記入すること。

（記入例）［0 0］（５）［　　　1 0 0］［国土交通大臣（５）第１００号の場合］

00	国土交通大臣	16	富山県知事	32	島根県知事	51	北海道知事（石狩）
		17	石川県知事	33	岡山県知事	52	北海道知事（渡島）
02	青森県知事	18	福井県知事	34	広島県知事	53	北海道知事（檜山）
03	岩手県知事	19	山梨県知事	35	山口県知事	54	北海道知事（後志）
04	宮城県知事	20	長野県知事	36	徳島県知事	55	北海道知事（空知）
05	秋田県知事	21	岐阜県知事	37	香川県知事	56	北海道知事（上川）
06	山形県知事	22	静岡県知事	38	愛媛県知事	57	北海道知事（留萌）
07	福島県知事	23	愛知県知事	39	高知県知事	58	北海道知事（宗谷）
08	茨城県知事	24	三重県知事	40	福岡県知事	59	北海道知事（オホ）
09	栃木県知事	25	滋賀県知事	41	佐賀県知事	60	北海道知事（胆振）
10	群馬県知事	26	京都府知事	42	長崎県知事	61	北海道知事（日高）
11	埼玉県知事	27	大阪府知事	43	熊本県知事	62	北海道知事（十勝）
12	千葉県知事	28	兵庫県知事	44	大分県知事	63	北海道知事（釧路）
13	東京都知事	29	奈良県知事	45	宮崎県知事	64	北海道知事（根室）
14	神奈川県知事	30	和歌山県知事	46	鹿児島県知事		
15	新潟県知事	31	鳥取県知事	47	沖縄県知事		

③　「役名コード」の欄には、下表より該当する役名のコードを記入すること。
代表取締役が複数存在するときには、そのすべての者について「０１」を記入すること。

01	代表取締役	04	会計参与	07	その他
02	取締役	05	代表執行役		
03	監査役	06	執行役		

④　「登録番号」の欄は、宅地建物取引士である場合にのみ、その登録番号を記入すること。この場合、登録を受けている都道府県知事については、上記②の表より該当するコードを記入すること。ただし、北海道知事の登録を受けている場合には、51～64のうち該当するコードを記入すること。また、登録番号に「選考」とある場合にのみ最後の□に「１」を記入すること。

（記入例）［1 3］―［0 0 0 1 0 0］―［　］［東京都知事登録第０００１００号の場合］

⑤　氏名の「フリガナ」の欄は、カタカナで、姓と名の間に１文字分空けて左詰めで記入し、その際、濁点及び半濁点は１文字として扱うこと。また、「氏名」の欄も姓と名の間に１文字分空けて左詰めで記入すること。

⑥　「生年月日」の欄は、最初の□には下表より該当する元号のコードを記入するとともに、□に数字を記入するに当たっては、空位の□に「０」を記入すること。

（記入例）［H］［0 1］年［0 8］月［2 3］日
［平成元年８月２３日の場合］

M	明治	S	昭和	R	令和
T	大正	H	平成		

⑦　「所在地市区町村コード」の欄は、都道府県の窓口に備付けのコードブック（総務省編「全国地方公共団体コード」）により該当する市区町村のコードを記入すること。

⑧　「所在地」の欄には、⑦により記入した所在地市区町村コードによって表される市区町村に続く町名、街区符号、住居番号等を、「丁目」「番」及び「号」をそれぞれ－（ダッシュ）で区切り、上段から左詰めで記入すること。

（記入例）　霞が関２－１－３

2　第一面関係

①　商号の「フリガナ」の欄は、カタカナで上段から左詰めで記入し、その際、濁点及び半濁点は１文字として扱うこと。また、「商号」も、上段から左詰めで記入すること。

②　代表者に関する事項については、代表取締役が複数存在するときには、申請者である代表取締役について記入し、その他の者については、第二面の役員に関する事項の欄に記入すること（第二面であつても代表取締役の役名コードは「０１」を記入すること。）。

③　「資本金額」の欄は、右詰めで記入すること。

3　第二面関係

①　役員に関する事項の欄は、第一面で代表者として記入した者については記入しないこと。

②　「常勤・非常勤の別」の欄には、下表より該当するコードを記入すること。

０１	常勤
０２	非常勤

③　第二面に記載しきれない場合は、同じ様式により作成した書面に記載して当該面の次に添付すること。

4　第三面関係

①　第三面は、事務所ごとに作成すること。

②　「事務所の別」の欄は、該当する番号を記入すること。

③　「電話番号」の欄には、市外局番、市内局番、番号をそれぞれ－（ダッシュ）で区切り、左詰めで記入すること。

（記入例）　０３－３５８０－４３１１

④　「従事する者の数」の欄は、右詰めで記入すること。

⑤　「使用人の種類コード」の欄には、下表より該当するコードを記入すること。複数の種類に該当する場合は、その該当する全ての種類を付記すること。

01	事務所の業務を統括する人
02	宅地若しくは建物の価値の分析又は当該分析に基づく投資判断を行う者
03	投資判断並びに宅地又は建物の売買、交換、貸借及び管理に係る判断に関する業務を統括する者

⑥　「統括業務コード」の欄には、下表より該当するコードを記入すること。

01	投資判断	03	貸借
02	売買・交換	04	管理

⑦　第三面に記載しきれない場合は、同じ様式により作成した書面に記載して当該面の次に添付すること。

5　第四面関係

次の各項目につき記入すること。

①　締結しようとする契約の種類（投資信託契約、資産運用委託契約又は業務の委託に関する契約の別を記載すること。）

②　業務運営の基本原則

③　業務執行の方法に関する事項

④　取引関係にある会社に関する事項

⑤　報酬体系

（1）顧客が認可宅地建物取引業者に支払う報酬の定め方を具体的に金額を明示して記入すること。

（2）成功報酬体系を採る場合は、その報酬の算出方法、売買の確認方法を具体的に記入すること。

⑥　報酬の支払時期

6　第五面関係

①　氏名又は名称の「フリガナ」の欄は、カタカナで、姓と名の間に１文字分空けて左詰めで記入し、その際、濁点及び半濁点は１文字として扱うこと。また、「氏名又は名称」の欄も左詰めで記入すること。なお、株主又は出資者が個人である場合には、姓と名の間に１文字分空けて記入すること。

②　「生年月日」の欄は、株主又は出資者が個人の場合にのみ記入すること。その場合に最初の□には下表より該当する元号のコードを記入するとともに、□に数字を記入するに当たっては、空位の□に「０」を記入すること。

（記入例）　Ｈ　０１年０８月２３日
［平成元年８月２３日の場合］

M	明治	S	昭和	R	令和
T	大正	H	平成		

③　「割合」の欄は、該当する株主につき保有株式の発行済株式総数に対する割合を記入すること。

7　第六面関係

「常務に従事している他の会社の商号及び業務の種類又は他に営んでいる事業の種類」の業務の種類又は他に営んでいる事業の種類は、日本標準産業分類表細分類により記載すること。

様式第十二号の三（第十九条の二第二項関係）

（A 4）

添付書類 （1）

申請者の役員及び重要な使用人は、法第５条第１項各号に該当しない者であることを誓約します。

年　月　日

商号

名称

国土交通大臣　殿

（A 4）

添付書類 （2）
略歴書

（ふりがな） 氏名				
現住所	（郵便番号） 電話番号（　）　―			
役職名等		生年月日	年　月　日（満　歳）	
統括する業務の別				
職歴及び兼職状況	期間		内容	
	自　年　月　日 至　年　月　日			
賞罰	年　月　日		賞罰の内容	
上記のとおり相違ありません。 年　月　日　氏名				

備考

1 「統括する業務の別」には、投資判断並びに宅地若しくは建物の売買、交換、貸借及び管理に係る判断に関する業務を統括する者が統括する業務の別（投資判断、売買、交換、貸借及び管理）を様式第十二号の二（第三面）の統括業務コードに従って記入すること。

2 「内容」には、次の各項目につき記入すること。

① 当該職務に係る不動産の種類（業務用ビル、商業施設、住宅等）及び規模並びに業務の種類（投資判断、助言、売買、貸借、管理等）

② 不動産の鑑定評価に関する法律（昭和38年法律第152号）第15条第１項の不動産鑑定士若しくは不動産鑑定士補又は不動産特定共同事業法施行規則（平成７年大蔵省令・建設省令第２号）第17条第１項第３号の証明を受けた者であるときは、その登録番号

3 「賞罰」には、投資信託及び投資法人に関する法律第９条第２項第３号に掲げる法律に基づく行政処分及び刑罰について記入すること。

（A 4）

添付書類 （3）
取引一任代理等に係る業務の収支の見込み

科目	当期		年　月期		年　月期		年　月期	
1 営業収益								
取引一任代理等に関する業務収益（A）								
その他								
営業収益計								
2 営業費用	全体	うち取引一任代理等に係る業務費用	全体	うち取引一任代理等に係る業務費用	全体	うち取引一任代理等に係る業務費用	全体	うち取引一任代理等に係る業務費用
人件費		（　）		（　）		（　）		（　）
物件調査費		（　）		（　）		（　）		（　）
通信交通費		（　）		（　）		（　）		（　）
調査研究費		（　）		（　）		（　）		（　）
広告宣伝費		（　）		（　）		（　）		（　）
地代家賃		（　）		（　）		（　）		（　）
その他の費用		（　）		（　）		（　）		（　）
営業費用計		(B) （　）		(B) （　）		(B) （　）		(B) （　）
3 営業損益		（A－B）		（A－B）		（A－B）		（A－B）
4 営業外収益								
受取利息								
その他								
営業外収益計								
5 営業外費用								
支払利息								
その他								
営業外費用計								
6 営業外損益								
7 経常損益								
8 特別損益								
9 税引前当期純利益（又は税引前当期純損失）								
10 法人税等充当額								
11 （税引後）当期純利益（又は当期純損失）								

（注）　上記の収支の見込みは、取引一任代理等の業務の開始時期を（　年　月）として算出した。

(A４)

添付書類（4）

今後３年間の純資産額の見込み

(単位:千円)	当期末	年　月末	年　月末	年　月末
期首純資産額　(A)				
(税引後) 当期純利益 (又は当期純損失)　(B)				
配当金・役員賞与等 (社外流出)　(C)				
増資額　(D)				
期末純資産額 (A＋B－C＋D)				

(注) 上記の純資産額の見込みは、取引一任代理等の業務の開始時期を（　年　月）として算出した。

(A４)

添付書類（5）

(第一面)

今後３年間の投資信託契約に係る契約資産額の見込み

	当期末		年　月末		年　月末		年　月末	
	件	億円	件	億円	件	億円	件	億円
合計								

(注) 上記の契約資産額の見込みは、取引一任代理等の業務の開始時期を（　年　月）として算出した。

(第二面)

今後３年間の資産運用委託契約に係る契約資産額の見込み

	当期末		年　月末		年　月末		年　月末	
	件	億円	件	億円	件	億円	件	億円
合計								

(注) 上記の契約資産額の見込みは、取引一任代理等の業務の開始時期を（　年　月）として算出した。

(第三面)

今後３年間の業務の委託に関する契約に係る契約資産額の見込み

	当期末		年　月末		年　月末		年　月末	
	件	億円	件	億円	件	億円	件	億円
合計								

(注) 上記の契約資産額の見込みは、取引一任代理等の業務の開始時期を（　年　月）として算出した。

備　考

1　第一面関係

不動産投資信託について、設定しようとする信託元本の額及び追加信託の額を四半期毎に記入すること。

2　第二面関係

資産運用委託契約を締結しようとする投資法人数及び資産運用額を四半期毎に記入すること。

3　第３面関係

法第５０条の２第１項第２号に規定する契約を締結しようとする特定目的会社及び受託信託会社等の別及びそれらの数並びに業務の委託を受ける資産の額について記入すること。

(A４)

添付書類（6）

取引一任代理等に係る業務に関する管理体制の整備状況

備　考

取引一任代理等に係る業務に関する人的構成、組織等の業務執行体制に関し、次の各項目について記載すること。

① 法令遵守、顧客データ管理等の体制

② 組織図（経営体制、管理部門体制及び顧客からの照会に対する回答体制の分かるもの）

③ 役職員人数別配置表（部・課別等に加え、重要な使用人の配置状況の分かるもの）

(A４)

添付書類（7）

取引一任代理等に係る業務に関する苦情処理体制の整備状況

備　考

顧客からの苦情に対する処理体制、担当部門、苦情の記録の管理方法等について記入すること。

様式第十二号の四（第十九条の四関係）

（A 4）

※ 承認番号	
※ 承認年月日	

委　託　承　認　申　請　書

この申請書により、宅地建物取引業法第 50 条の３第２項の規定による業務の委託の承認を申請します。この申請書及び添付書類の記載事項は、事実に相違ありません。

年　　月　　日

申請者の住所
及び氏名

国土交通大臣　　殿

受託者の商号又は名称及び代表者の氏名	
受託者の事務所の所在地	
委託しようとする業務内容及び範囲	
委託の期間	
委託を必要とする理由	

（記入上の注意）（※印）欄は申請者が記入しないこと。

様式第十二号の五（第十九条の四関係）

誓　約　書

（A 4）

私は、宅地建物取引業法第 50 条の２の５第１項第３号イ（第５条第１項第１号に係る部分を除く。）からハまでに該当しない者であることを誓約します。

年　　月　　日

氏　　名

国土交通大臣　　殿

様式第十三号（第二十一条関係）

（A4）

※指定番号	
※指定年月日	

指定申請書

この申請書により、宅地建物取引業法第51条の規定による国土交通大臣の指定を申請します。この申請書及び添付書類の記載事項は、事実に相違ありません。

年　月　日

国土交通大臣　殿

申請者の住所
及び氏名
電話番号（　）　ー

商号		資本金の額	

本店、支店その他政令第5条で定める営業所

	名称	所在地
本店		
支店		
その他の営業所		

役員の氏名、役名及び住所

（フリガナ）氏名	役名	住所

（記入上の注意）（※印）欄は申請者が記入しないこと。

様式第十四号（第二十一条関係）

誓　約　書

（A4）

私は、宅地建物取引業法第5２条第７号ロからホまでに該当しない者であることを誓約します 。

年　　月　　日

氏　　名

国土交通大臣　　殿

様式第十五号（第二十五条関係）

（A4）

令和　　年　　月　　日

国土交通大臣　　　　殿

会社名

代表者　氏　　　　名

令和　　　年度事業報告書

第　　期　自令和　　年　　月　　日　至令和　　年　　月　　日

標記の事業年度が終了したので、宅地建物取引業法第 63 条 3 項の規定により、下記のとおり報告いたします。

記

1　事業の概要
2　保証契約に関する事項
　（別表（イ）及び（ロ）により記載すること。）
3　株主総会に関する事項
　（株主総会招集の年月日、通知した事項及び決議した概要等について記載すること。）
4　取締役会に関する事項
　（取締役会招集の年月日、決議した事項の概要等について記載すること。）
5　株主に関する事項
　（別表（ハ）により記載すること。）
6　経理の状況
（1）比較貸借対照表
　（別表（ニ）により記載すること。）
（2）比較損益計算書
　（別表（ホ）により記載すること。）
（3）比較利益金処分（損失金処理）計算書
　（別表（ヘ）により記載すること。）
（4）注記表
　（別表（ト）により記載すること。）
（5）附属明細表
　（別表（チ）から（ネ）までにより記載すること。）

備　考
1　別表に記載すべき金額は、千円単位をもつて表示すること。
2　別表の作成に当たり該当事項がない場合においては、その旨を記載すること。
3　貸借対照表に掲げる「有価証券」、「有形固定資産」又は「無形固定資産」の金額が資産の総額の100分の1以下である場合においては、それぞれ別表（ヌ）、別表（ワ）又は別表（カ）の作成を省略することができる。この場合においては、その旨を記載すること。

（別表(イ)～(ネ)省略）

様式第十六号（第二十五条の二関係）

表

第　　　号　令和　　年　　月　　日（有効期間１カ年）

所属局部課名

職　　　名

氏　　　名

年　　月　　日生

上記の者は、宅地建物取引業法第63条の２第１項の規定により立入検査をすることができる者であることを証する。

国 土 交 通 大 臣　　　㊞

8.5㎝　×　6㎝

裏

宅地建物取引業法抜すい

第 63 条の２　国土交通大臣は、手付金等保証事業の適正な運営を確保するため必要があると認めるときは、指定保証機関に対しその業務に関して報告若しくは資料の提出を命じ、又はその職員をしてその業務を行う場所に立ち入り、業務若しくは財産の状況若しくは帳簿、書類その他業務に関係のある物件を検査させることができる。

2　前項の規定により立入検査をする職員は、その身分を示す証明書を携帯し、関係人の請求があつたときは、これを提示しなければならない。

3　第１項の規定による立入検査の権限は、犯罪捜査のために認められたものと解してはならない。

様式第十六号の二（第二十五条の五関係）

（A 4）

※ 指定番号	
※ 指定年月日	

指　定　申　請　書

この申請書により、宅地建物取引業法第63条の３の規定による国土交通大臣の指定を申請します。この申請書及び添付書類の記載事項は、事実に相違ありません。

年　　月　　日

申請者の住所
及び氏名
電話番号（　　）　―

国土交通大臣　　　　殿

商　号		資本の額	

本店、支店その他国土交通省令第25条の３で定める営業所	
名　称	所　在　地
本　店 支　店 その他の営業所	

役員の氏名、役名及び住所		
（フリガナ） 氏　名	役　名	住　　所

（記入上の注意）（※印）の欄は、申請者が記入しないこと。

様式第十六号の三（第二十五条の五関係）

（A 4）

誓　約　書

私は、宅地建物取引業法第６３条の３第２項において準用する同法第５２条第７号ロからホまでに該当しない者であることを誓約します 。

年　　月　　日

氏　　名

国土交通大臣　　殿

様式第十六号の四（第二十五条の九関係）

（A4）

年　月　日

国土交通大臣　　　殿

会社名
代表者　氏名

年度事業報告書

第　　期　自　年　月　日
　　　　　至　年　月　日

標記の事業年度が終了したので、宅建建物取引業法第63条の3第2項において準用する同法第63条第3項の規定により、下記のとおり報告いたします。

記

1　事業の概要
2　手付金等寄託契約に関する事項
　（別表（イ）及び（ロ）により記載すること。）
3　株主総会に関する事項
　（株主総会招集の年月日、通知した事項及び決議した概要等について記載すること。）
4　取締役会に関する事項
　（取締役会招集の年月日、決議した事項の概要等について記載すること。）
5　株主に関する事項
　（別表（ハ）により記載すること。）
6　経理の状況
(1)　比較貸借対照表
　（別表（ニ）により記載すること。）
(2)　比較損益計算書
　（別表（ホ）により記載すること。）
(3)　株主資本等変動計算書
　（別表（ヘ）により記載すること。）
(4)　注記表
　（別表（ト）により記載すること。）
(5)　附属明細表
　（別表（チ）から（ソ）までにより記載すること。）

備　考
1　別表に記載すべき金額は、千円単位をもつて表示すること。
2　別表の作成に当たり該当事項がない場合においては、その旨を記載すること。
3　比較貸借対照表に掲げる「有価証券」、「有形固定資産」又は「無形固定資産」の金額が資産の総額の100分の1以下である場合においては、それぞれ別表（ヌ）、別表（ワ）又は別表（カ）の作成を省略することができる。この場合においては、その旨を記載すること。

（別表(イ)～(ソ)省略）

様式第十六号の五（第二十五条の十関係）

表

第　　号　年　月　日（有効期間1年）

所属局部課名
職　　名
氏　　名
（　　年　月　日生）

上記の者は、宅地建物取引業法第63条の3第2項において準用する同法第63条の2の規定により立入検査をすることができる者であることを証する。

国土交通大臣　　印

8.5cm　6cm

裏

宅地建物取引業法抜すい

第63条の2　国土交通大臣は、手付金等保証事業の適正な運営を確保するため必要があると認めるときは、指定保証機関に対しその業務に関して報告若しくは資料の提出を命じ、又はその職員をしてその業務を行う場所に立ち入り、業務若しくは財産の状況若しくは帳簿、書類その他業務に関係のある物件を検査させることができる。
2　前項の規定により立入検査をする職員は、その身分を示す証明書を携帯し、関係人の請求があつたときは、これを提示しなければならない。
3　第1項の規定による立入検査の権限は、犯罪捜査のために認められたものと解してはならない。

第63条の3　〔略〕
2　前節（第51条第1項、第57条から第60条まで及び第62条第2項第6号を除く。）の規定は、指定保管機関について準用する。〔後段略〕

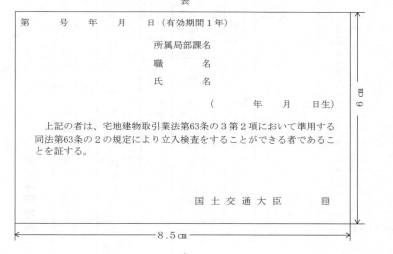

様式第十六号の六（第二十六条関係）

（Ａ４）

寄託金保管簿（その１）

受領年月日又は支払年月日	保管番号	寄託者の商号等	質権者の氏名	受領金額	支払金額	差引残高	支払の相手方の氏名
				千円	千円	千円	

備　考

1　寄託金の受領又は支払のあつたつど記載すること。

2　記載しない事項の欄については、斜線を引くこと。

寄託金保管簿（その２）

（Ａ４）

手付金等寄託契約年月日	質権設定通知受領年月日	寄託者の商号等	質権者の氏名	保管期間終了予定年月日	備　考

	受領年月日	保管番号	受領金額	保管を証する書面を発行した年月日	備考
寄託金の受領					

	支払年月日	支払の相手方の氏名	支払金額	備考
寄託金の支払				

備　考

備　考

1　手付金等寄託契約ごとに、この帳簿を備えること。

2　備考欄には、保管期間終了年月日など必要な事項を記載すること。

様式第十七号（第二十六条の二の二関係）

（A 4）

※ 指定番号	
※ 指定年月日	

指　定　申　請　書

この申請書により、宅地建物取引業法第64条の２第１項の規定による国土交通大臣の指定を申請します。この申請書及び添付書類の記載事項は、事実に相違ありません。

年　　月　　日

申請者の住所
及び氏名
電話（　　）

国土交通大臣　　殿

名称及び住所	
代表者の氏名	
事務所の所在地	
資産の総額	

（記入上の注意）（※印）欄は申請者が記入しないこと。

様式第十八号（第二十六条の二の二関係）

誓　約　書

（A 4）

私は、宅地建物取引業法第64条の２第１項第４号イからハまでに該当しない者で あることを誓約します。

年　　月　　日

氏　　名

国土交通大臣　　殿

様式第十九号（第二十六条の三関係）

（A 4）

※ 承認番号	
※ 承認年月日	

委託承認申請書

この申請書により、宅地建物取引業法第 64 条の３第４項の規定による業務の委託の承認を申請します。この申請書及び添付書類の記載事項は、事実に相違ありません。

年　　月　　日

申請者の住所
及び氏名

国土交通大臣　　殿

受託者の名称及び代表者の氏名	
受託者の事務所の所在地	
受託しようとする法第 64 条の３に規定する業務内容及び範囲	
委託の期間	
委託を必要とする理由	

（記入上の注意）（※印）欄は申請者が記入しないこと。

様式第二十号（第二十六条の三関係）

誓　約　書

（A 4）

私は、宅地建物取引業法第５条第１項第２号から第８号まで及び第 10 号に該当しない者 であることを誓約します。

年　　月　　日

氏　　名

国土交通大臣　　殿

様式第二十一号（第二十六条の五関係）

（A 4）

※ 整理番号	
※ 受理年月日 時　分	

認 証 申 出 書

この申出書により、宅地建物取引業法第 64 条の８第２項の規定による認証を受けたいので、添付書類を添えて申出をします。

年　月　日

申出人の住所
及 び 氏 名

宅地建物取引業保証協会
代表者氏名　殿

取引の相手方である宅地建物取引業者の住所及び氏名並びに免許番号	
申出に係る債権額	
申出に係る債権発生の時期	
取引が成立した時期	

奥書の式

上記の申出に係る債権について　債権額　　円について認証いたします。
認証を拒否します。

（理由）

年　月　日

宅地建物取引業保証協会
代表者氏名　㊞

申出人の氏名　殿

（記入上の注意）（※印）欄は申請者が記入しないこと。

様式第二十二号（第二十六条の十関係）

（A 4）

年　月　日

国土交通大臣　殿

宅地建物取引業保証協会

代表者氏名

年 度 事 業 報 告 書

標記の事業年度が終了したので、宅地建物取引業法第64条の16第２項の規定により、下記のとおり報告いたします。

記

1　事業の概要
2　弁済業務保証金分担金に関する事項
3　還付充当金に関する事項
4　特別弁済業務保証金分担金に関する事項
5　弁済業務保証金の還付に関する事項
6　弁済業務保証金の取戻し等に関する事項
7　弁済業務保証金準備金に関する事項
8　一般保証業務に関する事項
9　手付金等保管事業に関する事項
10　研修の実施に要する費用の助成に関する事項
11　社員総会に関する事項
（社員総会招集の年月日、通知した事項及び決議した概要等について記載すること。）
12　理事会に関する事項
（理事会招集の年月日、決議した事項の概要等について記載すること。）
13　社員に関する事項
14　経理の状況
（1）　財産目録
（2）　貸借対照表
（3）　収支計算書
（4）　附属明細書

様式第二十三号（第二十六条の十一関係）

（A 4）

※ 承認番号	
※ 承認年月日	

一般保証業務承認申請書

この申請書により、宅地建物取引業法第64条の17第１項の規定による一般保証業務の承認を申請します。この申請書及び添付書類の記載事項は、事実に相違ありません。

年　月　日

申請者の住所
及び氏名

国土交通大臣　殿

名称及び住所	
代表者の氏名	
資産の総額	

（記入上の注意）（※印）欄は申請者が記入しないこと。

様式第二十三号の二（第二十六条の十三の二関係）

（A 4）

※ 承認番号	
※ 承認年月日	

手付金等保管事業承認申請書

この申請書により、宅地建物取引業法第 64 条の 17 の２第１項の規定による手付金等保管事業の承認を申請します。この申請書及び添付書類の記載事項は、事実に相違ありません。

年　月　日

申請者の住所
及び氏名

国土交通大臣　殿

名称及び住所	
代表者の氏名	
資産の総額	

常時手付金等保管事業に係る手付金等寄託契約を締結する事務所	
名称	所在地

（記入上の注意）（※印）の欄は、申請者が記入しないこと。

様式第二十四号（第三十条関係）

表

第　　号　令和　　年　　月　　日（令和　年　月　日限り有効）

所属局部課名
職　　　名
氏　　　名

年　　月　　日生

上記の者は、宅地建物取引業法第72条第1項の規定により立入検査をすることができる者であることを証する。

（国土交通大臣／地方整備局長）
北海道開発局長
知事　　印

（6 cm × 8.5 cm）

裏

宅地建物取引業法抜すい

第72条　国土交通大臣は、宅地建物取引業を営むすべての者に対して、都道府県知事は、当該都道府県の区域内で宅地建物取引業を営む者に対して、宅地建物取引業の適正な運営を確保するため必要があると認めるときは、その業務について必要な報告を求め、又はその職員に事務所その他その業務を行なう場所に立ち入り、帳簿、書類その他業務に関係のある物件を検査させることができる。

2・3　（略）

4　第1項及び第2項の規定により立入検査をする職員は、その身分を示す証明書を携帯し、関係人の請求があつたときは、これを提示しなければならない。

5　第1項及び第2項の規定による立入検査の権限は、犯罪捜査のために認められたものと解してはならない。

6　（略）

様式第二十五号（第三十三条関係）

< HTML >
< HEAD > < TITLE > 宅地建物取引業法（又は宅地建物取引業法施行規則）</TITLE >< /HEAD >
< BODY >< PRE >
【適用条文】宅地建物取引業法第　　条第　　項
【様式番号】
【書類名】
【記載事項】
</PRE ></BODY ></HTML >

備考
1　1行は36字詰めとする。
2　文字は、日本産業規格 X0208 で定められている図形文字並びに X0211 で定められている制御文字のうち「復帰」及び「改行」を用いることとし、図は用いてはならない。
ただし、「【」（日本産業規格 X0208 区点番号（以下「区点番号」という。）1－58）、「】」（区点番号1－59）、「▲」（区点番号2－5）及び「▼」（区点番号2－7）は用いてはならない（欄名の前後に「【」（区点番号1－58）及び「】」（区点番号1－59）を、又は置き換えた文字の前後に「▲」（区点番号2－5）及び「▼」（区点番号2－7）を用いるときを除く。）。
日本産業規格 X0208 で定められている文字以外の文字を用いようとするときは、日本産業規格 X0208 で定められている漢字に置き換えて記録し、又はその読みを平仮名で記録し、それらの前に「▲」（区点番号2－5）、後ろに「▼」（区点番号2－7）を付す。
3　「<」、「>」又は「<」及び「>」によつて囲まれた欄名は、日本産業規格 X0201 で定められている文字を用いる。
4　「【適用条文】」の欄には、行おうとする申請及び届出の適用条文名を記録する。
5　「【様式番号】」の欄には、日本産業規格 X0201 で定められている文字を用いて、当該申請書及び届出書の様式の番号を三桁の数字で記録する。
6　「【記載事項】」の欄には、当該申請書及び届出書に記載すべきこととされている事項（様式に規定されている事項の名称を含む。）を記録する。
7　文字の符号化表現は、日本産業規格 X0208 附属書1で定められている方式を用いる。
8　該当事項がない欄は、省略する。

様式二十六号（第三十三条関係）

フレキシブルディスク提出票

年　月　日

収入印紙

国土交通大臣　　殿

住　所

氏　名（名称及び代表者の氏名）

宅地建物取引業法（又は宅地建物取引業法施行規則）第　条第　項の規定による申請（、届出）に際し提出すべき書類に記載すべきこととされている事項を記録したフレキシブルディスクを以下のとおり提出いたします。

本票に添付されているフレキシブルディスクに記録された事項は、事実に相違ありません。

1．フレキシブルディスクに記録された事項

2．フレキシブルディスクと併せて提出される書類

備考　1　用紙の大きさは、日本産業規格Ａ４とすること。

2　法令の条項については、当該申請（、届出）の適用条文名を記載すること。

3　「フレキシブルディスクに記録された事項」の欄には、フレキシブルディスクに記録されている事項を記載するとともに、二枚以上のフレキシブルディスクを提出するときは、フレキシブルディスクごとに整理番号を付し、その番号ごとに記録されている事項を記載すること。

4　「フレキシブルディスクと併せて提出される書類」の欄には、当該申請（、届出）の際に本票に添付されているフレキシブルディスクに記載されている事項以外の事項を記載した書類を提出する場合にあつては、その書類名を記載すること。

5　「収入印紙」の欄には、収入印紙をはることとされている書類についてフレキシブルディスクによる手続を行う場合にあつては、収入印紙を添付すること。

6　該当事項がない欄は、省略すること。

様式第二十七号（第十九条関係）

標　　識

宅地建物取引業者票	
届出番号	第　　号
届出年月日	年　月　日
商号	
代表者氏名	
この事務所に置かれている専任の宅地建物取引士の氏名	
主たる事務所の所在地	電話番号　（　）　—
当社は、金融機関の信託業務の兼営等に関する法律（昭和18年法律第43号）第１条第１項の信託業務の範囲内で宅地建物取引業を営んでおります。	

30cm以上

35 cm以上

備　考

本標識中、「届出番号」の欄には宅地建物取引業法施行令第９条第３項の規定による届出に係る番号を、「届出年月日」の欄には宅地建物取引業法施行令第９条第３項の規定による届出をした日を記載すること。

様式第二十八号（第十九条関係）

標　　識

宅地建物取引業者票 この標識は、宅地建物取引業法施行令第９条第３項の規定による届出の主要な内容とこの場所における業務の内容を表示しています。			
届出番号	第　　号		
届出年月日	年　月　日		
商号			
代表者氏名			
この場所に置かれている専任の宅地建物取引士の氏名			
主たる事務所の所在地	電話番号（　）　―		
この場所における業務の内容	業務の態様	契約の締結・契約の申込みの受理等	
	取り扱う宅地建物の内容	名称	
		所在地	
当社は、金融機関の信託業務の兼営等に関する法律（昭和 18 年法律第 43 号）第１条第１項の信託業務の範囲内で宅地建物取引業を営んでおります。			

40cm 以上

35 cm以上

備　考

1　本標識中、「届出番号」の欄には宅地建物取引業法施行令第９条第３項の規定による届出に係る番号を、「届出年月日」の欄には宅地建物取引業法施行令第９条第３項の規定による届出をした日を記載すること。

2　本標識を掲示すべき場所が宅地建物取引業法施行規則第 16 条の５に該当しない場所においては、標識中に次の文言を２センチメートル四方以上の大きさの文字で表示すること。

「この場所においてした契約等については、宅地建物取引業法第３７条の２の規定によるクーリング・オフ制度の適用があります。」

様式第二十九号（第十九条関係）

標　　識

宅地建物取引業者票 この標識は、宅地建物取引業法施行令第９条第３項の規定による届出の主要な内容とこの場所における業務の内容を表示しています。			
届出番号	第　　号		
届出年月日	年　月　日		
商号			
代表者氏名			
主たる事務所の所在地	電話番号（　）　―		
この場所における業務の内容	業務の態様	契約の締結・契約の申込みの受理等	
	取り扱う宅地建物の内容	名称	
		所在地	
この場所においてした契約等については、宅地建物取引業法第 37 条の２の規定によるクーリング・オフ制度の適用があります。			
当社は、金融機関の信託業務の兼営等に関する法律（昭和 18 年法律第 43 号）第１条第１項の信託業務の範囲内で宅地建物取引業を営んでおります。			

48cm 以上

35 cm以上

備　考

1　本標識中、「届出番号」の欄には宅地建物取引業法施行令第９条第３項の規定による届出に係る番号を、「届出年月日」の欄には宅地建物取引業法施行令第９条第３項の規定による届出をした日を記載すること。

2　本標識中の次の文言は２センチメートル四方以上の大きさの文字で表示すること。

「この場所においてした契約等については、宅地建物取引業法第３７条の２の規定によるクーリング・オフ制度の適用があります。」

様式第三十号（第十九条関係）

標　　　　識

宅地建物取引業者票 この標識は、宅地建物取引業法施行令第９条第３項の規定による届出の主要な内容とこの場所で分譲する宅地建物の内容を表示しています。	
届出番号	第　　　　号
届出年月日	年　　月　　日
代表者氏名	
主たる事務所の所在地	電話番号　（　　）　　―
商号	
現況地目及び地目別面積	宅地　　　　山林 農地　　　　その他
道路位置指定年月日及び番号	年　　月　　日　第　　　号
建築確認年月日及び番号	年　　月　　日　第　　　号
当社は、金融機関の信託業務の兼営等に関する法律（昭和18年法律第43号）第１条第１項の信託業務の範囲内で宅地建物取引業を営んでおります。	

105cm 以上

70 cm以上

備　考

本標識中、「届出番号」の欄には宅地建物取引業法施行令第９条第３項の規定による届出に係る番号を、「届出年月日」の欄には宅地建物取引業法施行令第９条第３項の規定による届出をした日を記載すること。

別　記（注・第十五条関係）

$$\frac{\text{額面金額－発行価額}}{\text{発行の日から償還の日までの年数}} \times \left(\text{発行の日から供託の日までの年数}+4\right)$$

（この式の計算は、額面金額 10 円ごとに行ない、発行の日から償還の日までの年数について生ずる１年未満の端数又は額面金額と発行価額との差額を発行の日から償還の日までの年数若しくは発行の日から供託の日までの年数で除した金額について生ずる１銭未満の端数は、切り捨てる。）

宅地建物取引業者営業保証金規則

様式第一号（第一条関係）

（A 4）

確認書交付申請書

宅地建物取引業法第27条第１項の権利の実行のための供託物の還付を受けたいので、添付書類を添えて宅地建物取引業者営業保証金規則第１条第４項の確認書の交付を申請します。

年　　月　　日

国土交通大臣　　　　　殿

申請者　住所
氏名
電話番号

申請に係る取引に関する事項

取引の相手方である宅地建物取引業者の商号又は名称及び住所並びに免許番号	
宅地建物取引業者と宅地建物取引業に関し取引をした者の氏名及び住所（法人にあっては、その名称及び住所）	
取引がされた年月日	

様式第二号（第一条関係）

（A 4）

確認書

年　　月　　日付けで貴殿から申請のあった件について、宅地建物取引業者営業保証金規則第１条第４項の規定により、下記〔１／２〕であることを確認しました。

年　　月　　日

殿

国土交通大臣　　　　印

記

1　宅地建物取引業法第27条第１項に規定する宅地建物取引業者と宅地建物取引業に関し取引をした者が、その取引をしたときにおいて宅地建物取引業者に該当しないこと

2　宅地建物取引業法第27条第１項の取引が平成29年３月31日以前にされた取引であること

確認に係る取引に関する事項

取引の相手方である宅地建物取引業者の商号又は名称及び住所並びに免許番号	
宅地建物取引業者と宅地建物取引業に関し取引をした者の氏名及び住所（法人にあっては、その名称及び住所）	
取引がされた年月日	

様式第三号（第二条関係）（用紙の寸法は、日本産業規格Ｂ列４番とする。）

通知書				
還付金額				
還付有価証券	名称	枚数	総額面	券面額、回記号及び番号
還付振替国債	銘柄			金額
還付年月日				
債権額				
債権発生の原因たる事実				
供託者の氏名又は名称及び住所				
※供託年月日				
※供託番号				
※供託金額				
※供託有価証券	名称	枚数	総額面	券面額、回記号及び番号
※供託振替国債	銘柄			金額
供託所名				

上記供託物について頭書のとおり還付を受けたから通知する。

年　月　日

住所

債権者　氏　名

地方整備局長
北海道開発局長　あて
都道府県知事

奥書の式

上記のとおり供託物の還付があつたため、貴方の営業保証金に金何円の不足を生じたから、この通知書を受け取つた日から２週間以内に上記不足額を供託されたい。

年　月　日

都道府県知事　㊞

殿

注１　還付有価証券及び供託有価証券の欄には、振替国債を除いたものについて記載すること。

注２　※の付してある欄には、数回の供託に係る供託物につき還付を受ける場合は、それらを連記すること。

宅地建物取引業保証協会弁済業務保証金規則

別記書式（用紙の寸法は、日本産業規格Ｂ列４番とする。）　（注・第二条関係）

通知書				
還付金額				
還付有価証券	名称	枚数	総額面	券面額、回記号及び番号
還付振替国債	銘柄			金額
還付年月日				
債権額				
債権発生の原因たる事実				
宅地建物取引業保証協会の認証書の番号				
※供託年月日				
※供託番号				
※供託金額				
※供託有価証券	名称	枚数	総額面	券面額、回記号及び番号
※供託振替国債	銘柄			金額
供託所名				

上記供託物について頭書のとおり還付を受けたから通知する。

年　月　日

住所

債権者　氏　名

国土交通大臣　あて

奥書の式

上記のとおり供託物の還付があつたため、貴協会の弁済業務保証金に金何円の不足を生じたから、この通知書を受け取つた日から２週間以内に上記不足額を供託されたい。

年　月　日

国土交通大臣　㊞

殿

注１　還付有価証券及び供託有価証券の欄には、振替国債を除いたものについて記載すること。

注２　※の附してある欄には、数回の供託に係る供託物につき還付を受ける場合は、それらを連記すること。

告示

宅地建物取引業者が宅地又は建物の売買等に関して受けることができる報酬の額

（昭和四五年一〇月二三日建設省告示第一五五二号）
最終改正　令和元年八月三〇日
国土交通省告示第四九三号

第一　定　義

この告示において、「消費税等相当額」とは消費税法（昭和六十三年法律第百八号）第二条第一項第九号に規定する課税資産の譲渡等につき課されるべき消費税額及び当該消費税額を課税標準として課されるべき地方消費税額に相当する金額をいう。

第二　売買又は交換の媒介に関する報酬の額

宅地建物取引業者（課税事業者（消費税法第五条第一項の規定により消費税を納める義務がある事業者をいい、同法第九条第一項本文の規定により消費税を納める義務が免除される事業者を除く。）である場合に限る。第三から第五まで、第七、第八及び第九①において同じ。）が宅地又は建物（建物の一部を含む。以下同じ。）の売買又は交換の媒介に関して依頼者から受けることのできる報酬の額（当該媒介に係る消費税等相当額を含む。以下この規定において同じ。）は、依頼者の一方につき、それぞれ、当該売買に係る代金の額（当該売買に係る消費税等相当額を含まないものとする。）又は当該交換に係る宅地若しくは建物の価額（当該交換に係る消費税等相当額を含まないものとし、当該交換に係る宅地又は建物の価額に差があるときは、これらの価額のうちいずれか多い価額とする。）を次の表の上欄に掲げる金額に区分してそれぞれの金額に同表の下欄に掲げる割合を乗じて得た金額を合計した金額以内とする。

二百万円以下の金額	百分の五・五
二百万円を超え四百万円以下の金額	百分の四・四
四百万円を超える金額	百分の三・三

第三　売買又は交換の代理に関する報酬の額

宅地建物取引業者が宅地又は建物の売買又は交換の代理に関して依頼者から受けることのできる報酬の額（当該代理に係る消費税等相当額を含む。以下この規定において同じ。）は、第二の計算方法により算出した金額の二倍以内とする。ただし、宅地建物取引業者が当該売買又は交換の相手方から報酬を受ける場合においては、その報酬の額と代理の依頼者から受ける報酬の額の合計額が第二の計算方法により算出した金額の二倍を超えてはならない。

第四　貸借の媒介に関する報酬の額

宅地建物取引業者が宅地又は建物の貸借の媒介に関して依頼者の双方から受けることのできる報酬の額（当該媒介に係る消費税等相当額を含む。以下この規定において同じ。）の合計額は、当該宅地又は建物の借賃（当該貸借に係る消費税等相当額を含まないものとし、当該媒介が使用貸借に係るものである場合においては、当該宅地又は建物の通常の借賃をいう。以下同じ。）の一月分の一・一倍に相当する金額以内とする。この場合において、居住の用に供する建物の賃貸借の媒介に関して依頼者の一方から受けることのできる報酬の額は、当該媒介の依頼を受けるに当たつて当該依頼者の承諾を得ている場合を除き、借賃の一月分の〇・五五倍に相当する金額以内とする。

第五　貸借の代理に関する報酬の額

宅地建物取引業者が宅地又は建物の貸借の代理に関して依頼者から受けることのできる報酬の額（当該代理に係る消費税等相当額を含む。以下この規定において同じ。）は、当該宅地又は建物の借賃の一月分の一・一倍に相当する金額以内とする。ただし、宅地建物取引業者が当該貸借の相手方から報酬を受ける場合においては、その報酬の額と代理の依頼者から受ける報酬の額の合計額が借賃の一月分の一・一倍に相当する金額を超えてはならない。

第六　権利金の授受がある場合の特例

宅地又は建物（居住の用に供する建物を除く。）の賃貸借で権利金（権利金その他いかなる名義をもつてするかを問わず、権利設定の対価として支払われる金銭であつて返還されないものをいう。）の授受があるものの代理又は媒介に関して依頼者から受ける報酬の額（当該代理又は媒介に係る消費税等相当額を含む。）については、第四又は第五の規定にかかわらず、当該権利金の額（当該貸借に係る消費税等相当額を含まないものとする。）を売買に係る代金の額とみなして、第二又は第三の規定によることができる。

第七　空家等の売買又は交換の媒介における特例

低廉な空家等（売買に係る代金の額（当該売買に係る消費税等相当額を含まないものとする。）又は交換に係る宅地若しくは建物の価額（当該交換に係る消費税等相当額を含まないものとし、当該交換に係る宅地又は建物の価額に差があるときは、これらの価額のうちいずれか多い価額とする。）が四百万円以下の金額の宅地又は建物をいう。以下「空家等」という。）の売買又は交換の媒介であって、通常の売買又は交換の媒介と比較して現地調査等の費用を要するものについては、宅地建物取引業者が空家等の売買又は交換の媒介に関して依頼者（空家等の売主又は交換を行う者である依頼者に限る。）から受けることのできる報酬の額（当該媒介に係る消費税等相当額を含む。以下この規定において同じ。）は、第二の規定にかかわらず、第二の計算方法により算出した金額と当該現地調査等に要する費用に相当する額を合計した金額以内とする。この場合において、当該依頼者から受ける報酬の額は十八万円の一・一倍に相当する金額を超えてはならない。

第八　空家等の売買又は交換の代理における特例

空家等の売買又は交換の代理であって、通常の売買又は交換の代理と比較して現地調査等の費用を要するものについては、宅地建物取引業者が空家等の売買又は交換の代理に関して依頼者（空家等の売主又は交換を行う者である依頼者に限る。）から受けることのできる報酬の額（当該代理に係る消費税等相当額を含む。以下この規定において同じ。）は、第三の規定にかかわらず、第二の計算方法により算出した金額と第七の規定により算出した金額を合計した金額以内とする。ただし、宅地建物取引業者が当該売買又は交換の相手方から報酬を受ける場合においては、その報酬の額と代理の依頼者から受ける報酬の額の合計額が第二の計算方法により算出した金額と第七の規定により算出した金額を合計した金額を超えてはならない。

第九　第二から第八までの規定によらない報酬の受領の禁止

① 宅地建物取引業者は、宅地又は建物の売買、交換又は貸借の代理又は媒介に関し、第二から第八までの規定によるほか、報酬を受けることができない。ただし、依頼者の依頼によつて行う広告の料金に相当する額については、この限りでない。

② 消費税法第九条第一項本文の規定により消費税を納める義務を免除される宅地建物取引業者が、宅地又は建物の売買、交換又は貸借の代理又は媒介に関し受けることができる報酬の額は、第二から第八までの規定に準じて算出した額に百十分の百を乗じて得た額、当該代理又は媒介における仕入れに係る消費税等相当額及び①ただし書に規定する額を合計した金額以内とする。

附　則

① この告示は、昭和四十五年十二月一日から施行する。

② 昭和四十年四月建設省告示第千百七十四号は、廃止する。

③ 宅地又は建物の売買、交換又は貸借の契約でこの告示の施行前に成立したものの代理又は媒介に関して宅地建物取引業者が受けることのできる報酬の額については、なお従前の例による。

附　則（平成二九年一二月八日国土交通省告示第一一五五号）

この告示は、平成三十年一月一日から施行する。

附　則（令和元年八月三〇日国土交通省告示第四九三号）

（施行期日）

1 この告示は、令和元年十月一日から施行する。

（経過措置）

2 社会保障の安定財源の確保等を図る税制の抜本的な改革を行うための消費税法の一部を改正する等の法律（平成二十四年法律第六十八号）附則第十六条第一項において読み替えて準用する同法附則第五条第三項の規定により同法第三条の規定による改正前の消費税法（昭和六十三年法律第百八号）第二十九条に規定する税率によることとされる消費税に相当する金額を含む宅地又は建物の売買、交換又は貸借の代理又は媒介に関して宅地建物取引業者が受けることのできる報酬の額については、なお従前の例による。

宅地建物取引業法第一六条第三項の登録講習の時間等を定める件

（平成一六年二月二七日国土交通省告示第一七二号）

宅地建物取引業法施行規則（昭和三十二年建設省令第十二号）第十条の五第三号、第四号及び第六号の規定に基づき、国土交通大臣が定める時間等を次のように定める。

第一　登録講習科目ごとの講義時間等

① 宅地建物取引業法施行規則（昭和三十二年建設省令第十二号。以下「規則」という。）第十条の五第三号の登録講習科目（以下「科目」という。）ごとの講義時間は、次の表の上欄に掲げる科目ごとにおおむね同表の下欄に掲げる時間とする。

科目	時間
宅地建物取引業法その他関係法令に関する科目	十八時間
宅地及び建物の取引に係る紛争の防止に関する科目	十二時間
土地の形質、地積、地目及び種別並びに建物の形質、構造及び種別に関する科目	五時間
宅地及び建物の需給に関する科目	五時間
宅地及び建物の調査に関する科目	五時間
宅地及び建物の取引に係る税務に関する科目	五時間

② 規則第十条の五第三号の規定により登録講習の一部を通信の方法により行う場合は、次の表の上欄に掲げる科目ごとに印刷教材その他これに準ずる教材により学習させる方法による講習をおおむね二月間実施した後、当該科目ごとにおおむね次の表の下欄に掲げる時間の講義を行うものとする。

科目	時間
宅地建物取引業法その他関係法令に関する科目	四時間
宅地及び建物の取引に係る紛争の防止に関する科目	二時間
土地の形質、地積、地目及び種別並びに建物の形質、構造及び種別に関する科目	一時間
宅地及び建物の需給に関する科目	一時間
宅地及び建物の調査に関する科目	一時間
宅地及び建物の取引に係る税務に関する科目	一時間

第二　登録講習教材の内容

規則第十条の五第四号の国土交通大臣が定める事項は、次の表の上欄に掲げる科目ごとに同表の下欄に掲げる事項とする。

科目	事項
宅地建物取引業法その他関係法令に関する科目	イ　宅地建物取引業法の章及び節ごとの概要の解説 ロ　都市計画法、建築基準法その他関係法令で宅地及び建物の取引に関係する規定の概要の解説
宅地及び建物の取引に係る紛争の防止に関する科目	宅地及び建物の取引に関する代表的な判例等の紛争事例の解説
土地の形質、地積、地目及び種別並びに建物の形質、構造及び種別に関する科目	イ　土地の形質、地積、地目及び種別の解説 ロ　建物の形質、構造及び種別の解説
宅地及び建物の需給に関する科目	イ　土地取引件数、公示地価等の土地の需給の動向の解説 ロ　住宅着工件数等の建物の需給の動向の解説
宅地及び建物の調査に関する科目	宅地及び建物に関する公法上の制限及び権利関係等の調査の内容及び方法の概要の解説
宅地及び建物の取引に係る税務に関する科目	宅地及び建物の取得、保有及び譲渡に係る税制の概要の解説

備考　登録講習教材は次に掲げるものであること。

一　宅地建物取引業に従事する者に対し、その業務の適正化及び資質の向上を図るために必要な基礎的知識の習得を行うために必要かつ十分な内容と認められるものであること

二　記載された内容が新しいものであること

第三　登録講習修了試験

規則第十条の五第六号の規定による登録講習修了試験は、次の各号に掲げる要件のをすべてを満たすものとする。

一　科目のすべてについて、受講者の知識の習得が確認できるものとして行うものであること

二　登録講習修了試験の問題の作成、実施及び合否判定を厳正かつ公正に行うものであること

附　則

この告示は、平成十六年三月一日から施行する。

宅地建物取引業法施行規則第一四条の一七第三号の規定に基づく、宅地建物取引士に対する講習の実施要領

（昭和五五年一一月二九日建設省告示第一七九八号）
最終改正　令和二年二月二七日
国土交通省告示二〇二号

第一　講習の科目及び時間

宅地建物取引業法第二十二条の二第二項（同法第二十二条の三第二項において準用する場合を含む。）の規定により都道府県知事の指定を受けた講習（以下「講習」という。）の科目及び時間は、次のとおりとする。

①　講習の科目

一　宅地建物取引士の使命と役割に関する事項

二　土地及び建物についての権利及び権利の変動に関する法令に関する事項

イ　土地及び建物についての権利及び権利の変動に関する法令の概要

ロ　おおむね過去五年間におけるイに掲げる法令の改正等の要点

三　土地及び建物についての法令上の制限に関する事項

イ　土地及び建物についての法令上の制限に関する事項の概要

ロ　おおむね過去五年間における土地及び建物についての法令上の制限の改正等の要点

ハ　土地及び建物についての法令上の制限に関する実務上の主要な留意事項

四　宅地及び建物についての税に関する法令に関する事項

イ　宅地及び建物についての税に関する法令の概要

ロ　おおむね過去五年間におけるイに掲げる法令の改正等の要点

ハ　宅地及び建物についての税に関する法令に関する実務上の主要な留意事項

五　宅地建物取引業法及び同法の関係法令並びに宅地及び建物の価格の評定に関する事項

イ　宅地建物取引業法及び同法の関係法令の概要

ロ　おおむね過去五年間における宅地建物取引業法及び同法の関係法令の改正等の要点

ハ　宅地建物取引業法及び同法の関係法令に関する実務上の主要な留意事項

ニ　宅地及び建物の価格の評定に関する実務

六　宅地又は建物の取引に係る紛争のうち代表的なものの処理の実例

②　講習の期間

講習は一日で終了するものとし、講習の時間はおおむね六時間とする。

第二　講習修了証明

講習を修了した者に対しては、宅地建物取引業法施行規則別記様式第七号の二の二による宅地建物取引士証交付申請書の下欄に講習を受講した証明を行うものとする。ただし、特に必要があると都道府県知事が認めた場合には、講習を修了

した旨の証明書を交付するものとする。

第三　その他講習に関し必要な事項

一　講習を実施する日時、場所等の公告

講習を実施する日時、場所その他講習の実施に関し必要な事項は、あらかじめ周知方法を講ずるものとする。

二　講習実施計画書の届出等

受講料は一万二千円以下とするものとし、毎年度開始前に、受講料その他の講習の実施に関する事項を記載した講習実施計画書を指定を行った都道府県知事に届け出るものとする。

三　都道府県知事への報告

講習を実施した場合においては、速やかに受講者に係る登録をしている都道府県知事に報告するものとする。

第四　講習の実施に係る特例

自然災害その他の事情により、第三の二に規定する講習実施計画書に基づく講習の実施が困難と認められる場合には、第一から第三までの規定にかかわらず、国土交通大臣が認める方法により実施することができる。

附　則

この告示は、公布の日（令和二年二月二七日）から施行する。

宅地建物取引業法施行規則第一三条の一六第一号（現一三条の二一）の規定に基づく登録実務講習の演習方法等を定める件

（平成一八年六月二一日　国土交通省告示第七〇二号）

宅地建物取引業法施行規則（昭和三十二年建設省令第十二号）第十三条の二十一第三号、第四号、第六号、第八号及び第十一号の規定に基づき、国土交通大臣の定める方法等を次のように定める。

なお、平成十三年国土交通省告示第三百九十六号（宅地建物取引業法施行規則第十三条の十六第一項第一号の規定に基づく講習の実施要領を定める件）は、廃止する。

第一　演習の方法

宅地建物取引業法施行規則（昭和三十二年建設省令第十二号。以下「規則」という。）第十三条の二十一第三号の演習（以下単に「演習」という。）の方法は、次に掲げる要件に適合するものとする。

一　同時に受講する者の数が講師一人につき二十人以下であること。

二　事例研究その他の適切な方法により、規則第十三条の二十一第四号に掲げる表（以下「表」という。）の中欄に掲げる内容のうち演習に係るもの（以下「演習内容」という。）について、実践的な指導を行うものであること。

第二　登録実務講習の一部を通信の方法により行う場合

規則第十三条の二十一第四号の規定により登録実務講習の一部を通信の方法により行う場合は、表の下欄に掲げる講義（以下単に「講義」という。）に代えて、それと同程度に受講の効果を得られる通信講座を行った後に、表の下欄に掲げる演習を十二時間以上行うものとする。

第三　教材の内容

規則第十三条の二十一第六号の国土交通大臣が定める事項は、表の上欄に掲げる科目の区分に応じ、それぞれ表の中欄に掲げる内容とする。

なお、登録実務講習の教材は、次に掲げる要件に適合するものとし、必要に応じてその他の教材を併せて使用するものとする。

一　講義においては、表の中欄に掲げる内容のうち講義に係るもの（以下「講義内容」という。）について、実践的な知識を修得するために必要かつ十分な内容と認められる印刷教材であること。

二　通信講座においては、前号の印刷教材及び講義を収録した視聴覚教材、講義内容の全体を把握するために必要かつ十分な内容と認められる視聴覚教材その他の適切な内容の視聴覚教材であること。

三　演習においては、取引実務における一般的な事例を用いており、かつ、取引の目的となる宅地又は建物の調査、宅地建物取引業法（昭和二十七法律第百七十六号。以下「法」という。）第三十五条第一項及び第二項の書面の作成及び説明並びに宅地又は建物の取引に係る標準的な契約書の作成についての標準的手順を修得するために必要かつ十分な内容と認められる印刷教材であること。

四　第一号から第三号までに規定する教材に記載又は記録された内容が新しいものであること。

第四　登録実務講習修了試験

規則第十三条の二十一第八号の規定による登録実務講習修了試験（以下「修了試験」という。）は、次に掲げる要件に適合するものとする。

一　表の上欄の一及び二の科目に係る修了試験については、択一式、正誤式その他の適切な方法による筆記試験によって、講義内容全体を十分に理解しているかどうかを的確に把握するものであること。

二　表の上欄の三の科目に係る修了試験については、記述式による筆記試験によって、法第三十五条第一項及び第二項の書面及び宅地又は建物の取引に係る標準的な契約書の作成等を行わせることにより、演習内容全体を十分に理解しているかどうかを的確に把握するものであること。

三　前二号の修了試験について、それぞれ標準的な内容の問題を出題するものであること。

四　修了試験の問題の作成、実施及び合否判定を厳正かつ公正に行うものであること。

第五　修了認定基準

規則第十三条の二十一第十一号の規定による修了認定基準は、第四第一号及び第二号の修了試験のいずれについても八十パーセント以上の成績であるものとする。

弁済業務保証金の供託所

（昭和四八年五月八日法務省建設省告示第一号）
最終改正　平成一二年一二月一九日
法務省建設省告示第一号

宅地建物取引業法（昭和二十七年法律第一七六号）第六十四条の七第二項に規定する法務大臣及び国土交通大臣の定める弁済業務保証金の供託所は、東京法務局とする。

宅地建物取引業法施行規則第一五条の二第三号の規定に基づき、営業保証金又は弁済業務保証金に充てることができる社債券その他の債券を定める件

（平成二〇年三月二四日国土交通省告示第三四六号）
最終改正　平成二二年一月二〇日
国土交通省告示第二八号

一　中小企業債券
二　日本政策投資銀行債券
三　地方公共団体金融機構債券
四　独立行政法人通則法（平成十一年法律第百三号）第二条第一項に規定する独立行政法人であって、その設立の根拠となる法律又は法人格を付与する法律の規定により、債券を発行し得るものの発行する債券
五　東日本高速道路株式会社社債券
六　中日本高速道路株式会社社債券
七　西日本高速道路株式会社社債券
八　首都高速道路株式会社社債券
九　阪神高速道路株式会社社債券
十　成田国際空港株式会社社債券
十一　本州四国連絡高速道路株式会社社債券
十二　電源開発株式会社社債券
十三　放送債券
十四　交通債券
十五　商工債券
十六　農林債券
十七　長期信用銀行法（昭和二十七年法律第百八十七号）第八条に規定する長期信用銀行債
十八　金融機関の合併及び転換に関する法律（昭和四十三年法律第八十六号）第八条（同法第五十五条において準用する場合を含む。）に規定する特定社債の債券（会社法施行に伴う関係法律の整備等に関する法律（平成十七年法律第八十七号）第百九十九条の規定による改正前の金融機関の合併及び転換に関する法律第十七条の二（同法第二十四条において準用する場合を含む。）の規定により発行される債券を含む。）
十九　信金中央金庫債券
二十　前各号に掲げるもののほか、担保付社債信託法（明治三十八年法律第五十二号）による担保付社債券及び法令により優先弁済を受ける権利を保証されている社債券（自己の社債券及び会社法による特別清算開始の命令を受け、特別清算終結の決定の確定がない会社、破産法（平成十六年法律第七十五号）による破産手続開始の決定を受け、破産手続終結の決定若しくは破産手続廃止の決定の確定がない会社、民事再生法（平成十一年法律第二百二十五号）による再生手続開始の決定を受け、再生計画認可の決定の確定がない会社又は会社更生法（平成十四年法律第百五十四号）による更生手続開始の決定を受け、更生手続終結の決定若しくは更生手続廃止の決定の確定がない会社が発行した社債券を除く。）

附　則

この告示は、平成二一年一〇月一日から施行する。

附　則（平成二一年一一月一七日国土交通省告示第一二四八号）

この告示は、公布の日から施行する。

附　則（平成二二年一月二〇日国土交通省告示第二八号）

この告示は、公布の日から起算して一月を経過した日から施行する。

宅地建物取引業法施行規則第一五条の八の指定（指定流通機構の指定）に関する規程

（平成二年一月三〇日建設省告示第一一四号）

（目　的）

第一条　この規程は、宅地建物取引業法施行規則第十五条の八の規定に基づき、宅地又は建物の登録を受け、当該宅地又は建物に関する情報（以下「不動産情報」という。）の提供を行う事業（以下「不動産情報交換事業」という。）を実施する者の指定に関し必要な事項を定めることを目的とする。

（指　定）

第二条　建設大臣は、不動産情報交換事業を実施する者を、この規程に定めるところにより、指定するものとする。
②　前項の規定による指定（以下「指定」という。）は、不動産情報交換事業を実施しようとする者の申請により行う。

（指定の申請）

第三条　指定を受けようとする者は、次に掲げる事項を記載した申請書を建設大臣に提出しなければならない。
一　名称
二　役員の氏名及び住所
三　事務所の名称及び所在地
四　不動産情報交換事業の対象とする圏域（以下「対象圏域」という。）
②　前項の申請書には、次に掲げる書類を添えなければならない。
一　定款、寄附行為又はこれらに類する規約
二　申請の日の属する事業年度の前事業年度における財産目録及び貸借対照表（申請の日の属する事業年度に設立された者にあっては、その設立時における財産目録）
三　申請の日の属する事業年度及び翌事業年度における事業計画書及び収支予算書
四　役員の履歴書
五　組織及び運営に関する事項を記載

した書類

六　不動産情報交換事業のためのシステム及び設備の概要を記載した書類

七　その他参考となる事項を記載した書類

③　前項第三号に掲げる事業計画書には、不動産情報の提供を受けることが見込まれる宅地建物取引業者の数その他不動産情報交換事業に関する事項を記載しなければならない。

（指定の基準）

第四条　指定の基準は、次のとおりとする。

一　不動産情報交換事業を実施する者が、民法（明治二十九年法律第八十九号）第三十四条の規定により設立された法人その他の営利を目的としない団体（以下「公益法人等」という。）であつて、次の要件を満たすものであること。

イ　不動産情報交換事業を的確かつ円滑に実施するために必要な財産的基礎及び事務的能力を有するものであること。

ロ　役員の構成が不動産情報交換事業の公正な運営に支障を及ぼすおそれがないものであること。

ハ　不動産情報交換事業以外の事業を併せて実施している場合には、当該事業を実施することによって不動産情報交換事業の運営に支障を及ぼすおそれがないものであること。

ニ　その他不動産情報交換事業を実施するにふさわしいものであること。

二　不動産情報交換事業が特定の企業又は事業のみを利することとならないものであり、かつ、その実施に関し十分な社会的信用を得られる見込みを有するものであること。

三　不動産情報の内容が正確であることその他不動産情報交換事業の実施の方法が適切なものであること。

四　不動産情報交換事業のためのシステムが対象圏域内の不動産情報の円滑な登録又は提供を確保する上で必要な技術的水準を有するものであること。

五　対象圏域が宅地及び建物の流通の実情を考慮した適切な規模のものであること。

六　対象圏域において宅地建物取引業を営む者のうち、相当数の者に不動産情報の提供を行うことが見込まれること。

（建設大臣の指定を受けた旨の表示）

第五条　指定を受けた公益法人等（以下「指定流通機構」という。）は、建設大臣の指定を受けたものであることを明示するものとする。

（変更の承認等）

第六条　指定流通機構は、第三条第一項第四号に掲げる事項又は同条第二項第五号若しくは第六号に掲げる書類に記載した事項を変更しようとするときは、その変更の内容、時期及び理由を記載した変更承認申請書を建設大臣に提出して、その承認を受けなければならない。

②　指定流通機構は、第三条第一項第一号から第三号までに掲げる事項又は同条第二項第一号に掲げる書類に記載した事項を変更したときは、遅滞なく、その変更の内容及び時期を記載した変更届出書を建設大臣に提出しなければならない。

（事業計画書等の提出）

第七条　指定流通機構は、毎事業年度開始前に、当該事業年度の事業計画書及び収支予算書を建設大臣に提出しなければならない。

②　指定流通機構は、毎事業年度経過後三月以内に、事業報告書及び収支決算書を建設大臣に提出しなければならない。

③　第三条第三項の規定は、第一項の事業計画書及び前項の事業報告書について準用する。事業報告書について準用する場合において、同条同項中「受けることが見込まれる」とあるのは「受けた」と読み替えるものとする。

（資料の提出）

第八条　指定流通機構は、不動産情報交換事業について、建設大臣から必要な資料の提出を求められたときは、当該資料を提出しなければならない。

（指導等）

第九条　建設大臣は、不動産情報交換事業の適正な実施を図るため、指定流通機構に対し、必要な指導、助言又は勧告をすることができる。

（廃止の届出）

第一〇条　指定流通機構は、不動産情報交換事業を廃止しようとするときは、廃止の日の一月前までに、その廃止の時期及び理由を記載した廃止届出書を建設大臣に提出しなければならない。

（指定の取消し）

第一一条　建設大臣は、指定流通機構が次の各号の一に該当するときは、その指定を取り消すことができる。

一　不正の手段により指定を受けたとき。

二　第三条の規定による書類中にその重要な事項について虚偽の記載があったとき。

三　第四条各号に規定する要件を欠くに至ったとき。

四　第六条第一項の規定により建設大臣の承認を受けなければならない場合において、その承認を受けなかったとき。

五　第六条第二項、第七条、第八条又は前条の規定により提出しなければならない場合において、その提出を怠ったとき。

六　正当な理由なく、指定を受けた日から不動産情報交換事業を開始せず、又は当該不動産情報交換事業を休止したとき。

（指定等の告示）

第一二条　建設大臣は、指定をしたときは、指定流通機構の名称、主たる事務所の所在地、対象圏域及び当該指定をした日を公示しなければならない。これらの事項の変更について、第六条第一項の規定により承認をしたとき又は同条第二項の規定により変更届出書を受理したときも、同様とする。

② 建設大臣は、第十条の規定により廃止届出書を受理したとき又は第十一条の規定により指定を取り消したときは、その旨を公示しなければならない。

附　則

この規程は、平成二年五月六日から施行する。

宅地建物取引業法第三十四条の二第五項の規定に基づく指定流通機構

(平成九年四月二十二日建設省告示第千百四十二号)
最終改正　平成一二年一二月一四日
建設省告示第二三六四号

宅地建物取引業法(昭和二十七年法律第百七十六号)第三十四条の二第五項の規定に基づき指定流通機構を指定したので、同法第五十条の二第二項の規定により次のとおり告示する。

一(一)　指定流通機構の名称　財団法人東日本不動産流通機構
(二)　主たる事務所の所在地　東京都新宿区西早稲田二丁目二十番九号
(三)　宅地建物取引業法第三十四条の二第五項に基づき指定をした日　平成九年四月十九日
(四)　宅地建物取引業法施行規則(昭和三十二年建設省令第十二号)第十九条の二の規定により国土交通大臣が定める地域のうち当該指定流通機構に係る地域　北海道、青森県、岩手県、宮城県、秋田県、山形県、福島県、茨城県、栃木県、群馬県、埼玉県、千葉県、東京都、神奈川県、新潟県、山梨県及び長野県

二(一)　指定流通機構の名称　社団法人中部圏不動産流通機構
(二)　主たる事務所の所在地　愛知県名古屋市西区城西五丁目一番十四号
(三)　宅地建物取引業法第三十四条の二第五項に基づき指定をした日　平成九年四月十九日
(四)　宅地建物取引業法施行規則第十九条の二の規定により国土交通大臣が定める地域のうち当該指定流通機構に係る地域　富山県、石川県、福井県、岐阜県、静岡県、愛知県及び三重県

三(一)　指定流通機構の名称　社団法人近畿圏不動産流通機構
(二)　主たる事務所の所在地　大阪府大阪市中央区船越二丁目二番一号
(三)　宅地建物取引業法第三十四条の二第五項に基づき指定をした日　平成九年四月十九日
(四)　宅地建物取引業法施行規則第十九条の二の規定により国土交通大臣が定める地域のうち当該指定流通機構に係る地域　滋賀県、京都府、大阪府、兵庫県、奈良県及び和歌山県

四(一)　指定流通機構の名称　社団法人西日本不動産流通機構
(二)　主たる事務所の所在地　広島県広島市中区昭和町十一番五号
(三)　宅地建物取引業法第三十四条の二第五項に基づき指定をした日　平成九年四月十九日
(四)　宅地建物取引業法施行規則第十九条の二の規定により国土交通大臣が定める地域のうち当該指定流通機構に係る地域　鳥取県、島根県、岡山県、広島県、山口県、徳島県、香川県、愛媛県、高知県、福岡県、佐賀県、長崎県、熊本県、大分県、宮崎県、鹿児島県及び沖縄県

附　則

① 平成九年建設省告示第千四十一号は、廃止する。

② 平成九年建設省告示第千四十一号第二により指定し、又は同告示第三により名称等を変更した指定流通機構に対して宅地建物取引業者が行った登録は、同告示に定められるそれぞれの対象圏域に応じて、この告示の第一号から第四号までに掲げる指定流通機構に対して宅地建物取引業法の一部を改正する法律(平成七年法律第六十七号)による改正後の宅地建物取引業法第三十四条の二第五項の規定により行った登録とみなす。

附　則　(平成一二年一二月一四日建設省告示第二三六四号)

この告示は、内閣法の一部を改正する法律(平成十一年法律第八十八号)の施行の日(平成十三年一月六日)から施行する。

関係法令

刑法（抄）

（明治四〇年法律第四五号）
最終改正　平成三〇年七月一三日法律第七二号

法五条、一八条、五二条

（傷害）
第二〇四条　人の身体を傷害した者は、十五年以下の懲役又は五十万円以下の罰金に処する。

（現場助勢）
第二〇六条　前二条の犯罪が行われるに当たり、現場において勢いを助けた者は、自ら人を傷害しなくても、一年以下の懲役又は十万円以下の罰金若しくは科料に処する。

（暴行）
第二〇八条　暴行を加えた者が人を傷害するに至らなかったときは、二年以下の懲役若しくは三十万円以下の罰金又は拘留若しくは科料に処する。

（凶器準備集合及び結集）
第二〇八条の二　二人以上の者が他人の生命、身体又は財産に対し共同して害を加える目的で集合した場合において、凶器を準備して又はその準備があることを知って集合した者は、二年以下の懲役又は三十万円以下の罰金に処する。
②　前項の場合において、凶器を準備して又はその準備があることを知って人を集合させた者は、三年以下の懲役に処する。

（脅迫）
第二二二条　生命、身体、自由、名誉又は財産に対し害を加える旨を告知して人を脅迫した者は、二年以下の懲役又は三十万円以下の罰金に処する。
②　親族の生命、身体、自由、名誉又は財産に対し害を加える旨を告知して人を脅迫した者も、前項と同様とする。

（背任）
第二四七条　他人のためにその事務を処理する者が、自己若しくは第三者の利益を図り又は本人に損害を加える目的で、その任務に背く行為をし、本人に財産上の損害を加えたときは、五年以下の懲役又は五十万円以下の罰金に処する。

暴力行為等処罰ニ関スル法律（抄）

（大正一五年法律第六〇号）
最終更新　令和三年六月一六日法律第六九号

法五条、一八条、五二条

（集団的暴行・脅迫・毀棄）
第一条　団体若ハ多衆ノ威力ヲ示シ、団体若ハ多衆ヲ仮装シテ威力ヲ示シ又ハ兇器ヲ示シ若ハ数人共同シテ刑法（明治四十年法律第四十五号）第二百八条、第二百二十二条又ハ第二百六十一条ノ罪ヲ犯シタル者ハ三年以下ノ懲役又ハ三十万円以下ノ罰金ニ処ス

（加重傷害）
第一条ノ二　銃砲若ハクロスボウ又ハ刀剣類ヲ用ヒテ人ノ身体ヲ傷害シタル者ハ一年以上十五年以下ノ懲役ニ処ス
②　前項ノ未遂罪ハ之ヲ罰ス
③　前二項ノ罪ハ刑法第三条、第三条の二及第四条の二ノ例ニ従フ

（常習的傷害・暴行・脅迫・毀棄）
第一条ノ三　常習トシテ刑法第二百四条、第二百八条、第二百二十二条又ハ第二百六十一条ノ罪ヲ犯シタル者人ヲ傷害シタルモノナルトキハ一年以上十五年以下ノ懲役ニ処シ其ノ他ノ場合ニ在リテハ三月以上五年以下ノ懲役ニ処ス
②　前項（刑法第二百四条ニ係ル部分ヲ除ク）ノ罪ハ同法第四条の二ノ例ニ従フ

（集団的、常習的面会強請・強談威迫）
第二条　財産上不正ノ利益ヲ得又ハ得シムル目的ヲ以テ第一条ノ方法ニ依リ面会ヲ強請シ又ハ強談威迫ノ行為ヲ為シタル者ハ一年以下ノ懲役又ハ十万円以下ノ罰金ニ処ス
②　常習トシテ故ナク面会ヲ強請シ又ハ強談威迫ノ行為ヲ為シタル者ノ罰亦前項ニ同シ

（集団犯罪等の請託）
第三条　第一条ノ方法ニ依リ刑法第百九十九条、第二百四条、第二百八条、第二百二十二条、第二百二十三条、第二百三十四条、第二百六十条又ハ第二百六十一条ノ罪ヲ犯サシムル目的ヲ以テ金品其ノ他ノ財産上ノ利益若ハ職務ヲ

供与シ又ハ其ノ申込若ハ約束ヲ為シタル者及情ヲ知リテ供与ヲ受ケ又ハ其ノ要求若ハ約束ヲ為シタル者ハ六月以下ノ懲役又ハ十万円以下ノ罰金ニ処ス

② 第一条ノ方法ニ依リ刑法第九十五条ノ罪ヲ犯サシムル目的ヲ以テ前項ノ行為ヲ為シタル者ハ六月以下ノ懲役若ハ禁錮又ハ十万円以下ノ罰金ニ処ス

行政手続法（抄）

（平成五年法律第八八号）
最終改正 平成二九年三月三一日法律第四号

法一六条の一五、五〇条の一四、五四条、六二条、六四条、六四条の二二、六九条

（審査基準）

第五条 行政庁は、審査基準を定めるものとする。

② 行政庁は、審査基準を定めるに当たっては、許認可等の性質に照らしてできる限り具体的なものとしなければならない。

③ 行政庁は、行政上特別の支障があるときを除き、法令により申請の提出先とされている機関の事務所における備付けその他の適当な方法により審査基準を公にしておかなければならない。

（標準処理期間）

第六条 行政庁は、申請がその事務所に到達してから当該申請に対する処分をするまでに通常要すべき標準的な期間（法令により当該行政庁と異なる機関が当該申請の提出先とされている場合は、併せて、当該申請が当該提出先とされている機関の事務所に到達してから当該行政庁の事務所に到達するまでに通常要すべき標準的な期間）を定めるよう努めるとともに、これを定めたときは、これらの当該申請の提出先とされている機関の事務所における備付けその他の適当な方法により公にしておかなければならない。

（不利益処分をしようとする場合の手続）

第一三条 行政庁は、不利益処分をしようとする場合には、次の各号の区分に従い、この章の定めるところにより、当該不利益処分の名あて人となるべき者について、当該各号に定める意見陳述のための手続を執らなければならない。

一 次のいずれかに該当するとき 聴聞

イ 許認可等を取り消す不利益処分をしようとするとき。

ロ イに規定するもののほか、名あて人の資格又は地位を直接にはく奪する不利益処分をしようとするとき。

ハ 名あて人が法人である場合におけるその役員の解任を命ずる不利益処分、名あて人の業務に従事する者の解任を命ずる不利益処分又は名あて人の会員である者の除名を命ずる不利益処分をしようとするとき。

ニ イからハまでに掲げる場合以外の場合であって行政庁が相当と認めるとき。

二 前号イからニまでのいずれにも該当しないとき 弁明の機会の付与

② 次の各号のいずれかに該当するときは、前項の規定は、適用しない。

一 公益上、緊急に不利益処分をする必要があるため、前項に規定する意見陳述のための手続を執ることができないとき。

二 法令上必要とされる資格がなかったこと又は失われるに至ったことが判明した場合に必ずすることとされている不利益処分であって、その資格の不存在又は喪失の事実が裁判所の判決書又は決定書、一定の職に就いたことを証する当該任命権者の書類その他の客観的な資料により直接証明されたものをしようとするとき。

三 施設若しくは設備の設置、維持若しくは管理又は物の製造、販売その他の取扱いについて遵守すべき事項が法令において技術的な基準をもって明確にされている場合において、専ら当該基準が充足されていないことを理由として当該基準に従うべきことを命ずる不利益処分であってその不充足の事実が計測、実験その他客観的な認定方法に

よって確認されたものをしようとするとき。

四　納付すべき金銭の額を確定し、一定の額の金銭の納付を命じ、又は金銭の給付決定の取消しその他の金銭の給付を制限する不利益処分をしようとするとき。

五　当該不利益処分の性質上、それによって課される義務の内容が著しく軽微なものであるため名あて人となるべき者の意見をあらかじめ聴くことを要しないものとして政令で定める処分をしようとするとき。

（聴聞の通知の方式）

第一五条　行政庁は、聴聞を行うに当たっては、聴聞を行うべき期日までに相当な期間をおいて、不利益処分の名あて人となるべき者に対し、次に掲げる事項を書面により通知しなければならない。

一　予定される不利益処分の内容及び根拠となる法令の条項

二　不利益処分の原因となる事実

三　聴聞の期日及び場所

四　聴聞に関する事務を所掌する組織の名称及び所在地

②　前項の書面においては、次に掲げる事項を教示しなければならない。

一　聴聞の期日に出頭して意見を述べ、及び証拠書類又は証拠物（以下「証拠書類等」という。）を提出し、又は聴聞の期日への出頭に代えて陳述書及び証拠書類等を提出することができること。

二　聴聞が終結する時までの間、当該不利益処分の原因となる事実を証する資料の閲覧を求めることができること。

③　行政庁は、不利益処分の名あて人となるべき者の所在が判明しない場合においては、第一項の規定による通知を、その者の氏名、同項第三号及び第四号に掲げる事項並びに当該行政庁が同項各号に掲げる事項を記載した書面をいつでもその者に交付する旨を当該行政庁の事務所の掲示場に掲示することによって行うことができる。この場合においては、掲示を始めた日から二週間を経過したときに、当該通知がその者に到達したものとみなす。

（当事者の不出頭等の場合における聴聞の終結）

第二三条　主宰者は、当事者の全部若しくは一部が正当な理由なく聴聞の期日に出頭せず、かつ、第二十一条第一項に規定する陳述書若しくは証拠書類等を提出しない場合、又は参加人の全部若しくは一部が聴聞の期日に出頭しない場合には、これらの者に対し改めて意見を述べ、及び証拠書類等を提出する機会を与えることなく、聴聞を終結することができる。

②　主宰者は、前項に規定する場合のほか、当事者の全部又は一部が聴聞の期日に出頭せず、かつ、第二十一条第一項に規定する陳述書又は証拠書類等を提出しない場合において、これらの者の聴聞の期日への出頭が相当期間引き続き見込めないときは、これらの者に対し、期限を定めて陳述書及び証拠書類等の提出を求め、当該期限が到来したときに聴聞を終結することとすることができる。

国土交通省聴聞手続規則（抄）

法六九条関連

（平成一二年総理府・運輸省・建設省令第一号）
最終改正　令和三年三月二六日国土交通省令第一一号

行政手続法（平成五年法律第八十八号）を実施するため、国土交通省聴聞手続規則を次のように定める。

（趣　旨）

第一条　この省令は、国土交通大臣、国土交通省の本省に置かれる特別の機関若しくは地方支分部局の長、観光庁長官、気象庁長官、海上保安庁長官、気象庁若しくは海上保安庁に置かれる地方支分部局の長又は海上保安官（以下「行政庁」という。）が行政手続法（以下「法」という。）第三章第二節の定めるところにより行う聴聞の手続に関し必要な事項を定めるものとする。

② この省令に規定する事項について、他の法律又はこれに基づく命令（告示を含む。）に特別の定めがある場合は、その定めるところによる。

（用　語）

第二条　この省令において使用する用語は、法において使用する用語の例による。

（聴聞の期日又は場所の変更）

第三条　行政庁が法第十五条第一項の通知をした場合（同条第三項の規定により通知をした場合を含む。）において、当事者は、やむを得ない理由があるときには、行政庁に対し、聴聞の期日又は場所の変更を申し出ることができる。

② 行政庁は、前項の申出により、又は職権により、聴聞の期日又は場所を変更することができる。

③ 行政庁は、前項の規定により聴聞の期日又は場所を変更したときは、速やかに、当該変更後の聴聞の期日又は場所を当事者及び参加人（その時までに法第十七条第一項の求めを受諾し、又は同項の許可を受けている者に限る。）に通知しなければならない。

（関係人の参加の許可）

第四条　法第十七条第一項の規定による許可の申請については、関係人は、聴聞の期日の五日前までに、聴聞の件名並びに当該関係人の氏名、住所及び当該聴聞に係る不利益処分につき利害関係を有することの疎明を記載した書面を主宰者に提出してこれを行うものとする。

② 主宰者は、前項の申請をした者の参加を許可したときは、速やかに、その旨を当該申請者に通知しなければならない。

（文書等の閲覧）

第五条　法第十八条第一項の規定による閲覧の求めについては、当事者又は当該不利益処分がされた場合に自己の利益を害されることとなる参加人（以下この条及び第十二条第三項において「当事者等」という。）は、聴聞の件名、当該当事者等の氏名及び住所並びに閲覧をしようとする資料の標目を記載した書面を行政庁に提出してこれを行うものとする。ただし、聴聞の期日における審理の進行に応じて必要となった場合の閲覧については、口頭で求めれば足りる。

② 行政庁は、当事者等から前項の求めがあった場合において、法第十八条第三項の規定により閲覧について日時及び場所を指定したときは、速やかに、当該日時及び場所を当該当事者等に通知しなければならない。この場合において、指定する日時及び場所は、聴聞の期日における審理のための当該当事者等の準備を妨げることがないよう配慮したものでなければならない。

③ 行政庁は、当事者等から法第十八条第二項の閲覧の求めがあった場合において、同条第三項の規定により閲覧について日時及び場所を指定するときは、法第二十二条第一項の規定により、当該指定する日以降の日を新たな聴聞の期日として定めるものとする。

（主宰者の指名）

第六条　法第十九条第一項の規定による主宰者の指名は、法第十五条第一項の通知の時までに行わなければならない。

② 主宰者が法第十九条第二項各号（第四号を除く。）のいずれかに該当するに至ったときは、行政庁は、速やかに、主宰者を変更しなければならない。

③ 行政庁は、職権により、主宰者を変更することができる。

④ 行政庁は、前二項の規定により主宰者を変更したときは、速やかに、その旨を当事者及び参加人（その時までに法第十七条第一項の求めを受諾し、又は同項の許可を受けている者に限る。）に通知しなければならない。

（補佐人の出頭の許可）

第七条　法第二十条第三項の規定による許可の申請については、当事者又は参加人は、聴聞の期日の四日前までに、聴聞の件名並びに補佐人の氏名、住所、当事者又は参加人との関係及び補佐する事項を記載した書面を主宰者に提出してこれを行うものとする。ただし、同項の許可を受けた当事者又は参加人が、当該許可に係る補佐人及びその補佐する事項について、法第二十二条第二項本文（法第二十五条後段において準用する場合を含む。）の規定により通知された聴聞の期日における補佐人の出頭の許可を受けようとするときは、当該聴聞の期日までに口頭で求めれば足りる。

②　主宰者は、補佐人の出頭を許可したときは、速やかに、その旨を当該当事者又は参加人に通知しなければならない。

③　補佐人が行った意見の陳述は、当事者又は参加人が直ちに取り消さない限り、当該当事者又は参加人が自ら行ったものとみなす。

（参考人）

第八条　主宰者は、必要があると認めるときは、聴聞への参考人（聴聞に係る事案に関する専門的事項、当該事案の事実関係等について証言する者をいう。以下同じ。）の出席を求め、その意見を聴くことができる。

（聴聞の期日における意見の陳述の制限及び秩序の維持）

第九条　主宰者は、聴聞の期日に出頭した者が当該聴聞に係る事案の範囲を超えて意見の陳述を行うときその他聴聞の期日における審理の適正な進行を図るためやむを得ないと認めるときは、その者が行う意見の陳述を制限することができる。

②　主催者は、前項に規定する場合のほか、聴聞の審理の秩序を維持するため、聴聞の審理を妨害し、又はその秩序を乱す者に対し退場を命ずる等適当な措置をとることができる。

（聴聞の期日における審理の公開）

第一〇条　行政庁は、法第二十条第六項の規定により聴聞の期日における審理を公開することが相当と認めたときは、当該聴聞の期日、場所及び事案の内容を公示するとともに、速やかに、その旨を当事者及び参加人（その時までに法第十七条第一項の求めを受諾し、又は同項の許可を受けている者に限る。）に通知しなければならない。

②　行政庁は、前項の規定による公示後において、第三条第二項の規定により聴聞の期日又は場所を変更したときは、速やかに、当該変更後の聴聞の期日又は場所を公示しなければならない。

（陳述書の記載事項）

第一一条　法第二十一条第一項の陳述書には、聴聞の件名並びに提出する者の氏名、住所及び当該聴聞に係る不利益処分の原因となる事実その他当該聴聞に係る事案に対する意見を記載するものとする。

（聴聞調書及び報告書の記載事項等）

第一二条　法第二十四条第一項の調書（以下「聴聞調書」という。）には、次に掲げる事項（聴聞の期日における審理が行われなかった場合にあっては、第四号、第五号及び第八号に掲げる事項を除く。）を記載し、主宰者がこれに記名しなければならない。

一　聴聞の件名
二　聴聞の期日及び場所
三　主宰者の氏名及び職名
四　聴聞の期日に出頭した当事者及び参加人又はこれらの者の代理人並びに補佐人及び参考人（以下この項において「聴聞参加者」という。）の氏名及び住所
五　当該聴聞の期日における審理で説明を行った行政庁の職員の氏名及び職名
六　聴聞の期日に出頭しなかった聴聞参加者の氏名及び住所並びに当事者及びその代理人が聴聞の期日に出頭しなかった場合にあっては出頭しなかったことについての正当な理由の有無
七　聴聞参加者の陳述した意見（法第二十一条第一項の陳述書に記載された意見を含む。）の要旨
八　行政庁の職員が行った説明の要旨
九　証拠書類等が提出された場合にあっては、その標目
十　その他参考となるべき事項

②　聴聞調書には、書面、図面、写真その他主宰者が適当と認めるも

のを添付して聴聞調書の一部とすることができる。

③　法第二十四条第三項の報告書（次条において「報告書」という。）には、次に掲げる事項を記載し、主宰者がこれに記名しなければならない。

一　不利益処分の原因となる事実に対する当事者等の主張

二　不利益処分の原因となる事実に対する当事者等の主張に理由があるかどうかについての意見

三　前号の意見の理由

（聴聞調書及び報告書の閲覧）

第一三条　法第二十四条第四項の規定による閲覧の求めについては、当事者又は参加人は、聴聞の件名、当該当事者又は参加人の氏名及び住所並びに閲覧をしようとする聴聞調書又は報告書の件名を記載した書面を、聴聞の終結前にあっては主宰者に、聴聞の終結後にあっては行政庁に提出してこれを行うものとする。

②　主宰者又は行政庁は、当事者又は参加人から前項の求めがあった場合において、閲覧について日時及び場所を指定するときは、速やかに、当該日時及び場所を当該当事者又は参加人に通知しなければならない。

不動産の表示に関する公正競争規約

法三一条

公正取引委員会及び消費者庁長官の認定告示　平成25年4月25日施行
最終変更　令和4年9月1日施行

—目次—

第1章　総　則

第1節　目　的

（目　的）

第1条　この公正競争規約（以下「規約」という。）は、不当景品類及び不当表示防止法（昭和37年法律第134号）第31条第1項の規定に基づき、不動産の取引について行う表示に関する事項を定めることにより、不当な顧客の誘引を防止し、一般消費者による自主的かつ合理的な選択及び事業者間の公正な競争を確保することを目的とする。

第2節　会員の責務

（事業者の責務）

第2条　事業者は、不動産広告の社会性にかんがみ、深くその責任を自覚し、この規約を遵守することはもとより、社会的・経済的諸事情の変化に即応しつつ、常により適正な広告その他の表示をするよう努めなければならない。

（広告会社等の責務）

第3条　事業者から広告制作の依頼を受けた広告会社等は、不動産広告の社会性にかんがみ、深くその社会的な責任を認識し、この規約の趣旨にのっとり、一般消費者の適正な選択に資する広告を制作するよう努めなければならない。

第3節　用語の定義

（用語の定義）

第4条　この規約において「不動産」とは、土地及び建物をいう。

2　この規約において「宅地」とは、宅地建物取引業法（昭和27年法律第176号。以下「宅建業法」という。）第2条第1号に定めるものをいう。

3　この規約において「建物」とは、土地に定着し、屋根及び周壁を有する工作物であって、主として居住の用に供されるものをいい、賃貸マンション、賃貸アパートその他の貸室等建物の一部を含むものとする。

4　この規約において「事業者」とは、宅建業法第3条第1項の免許を受けて宅地建物取引業を営む者であって、第25条第1項に規定する公正取引協議会の構成団体に所属するもの及びこの規約に個別に参加するものをいう。

5　この規約において「表示」とは、顧客を誘引するための手段として事業者が不動産（以下第9章までにおいて「物件」という。）の内容又は取引条件その他取引（事業者自らが貸借の当事者となって行う取引を含む。以下同じ。）に関する事項について行う広告その他の表示（以下「広告表示」という。）であって、次に掲げるものをいう。

(1)　インターネットによる広告表示

(2)　チラシ、ビラ、パンフレット、小冊子、説明書面、電子記録媒体その他これらに類似する物による広告表示（ダイレクトメール、ファクシミリ等によるものを含む。）及び口頭による広告表示（電話によるものを含む。）

(3)　ポスター、看板（デジタルサイネージ、プラカード及び建物又は電車、自動車等に記載されたものを含む。）、のぼり、垂れ幕、ネオン・サイン、アドバルーンその他これらに類似する物による広告及び陳列物又は実演による表示

(4)　新聞紙、雑誌その他の出版物、放送（有線電気通信設備又は拡声機による放送を含む。）、映写、演劇又は電光による広告

(5)　物件自体による表示及びモデル・ルームその他これらに類似する物による表示

6　この規約において、次に掲げる用語の意義は、それぞれ当該各号に定めるところによる。

(1)　**建築条件付土地**　自己の所有する土地を取引するに当たり、自己と土地購入者との間において、自己又は自己の指定する建設業を営む者（建設業者）との間に、当該土地に建築する建物について一定期間内に建築請負契約が成立することを条件として取引される土地をいう（建築請負契約の相手方となる者を制限しない場合を含む。）。

(2)　**自由設計型マンション企画**　特定の土地を前提とするマンション建築の基本計画を示して当該計画について一般消費者の意見を聴取し、これを反映させた実施計画を確定し、第5条に規定する広告表示の開始の要件を満たした後に、売買契約をする方式によるマンションの建築企画をいう。

(3)　**予告広告**　販売区画数若しくは販売戸数が2以上の分譲宅地、新築分譲住宅、新築分譲マンション若しくは一棟リノベーションマンション、又は、賃貸戸数が2以上の新築賃貸マンション若しくは新築賃貸アパートであって、価格又は賃料が確定していないため、直ちに取引することができない物件について、規則に規定する表示媒体を用いて、その本広告（第8条に規定する必要な表示事項を全て表示して物件の取引の申込みを勧誘するための広告表示をいう。）に先立ち、その取引開始時期をあらかじめ告知する広告表示をいう。

(4)　**副次的表示**　分譲宅地、新築分譲住宅、新築分譲マンション又は一棟リノベーションマンションに関する広告表示であって、一の広告物において、主として取引しようとする物件の広告表示に付加して行う他の物件に関する広告表示をいう。

(5)　**シリーズ広告**　販売区画数若しくは販売戸数が2以上の分譲宅地、新築分譲住宅、新築分譲マンション若しくは一棟リノベーションマンション、又は賃貸戸数が2以上の新築賃貸マンション若しくは新築賃貸アパートに関する広告表示であって、一の企画に基づき1年以内に、順次、連続して4回以上又は6か月以内に3回以上にわたって行う一連の広告表示をいう。

(6)　**比較広告**　自己の供給する物件又は役務について、これと競争関係にある特定の物件等を比較対象物件等として示し（暗示的に示す場合を含む。）、物件等の内容又は取引条件について、客観的に測定又は評価することによって比較する広告表示をいう。

(7)　**最多価格帯**　売買に係る物件の価格を100万円刻みでみたときに最も物件数が多い価格帯又は価格が著しく高額である等これによることが適当でないと認められる場合において、任意に区分した価格帯でみたときに物件数が最も多い価格帯をいう。

(8)　**開発面積**　開発区域の総面積をいう。

(9) **総区画数**　開発区域内の全ての予定区画数をいう。

(10) **総戸数**　新築分譲住宅においては、開発区域内に建築される住宅（建築予定の住宅を含む。）の戸数をいい、新築分譲マンション又は一棟リノベーションマンションにおいては、現に取引しようとする全ての建物の一棟ごとの住戸の戸数をいう。

(11) **販売区画数**　販売しようとする分譲宅地の区画数をいう。

(12) **販売戸数**　販売しようとする新築分譲住宅の戸数又は新築分譲マンション若しくは一棟リノベーションマンションの住戸の戸数をいう。

(13) **賃貸戸数**　賃貸しようとする新築賃貸マンション又は新築賃貸アパートの住戸の数をいう。

第2章　広告表示の開始時期の制限

（広告表示の開始時期の制限）

第5条　事業者は、宅地の造成又は建物の建築に関する工事の完了前においては、宅建業法第33条に規定する許可等の処分があった後でなければ、当該工事に係る宅地又は建物の内容又は取引条件その他取引に関する広告表示をしてはならない。

第3章　建築条件付土地取引における建物の設計プランに関する表示及び自由設計型マンション企画に関する広告表示

（建築条件付土地取引に関する広告表示中に表示される建物の設計プランに関する表示）

第6条　前条の規定は、建築条件付土地取引に関する広告表示中に表示される建物の設計プランに関する表示については、次に掲げる全ての要件を満たすものに限り、適用しない。

(1) 次の事項について、見やすい場所に、見やすい大きさ、見やすい色彩の文字により、分かりやすい表現で表示していること。

ア　取引の対象が建築条件付土地である旨

イ　建築請負契約を締結すべき期限（土地購入者が表示された建物の設計プランを採用するか否かを問わず、土地購入者が自己の希望する建物の設計協議をするために必要な相当の期間を経過した日以降に設定される期限）

ウ　建築条件が成就しない場合においては、土地売買契約は、解除され、かつ、土地購入者から受領した金銭は、名目のいかんにかかわらず、全て遅滞なく返還する旨

エ　表示に係る建物の設計プランについて、次に掲げる事項

（ア）当該プランは、土地の購入者の設計プランの参考に資するための一例であって、当該プランを採用するか否かは土地購入者の自由な判断に委ねられている旨

（イ）当該プランに係る建物の建築代金並びにこれ以外に必要となる費用の内容及びその額

(2) 土地取引に係る第8条に規定する必要な表示事項を満たしていること。

（自由設計型マンション企画に関する表示）

第7条　第5条の規定は、自由設計型マンション企画に関する表示であって、次に掲げる全ての要件を満たすものについては、適用しない。

(1) 次の事項について、見やすい場所に、見やすい大きさ、見やすい色彩の文字により、分かりやすい表現で表示していること。

ア　当該企画に係る基本計画である旨及び基本計画の性格

イ　当該企画の実現に至るまでの手順

ウ　当該企画に関する意見聴取のための説明会等の開催時期及び場所

エ　意見聴取に応じた一般消費者に対し、当該企画に基づく物件その他の物件の取引を拘束するものではなく、また、これらの取引において何ら特別の取扱いをするものではない旨

オ　当該企画の実施に際しては、宅建業法第33条に規定する許可等の処分を受ける必要がある旨及び未だ受けていない旨

(2) 当該企画に係る基本計画について、建ぺい率・容積率の制限の範囲内において建築可能な限度を示すための透視図並びに一般消費者の意見を求める基礎となる外観図及び平面スケッチを示す場合においては、一般消費者の意見を聴取する場合の手がかりとして示すものであって、具体的な実施計画の内容を示すものではない旨を、これらの表示に接する位置に明示していること。

(3) 当該企画のコンセプトに関する説明及び前号に規定する図面等を除き、建物の具体的な設計プランを表示していないこと。

第4章　必要な表示事項

第1節　必要な表示事項

（必要な表示事項）

第8条　事業者は、規則で定める表示媒体を用いて物件の表示をするときは、規則で定める物件の種別ごとに、次に掲げる事項について、規則で定めるところにより、見やすい場所に、見やすい大きさ、見やすい色彩の文字により、分かりやすい表現で明瞭に表示しなければならない。

(1) 広告主に関する事項

(2) 物件の所在地、規模、形質その他の内容に関する事項

(3) 物件の価格その他の取引条件に関する事項

(4) 物件の交通その他の利便及び環境に関する事項

(5) 前各号に掲げるもののほか、規則で定める事項

第2節　予告広告・副次的表示・シリーズ広告における特例

（予告広告における特例）

第9条　予告広告にあっては、前条の規定にかかわらず、規則で定めるところにより、同条に規定する必要な表示事項の一部を省略することができる。

2　予告広告を行う場合においては、当該予告広告に係る物件の取引開始前に、次の各号に掲げるいずれかの方法により本広告を行わなければならない。

(1)　当該予告広告を行った媒体と同一の媒体を用い、かつ、当該予告広告を行った地域と同一又はより広域の地域において実施する方法

(2)　インターネット広告により実施する方法

3　前項第2号の方法により本広告を行うときは、当該予告広告において、インターネットサイト名（アドレスを含む。）及び掲載予定時期を明示しなければならない。

4　予告広告においては、予告広告である旨、販売予定時期その他規則で定める事項を、見やすい場所に、見やすい大きさ、見やすい色彩の文字により、分かりやすい表現で明瞭に表示しなければならない。

（副次的表示における特例）

第10条　副次的表示は、第8条の規定にかかわらず、規則で定めるところにより、同条に規定する必要な表示事項の一部を省略することができる。

（シリーズ広告における特例）

第11条　シリーズ広告は、第8条の規定の適用に当たっては、次の各号に掲げる全ての要件を満たす場合に限り、その一連の広告表示をもって、一の広告表示とみなす。

(1)　新聞、雑誌又はインターネットによる広告であること。

(2)　シリーズ広告中の最後に行う広告（以下「最終広告」という。）において第8条に規定する必要な表示事項を表示していること。

(3)　各回の広告において、次の事項を、見やすい場所に、見やすい大きさ、見やすい色彩の文字により、分かりやすい表現で明瞭に表示していること。

ア　シリーズ広告である旨

イ　当該シリーズ広告における広告の回数

ウ　シリーズ広告中における当該広告の順位

エ　次回の広告の掲載予定日（最終広告を除く。）

オ　契約又は予約の申込みに応じない旨及び名目のいかんにかかわらず申込みの順位の確保に関する措置を講じない旨（最終広告を除く。）

(4)　第5条に規定する広告表示の開始の要件を満たしていること。

第3節　必要な表示事項の適用除外

（必要な表示事項の適用除外）

第12条　次の各号に掲げる広告表示については、第8条の規定を適用しない。ただし、物件の内容又は取引条件を併せて表示するものを除く。

(1)　分譲宅地、新築分譲住宅、新築分譲マンション又は一棟リノベーションマンションの販売に先立ち、当該物件の名称を募集するため又は名称を考案するための手掛かりとして当該物件のおおむねの所在地（都道府県、郡、市区町村、字又は街区番号まで）、物件種別、おおむねの規模及び開発理念のみを表示する広告

(2)　物件情報展示会その他の催事の開催場所、開催時期、又は常設の営業所の場所を案内する広告表示であって、展示している物件数、当該物件の種別及び価格の幅のみを表示するもの

(3)　住宅友の会その他の顧客を構成員とする組織の会員を募集する広告表示であって、現に取引している物件又は将来取引しようとする物件について、その物件の種別、販売（賃貸を含む。以下同じ。）中であるか販売予定であるかの別及び最寄駅のみを表示するもの

(4)　企業広告の構成要素として現に取引している物件又は将来取引しようとする物件の広告表示であって、その物件の種別、販売中であるか販売予定であるかの別及び最寄駅のみを表示するもの（当該広告の主旨が特定の物件の予告その他取引に関する広告表示と認められるものを除く。）

第5章　特定事項等の明示義務

第1節　特定事項の明示義務

（特定事項の明示義務）

第13条　事業者は、一般消費者が通常予期することができない物件の地勢、形質、立地、環境等に関する事項又は取引の相手方に著しく不利な取引条件であって、規則で定める事項については、賃貸住宅を除き、それぞれその定めるところにより、見やすい場所に、見やすい大きさ、見やすい色彩の文字により、分かりやすい表現で明瞭に表示しなければならない。

第2節　記事広告における「広告である旨」の明示義務

（記事広告における「広告である旨」の明示義務）

第14条　事業者は、記事広告（編集記事形式の広告表示）にあっては、当該広告表示中に広告である旨を、規則で定めるところにより、見やすい場所に、見やすい大きさ、見やすい色彩の文字により、分かりやすい表現で明瞭に表示しなければならない。

第6章　表示基準

第1節　物件の内容・取引条件等に係る表示基準

（物件の内容・取引条件等に係る表示基準）

第15条　事業者は、次に掲げる事項について表示するときは、規則で定めるところにより表示しなければならない。

(1)　取引態様

(2) 物件の所在地
(3) 交通の利便性
(4) 各種施設までの距離又は所要時間
(5) 団地の規模
(6) 面　積
(7) 物件の形質
(8) 写真・絵図
(9) 設備・施設等
(10) 生活関連施設
(11) 価格・賃料
(12) 住宅ローン等

第2節　節税効果等の表示基準

（節税効果等の表示基準）

第16条　事業者は、リース方式によるマンション等について、節税効果（給与所得者等が不動産所得を得ることとなった場合等に、税法上認められた方法により、課税総所得金額を減少させ、税負担を軽減すること。）又は当該マンション等に係る賃料収入の確実性等について表示するときは、規則で定めるところにより表示しなければならない。

第3節　入札及び競り売りの方法による場合の表示基準

（入札及び競り売りの方法による場合の表示基準）

第17条　事業者は、入札又は競り売りの方法により取引する場合は、規則で定めるところにより表示しなければならない。

第7章　特定用語等の使用基準

第1節　特定用語の使用基準

（特定用語の使用基準）

第18条　事業者は、次に掲げる用語又はこれらの用語に類する用語を用いて表示するときは、それぞれ当該各号に定める意義に即して使用しなければならない。

(1) **新　築**　建築工事完了後1年未満であって、居住の用に供されたことがないものをいう。

(2) **新発売**　新たに造成された宅地、新築の住宅（造成工事又は建築工事完了前のものを含む。）又は一棟リノベーションマンションについて、一般消費者に対し、初めて購入の申込みの勧誘を行うこと（一団の宅地又は建物を数期に区分して販売する場合は、期ごとの勧誘）をいい、その申込みを受けるに際して一定の期間を設ける場合においては、その期間内における勧誘をいう。

(3) **ダイニング・キッチン（DK）**　台所と食堂の機能が1室に併存している部屋をいい、住宅（マンションにあっては、住戸。次号において同じ。）の居室（寝室）数に応じ、その用途に従って使用するために必要な広さ、形状及び機能を有するものをいう。

(4) **リビング・ダイニング・キッチン（LDK）**　居間と台所と食堂の機能が1室に併存する部屋をいい、住宅の居室（寝室）数に応じ、その用途に従って使用するために必要な広さ、形状及び機能を有するものをいう。

(5) **宅地の造成工事の完了**　宅地上に建物を直ちに建築することができる状態に至ったことをいい、当該工事の完了に際し、都市計画法（昭和43年法律第100号）その他の法令による工事の完了の検査を受けることが必要とされるときは、その検査に合格したことをいう

(6) **建物の建築工事の完了**　建物をその用途に従い直ちに使用することができる状態に至ったことをいう。

2　事業者は、次に掲げる用語を用いて表示するときは、それぞれ当該表示内容を裏付ける合理的な根拠を示す資料を現に有している場合を除き、当該用語を使用してはならない。この場合において、第1号及び第2号に定める用語については、当該表示内容の根拠となる事実を併せて表示する場合に限り使用することができる。

(1) 物件の形質その他の内容又は価格その他の取引条件に関する事項について、「**最高**」、「**最高級**」、「**極**」、「**特級**」等、最上級を意味する用語

(2) 物件の価格又は賃料等について、「**買得**」、「**掘出**」、「**土地値**」、「**格安**」、「**投売り**」、「**破格**」、「**特安**」、「**激安**」、「**バーゲンセール**」、「**安値**」等、著しく安いという印象を与える用語

(3) 物件の形質その他の内容又は役務の内容について、「**完全**」、「**完ぺき**」、「**絶対**」、「**万全**」等、全く欠けるところがないこと又は全く手落ちがないことを意味する用語

(4) 物件の形質その他の内容、価格その他の取引条件又は事業者の属性に関する事項について、「**日本一**」、「**日本初**」、「**業界一**」、「**超**」、「**当社だけ**」、「**他に類を見ない**」、「**抜群**」等、競争事業者の供給するもの又は競争事業者よりも優位に立つことを意味する用語

(5) 物件について、「**特選**」、「**厳選**」等、一定の基準により選別されたことを意味する用語

(6) 物件について、「**完売**」等著しく人気が高く、売行きがよいという印象を与える用語

第2節　物件の名称の使用基準

（物件の名称の使用基準）

第19条　物件の名称として地名等を用いる場合において、当該物件が所在する市区町村内の町若しくは字の名称又は地理上の名称を用いる場合を除いては、次の各号に定めるところによるものとする。

(1) 当該物件の所在地において、慣例として用いられている地名又は歴史上の地名がある場合は、当該地名を用いることができる。

(2) 当該物件の最寄りの駅、停留場又は停留所の名称を用いることができる。

(3) 当該物件が公園、庭園、旧跡その他の施設又は海（海岸）、湖沼若しくは河川の岸若しくは堤防から直線距離で300メートル以内に所在している場合

は、これらの名称を用いることができる。

(4) 当該物件から直線距離で50メートル以内に所在する街道その他の道路の名称（坂名を含む。）を用いることができる。

2 別荘地（別荘又はリゾートマンションを含む。）にあっては、前項に掲げるところによるほか、次の各号に定めるところによることができる。

(1) 当該物件が自然公園法（昭和32年法律第161号）による自然公園の区域内に所在する場合は、当該自然公園の名称を用いることできる。

(2) 当該物件がその最寄りの駅から直線距離で5000メートル以内に所在している場合は、その最寄りの駅の名称を用いることができる。ただし、当該物件がその最寄りの駅から同じく5000メートルを超える地点に所在する場合は、併せてその距離を明記する場合に限り、その最寄りの駅の名称を用いることができる。

(3) 当該物件が地勢及び地形上、山、山脈、山塊等の一部に位置している場合は、当該山、山脈、山塊等の名称を用いることができる。

(4) 当該物件が海（海岸）、湖沼又は河川の岸又は堤防から直線距離で1000メートル以内に所在している場合は、当該海（海岸）、湖沼又は河川の名称を用いることができる。

(5) 当該物件が温泉地、名勝、旧跡等から直線距離で1000メートル以内に所在している場合は、その温泉地、名勝、旧跡等の名称を用いることができる。

第8章　不当表示の禁止

第1節　不当な二重価格表示

（不当な二重価格表示）

第20条　事業者は、物件の価格、賃料又は役務の対価について、二重価格表示（実際に販売する価格（以下「実売価格」という。）にこれよりも高い価格（以下「比較対照価格」という。）を併記する等の方法により、実売価格に比較対照価格を付すことをいう。）をする場合において、事実に相違する広告表示又は実際のものの若しくは競争事業者に係るものよりも有利であると誤認されるおそれのある広告表示をしてはならない。

第2節　おとり広告

（おとり広告）

第21条　事業者は、次に掲げる広告表示をしてはならない。

(1) 物件が存在しないため、実際には取引することができない物件に関する表示

(2) 物件は存在するが、実際には取引の対象となり得ない物件に関する表示

(3) 物件は存在するが、実際には取引する意思がない物件に関する表示

第3節　不当な比較広告

（不当な比較広告）

第22条　事業者は、比較広告において、次に掲げる広告表示をしてはならない。

(1) 実証されていない、又は実証することができない事項を挙げて比較する表示

(2) 一般消費者の物件等の選択にとって重要でない事項を重要であるかのように強調して比較するもの及び比較する物件等を恣意的に選び出すなど不公正な基準によって比較する表示

(3) 一般消費者に対する具体的な情報ではなく、単に競争事業者又はその物件等を誹謗し又は中傷する表示

第4節　その他の不当表示

（その他の不当表示）

第23条　事業者は、次に掲げる広告表示をしてはならない。

【取引態様】

(1) 取引態様について、事実に相違する表示又は実際のもの若しくは競争事業者に係るものよりも優良若しくは有利であると誤認されるおそれのある表示

【物件の所在地】

(2) 物件の所在地について、実際のものよりも優良であると誤認されるおそれのある表示

【交通の利便性】

(3) 電車、バス等の交通機関を利用する場合の利便性について、実際のものよりも優良であると誤認されるおそれのある表示

(4) 電車、バス等の交通機関又は自動車若しくは自転車による場合の所要時間について、実際のものよりも短いと誤認されるおそれのある表示

(5) 徒歩による場合の所要時間について、実際のものよりも短いと誤認されるおそれのある表示

【各種施設までの距離】

(6) 物件の所在地から駅その他の施設までの距離について、実際のものよりも短いと誤認されるおそれのある表示

【団地の規模】

(7) 団地の開発規模について、実際のものよりも優良であると誤認されるおそれのある表示

【面　積】

(8) 物件の面積について、実際のものよりも広いと誤認されるおそれのある表示

【建物の間取り・用途】

(9) 建物の間取りについて、実際のものよりも優良であると誤認されるおそれのある表示

(10) 建築基準法（昭和25年法律第201号）上の居室に該当しない部屋について、居室であると誤認されるおそれのある表示

(11) 店舗向き、住宅向きその他物件の用途・利用方法について、実際のものよりも優良又は有利であると誤認されるおそれのある表示

【物件の形質】

(12) 土地の地目又は形質、地勢、土壌等について、実際のものよりも優良であると誤認されるおそれのあ

る表示

(13) 土壌の改良の内容又は程度について、実際のものよりも優良であると誤認されるおそれのある表示

(14) 宅地の造成工事の内容について、実際のものよりも優良であると誤認されるおそれのある表示

(15) 宅地の造成材料又は建物の建築材料若しくは造作について、実際のものよりも優良であると誤認されるおそれのある表示

(16) 建物の構造について、実際のものよりも優良であると誤認されるおそれのある表示

(17) 建物の建築工事の内容について、実際のものよりも優良であると誤認されるおそれのある表示

(18) 建物の建築経過年数又は建築年月について、実際のものよりも経過年数が短い又は建築年月が新しいと誤認されるおそれのある表示

(19) 建物の保温・断熱性、遮音性、健康・安全性その他の居住性能について、実際のものよりも優良であると誤認されるおそれのある表示

(20) 建物の毀損又は汚損の程度について、実際のものよりも軽微であると誤認されるおそれのある表示

(21) 増築、改築又は造作の取替えをした建物について、当該建物の全部又は取引しようとする部分が新築したものであると誤認されるおそれのある表示

(22) 租税特別措置法（昭和32年法律第26号）による優良な宅地又は住宅の供給に寄与する旨の認定に関する事項について表示することにより、物件の内容について、実際のものよりも優良であると誤認されるおそれのある表示

(23) 建物について、住宅の品質確保の促進等に関する法律（平成11年法律第81号）の規定に基づく住宅性能評価、住宅型式性能認定又は型式住宅部分等製造業者の認証に関する事項について、実際のものよりも優良であると誤認されるおそれのある表示

(24) 宅地、建物、これらに付属する施設、造成工事、建築工事等に関する等級その他の規格・格付けについて、実際のものよりも優良であると誤認されるおそれのある表示

(25) 温泉でないものについて、温泉であると誤認されるおそれのある表示

(26) 入浴に際して加温を必要とする温泉について、加温を必要とする旨を表示しないこと等により、当該温泉が入浴に適する温度以上の温泉であると誤認されるおそれのある表示

(27) 温泉源から採取した温泉を給湯管によらずに供給するもの（源泉から湧出する温泉を直接利用するものを除く。）について、給湯管によるものであると誤認されるおそれのある表示

(28) 特定の区画の土地又は住宅にのみ該当する設備、仕様等について、全ての物件に該当すると誤認されるおそれのある表示

〔利用の制限〕

(29) 土地の区画、形質の変更に関する都市計画法、自然公園法その他の法律による制限に係る事項について、実際のものよりも緩やかであると誤認されるおそれのある表示

(30) 建ぺい率その他建物の建築に関する建築基準法、都市計画法その他の法律による制限に係る事項について、事実に相違する表示又は実際のものよりも緩やかであると誤認されるおそれのある表示

(31) 第三者の所有権、地上権、地役権、賃借権、入会権その他物件の利用を制限する権利の内容に関する事項について、実際のものよりも取引の相手方に有利であると誤認されるおそれのある表示

〔設備・生活関連施設〕

(32) 建物に付属する設備について、実際のものよりも優良であると誤認されるおそれのある表示

(33) 団地内又は物件内の施設について、実際のものよりも優良であると誤認されるおそれのある表示

(34) 道路の構造、幅員及び舗装の状況等について、実際のものよりも優良であると誤認されるおそれのある表示

(35) 学校、病院、官公署その他の公共・公益施設又はデパート、商店その他の商業施設若しくは生活施設の利用の便宜について、実際のものよりも優良であると誤認されるおそれのある表示

(36) 共有制リゾート会員権に係る譲渡対象物件固有の施設、相互利用施設、附帯施設又は提携施設の規模その他の内容について、実際のものよりも優良であると誤認されるおそれのある表示

(37) 共有制リゾート会員権に係る施設、相互利用施設、附帯施設又は提携施設の利用可能日数、利用可能時期、利用料金等利用権の内容について、実際のものよりも優良又は有利であると誤認されるおそれのある表示

〔環境等〕

(38) 物件の採光、通風、日照、眺望等について、実際のものよりも優良であると誤認されるおそれのある表示

(39) 物件の周囲の静寂さ、快適さ等について、実際のものよりも優良であると誤認されるおそれのある表示

(40) 物件の方位その他立地条件について、実際のものよりも優良であると誤認されるおそれのある表示

(41) 前2号に規定するもののほか、物件の周辺環境について、実際のものよりも優良であると誤認されるおそれのある表示

〔写真・絵図〕

(42) モデル・ルーム又は写真、動画、コンピュータグラフィックス、見取図、完成図若しくは完成予想図による表示であって、物件の規模、形状、構造等について、事実に相違する表示又は実際のものよりも優良であると誤認されるおそれのある表示

(43) 物件からの眺望若しくは景観又は物件を中心とした眺望若しくは景観を示す写真、動画、絵図又はコンピュータグラフィックスによる表示であって、事

実に相違する表示又は実際のものよりも優良であると誤認されるおそれのある表示

〔価格・料金〕

(44) 物件の価格、賃料又はその他の費用について、実際のものよりも安いと誤認されるおそれのある表示

(45) 媒介報酬又は代理報酬の額について、実際のもの又は競争事業者に係るものよりも有利であると誤認されるおそれのある表示

(46) 建物（土地付き建物を含む。以下同じ。）の価格について、消費税が含まれていないのに、含まれていると誤認されるおそれのある表示

(47) 権利金、礼金、敷金、保証金、償却費等の額について、実際のものよりも少ないと誤認されるおそれのある表示

(48) 管理費、維持費、修繕積立金又は共益費について、実際のもの又は競争事業者に係るものよりも有利であると誤認されるおそれのある表示

(49) 給水、排水、ガス、電気等を利用するための施設若しくはその工事に必要とされる費用の額又はその負担条件について、実際のものよりも有利であると誤認されるおそれのある表示

(50) 建物の設計変更若しくは附帯工事の内容又はその対価について、実際のものよりも優良又は有利であると誤認されるおそれのある表示

〔価格以外の取引条件〕

(51) 価格、賃料、権利金等の支払条件について、実際のものよりも有利であると誤認されるおそれのある表示

(52) 手付金等の保全措置について、実際のものよりも有利であると誤認されるおそれのある表示

(53) 物件の所有権、賃借権その他の権利の設定、移転等に関する登記について、実際のものよりも有利であると誤認されるおそれのある表示

(54) 物件の引渡しの条件として、頭金（住宅ローン等の信用供与を受けることができる金銭の額と物件価額との差額）等の支払を条件としている場合において、頭金の額を下回る手付金等の支払のみで、物件の引渡しを受けることができるものであると誤認されるおそれのある表示

(55) 取引の相手方が取得する所有権その他の権利の内容について、事実に相違する表示又は実際のものよりも有利であると誤認されるおそれのある表示

(56) 物件への案内の条件、契約手続の条件その他の取引条件について、実際のものよりも有利であると誤認されるおそれのある表示

(57) 取引の相手方の資格又は数、取引の相手方を決定する方法その他の取引に関する制限について、実際のものよりも厳しいと誤認されるおそれのある表示

〔融資等の条件〕

(58) 割賦販売又は不動産ローンの条件について、実際のものよりも有利であると誤認されるおそれのある表示

(59) ローン提携販売を行うものではないのに、ローン提携販売と誤認されるおそれのある表示

(60) 公的機関の融資に係る条件について、実際のものよりも有利であると誤認されるおそれのある表示

〔事業者の信用〕

(61) 国、地方公共団体又はこれらと関係がある事業者が取引の主体となっていると誤認されるおそれのある表示

(62) 信用があると一般に認められている事業者が取引の主体となっていると誤認されるおそれのある表示

(63) 国、地方公共団体等が事業者と共同し又は事業者を後援していると誤認されるおそれのある表示

(64) 信用があると一般に認められている事業者の商号又は商標と同一又は類似の商号又は商標を用い、事業者の信用について、実際のものよりも優良又は有利であると誤認されるおそれのある表示

(65) 第三者の推せん又は後援を受けていないのに、受けていると誤認されるおそれのある表示

(66) 自己の経歴、営業種目、取引先、事業所、事業規模、経営状況、所属団体その他信用に関する事項について、実際のものよりも優良であると誤認されるおそれのある表示

(67) 競争事業者の取引に係る物件について、事実に反する表示をすることにより、自己の取引に係る物件がその事業者のものよりも優良又は有利であると誤認されるおそれのある表示

(68) 競争事業者の経歴、営業種目、取引先、事業所、事業規模、経営状況その他信用に関する事項について、信用を害するおそれのある表示

〔その他の事項〕

(69) 新発売でない物件について、新発売であると誤認されるおそれのある表示

(70) 物件について、完売していないのに完売したと誤認されるおそれのある表示

(71) 物件の沿革等について、実際のものよりも優良であると誤認されるおそれのある表示

(72) 競売又は公売に付されたことのある物件の取引に際し、その旨をことさら強調することにより、取引の相手方に有利であると誤認されるおそれのある表示

(73) 略語若しくは外国語の使用又は事実の一部のみを表示するなどにより、物件の内容、取引条件等について実際のものよりも優良又は有利であると誤認されるおそれのある表示

(74) 共有制リゾート会員権を購入することが投資又は利殖の手段として有利であると誤認されるおそれのある表示

(75) 前各号に掲げるもののほか、物件の取引について、実際のものよりも優良又は有利であると誤認されるおそれのある表示

2 事業者は、前項に掲げるもののほか、物件の取引に関する事項について、事実に相違する表示であって、不当に顧客を誘引し一般消費者による自主的かつ合理

的な選択及び事業者間の公正な競争を阻害するおそれがあると認められる広告表示をしてはならない。

第9章　表示内容の変更等の公示

（表示の修正・取りやめ及び取引の変更等の公示）

第24条　事業者は、継続して物件に関する広告その他の表示をする場合において、当該広告その他の表示の内容に変更があったときは、速やかに修正し、又はその表示を取りやめなければならない。

2　事業者は、物件に関する広告その他の表示を行った後、やむを得ない事情により当該表示に係る物件の取引を変更し、延期し又は中止したときは、速やかにその旨を公示しなければならない。

第10章　公正取引協議会及び不動産公正取引協議会連合会

第1節　組織、地区及び事業

（組織及び事業）

第25条　この規約を円滑、かつ、効果的に実施するため、一般社団法人北海道不動産公正取引協議会、東北地区不動産公正取引協議会、公益社団法人首都圏不動産公正取引協議会、北陸不動産公正取引協議会、東海不動産公正取引協議会、公益社団法人近畿地区不動産公正取引協議会、中国地区不動産公正取引協議会、四国地区不動産公正取引協議会及び一般社団法人九州不動産公正取引協議会（以下これらを「公正取引協議会」という。）並びに不動産公正取引協議会連合会を設置する。

2　公正取引協議会は、地区内に事務所を有する事業者又は事業者の団体をもって構成する。不動産取引に関する表示に関与する者及びこれらの者の団体は、公正取引協議会に賛助者として参加することができる。

3　前項の公正取引協議会の地区は、次のとおりとする。

(1)　一般社団法人北海道不動産公正取引協議会
北海道の区域

(2)　東北地区不動産公正取引協議会
青森県、岩手県、宮城県、秋田県、山形県及び福島県の区域

(3)　公益社団法人首都圏不動産公正取引協議会
茨城県、栃木県、群馬県、埼玉県、千葉県、東京都、神奈川県、新潟県、山梨県及び長野県の区域

(4)　北陸不動産公正取引協議会
富山県、石川県及び福井県の区域

(5)　東海不動産公正取引協議会
岐阜県、静岡県、愛知県及び三重県の区域

(6)　公益社団法人近畿地区不動産公正取引協議会
滋賀県、京都府、大阪府、兵庫県、奈良県及び和歌山県の区域

(7)　中国地区不動産公正取引協議会
鳥取県、島根県、岡山県、広島県及び山口県の区域

(8)　四国地区不動産公正取引協議会
徳島県、香川県、愛媛県及び高知県の区域

(9)　一般社団法人九州不動産公正取引協議会
福岡県、佐賀県、長崎県、熊本県、大分県、宮崎県、鹿児島県及び沖縄県の区域

4　公正取引協議会は、次の事業を行う。

(1)　この規約の周知徹底に関すること。
(2)　この規約に関する相談に応じ、又はこの規約の適用を受ける事業者の指導に関すること。
(3)　この規約の規定に違反する疑いのある事実の調査及びこの規約を運用するために必要な資料を収集するための実態調査に関すること。
(4)　この規約の規定に違反する事業者に対する措置に関すること。
(5)　不当景品類及び不当表示防止法その他公正取引に関する法令の普及及び違反の防止に関すること。
(6)　関係官公庁及び関係団体との連絡に関すること。
(7)　不動産取引に関する表示の適正化に関して研究すること。
(8)　一般消費者からの苦情処理に関すること。
(9)　その他必要と認められること。

5　不動産公正取引協議会連合会は、公正取引協議会をもって構成する。

6　不動産公正取引協議会連合会は、次の事業を行う。

(1)　第4項各号（第3号の事実の調査及び第4号の措置を除く。）に掲げる事業並びに同項の公正取引協議会の事業に関する指導、助言及び協力に関すること。
(2)　この規約の解釈及び運用の統一に関すること。
(3)　インターネットによる広告表示の進展に伴う表示の適正化に関すること。
(4)　公正取引委員会及び消費者庁長官に対する認定及び承認の申請並びに届出に関すること。

第2節　違反に対する調査

（違反に対する調査）

第26条　公正取引協議会は、第5条から第23条までの規定に違反する事実があると思料するときは、その事実について必要な調査を行うため、当該事業者若しくは参考人を招致し、これらの者に資料の提出、報告若しくは意見を求め、又は当該事業者の事務所その他の事業を行う場所に立ち入ることができる。

2　公正取引協議会は、規則に定めるところにより、この規約に参加する事業者の団体に対し、前項に規定する調査を委託することができる。

3　この規約に参加する事業者は、前2項の調査に協力しなければならない。

4　公正取引協議会は、前項の規定に違反する事業者に対し、当該調査に協力するよう警告することができる。

5　第1項の調査の手続は、規則で定めるところによる。

6　第1項の調査を行う者は、その身分を示す証票を携帯し、関係者に提示しなければならない。

7　前項に規定する者の選任手続は、規則で定めるところによる。

第3節　違反に対する措置

（違反に対する措置）

第27条　公正取引協議会は、第5条及び第8条から第23条までの規定に違反する行為があると認めるときは、当該違反行為を行った事業者に対し、当該違反行為を排除するために必要な措置を直ちに採るべきこと並びに第5条及び第8条から第23条までの規定に違反する行為を再び行ってはならないことを警告し、又は50万円以下の違約金を課すことができる。

2　事業者は、前項に規定する警告を受けたときは、当該警告の内容である措置を直ちに実施し、又は当該警告の内容に反する行為を行ってはならない。

3　公正取引協議会は、事業者が前項の規定に違反していると認めるときは、当該事業者に対し、500万円以下の違約金を課し、公正取引協議会の構成員である資格を停止し、除名処分をし、又は消費者庁長官に対し、必要な措置を講ずるよう求めることができる。

4　公正取引協議会は、第1項及び前項に規定する措置（警告を除く。）を採ろうとするときは、当該事業者に対し、あらかじめ期日及び場所を指定し、並びに事案の要旨及び規約の適用条項を示して事情聴取をしなければならない。事情聴取に際しては、当該事業者に、意見を述べ、及び証拠を提出する機会が与えられなければならない。

5　公正取引協議会は、事業者が正当な理由なく事情聴取の期日に出席せず、かつ、再度指定した事情聴取の期日にも出席しない場合は、前項の規定にかかわらず、事情聴取を経ないで措置を講ずることができる。

6　公正取引協議会は、事業者が前条第4項の警告に従っていないと認めるときは、当該事業者に対し、50万円以下の違約金を課すことができる。

7　公正取引協議会は、事業者が第5条及び第8条から第23条までの規定に違反する行為を行った場合において、当該事業者が所属する団体による指導その他の措置を講ずることが適当であると認めるときは、当該団体に対し、必要な措置を講ずるよう求めることができる。

8　公正取引協議会は、第1項、第3項又は第6項の規定による措置を講じたときは、その旨を文書をもって遅滞なく消費者庁長官に報告するものとする。

（措置に対する異議の申立て）

第28条　前条第1項に基づく警告又は違約金、前条第3項に基づく違約金、資格停止又は除名処分若しくは前条第6項に基づく違約金の措置を受けた事業者が、これらの措置に対し異議がある場合は、これらの措置に係る文書の送付があった日から10日以内に、公正取引協議会に対し、文書により異議の申立てをすることができる。

2　前項に規定する期間内に異議の申立てがなかった場合は、当該事業者は異議の申立てをすることができない。

3　公正取引協議会は、第1項の異議の申立てがあった場合は、当該事業者に追加の主張及び立証の機会を与え、これに基づき審理を行うものとする。

4　公正取引協議会は、前項の審理を行った結果を当該事業者に速やかに通知するものとする。

（措置内容等の公表）

第29条　公正取引協議会は、第27条第1項及び第3項の規定に基づく措置を採った場合において、当該違反行為の及ぼす影響の程度等を勘案の上、特に必要があると認められるときは、違反事業者名、違反行為の概要及び措置の内容を公表することができる。

第11章　雑　則

（規則の制定）

第30条　不動産公正取引協議会連合会は、この規約の実施に関する規則を定めることができる。

2　前項の規則を定め又は変更しようとするときは、公正取引委員会及び消費者庁長官の承認を受けるものとする。

附　則

1　この規約の変更は、平成18年1月4日から施行する。

2　この規約の施行前に事業者がした行為については、なお従前の例による。

附　則

この規約の変更は、消費者庁及び消費者委員会設置法（平成21年法律第48号）の施行日（平成21年9月1日）から施行する。

附　則

この規約の変更は、公正取引委員会及び消費者庁長官の認定の告示があった日（平成24年5月31日）から施行する。

附　則

この規約の変更は、公正取引委員会及び消費者庁長官の認定の告示があった日（平成25年4月25日）から施行する。

附　則

この規約の変更は、平成28年4月1日から施行する。

附　則

この規約の変更は、令和4年9月1日から施行する。ただし、第29条第1項及び第2項を削除する変更は、公正取引委員会及び消費者庁長官の認定の告示があった日から施行する。

不動産の表示に関する公正競争規約施行規則

法三一条

公正取引委員会及び消費者庁長官の承認　平成27年12月4日
令和4年9月1日施行

—目次—

第1章　用語の定義

（用語の定義）

第1条　この規則において使用する用語であって、不動産の表示に関する公正競争規約（以下「規約」という。）で使用する用語と同一のものは、これと同一の意義に使用するものとする。

第2章　必要な表示事項

第1節　表示媒体

（表示媒体）

第2条　規約第8条（必要な表示事項）に規定する規則で定める表示媒体は、次に掲げる区分によるものとし、それぞれの意義は、当該各号に定めるところによる。

(1) **インターネット広告**　インターネットによる広告表示をいう。

(2) **新聞・雑誌広告**　新聞又は雑誌に掲載される広告表示を総称し、広告表示の位置、大きさ等によって次のとおり細分する。

ア　**新聞記事下広告**　新聞の記事の下に掲載される広告表示をいい、全面広告を含むものとする。

イ　**住宅専門雑誌記事中広告**　住宅情報専門誌の記事面に掲載される広告表示であって、横5分の1ページ以上の大きさのものをいい、口絵、目次、表紙及び全ページ広告を含むものとする。

ウ　**その他の新聞・雑誌広告**　ア及びイに掲げるものを除き、新聞又は雑誌に掲載される広告表示をいう。

(3) **新聞折込チラシ等**　新聞に折り込まれ、又はその他の方法により配布されるチラシ又は掲出されるビラ等（店頭ビラを除く。）による広告表示をいう。

(4) **パンフレット等**　パンフレット、小冊子、電子記録媒体その他これらに類似する広告表示をいう。

第2節　物件の種別

（物件の種別）

第3条　規約第8条（必要な表示事項）に規定する物件の種別は、次に掲げる区分によるものとし、それぞれの意義は、当該各号に定めるところによる。

(1) **分譲宅地**　一団の土地を複数の区画に区分けして、その区画ごとに売買し又は借地権（転借地権を含む。）を設定若しくは移転する住宅用地をいう。

(2) **現況有姿分譲地**　主として一団の土地を一定面積以上の区画に区分けして売買する山林、原野等の土地であって分譲宅地及び売地以外のものをいう。

(3) **売　地**　区分けしないで売買される住宅用地等をいう。

(4) **貸　地**　区分けしないで借地権（転借地権を含む。）を設定又は移転する住宅用地等をいう。

(5) **新築分譲住宅**　一団の土地を複数の区画に区分けしてその区画ごとに建築され、構造及び設備ともに独立した新築の一棟の住宅であって、売買するものをいう。

(6) **新築住宅**　建物の構造及び設備ともに独立した新築の一棟の住宅をいう。

(7) **中古住宅**　建築後1年以上経過し、又は居住の用に供されたことがある一戸建て住宅であって、売買するものをいう。

(8) **マンション**　鉄筋コンクリート造りその他堅固な建物であって、一棟の建物が、共用部分を除き、構造上、数個の部分（以下「住戸」という。）に区画され、各部分がそれぞれ独立して居住の用に供されるものをいう。

(9) **新築分譲マンション**　新築のマンションであって、住戸ごとに売買するものをいう。

(10) **中古マンション**　建築後1年以上経過し、又は居住の用に供されたことがあるマンションであって、住戸ごとに売買するものをいう。

⑾ **一棟リノベーションマンション** 共同住宅等の1棟の建物全体（内装、外装を含む。）を改装又は改修し、マンションとして住戸ごとに取引するものであって、当該工事完了前のもの、若しくは当該工事完了後1年未満のもので、かつ、当該工事完了後居住の用に供されていないものをいう。

⑿ **新築賃貸マンション** 新築のマンションであって、住戸ごとに、賃貸するものをいう。

⒀ **中古賃貸マンション** 建築後1年以上経過し、又は居住の用に供されたことがあるマンションであって、住戸ごとに、賃貸するものをいう。

⒁ **貸家** 一戸建て住宅であって、賃貸するものをいう。

⒂ **新築賃貸アパート** マンション以外の新築の建物であって、住戸ごとに、賃貸するものをいう。

⒃ **中古賃貸アパート** マンション以外の建物であり、建築後1年以上経過し、又は居住の用に供されたことがある建物であって、住戸ごとに、賃貸するものをいう。

⒄ **一棟売りマンション・アパート** マンション又はアパートであって、その建物を一括して売買するものをいう。

⒅ **小規模団地** 販売区画数又は販売戸数が2以上10未満のものをいう。

⒆ **共有制リゾートクラブ会員権** 主として会員が利用する目的で宿泊施設等のリゾート施設の全部又は一部の所有権を共有するものをいう。

第3節 必要な表示事項

（必要な表示事項）

第4条 規約第8条（必要な表示事項）に規定する必要な表示事項は、前条に掲げる区分による物件の種別ごとに、それぞれの種別に対応する別表1から別表10の表示媒体欄に「○」及び「●」の記号を付した事項とする。ただし、小規模団地にあっては、別表1、別表4及び別表6中「○」の記号を付した事項のうち、「☆」の記号を付した事項を除いた事項とする。

2 別表1（分譲宅地）、別表4（新築分譲住宅）又は別表6（新築分譲マンション・一棟リノベーションマンション）に基づく表示事項をパンフレット等に表示する場合において、次の各号の一に該当する場合には、前項に定める事項のほか、それぞれ各号に定める事項とする。

⑴ 日照その他物件の環境条件に影響を及ぼすおそれのある建物の建築計画又は宅地の造成計画であって自己に係るもの又は自己が知り得たものがある場合には、その旨及びその規模

⑵ 公表された道路建設計画、鉄道建設計画その他の都市計画がある場合において、静寂さその他物件の環境条件に影響を及ぼすおそれがあるときは、その計画が存在する旨

⑶ 団地全体の見取図、区画配置図等を表示する場合において、当該団地内（団地を数期に分けて分譲するときは、当該期に販売する一団の区画内及びこれに隣接する土地）に他人の所有に係る土地があるときは、その旨及びその位置

第4節 予告広告・副次的表示における特例

（予告広告に係る必要な表示事項）

第5条 規約第9条（予告広告における特例）第1項に規定する予告広告において省略することができる表示事項は、別表1、別表4、別表6及び別表8中「●」の記号を付した事項とする。

2 規約第9条第4項の規則で定める必要な表示事項は、次に掲げる事項とする。

⑴ 予告広告である旨

⑵ 価格若しくは賃料（入札・競り売りの方法による場合は、最低売却価格又は最低取引賃料）が未定である旨又は予定最低価格（賃料）、予定最高価格（賃料）及び予定最多価格帯（販売戸数又は販売区画数が10未満の場合は省略可）

⑶ 販売予定時期又は取引開始予定時期

⑷ 本広告を行い取引を開始するまでは、契約又は予約の申込みに一切応じない旨及び申込みの順位の確保に関する措置を講じない旨

⑸ 予告広告をする時点において、販売区画、販売戸数又は賃貸戸数が確定していない場合は、次にかかげる事項を明示すること。

ア 販売区画数、販売戸数又は賃貸戸数が未定である旨

イ 物件の取引内容及び取引条件は、全ての予定販売区画、予定販売戸数又は予定賃貸戸数を基に表示している旨及びその区画数又は戸数

ウ 当該予告広告以降に行う本広告において販売区画数、販売戸数又は賃貸戸数を明示する旨

3 前項第1号の表示は、目立つ場所に14ポイント以上の大きさの文字で表示し、同項第3号及び第4号の表示は、同項第1号の表示に近接する場所に表示する。

（副次的表示）

第6条 規約第10条（副次的表示における特例）に規定する副次的表示において省略することができる表示事項は、別表1、別表4及び別表6中「○」の記号を付した事項のうち、「☆」の記号を付した事項とする。

第3章 特定事項の明示義務

（特定事項の明示義務）

第7条 規約第13条（特定事項の明示義務）に規定する規則で定める「特定事項」は、次の各号に掲げる事項とし、それぞれ当該各号に定めるところにより表示する。

⑴ 建築条件付土地の取引については、当該取引の対象が土地である旨並びに当該条件の内容及び当該条件が成就しなかったときの措置の内容を明示して表示すること。

(2) 建築基準法第42条第2項の規定により道路とみなされる部分（セットバックを要する部分）を含む土地については、その旨を表示し、セットバックを要する部分の面積がおおむね10パーセント以上である場合は、併せてその面積を明示すること。
(3) 道路法（昭和27年法律第１８０号）第18条第1項の規定により道路区域が決定され、又は都市計画法第20条第1項の告示が行われた都市計画施設の区域に係る土地についてはその旨を明示すること。
(4) 建築基準法第42条に規定する道路に2メートル以上接していない土地については、「再建築不可」又は「建築不可」と明示すること。ただし、建築する建物が同法第43条第2項各号の規定に該当することとなる場合には、この限りでない。
(5) 建築基準法第40条の規定に基づく地方公共団体の条例により附加された敷地の形態に対する制限に適合しない土地については、「再建築不可」又は「建築不可」と明示すること。
(6) 都市計画法第7条に規定する市街化調整区域に所在する土地については「市街化調整区域。宅地の造成及び建物の建築はできません。」と明示すること（新聞折込チラシ等及びパンフレット等の場合には16ポイント以上の大きさの文字を用いること。）。
ただし、同法第29条に規定する開発許可を受けているもの、同法第33条の要件に適合し、第34条第1項第11号又は第12号に該当するもの、並びに、同法施行令（昭和44年政令第１５８号）第36条第1項第1号及び第2号の要件に適合し、第3号ロ又はハに該当するものを除く。また、これらのいずれかに該当する場合には、住宅等を建築するための条件を明示すること。
(7) 土地取引において、当該土地上に古家、廃屋等が存在するときは、その旨を明示すること。
(8) 路地状部分のみで道路に接する土地であって、その路地状部分の面積が当該土地面積のおおむね30パーセント以上を占めるときは、路地状部分を含む旨及び路地状部分の割合又は面積を明示すること。
(9) 傾斜地を含む土地であって、傾斜地の割合が当該土地面積のおおむね30パーセント以上を占める場合（マンション及び別荘地等を除く。）は、傾斜地を含む旨及び傾斜地の割合又は面積を明示すること。ただし、傾斜地の割合が30パーセント以上を占めるか否かにかかわらず、傾斜地を含むことにより、当該土地の有効な利用が著しく阻害される場合（マンションを除く。）は、その旨及び傾斜地の割合又は面積を明示すること。
(10) 土地の有効な利用が阻害される著しい不整形画地及び区画の地盤面が2段以上に分かれている等の著しく特異な地勢の土地については、その旨を明示すること。
(11) 土地が擁壁によっておおわれないがけの上又はがけの下にあるときは、その旨を明示すること。この場合において、当該土地に建築（再建築）するに当たり、制限が加えられているときは、その内容を明示すること。
(12) 土地の全部又は一部が高圧電線路下にあるときは、その旨及びそのおおむねの面積を表示すること。この場合において、建物その他の工作物の建築が禁止されているときは、併せてその旨を明示すること。
(13) 地下鉄の線路を敷設する場合等において、土地の全部又は一部の地下の範囲を定めた地上権が設定されているときは、その旨を表示すること。この場合において、地上権の行使のために土地の利用に制限が加えられているときは、併せてその旨を明示すること。
(14) 建築工事に着手した後に、同工事を相当の期間にわたり中断していた新築住宅又は新築分譲マンションについては、建築工事に着手した時期及び中断していた期間を明示すること。
(15) 沼沢地、湿原又は泥炭地等については、その旨を明示すること。
(16) 国土利用計画法（昭和49年法律第92号）による許可又は事前届出を必要とする場合は、その旨を明示して表示すること。

第4章　見やすい大きさの文字による表示

（見やすい大きさの文字による表示）
第8条　規約に規定する「見やすい大きさの文字」とは、原則として7ポイント以上の大きさの文字による表示をいう。

第5章　表示基準

第1節　物件の内容・取引条件等に係る表示基準

（物件の内容・取引条件等に係る表示基準）
第9条　規約第15条（物件の内容・取引条件等に係る表示基準）各号に規定する事項について表示するときは、次の各号に定めるところにより表示する。

〔取引態様〕
(1) 取引態様は、「売主」、「貸主」、「代理」又は「媒介」（「仲介」）の別をこれらの用語を用いて表示すること。

〔物件の所在地〕
(2) 物件の所在地は、都道府県、郡、市区町村、町又は字及び地番（別表3、別表5、別表7及び別表9における地番を除く。）を表示すること。ただし、パンフレット等を除き都道府県及び郡は省略することができる。また、別表8においては、住居表示により表示することができる。

〔交通の利便性〕
(3) 交通の利便については、公共交通機関を利用することが通例である場合には、次の基準により表示すること。
ア　鉄道、都市モノレール又は路面電車（以下「鉄道等」という。）の最寄りの駅又は停留場（以下「最寄駅等」という。）の名称及び物件から最寄駅等までの徒歩所要時間を明示して表示すること。

イ　鉄道等の最寄駅等からバスを利用するときは、最寄駅等の名称、物件から最寄りのバスの停留所までの徒歩所要時間、同停留所から最寄駅等までのバス所要時間を明示して表示すること。この場合において、停留所の名称を省略することができる。

ウ　バスのみを利用するときは、最寄りのバスの停留所の名称及び物件から同停留所までの徒歩所要時間を明示して表示すること。

(4)　電車、バス等の交通機関の所要時間は、次の基準により表示すること。

ア　起点及び着点とする鉄道、都市モノレールの駅若しくは路面電車の停留場（以下「駅等」という。）又はバスの停留所の名称を明示すること。この場合において、物件から最寄駅等までバスを利用する場合であって、物件の最寄りの停留所から最寄駅等までのバスの所要時間を表示するときは、停留所の名称を省略することができる。

イ　特急、急行等の種別を明示すること。

ウ　朝の通勤ラッシュ時の所要時間を明示すること。この場合において、平常時の所要時間をその旨を明示して併記することができる。

エ　乗換えを要するときは、その旨を明示し、ウの所要時間には乗り換えにおおむね要する時間を含めること。

(5)　公共交通機関は、現に利用できるものを表示し、特定の時期にのみ利用できるものは、その利用できる時期を明示して表示すること。ただし、新設の路線については、路線の新設に係る国土交通大臣の許可処分又はバス会社等との間に成立している協定の内容を明示して表示することができる。

(6)　新設予定の駅等又はバスの停留所は、当該路線の運行主体が公表したものに限り、その新設予定時期を明示して表示することができる。

〔各種施設までの距離又は所要時間〕

(7)　道路距離又は所要時間を表示するときは、起点及び着点を明示して表示すること（他の規定により当該表示を省略することができることとされている場合を除く。）。

なお、道路距離又は所要時間を算出する際の物件の起点は、物件の区画のうち駅その他施設に最も近い地点（マンション及びアパートにあっては、建物の出入口）とし、駅その他の施設の着点は、その施設の出入口（施設の利用時間内において常時利用できるものに限る。）とする。

(8)　団地（一団の宅地又は建物をいう。以下同じ。）と駅その他の施設との間の道路距離又は所要時間は、取引する区画のうちそれぞれの施設ごとにその施設から最も近い区画（マンション及びアパートにあっては、その施設から最も近い建物の出入口）を起点として算出した数値とともに、その施設から最も遠い区画（マンション及びアパートにあっては、その施設から最も遠い建物の出入口）を起点として算出した数値も表示すること。

(9)　徒歩による所要時間は、道路距離80メートルにつき1分間を要するものとして算出した数値を表示すること。この場合において、1分未満の端数が生じたときは、1分として算出すること

(10)　自動車による所要時間は、道路距離を明示して、走行に通常要する時間を表示すること。この場合において、表示された時間が有料道路（橋を含む。）の通行を含む場合のものであるときは、その旨を明示すること。ただし、その道路が高速自動車国道であって、周知のものであるときは、有料である旨の表示を省略することができる。

(11)　自転車による所要時間は、道路距離を明示して、走行に通常要する時間を表示すること。

〔団地の規模〕

(12)　開発区域を工区に分けて工区ごとに開発許可を受け、当該開発許可に係る工区内の宅地又は建物について表示をするときは、開発区域全体の規模及びその開発計画の概要を表示すること。この場合において、全体計画中に開発許可を受けていない部分を含むときは、その旨を明示すること。

〔面　積〕

(13)　面積は、メートル法により表示すること。この場合において1平方メートル未満の数値は、切り捨てて表示することができる。

(14)　土地の面積は、水平投影面積を表示すること。この場合において、取引する全ての区画の面積を表示すること。ただし、パンフレット等の媒体を除き、最小土地面積及び最大土地面積のみで表示することができる。

(15)　建物の面積（マンションにあっては、専有面積）は、延べ面積を表示し、これに車庫、地下室等（地下居室は除く。）の面積を含むときは、その旨及びその面積を表示すること。この場合において、取引する全ての建物の面積を表示すること。ただし、新築分譲住宅、新築分譲マンション、一棟リノベーションマンション、新築賃貸マンション、新築賃貸アパート、共有制リゾートクラブ会員権については、パンフレット等の媒体を除き、最小建物面積及び最大建物面積のみで表示することができる。

(16)　住宅の居室等の広さを畳数で表示する場合においては、畳1枚当たりの広さは1.62平方メートル（各室の壁心面積を畳数で除した数値）以上の広さがあるという意味で用いること。

〔物件の形質〕

(17)　採光及び換気のための窓その他の開口部の面積の当該室の床面積に対する割合が建築基準法第28条の規定に適合していないため、同法において居室と認められない納戸その他の部分については、その旨を

「納戸」等と表示すること。

(18) 遮音、断熱等を目的とした建築部材自体の性能を表示する場合において、実際の住宅内における遮音、断熱性能等がその構造等から当該部材自体の性能とは異なる可能性がある場合には、その旨を表示すること。

(19) 地目は、登記簿に記載されているものを表示すること。この場合において現況の地目と異なるときは、現況の地目を併記すること。

(20) 宅地の造成材料又は建物の建築材料について、これを強調して表示するときは、その材料が使用されている部位を明示すること。

(21) 建物を増築、改築、改装又は改修したことを表示する場合は、その内容及び時期を明示すること。

〔写真・絵図〕

(22) 宅地又は建物の写真又は動画は、取引するものを表示すること。ただし、取引する建物が建築工事の完了前である等その建物の写真又は動画を用いることができない事情がある場合においては、取引する建物を施工する者が過去に施工した建物であり、かつ、次に掲げるものに限り、他の建物の写真又は動画を用いることができる。この場合においては、当該写真又は動画が他の建物である旨及びアに該当する場合は、取引する建物と異なる部位を、写真の場合は写真に接する位置に、動画の場合は画像中に明示すること。

ア 建物の外観は、取引する建物と構造、階数、仕様が同一であって、規模、形状、色等が類似するもの。ただし、当該写真又は動画を大きく掲載するなど、取引する建物であると誤認されるおそれのある表示をしてはならない。

イ 建物の内部は、写される部分の規模、仕様、形状等が同一のもの。

(23) 宅地又は建物のコンピュータグラフィックス、見取図、完成図又は完成予想図は、その旨を明示して用い、当該物件の周囲の状況について表示するときは、現況に反する表示をしないこと

〔設備・施設等〕

(24) 上水道（給水）は、公営水道、私営水道又は井戸の別を表示すること。

(25) ガスは、都市ガス又はプロパンガスの別を明示して表示すること。

(26) 温泉法（昭和23年法律第１２５号）による温泉については、次に掲げる事項を明示して表示すること。

ア 温泉に加温したものについては、その旨

イ 温泉に加水したものについては、その旨

ウ 温泉源から採取した温泉を給湯管によらずに供給する場合（運び湯の場合）は、その旨

エ 共同浴場を設置する場合において、循環装置又は循環ろ過装置を使用する場合は、その旨

(27) 団地内又は物件内のプール、テニスコート、スポーツジム、シアタールーム等の共用施設について表示するときは、それらの施設の内容、運営主体、利用条件及び整備予定時期を明示すること。

(28) 都市計画法第29条の開発許可を受けて開発される団地に設置することが当該開発許可の内容となっている公共・公益施設及び生活利便施設又は当該団地に地方公共団体が設置に関し事業決定している公共・公益施設は、その整備予定時期を明示して表示することができる。

〔生活関連施設〕

(29) 前号の公共・公益施設以外の学校、病院、官公署、公園その他の公共・公益施設は、次に掲げるところにより表示すること。

ア 現に利用できるものを表示すること。

イ 物件からの道路距離又は徒歩所要時間を明示すること。

ウ その施設の名称を表示すること。ただし、公立学校及び官公署の場合は、パンフレットを除き、省略することができる。

(30) 前号アの規定にかかわらず、学校については、学校の設置について必要とされる許可等の処分を受けているもの又は国若しくは地方公共団体が事業決定しているものにあっては、現に利用できるものと併せて表示する場合に限り、その整備予定時期を明示して表示することができる。また、学校以外の施設については、都市計画法第11条に規定する都市施設であって、同法第20条第1項に規定する告示があったものに限り、その内容を明示して表示することができる。

(31) デパート、スーパーマーケット、コンビニエンスストア、商店等の商業施設は、現に利用できるものを物件からの道路距離又は徒歩所要時間を明示して表示すること。ただし、工事中である等その施設が将来確実に利用できると認められるものにあっては、その整備予定時期を明示して表示することができる。

(32) 地方公共団体等の地域振興計画、再開発計画又は都市計画等の内容は、当該計画の実施主体者がその整備予定時期を公表したものに限り、表示することができる。この場合においては、当該計画に係る施設等については、その整備予定時期及び表示の時点において当該計画が実施手続のどの段階にあるかを明示して表示すること。

(33) 国若しくは地方公共団体が新設する道路であって、道路法第18条の規定による告示が行われた道路その他の道路又は高速道路株式会社法第1条に規定する株式会社若しくは地方道路公社等が新設する道路であって、その建設について許認可を受け又は工事実施計画書について認可を受けた新設予定道路に限り、表示することができる。この場合においては、その整備予定時期及び表示の時点において当該計画がその実施手続のどの段階にあるかを明示して表示すること。

〔価格・賃料〕

(34) 土地の価格については、上下水道施設・都市ガス供給施設の設置のための費用その他宅地造成に係る費用（これらの費用に消費税及び地方消費税（以下「消費税等」という。）が課されるときは、その額を含む。）を含めて表示すること。

(35) 土地の価格については、1区画当たりの価格を表示すること。ただし、1区画当たりの土地面積を明らかにし、これを基礎として算出する場合に限り、1平方メートル当たりの価格で表示することができる。

(36) 前号の場合において、取引する全ての区画の価格を表示すること。ただし、分譲宅地の価格については、パンフレット等の媒体を除き、1区画当たりの最低価格、最高価格及び最多価格帯並びにその価格帯に属する販売区画数のみで表示することができる。また、この場合において、販売区画数が10未満であるときは、最多価格帯の表示を省略することができる。

(37) 現況有姿分譲地の価格については、分割可能最小面積を明示して、1平方メートル当たりの価格を表示すること。この場合において、1平方メートル当たりの価格が異なる土地があるときは、それぞれの面積を明示して、最低価格及び最高価格を表示すること。

(38) 住宅（マンションにあっては、住戸）の価格については、1戸当たりの価格（敷地の価格（当該敷地が借地であるときは、その借地権の価格）及び建物（電気、上下水道及び都市ガス供給施設のための費用等を含む。）に係る消費税等の額を含む。以下同じ。）を表示すること。

(39) 前号の場合において、取引する全ての住戸の価格を表示すること。ただし新築分譲住宅、新築分譲マンション及び一棟リノベーションマンションの価格については、パンフレット等の媒体を除き1戸当たりの最低価格、最高価格及び最多価格帯並びにその価格帯に属する住宅又は住戸の戸数のみで表示することができる。また、この場合において、販売戸数が10戸未満であるときは、最多価格帯の表示を省略することができる。

(40) 賃貸される住宅（マンション又はアパートにあっては、住戸）の賃料については、取引する全ての住戸の1か月当たりの賃料を表示すること。ただし、新築賃貸マンション又は新築賃貸アパートの賃料については、パンフレット等の媒体を除き、1住戸当たりの最低賃料及び最高賃料のみで表示することができる。

(41) 管理費（マンションの事務を処理し設備その他共用部分の維持及び管理をするために必要とされる費用をいい、共用部分の公租公課等を含み、修繕積立金を含まない。）については、1戸当たりの月額（予定額であるときは、その旨）を表示すること。ただし、住戸により管理費の額が異なる場合において、その全ての住宅の管理費を示すことが困難であるときは、最低額及び最高額のみで表示することができる。

(42) 共益費（借家人が共同して使用又は利用する設備又は施設の運営及び維持に関する費用をいう。）については、1戸当たりの月額（予定額であるときはその旨）を表示すること。ただし、住戸により共益費の額が異なる場合において、その全ての住宅の共益費を示すことが困難であるときは、最低額及び最高額のみで表示することができる。

(43) 修繕積立金については、1戸当たりの月額（予定額であるときは、その旨）を表示すること。ただし、住戸により修繕積立金の額が異なる場合において、その全ての住宅の修繕積立金を示すことが困難であるときは、最低額及び最高額のみで表示することができる。

〔住宅ローン等〕

(44) 住宅ローン（銀行その他の金融機関が行う物件の購入資金及びこれらの購入に付帯して必要とされる費用に係る金銭の貸借）については、次に掲げる事項を明示して表示すること。

ア 金融機関の名称若しくは商号又は都市銀行、地方銀行、信用金庫等の種類

イ 借入金の利率及び利息を徴する方式（固定金利型、固定金利指定型、変動金利型、上限金利付変動金利型等の種別）又は返済例（借入金、返済期間利率等の返済例に係る前提条件を併記すること。また、ボーナス併用払のときは、1か月当たりの返済額の表示に続けて、ボーナス時に加算される返済額を明示すること。）

(45) 割賦販売（代金の全部又は一部について、不動産の引渡後1年以上の期間にわたり、かつ、2回以上に分割して受領することを条件として販売することをいう。以下同じ。）については、次に掲げる事項を明示して表示すること。

ア 割賦販売である旨

イ 割賦限度額

ウ 利息の料率（実質年率）

エ 支払期間及び回数

オ 割賦販売に係る信用調査費その他の費用を必要とするときは、その旨及びその額

(46) 購入した物件を賃貸した場合における「利回り」の表示については、当該物件の1年間の予定賃料収入の当該物件の取得対価に対する割合であるという意味で用い、次に掲げる事項を明示して表示すること。

ア 当該物件の1年間の予定賃料収入の当該物件の取得対価に対する割合である旨

イ 予定賃料収入が確実に得られることを保証するものではない旨

ウ 「利回り」は、公租公課その他当該物件を維持

するために必要な費用の控除前のものである旨

第2節　節税効果等の表示基準

（節税効果等の表示基準）

第10条　規約第16条（節税効果等の表示基準）に規定する節税効果等について表示するときは、次の各号に定めるところにより表示する。

(1)　節税効果があるのは不動産所得が赤字となる場合であり、同所得が黒字となる場合には納税額が増加する旨を表示すること。

(2)　不動産所得に係る必要経費が減少した場合は、節税効果も減少する旨を表示すること。

(3)　具体的な計算例を表示する場合は、当該物件を購入した年度（初年度）の次の年度以降のものを表示すること。ただし、次年度以降の計算例と併せて表示し、かつ、初年度の節税額を強調しないときに限り、初年度の計算例を表示することができる。

2　規約第16条（節税効果等の表示基準）に規定する賃料収入の確実性等について表示するときは、次に掲げるところにより表示する。

(1)　購入者が当該物件による賃料収入等を得ることができない場合には、その売主又はその指定する者（以下「売主等」という。）が賃料収入を保証する旨を表示するときは、その保証主体、保証の内容、保証期間その他の条件を明示すること。

(2)　購入者の希望により、売主等が購入者から当該物件を転貸目的で賃借し、賃料を支払うことを条件としている場合においてその旨の表示をするときは、売主等と購入者との賃貸借契約について、次に掲げる事項を明示すること。

ア　権利金、礼金等の支払の要否及び支払を必要とする場合は、その額

イ　敷金、保証金等の支払の要否及び支払を必要とする場合は、その額

ウ　賃料（月額）

エ　賃料のほかに、管理費の支払の要否

オ　賃借期間

カ　賃貸借契約の更新及び賃料の改定に関する事項

キ　その他の重要な条件

3　前2項の場合において、次に掲げる広告表示は、当該広告表示を裏付ける合理的な根拠を示す資料を現に有している場合を除き、表示してはならない。

(1)　将来にわたって、当該物件が賃貸市場における商品価値を確実に保持するかのような表示

(2)　将来にわたって、確実に安定した賃料収入が確保されるかのような表示

(3)　将来において、当該物件の資産価値が確実に増大するかのような表示

第3節　入札及び競り売りの方法による場合の表示基準

（入札及び競り売りの方法による場合の表示基準）

第11条　規約第17条（入札及び競り売りの方法による場合の表示基準）に規定する入札又は競り売りの方法による場合の表示は、第4条に規定する必要な表示事項を表示するほか、次の各号に掲げる場合に応じ、それぞれ当該各号に定めるところにより表示する。

(1)　入札の方法による場合は、次に掲げる事項を明示して表示する。

ア　入札を行う旨

イ　入札参加手続の概要

ウ　入札の期日又は期間

エ　最低売却価格又は最低取引賃料

オ　入札物件の概要及び現地確認方法

(2)　競り売りの方法による場合は、次に掲げる事項を明示して表示する。

ア　競り売りを行う旨及び競り上げ又は競り下げの別

イ　競り売り参加手続の概要

ウ　競り売りの期日又は期間

エ　競り上げ又は競り下げの場合における表示事項

（ア）　競り上げの場合、最低売却価格又は最低取引賃料

（イ）　競り下げの場合、競り開始価格又は賃料、最低成立価格があるときは、その旨及び競りが不成立の場合においては、最低成立価格を公開する旨

オ　競り売りが不成立の場合において、競り売り参加者のうち最も高い取引希望価格を申し出た者にその後の価格交渉権を与える場合には、その旨

カ　競り売り物件の概要及び現地確認方法

第6章　誤認されるおそれのある二重価格表示

（過去の販売価格を比較対照価格とする二重価格表示）

第12条　過去の販売価格を比較対照価格とする二重価格表示は、次に掲げる要件の全てに適合し、かつ、実際に、当該期間、当該価格で販売していたことを資料により客観的に明らかにすることができる場合を除き、規約第20条において禁止する不当な二重価格表示に該当するものとする。

(1)　過去の販売価格の公表日及び値下げした日を明示すること。

(2)　比較対照価格に用いる過去の販売価格は、値下げの直前の価格であって、値下げ前2か月以上にわたり実際に販売のために公表していた価格であること。

(3)　値下げの日から6か月以内に表示するものであること。

(4)　過去の販売価格の公表日から二重価格表示を実施する日まで物件の価値に同一性が認められるものであること。

(5)　土地（現況有姿分譲地を除く。）又は建物（共有制リゾートクラブ会員権を除く。）について行う表示であること。

（割引表示）

第13条　一定の条件に適合する取引の相手方に対し、販

売価格、賃料等から一定率又は一定額の割引をする場合において、当該条件を明示して、割引率、割引額又は割引後の額を表示する場合を除き、規約第20条において禁止される不当な二重価格表示に該当するものとする。

第7章　実施細則等

（実施細則等の制定）

第14条　不動産公正取引協議会連合会は、規約を施行するため実施細則を定めることができる。

2　前項の実施細則を定め又は変更しようとするときは、公正取引委員会及び消費者庁長官の事前確認を受けるものとする。

3　公正取引協議会は、地区内における不動産取引の状況に照らして特に必要があると認めるときは、実施細則の運用基準を定めることができる。この場合においては、不動産公正取引協議会連合会を経由して公正取引委員会及び消費者庁長官に届け出るものとする。

附　則

この規則の変更は、平成18年1月4日から施行する。

附　則

この施行規則の変更は、消費者庁及び消費者委員会設置法（平成21年法律第48号）の施行日（平成21年9月1日）から施行する。

附　則

この規則の変更は、規約の変更について公正取引委員会及び消費者庁長官の認定の告示があった日（平成24年5月31日）から施行する。

附　則

この規則の変更は、公正取引委員会及び消費者庁長官の承認があった日（平成27年12月4日）から施行し、平成27年4月1日から適用する。

附　則

この施行規則の変更は、令和4年9月1日から施行する。

別表１　分譲宅地（小規模団地を含み、販売区画数が１区画のものを除く。）

<table>
<tr><th colspan="3">事　項 ＼ 媒　体</th><th>インターネット広告</th><th>パンフレット等</th><th>新聞折込チラシ等
新聞記事下広告
住宅専門雑誌記事中広告</th><th>その他の新聞・雑誌広告</th></tr>
<tr><td>1</td><td colspan="2">広告主の名称又は商号</td><td>○</td><td>○</td><td>○</td><td>○</td></tr>
<tr><td>2</td><td colspan="2">広告主の事務所の所在地</td><td>○</td><td>○</td><td>○</td><td></td></tr>
<tr><td>3</td><td colspan="2">広告主の事務所（宅建業法施行規則第15条の5の2の施設を含む。）の電話番号</td><td>○</td><td>○</td><td>○</td><td>○</td></tr>
<tr><td>4</td><td colspan="2">広告主の宅建業法による免許証番号</td><td>○</td><td>○</td><td>○</td><td></td></tr>
<tr><td>5</td><td colspan="2">広告主の所属団体名及び公正取引協議会加盟事業者である旨</td><td>○</td><td>○</td><td>○</td><td></td></tr>
<tr><td>6</td><td colspan="2">広告主の取引態様（売主、代理、媒介（仲介）の別）</td><td>○</td><td>○</td><td>○</td><td>○</td></tr>
<tr><td>7</td><td colspan="2">広告主と売主とが異なる場合は、売主の名称又は商号及び免許証番号</td><td>○☆</td><td>○</td><td>○☆</td><td></td></tr>
<tr><td>8</td><td colspan="2">売主と事業主（宅地造成事業の主体者）とが異なる場合は、事業主の名称又は商号</td><td></td><td>○</td><td></td><td></td></tr>
<tr><td>9</td><td colspan="2">物件の所在地（パンフレット等の媒体を除き、小規模団地及び副次的表示にあっては地番を省略することができる。）</td><td>○</td><td>○</td><td>○</td><td>○</td></tr>
<tr><td>10</td><td colspan="2">交通の利便（公共交通機関がない場合には、記載しないことができる。）</td><td>○</td><td>○</td><td>○</td><td>○</td></tr>
<tr><td>11</td><td colspan="2">開発面積</td><td>○☆</td><td>○</td><td>○☆</td><td></td></tr>
<tr><td>12</td><td colspan="2">総区画数</td><td>○</td><td>○</td><td>○☆</td><td></td></tr>
<tr><td>13</td><td colspan="2">販売区画数</td><td>●</td><td>●</td><td>●</td><td>●</td></tr>
<tr><td>14</td><td colspan="2">土地面積及び私道負担面積（パンフレット等の媒体を除き、最小面積及び最大面積のみで表示することができる。）</td><td>○</td><td>○</td><td>○</td><td>○</td></tr>
<tr><td>15</td><td colspan="2">地目及び用途地域（注1）</td><td>○</td><td>○</td><td>○</td><td>○</td></tr>
<tr><td>16</td><td colspan="2">建ぺい率及び容積率（容積率の制限があるときは、制限の内容）</td><td>○</td><td>○</td><td>○</td><td>○</td></tr>
<tr><td>17</td><td colspan="2">宅建業法第33条に規定する許可等の処分の番号（パンフレット等の媒体を除き、造成工事が完了済みの場合は省略することができる。）</td><td>○</td><td>○</td><td>○</td><td></td></tr>
<tr><td>18</td><td colspan="2">道路の幅員</td><td>○</td><td>○</td><td>○</td><td></td></tr>
<tr><td>19</td><td colspan="2">主たる設備等の概要</td><td>●</td><td>○</td><td>●</td><td></td></tr>
<tr><td>20</td><td colspan="2">工事の完了予定年月（パンフレット等の媒体を除き、造成工事が完了済みの場合は省略することができる。）</td><td>○</td><td>○</td><td>○</td><td>○</td></tr>
<tr><td rowspan="2">21</td><td>①</td><td>価格（パンフレット等の媒体を除き、最低価格、最高価格並びに最多価格帯及びその区画数のみで表示することができる。）</td><td rowspan="2">●</td><td rowspan="2">●</td><td rowspan="2">●</td><td rowspan="2">●</td></tr>
<tr><td>②</td><td>上下水道施設、都市ガス供給施設等以外の施設であって、共用施設又は特別の施設について負担金等があるときはその旨及びその額並びにこれらの維持・管理費を必要とするときはその旨及びその額</td></tr>
<tr><td rowspan="3">22</td><td>①</td><td>借地の場合はその旨</td><td>○</td><td>○</td><td>○</td><td>○</td></tr>
<tr><td>②</td><td>当該借地権の種類、内容、借地期間並びに保証金、敷金を必要とするときはその旨及びその額</td><td rowspan="2">●</td><td rowspan="2">●</td><td rowspan="2">●</td><td rowspan="2">●</td></tr>
<tr><td>③</td><td>1か月当たりの借地料</td></tr>
<tr><td>23</td><td colspan="2">取引条件の有効期限</td><td>●</td><td>●</td><td>●</td><td></td></tr>
<tr><td>24</td><td colspan="2">情報公開日（又は直前の更新日）及び次回の更新予定日</td><td>●</td><td></td><td></td><td></td></tr>
</table>

（注）1　市街化調整区域の土地にあっては、用途地域に代えて市街化調整区域である旨を明示するほか、都市計画法第34条第1項第11号又は第12号、同法施行令第36条第1項第3号ロ又はハのいずれかに該当するものについては、住宅等を建築するための許可条件を記載すること。

2　パンフレット等には、規則第４条第２項各号に定めるいわゆるデメリット事項を記載すること。

3　予告広告においては、規則第５条第２項に定める事項を記載すること。

4　「●」の事項は、予告広告において省略することができる。

5　「○」に「☆」が付された事項は、小規模団地及び副次的表示において省略することができる。

別表２　現況有姿分譲地

	事項＼媒体	インターネット広告	パンフレット等	新聞折込チラシ等 新聞記事下広告 住宅専門雑誌記事中広告	その他の新聞・雑誌広告
1	広告主の名称又は商号	○	○	○	○
2	広告主の事務所の所在地	○	○	○	
3	広告主の事務所（宅建業法施行規則第15条の5の2の施設を含む。）の電話番号	○	○	○	○
4	広告主の宅建業法による免許証番号	○	○	○	
5	広告主の所属団体名及び公正取引協議会加盟事業者である旨	○	○	○	
6	広告主の取引態様（売主、代理、媒介（仲介）の別）	○	○	○	○
7	広告主と売主とが異なる場合は、売主の名称又は商号及び免許証番号		○	○	
8	物件の所在地	○	○	○	○
9	交通の利便（公共交通機関がない場合には、記載しないことができる。）	○	○	○	○
10	総区画数		○	○	
11	販売区画数	○	○	○	○
12	総面積及び販売総面積	○	○	○	○
13	土地面積又は分割可能最小面積並びに通路負担があるときはその旨及びその面積	○	○	○	○
14	地目及び市街化区域内の土地については用途地域	○	○	○	○
15	「この土地は、現況有姿分譲地ですから、住宅等を建築して生活するために必要とされる施設はありません」という文言（新聞折込チラシ等及びパンフレット等の場合は16ポイント以上の大きさの文字で記載すること。）	○	○	○	○
16	市街化調整区域内の土地であるときは、「市街化調整区域。宅地の造成及び建物の建築はできません」という文言（新聞折込チラシ等及びパンフレット等の場合は16ポイント以上の大きさの文字で記載すること。）	○	○	○	○
17	都市計画法その他の法令に基づく制限で、宅建業法施行令第3条に定めるものに関する事項	○	○	○	○
18	価格（最低価格・最高価格）	○	○	○	○
19	価格のほかに、測量費、境界石等の費用を要するときは、その旨及びその額	○	○	○	○
20	取引条件の有効期限		○	○	
21	情報公開日（又は直前の更新日）及び次回の更新予定日	○			

別表３　売地・貸地・分譲宅地で販売区画数が１区画のもの

事項 ＼ 媒体			インターネット広告	新聞折込チラシ等	新聞・雑誌広告
1	広告主の名称又は商号		○	○	○
2	広告主の事務所の所在地		○	○	
3	広告主の事務所（宅建業法施行規則第15条の5の2の施設を含む。）の電話番号		○	○	○
4	広告主の宅建業法による免許証番号		○	○	
5	広告主の所属団体名及び公正取引協議会加盟事業者である旨		○	○	
6	広告主の取引態様（売主、代理、媒介（仲介）の別）		○	○	○
7	物件の所在地（町又は字の名称まで）		○	○	○
8	交通の利便（公共交通機関がない場合には、記載しないことができる。）		○	○	○
9	土地面積及び私道負担面積		○	○	○
10	地目及び用途地域（注）		○	○	○
11	建ぺい率及び容積率（容積率の制限があるときは、制限の内容）。		○	○	○
12	都市計画法その他の法令に基づく制限で、宅建業法施行令第3条に定めるものに関する事項		○	○	○
13	①	価格	○	○	○
	②	上下水道施設、都市ガス供給施設等以外の施設であって、共用施設又は特別の施設について負担金等があるときはその旨及びその額並びにこれらの維持・管理費を必要とするときはその旨及びその額			
14	①	借地の場合はその旨	○	○	○
	②	当該借地権の種類、内容、借地期間並びに保証金、敷金を必要とするときはその旨及びその額			
	③	1か月当たりの借地料			
15	取引条件の有効期限			○	
16	情報公開日（又は直前の更新日）及び次回の更新予定日		○		

（注）　市街化調整区域の土地にあっては、用途地域に代えて市街化調整区域である旨を明示するほか、都市計画法第34条第1項第11号又は第12号、同法施行令第36条第1項第3号ロ又はハのいずれかに該当するものについては、住宅等を建築するための許可条件を記載すること。

別表４　新築分譲住宅（小規模団地を含み、販売戸数が１戸のものを除く。）

事項 ＼ 媒体			インターネット広告	パンフレット等	新聞折込チラシ等 新聞記事下広告 住宅専門雑誌記事中広告	その他の新聞・雑誌広告
1	広告主の名称又は商号		○	○	○	○
2	広告主の事務所の所在地		○	○	○	
3	広告主の事務所（宅建業法施行規則第15条の5の2の施設を含む。）の電話番号		○	○	○	○
4	広告主の宅建業法による免許証番号		○	○	○	
5	広告主の所属団体名及び公正取引協議会加盟事業者である旨		○	○	○	
6	広告主の取引態様（売主、代理、媒介（仲介）の別）		○	○	○	○
7	広告主と売主とが異なる場合は、売主の名称又は商号及び免許証番号		○☆	○	○☆	
8	売主と事業主（宅地造成事業又は建物建築事業の主体者）とが異なる場合は、事業主の名称又は商号			○		
9	物件の所在地（パンフレット等の媒体を除き、小規模団地及び副次的表示にあっては、地番を省略することができる。）		○	○	○	○
10	交通の利便（公共交通機関がない場合には、記載しないことができる。）		○	○	○	○
11	総戸数		○	○	○☆	
12	販売戸数		●	●	●	●
13	土地面積及び私道負担面積（パンフレット等の媒体を除き、最小面積及び最大面積のみで表示することができる。）		○	○	○	○
14	用途地域		○	○	○	○
15	建物面積（パンフレット等の媒体を除き、最小面積及び最大面積のみで表示することができる。）		○	○	○	○
16	建物の主たる部分の構造		○	○	○☆	
17	連棟式建物であるときは、その旨		○	○	○	○
18	宅建業法第33条に規定する許可等の処分の番号（パンフレット等の媒体を除き、建築工事が完了済みの場合は省略することができる。）		○	○	○	
19	建物の建築年月（建築工事が完了していない場合は、工事の完了予定年月）		○	○	○	○
20	引渡し可能年月		○	○		
21	主たる設備等の概要		●	○	●	
22	道路の幅員		○	○	○☆	
23	①	価格（パンフレット等の媒体を除き、最低価格、最高価格並びに最多価格帯及びその戸数のみで表示することができる。）	●	●	●	●
	②	上下水道施設、都市ガス供給施設等以外の施設であって、共用施設又は特別の施設について負担金等があるときはその旨及びその額並びにこれらの維持・管理費を必要とするときはその旨及びその額				
24	①	借地の場合はその旨	○	○	○	○
	②	当該借地権の種類、内容、借地期間並びに保証金、敷金を必要とするときはその旨及びその額	●	●	●	●
	③	1か月当たりの借地料				
25	取引条件の有効期限		●	●	●	
26	情報公開日（又は直前の更新日）及び次回の更新予定日		●			

（注）１　パンフレット等には、規則第4条第2項各号に定めるいわゆるデメリット事項を記載すること。
２　予告広告においては、規則第5条第2項に定める事項を記載すること。
３　「●」の事項は、予告広告において省略することができる。
４　「○」に「☆」が付された事項は、小規模団地及び副次的表示において省略することができる。

別表5　新築住宅・中古住宅・新築分譲住宅で販売戸数が１戸のもの又は一棟売りマンション・アパート

事項＼媒体		インターネット広告	新聞折込チラシ等	新聞・雑誌広告
1	広告主の名称又は商号	○	○	○
2	広告主の事務所の所在地	○	○	
3	広告主の事務所（宅建業法施行規則第15条の5の2の施設を含む。）の電話番号	○	○	○
4	広告主の宅建業法による免許証番号	○	○	
5	広告主の所属団体名及び公正取引協議会加盟事業者である旨	○	○	
6	広告主の取引態様（売主、代理、媒介（仲介）の別）	○	○	○
7	物件の所在地（町又は字の名称まで）	○	○	○
8	交通の利便（公共交通機関がない場合には、記載しないことができる。）	○	○	○
9	土地面積及び私道負担面積	○	○	○
10	建物面積	○	○	○
11	連棟式建物であるときは、その旨	○	○	○
12	宅建業法第33条に規定する許可等の処分の番号（建築工事が完了済みの場合は省略可）	○	○	
13	建物の建築年月（建築工事が完了していない場合は、工事の完了予定年月）	○	○	○
14	引渡し可能年月	○		
15	① 価格 ② 上下水道施設、都市ガス供給施設等以外の施設であって、共用施設又は特別の施設について負担金等があるときはその旨及びその額並びにこれらの維持・管理費を必要とするときはその旨及びその額	○	○	○
16	① 借地の場合はその旨 ② 当該借地権の種類、内容、借地期間並びに保証金、敷金を必要とするときはその旨及びその額 ③ １か月当たりの借地料	○	○	○
17	① １棟売りマンション・アパートの場合は、その旨	○	○	○
	② １棟売りマンション・アパートの場合は、建物内の住戸数、各住戸の専有面積（最小面積及び最大面積）、建物の主たる部分の構造及び階数	○	○	
18	取引条件の有効期限		○	
19	情報公開日（又は直前の更新日）及び次回の更新予定日	○		

別表６　新築分譲マンション・一棟リノベーションマンション（小規模団地を含み、販売戸数が１戸のものを除く。）

<table>
<tr><th colspan="3">事項＼媒体</th><th>インターネット広告</th><th>パンフレット等</th><th>新聞折込チラシ等
新聞記事下広告
住宅専門雑誌記事中広告</th><th>その他の新聞・雑誌広告</th></tr>
<tr><td>1</td><td colspan="2">広告主の名称又は商号</td><td>○</td><td>○</td><td>○</td><td>○</td></tr>
<tr><td>2</td><td colspan="2">広告主の事務所の所在地</td><td>○</td><td>○</td><td>○</td><td></td></tr>
<tr><td>3</td><td colspan="2">広告主の事務所（宅建業法施行規則第15条の5の2の施設を含む。）の電話番号</td><td>○</td><td>○</td><td>○</td><td>○</td></tr>
<tr><td>4</td><td colspan="2">広告主の宅建業法による免許証番号</td><td>○</td><td>○</td><td>○</td><td></td></tr>
<tr><td>5</td><td colspan="2">広告主の所属団体名及び公正取引協議会加盟事業者である旨</td><td>○</td><td>○</td><td>○</td><td></td></tr>
<tr><td>6</td><td colspan="2">広告主の取引態様（売主、代理、媒介（仲介）の別）</td><td>○</td><td>○</td><td>○</td><td>○</td></tr>
<tr><td>7</td><td colspan="2">広告主と売主とが異なる場合は、売主の名称又は商号及び免許証番号</td><td>○☆</td><td>○</td><td>○☆</td><td></td></tr>
<tr><td>8</td><td colspan="2">新築分譲マンションの場合は、施工会社の名称又は商号</td><td>○</td><td>○</td><td>○</td><td></td></tr>
<tr><td>9</td><td colspan="2">売主と事業主（宅地造成事業又は建物建築事業の主体者）とが異なる場合は、事業主の名称又は商号</td><td></td><td>○</td><td></td><td></td></tr>
<tr><td>10</td><td colspan="2">物件の所在地（パンフレット等の媒体を除き、小規模団地及び副次的表示にあっては、地番を省略することができる。）</td><td>○</td><td>○</td><td>○</td><td>○</td></tr>
<tr><td>11</td><td colspan="2">交通の利便（公共交通機関がない場合には、記載しないことができる。）</td><td>○</td><td>○</td><td>○</td><td>○</td></tr>
<tr><td>12</td><td colspan="2">総戸数</td><td>○</td><td>○</td><td>○☆</td><td></td></tr>
<tr><td>13</td><td colspan="2">販売戸数</td><td>●</td><td>●</td><td>●</td><td>●</td></tr>
<tr><td>14</td><td colspan="2">敷地面積</td><td>○</td><td>○</td><td>○</td><td>○</td></tr>
<tr><td>15</td><td colspan="2">用途地域</td><td>○</td><td>○</td><td>○</td><td>○</td></tr>
<tr><td>16</td><td colspan="2">建物の主たる部分の構造及び階数</td><td>○</td><td>○</td><td>○</td><td>○</td></tr>
<tr><td>17</td><td colspan="2">専有面積（パンフレット等の媒体を除き、最小面積及び最大面積のみで表示することができる。）</td><td>○</td><td>○</td><td>○</td><td>○</td></tr>
<tr><td>18</td><td colspan="2">バルコニー面積</td><td>○</td><td>○</td><td>○</td><td></td></tr>
<tr><td>19</td><td colspan="2">専有面積が壁心面積である旨及び登記面積はこれより少ない旨</td><td></td><td>○</td><td></td><td></td></tr>
<tr><td>20</td><td colspan="2">管理形態</td><td>○</td><td>○</td><td>○</td><td>○</td></tr>
<tr><td>21</td><td colspan="2">管理員の勤務形態</td><td>●</td><td>●</td><td>●</td><td></td></tr>
<tr><td>22</td><td colspan="2">宅建業法第33条に規定する許可等の処分の番号（パンフレット等の媒体を除き、建築工事又は規則第3条第11号に定める工事が完了済みの場合は省略することができる。）</td><td>○</td><td>○</td><td>○</td><td></td></tr>
<tr><td>23</td><td colspan="2">建物の建築年月（建築工事が完了していない新築分譲マンションの場合は、工事の完了予定年月）</td><td>○</td><td>○</td><td>○</td><td>○</td></tr>
<tr><td>24</td><td colspan="2">一棟リノベーションマンションの場合は、その旨、規則第3条第11号に定める工事の内容及び当該工事の完了年月（当該工事が完了していない場合は、完了予定年月）</td><td>○</td><td>○</td><td>○</td><td>○</td></tr>
<tr><td>25</td><td colspan="2">引渡し可能年月</td><td>○</td><td>○</td><td></td><td></td></tr>
<tr><td>26</td><td colspan="2">主たる設備等の概要及び設備等の利用について条件があるときは、その条件の内容（敷地外駐車場についてはその旨及び将来の取扱い）</td><td>●</td><td>○</td><td>●</td><td></td></tr>
<tr><td rowspan="2">27</td><td>①</td><td>価格（パンフレット等の媒体を除き、最低価格、最高価格並びに最多価格帯及びその戸数のみで表示することができる。）</td><td rowspan="2">●</td><td rowspan="2">●</td><td rowspan="2">●</td><td rowspan="2">●</td></tr>
<tr><td>②</td><td>上下水道施設、都市ガス供給施設等以外の施設であって、共用施設又は特別の施設について負担金等があるときはその旨及びその額</td></tr>
<tr><td rowspan="2">28</td><td>①</td><td>借地の場合はその旨</td><td>○</td><td>○</td><td>○</td><td>○</td></tr>
<tr><td>②</td><td>当該借地権の種類、内容、借地期間並びに保証金、敷金を必要とするときはその旨及びその額</td><td>●</td><td>●</td><td>●</td><td>●</td></tr>
<tr><td>29</td><td colspan="2">建物の配置図及び方位</td><td></td><td>○</td><td></td><td></td></tr>
<tr><td>30</td><td colspan="2">管理費及び修繕積立金等</td><td>●</td><td>●</td><td>●</td><td>●</td></tr>
<tr><td>31</td><td colspan="2">取引条件の有効期限</td><td>●</td><td>●</td><td>●</td><td></td></tr>
<tr><td>32</td><td colspan="2">情報公開日（又は直前の更新日）及び次回の更新予定日</td><td>●</td><td></td><td></td><td></td></tr>
</table>

（注）１　パンフレット等には、規則第4条第2項各号に定めるいわゆるデメリット事項を記載すること。
２　予告広告においては、規則第5条第2項に定める事項を記載すること。
３　「●」の事項は、予告広告において省略することができる。
４　「○」に「☆」が付された事項は、小規模団地及び副次的表示において省略することができる。

別表７　中古マンション・新築分譲マンションで販売戸数が１戸のもの

事項＼媒体		インターネット広告	新聞折込チラシ等	新聞・雑誌広告
1	広告主の名称又は商号	○	○	○
2	広告主の事務所の所在地	○	○	
3	広告主の事務所（宅建業法施行規則第15条の5の2の施設を含む。）の電話番号	○	○	○
4	広告主の宅建業法による免許証番号	○	○	
5	広告主の所属団体名及び公正取引協議会加盟事業者である旨	○	○	
6	広告主の取引態様（売主、代理、媒介（仲介）の別）	○	○	○
7	物件の所在地（町又は字の名称まで）	○	○	○
8	交通の利便（公共交通機関がない場合には、記載しないことができる。）	○	○	○
9	階数及び当該物件が存在する階	○	○	○
10	専有面積	○	○	○
11	バルコニー面積	○	○	
12	建物の建築年月（建築工事が完了していない新築分譲マンションの場合は、工事の完了予定年月）	○	○	○
13	引渡し可能年月	○		
14	①　価格 ②　上下水道施設、都市ガス供給施設等以外の施設であって、共用施設又は特別の施設について負担金等があるときはその旨及びその額	○	○	○
15	借地の場合はその旨及び当該借地権の種類、内容、借地期間並びに保証金、敷金を必要とするときはその旨及びその額	○	○	○
16	管理費及び修繕積立金等	○	○	○
17	管理形態及び管理員の勤務形態	○	○	
18	取引条件の有効期限		○	
19	情報公開日（又は直前の更新日）及び次回の更新予定日	○		

別表８　新築賃貸マンション・新築賃貸アパート（賃貸戸数が１戸のものを除く。）

事項＼媒体		インターネット広告	パンフレット等	新聞折込チラシ等 新聞記事下広告 住宅専門雑誌記事中広告	その他の新聞・雑誌広告
1	広告主の名称又は商号	○	○	○	○
2	広告主の事務所の所在地	○	○	○	
3	広告主の事務所（宅建業法施行規則第15条の5の2の施設を含む。）の電話番号	○	○	○	○
4	広告主の宅建業法による免許証番号	○	○	○	
5	広告主の所属団体名及び公正取引協議会加盟事業者である旨	○	○	○	
6	広告主の取引態様（貸主、代理、媒介（仲介）の別）	○	○	○	○
7	物件の所在地番又は住居表示	○	○	○	○
8	交通の利便（公共交通機関がない場合には、記載しないことができる。）	○	○	○	○
9	賃貸戸数	●	●	●	●
10	専有面積（パンフレット等の媒体を除き、最小面積及び最大面積のみで表示することができる。）	○	○	○	○
11	建物の主たる部分の構造及び階数（インターネット広告、パンフレット等の媒体を除き、賃貸戸数が10未満の場合は省略することができる。）	○	○	○	
12	建物の建築年月（建築工事が完了していない場合は、工事の完了予定年月）	○	○	○	○
13	入居可能時期	○	○		
14	賃料（パンフレット等の媒体を除き、最低賃料及び最高賃料のみで表示することができる。）	●	●	●	●
15	礼金等を必要とするときはその旨及びその額	●	●	●	●
16	敷金、保証金等を必要とするときは、その旨及びその額（償却をする場合は、その旨及びその額又はその割合）	●	●	●	●
17	住宅総合保険等の損害保険料等を必要とするときはその旨	○	○	○	○
18	家賃保証会社等と契約することを条件とするときはその旨及びその額	●	●	●	●
19	管理費又は共益費等	●	●	●	●
20	駐車場、倉庫等の設備の利用条件（敷地外の駐車場についてはその旨及び将来の取扱い）		●	●	
21	定期建物賃貸借であるときはその旨	○	○	○	○
22	契約期間（普通賃貸借で契約期間が２年以上のものを除く。）	○	○	○	○
23	取引条件の有効期限		●	●	
24	情報公開日（又は直前の更新日）及び次回の更新予定日	●			

（注）１　当初の契約時からその期間満了時までに、事項番号14から20以外の費用を必要とするときは、その費目及びその額を記載すること。

２　予告広告においては、規則第5条第2項に定める事項を記載すること。

３　「●」の事項は、予告広告において省略することができる。

別表９　中古賃貸マンション・貸家・中古賃貸アパート・新築賃貸マンション又は新築賃貸アパートで賃貸戸数が１戸のもの

事項＼媒体		インターネット広告	新聞折込チラシ等	新聞・雑誌広告
1	広告主の名称又は商号	○	○	○
2	広告主の事務所の所在地	○	○	
3	広告主の事務所（宅建業法施行規則第15条の5の2の施設を含む。）の電話番号	○	○	○
4	広告主の宅建業法による免許証番号	○	○	
5	広告主の所属団体名及び公正取引協議会加盟事業者である旨	○	○	
6	広告主の取引態様（貸主、代理、媒介（仲介）の別）	○	○	○
7	物件の所在地（町又は字の名称まで）	○	○	○
8	交通の利便（公共交通機関がない場合には、記載しないことができる。）	○	○	○
9	建物の主たる部分の構造、階数及び当該物件が存在する階	○		
10	建物面積又は専有面積	○	○	○
11	建物の建築年月（建築工事が完了していない場合は、工事の完了予定年月）	○	○	○
12	入居可能時期	○		
13	賃料	○	○	○
14	礼金等を必要とするときはその旨及びその額	○	○	○
15	敷金、保証金等を必要とするときは、その旨及びその額（償却をする場合は、その旨及びその額又はその割合）	○	○	○
16	住宅総合保険等の損害保険料等を必要とするときはその旨	○	○	○
17	家賃保証会社等と契約することを条件とするときはその旨及びその額	○	○	○
18	管理費又は共益費等	○	○	○
19	定期建物賃貸借であるときはその旨	○	○	○
20	契約期間（普通賃貸借で契約期間が2年以上のものを除く。）	○	○	○
21	取引条件の有効期限		○	
22	情報公開日（又は直前の更新日）及び次回の更新予定日	○		

（注）　当初の契約時からその期間満了時までに、事項番号13から18以外の費用を必要とするときは、その費目及びその額を記載すること。

別表10　共有制リゾートクラブ会員権

事項 ＼ 媒体		インターネット広告	パンフレット等	新聞折込チラシ等 新聞記事下広告 住宅専門雑誌記事中広告	その他の新聞・雑誌広告
1	広告主の名称又は商号	○	○	○	○
2	広告主の事務所の所在地	○	○	○	
3	広告主の事務所（宅建業法施行規則第15条の5の2の施設を含む。）の電話番号	○	○	○	○
4	広告主の宅建業法による免許証番号	○	○	○	
5	広告主の所属団体名及び公正取引協議会加盟事業者である旨	○	○	○	
6	広告主の取引態様（売主、代理、媒介（仲介）の別）	○	○	○	○
7	広告主と売主とが異なる場合は、売主の名称又は商号及び免許証番号	○	○	○	
8	売主と事業主（宅地造成事業又は建物建築事業の主体者）とが異なる場合は、事業主の名称又は商号		○		
9	物件の所在地	○	○	○	○
10	交通の利便（公共交通機関がない場合には、記載しないことができる。）	○	○	○	○
11	敷地面積	○	○	○	○
12	借地の場合はその旨	○	○	○	○
13	当該借地権の種類、内容、借地期間並びに保証金、敷金を必要とするときはその旨及びその額		○		
14	建築面積及び延べ面積		○	○	
15	専有面積	○	○	○	○
16	建物の主たる部分の構造及び階数	○	○	○	○
17	宅建業法第33条に規定する許可等の処分の番号（パンフレット等の媒体を除き、建築工事が完了済みの場合は省略することができる。）	○	○	○	
18	会員権の種類（共有制、合有制等の別等）	○	○	○	○
19	会員権の価格（入会金等を含む総額）	○	○	○	○
20	会員権の価格の内訳（預り金等返還するものについては返還条件）	○	○	○	
21	会費・管理費等の額	○	○	○	○
22	会員資格に制限があるときはその旨	○	○	○	
23	会員権の譲渡又は退会の可否及びその条件		○		
24	会員権の総口数及び今回募集口数	○	○	○	○
25	総客室数及び1室当たりの口数	○	○	○	○
26	建築年月（建築工事が完了していない場合は、工事の完了予定年月）	○	○	○	○
27	①　施設の利用開始時期	○	○	○	○
	②　施設の利用料金	○	○	○	○
	③　施設の予約調整方法	○	○	○	
	④　施設の利用の制限		○		
	⑤　1口当たりの年間利用可能日数	○	○	○	
28	付帯施設（譲渡対象物件以外のレストラン、売店、大浴場、レジャー施設等当該施設において会員が利用できる施設をいう。）の概要及びその利用条件（有料であることが明らかなものを除く。）	○	○	○	
29	会員権の売主と施設の運営主体とが異なる場合は、運営主体の名称		○		
30	相互利用施設（譲渡対象物件及び付帯施設以外で会員相互の施設相互利用契約に基づいて会員が利用できる施設をいう。）の有無	○	○	○	
31	相互利用施設の数及びその利用条件		○		
32	会員以外の者がクラブ施設を利用することができる場合はその旨		○		
33	施設を運用するときは、その旨とその内容		○		
34	取引条件の有効期限	○	○	○	
35	情報公開日（又は直前の更新日）及び次回の更新予定日	○			

（注）　提携施設（共有制リゾートクラブの運営主体が、他のリゾート施設運営業者と提携して、会員に当該業者の保有又は管理しているリゾート施設を一般より有利な条件で利用させることを目的とした施設提携契約を締結している施設をいう。）について表示するときは、その利用条件の概要を記載すること。

「原状回復をめぐるトラブルとガイドライン」について（法37条2項関係）

国土交通省住宅局住宅総合整備課　最終改訂　平成23年8月

●ガイドラインの位置付け

民間賃貸住宅における賃貸借契約は、いわゆる契約自由の原則により、貸す側と借りる側の双方の合意に基づいて行われるものですが、退去時において、貸した側と借りた側のどちらの負担で原状回復を行うことが妥当なのかについてトラブルが発生することがあります。

こうした退去時における原状回復をめぐるトラブルの未然防止のため、賃貸住宅標準契約書の考え方、裁判例及び取引の実務等を考慮のうえ、原状回復の費用負担のあり方について、妥当と考えられる一般的な基準をガイドラインとして平成10年3月に取りまとめたものであり、平成16年2月及び平成23年8月には、裁判事例及びQ&Aの追加などの改訂を行っています。

利用にあたって

［1］　このガイドラインは、賃料が市場家賃程度の**民間賃貸住宅を想定**しています。

［2］　このガイドラインは、**賃貸借契約締結時において参考に**していただくものです。

［3］　現在、**既に賃貸借契約を締結されている方は、一応、現在の契約書が有効なものと考えられますので、契約内容に沿った取扱いが原則ですが**、契約書の条文があいまいな場合や、契約締結時に何らかの問題があるような場合は、このガイドラインを参考にしながら話し合いをして下さい。

●トラブルを未然に防止するために

原状回復の問題は、賃貸借契約の「出口」すなわち退去時の問題と捉えられがちですが、これを「入口」すなわち入居時の問題と捉え、入退去時における損耗等の有無など物件の状況をよく確認しておくことや、契約締結時において、原状回復などの契約条件を当事者双方がよく確認し、納得したうえで契約を締結するなどの対策を的確にとることが、トラブルを未然に防止するためには有効であると考えられます。

●ガイドラインのポイント

（1）原状回復とは

原状回復を「賃借人の居住、使用により発生した建物価値の減少のうち、賃借人の故意・過失、善管注意義務違反、その他通常の使用を超えるような使用による損耗・毀損を復旧すること」と定義し、その費用は賃借人負担としました。そして、いわゆる経年変化、通常の使用による損耗等の修繕費用は、賃料に含まれるものとしました。

→　**原状回復は、賃借人が借りた当時の状態に戻すことではないことを明確化**

（2）「通常の使用」とは

「通常の使用」の一般的定義は困難であるため、具体的な事例を次のように区分して、賃貸人と賃借人の負担の考え方を明確にしました。（以下の図参照）

【図】損耗・毀損事例の区分
賃貸住宅の価値（建物価値）

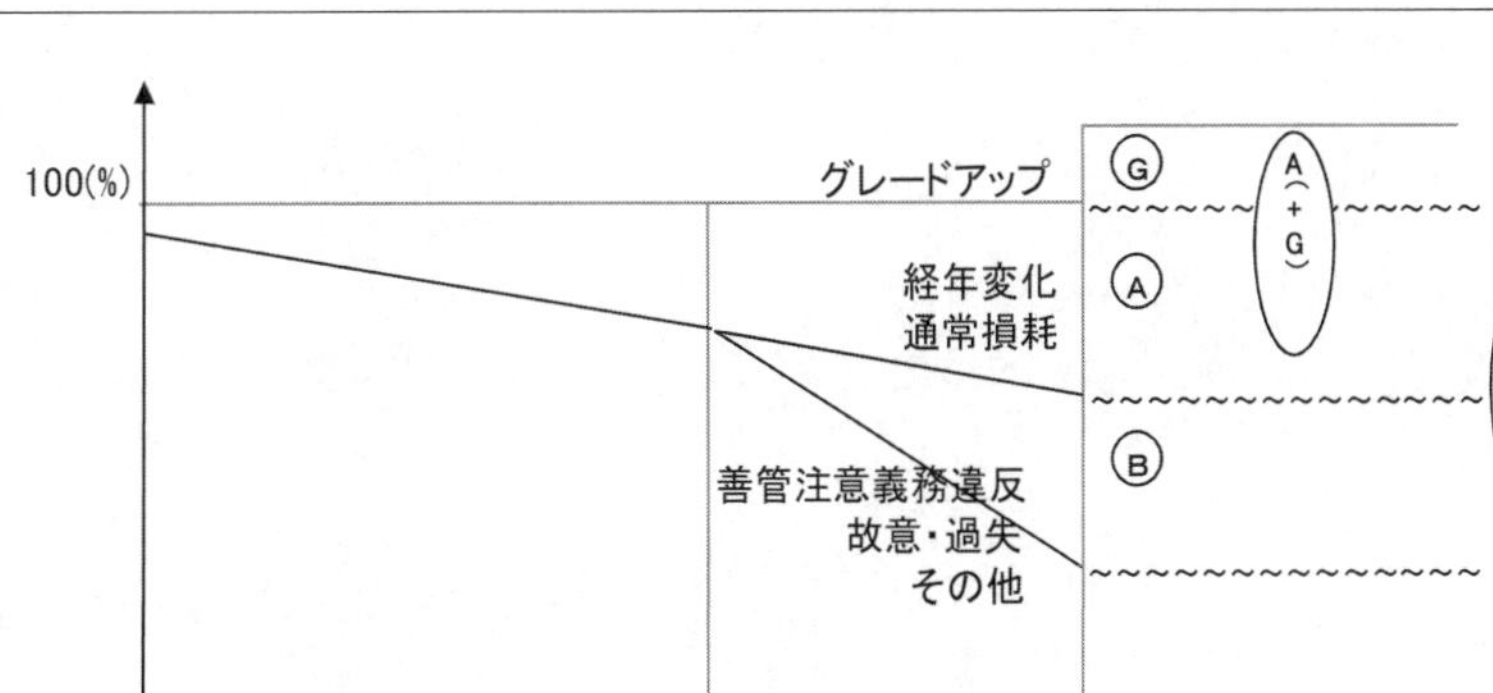

A：賃借人が通常の住まい方、使い方をしていても、発生すると考えられるもの

B：賃借人の住まい方、使い方次第で発生したり、しなかったりすると考えられるもの（明らかに通常の使用等による結果とは言えないもの）

A（＋B）：基本的にはAであるが、その後の手入れ等賃

借人の管理が悪く、損耗等が発生または拡大したと考えられるもの

A（+G）：基本的にはAであるが、建物価値を増大させる要素が含まれているもの

→ このうち、**B及びA（+B）については賃借人に原状回復義務があるとしました。**

(3) 経過年数の考慮

(2)で解説しているBやA（+B）の場合であっても、経年変化や通常損耗が含まれており、賃借人はその分を賃料として支払っていますので、賃借人が修繕費用の全てを負担することとなると、契約当事者間の費用配分の合理性を欠くなどの問題があるため、賃借人の負担については、建物や設備の経過年数を考慮し、年数が多いほど負担割合を減少させる考え方を採用しています。

(4) 施工単位

原状回復は毀損部分の復旧ですから、可能な限り毀損部分に限定し、その補修工事は出来るだけ最低限度の施工単位を基本としていますが、毀損部分と補修を要する部分とにギャップ（色あわせ、模様あわせなどが必要なとき）がある場合の取扱いについて、一定の判断を示しています。

「標準媒介契約約款」

「住宅の標準賃貸借媒介契約書」

「重要事項説明書」

「賃貸住宅標準契約書」は、巻末より掲載しております。

条文索引

「※」を付した条文には、解釈・運用も掲載した。

宅地建物取引業法令集　改訂版

2019年11月22日　初版発行
2022年 7 月14日　改訂版発行

編　著　者　㈱住宅新報出版
発　行　者　馬　場　栄　一
発　行　所　㈱住宅新報出版
〒171-0014 東京都豊島区池袋2-38-1
電話　(03) 6388-0052
URL　https://www.jssbook.com/
＊印刷・製本／藤原印刷
＊乱丁本・落丁本はお取り替えいたします。
Printed in Japan
ISBN978-4-910499-34-5 C2030

標準媒介契約約款

平成２年１月30日建設省告示第115号
（最終改正：令和４年４月27日国土交通省告示第539号）

■一　標準専任媒介契約約款

標準専任媒介契約約款は、次の専任媒介契約書及び専任媒介契約約款とする。ただし、依頼者に不利益とならない特約を妨げないものとする。

(1) 専任媒介契約書

専任媒介契約書

依頼の内容	売却・購入・交換

> この契約は、次の３つの契約型式のうち、専任媒介契約型式です。
> ・専属専任媒介契約型式
> 依頼者は、目的物件の売買又は交換の媒介又は代理を、当社以外の宅地建物取引業者に重ねて依頼することができません。
> 依頼者は、自ら発見した相手方と売買又は交換の契約を締結することができません。
> 当社は、目的物件を国土交通大臣が指定した指定流通機構に登録します。
> ・専任媒介契約型式
> 依頼者は、目的物件の売買又は交換の媒介又は代理を、当社以外の宅地建物取引業者に重ねて依頼することができません。
> 依頼者は、自ら発見した相手方と売買又は交換の契約を締結することができます。
> 当社は、目的物件を国土交通大臣が指定した指定流通機構に登録します。
> ・一般媒介契約型式
> 依頼者は、目的物件の売買又は交換の媒介又は代理を、当社以外の宅地建物取引業者に重ねて依頼することができます。
> 依頼者は、自ら発見した相手方と売買又は交換の契約を締結することができます。

依頼者甲は、この契約書及び専任媒介契約約款により、別表に表示する不動産（目的物件）に関する売買（交換）の媒介を宅地建物取引業者乙に依頼し、乙はこれを承諾します。

　　年　　月　　日

甲・依　頼　者　　住所
　　　　　　　　　氏名
乙・宅地建物取引業者　商号（名称）
　　　　　　　　　代表者　　　　　　　　㊞
　　　　　　　　　主たる事務所の所在地
　　　　　　　　　免許証番号

1　成約に向けての義務

一　乙は、契約の相手方を探索するとともに、契約の相手方との契約条件の調整等を行い、契約の成立に向けて積極的に努力します。

二　乙は、甲に対し、＊１＿＿＿＿＿により、＊２＿＿＿＿＿回以上の頻度で業務の処理状況を報告します。

三　乙は、目的物件の売買又は交換の申込みがあったときは、甲に対し、遅滞なく、その旨を報告します。

四　乙は、広く契約の相手方を探索するため、目的物件につき、所在地、規模、形質、媒介価額その他の事項を、＊３＿＿＿＿＿＿＿＿にこの媒介契約の締結の日の翌日から＊４＿＿日以内（乙の休業日を含みません。）に登録します。また、目的物件を登録したときは、遅滞なく、甲に対して宅地建物取引業法第50条の６に定める登録を証する書面を交付（宅地建物取引業法第34条の2第12項の規定による提供を含みます。）します。

なお、乙は、目的物件の売買又は交換の契約が成立したときは、宅地建物取引業法第34条の２第７

項に基づき当該契約に関する情報を指定流通機構に通知し、当該契約に関する情報は、当該指定流通機構から宅地建物取引業者に提供されるなど、宅地建物取引業法第50条の３及び第50条の７に定める指定流通機構の業務のために利用されます。

備考

＊１　文書又は電子メールのうちいずれかの方法を選択して記入すること。

＊２　宅地建物取引業法第34条の２第９項に定める頻度（２週間に１回以上）の範囲内で具体的な頻度を記入すること。

＊３　当該目的物件の所在地を含む地域を対象として登録業務を行っている指定流通機構の名称を記入すること。

＊４　宅地建物取引業法第34条の２第５項及び宅地建物取引業法施行規則第15条の10に定める期間（７日以内）の範囲内で具体的な期間を記入すること。

２　媒介に係る業務

乙は、１に掲げる義務を履行するとともに、次の業務を行います。

一　乙は、甲に対し、目的物件を売買すべき価額又は評価額について意見を述べるときは、その根拠を明らかにして説明を行います。

二　甲が乙に目的物件の購入又は取得を依頼した場合にあっては、乙は、甲に対し、目的物件の売買又は交換の契約が成立するまでの間に、宅地建物取引士をして、宅地建物取引業法第35条に定める重要事項について、宅地建物取引士が記名した書面を交付（宅地建物取引業法第35条第8項又は第9項の規定による提供を含みます。）して説明させます。

三　乙は、目的物件の売買又は交換の契約が成立したときは、甲及び甲の相手方に対し、遅滞なく、宅地建物取引業法第37条に定める書面を作成し、宅地建物取引士に当該書面に記名させた上で、これを交付（宅地建物取引業法第37条第4項の規定による提供を含みます。）します。

四　乙は、甲に対し、登記、決済手続等の目的物件の引渡しに係る事務の補助を行います。

五　その他（　　　　　　　　　　　　　　　　）

３　建物状況調査を実施する者のあっせんの有無　（有・無）

４　違約金等

一　甲がこの媒介契約の有効期間内に乙以外の宅地建物取引業者に目的物件の売買又は交換の媒介又は代理を依頼し、これによって売買又は交換の契約を成立させたときは、乙は、甲に対して、約定報酬額に相当する金額（この媒介に係る消費税額及び地方消費税額の合計額に相当する額を除きます。）を違約金として請求することができます。

二　この媒介契約の有効期間内において、甲が自ら発見した相手方と目的物件の売買若しくは交換の契約を締結したとき、又は乙の責めに帰すことができない事由によってこの媒介契約が解除されたときは、乙は、甲に対して、この媒介契約の履行のために要した費用の償還を請求することができます。

５　有効期間

この媒介契約締結後＿＿＿ヶ月（　　　年　　　月　　　日まで）とします。

（消費税及び地方消費税抜き報酬額）　（消費税額及び地方消費税額の合計額）

６　約定報酬額＿＿＿＿＿＿＿円と＿＿＿＿＿＿＿円を合計した額とします。

７　約定報酬の受領の時期

＿＿＿＿＿＿＿＿＿＿＿＿＿＿＿＿＿＿＿＿＿＿とします。

別表

所有者	住　所	登記名義人	住　所
	氏　名		氏　名

所在地

目的物件の表示	土地	実　測	㎡	地目	宅地・田・畑・山林・雑種地・その他（　　）	権利内容	所有権・借地権
		公　簿	㎡				
	建物	建築面積	㎡	種類		構造	造 葺 階建
		延面積	㎡	間取り			
	マンション	名　称 階 号室		構造	造 階建		
		タイプ LDK DK 専有面積 ㎡		共有持分	分の		

本体価額	円
消費税額及び地方消費税額の合計額	円

媒介価額	総額 円

備　考

［ただし、買い依頼に係る媒介契約については、次の別表を使用することとして差し支えない。］

希望する条件

項　目	内　容	希望の程度
物件の種類		
価額		
広さ・間取り等		
物件の所在地		

その他の条件（希望の程度もお書き下さい。）

注　「希望の程度」の欄には、「特に強い」、「やや強い」、「普通」等と記入すること。

（2）専任媒介契約約款

専任媒介契約約款

（目的）

第1条　この約款は、宅地又は建物の売買又は交換の専任媒介契約について、当事者が契約の締結に際して定めるべき事項及び当事者が契約の履行に関して互いに遵守すべき事項を明らかにすることを目的とします。

（当事者の表示と用語の定義）

第2条　この約款においては、媒介契約の当事者について、依頼者を「甲」、依頼を受ける宅地建物取引業者を「乙」と表示します。

2　この約款において、「専任媒介契約」とは、甲が依頼の目的である宅地又は建物（以下「目的物件」といいます。）の売買又は交換の媒介又は代理を乙以外の宅地建物取引業者に重ねて依頼することができないものとする媒介契約をいいます。

（目的物件の表示等）

第3条　目的物件を特定するために必要な表示及び目的物件を売買すべき価額又は交換すべき評価額（以下「媒介価額」といいます。）は、専任媒介契約書の別表に記載します。

（宅地建物取引業者の義務等）

第4条　乙は、次の事項を履行する義務を負います。

一　契約の相手方を探索するとともに、契約の相手方との契約条件の調整等を行い、契約の成立に向けて積極的に努力すること。

二　甲に対して、専任媒介契約書に記載する方法及び頻度により業務の処理状況を報告すること。

三　目的物件の売買又は交換の申込みがあったときは、甲に対して、遅滞なく、その旨を報告すること。

四　広く契約の相手方を探索するため、目的物件につき、所在地、規模、形質、媒介価額その他の事項を、専任媒介契約書に記載する指定流通機構に媒介契約の締結の日の翌日から専任媒介契約書に記載する期間内（乙の休業日を含みません。）に登録すること。

五　前号の登録をしたときは、遅滞なく、指定流通機構が発行した宅地建物取引業法第50条の６に定める登録を証する書面を甲に対して交付（宅地建物取引業法第34条の2第12項の規定による提供を含みます。）すること。

2　乙は、前項に掲げる義務を履行するとともに、次の業務を行います。

一　媒介価額の決定に際し、甲に、その価額に関する意見を述べるときは、根拠を示して説明を行うこと。

二　甲が乙に目的物件の購入又は取得を依頼した場合にあっては、甲に対して、目的物件の売買又は交換の契約が成立するまでの間に、宅地建物取引士をして、宅地建物取引業法第35条に定める重要事項について、宅地建物取引士が記名した書面を交付（宅地建物取引業法第35条第8項又は第9項の規定による提供を含みます。）して説明させること。

三　目的物件の売買又は交換の契約が成立したときは、甲及び甲の相手方に対して、遅滞なく、宅地建物取引業法第37条に定める書面を作成し、宅地建物取引士に当該書面に記名させた上で、これを交付（宅地建物取引業法第37条第4項の規定による提供を含みます。）すること。

四　甲に対して、登記、決済手続等の目的物件の引渡しに係る事務の補助を行うこと。

五　その他専任媒介契約書に記載する業務を行うこと。

（媒介価額の変更の助言等）

第5条　媒介価額が地価や物価の変動その他事情の変更によって不適当と認められるに至ったときは、乙は、甲に対して、媒介価額の変更について根拠を示して助言します。

2　甲は、媒介価額を変更しようとするときは、乙にその旨を通知します。この場合において、価額の変更が引上げであるとき（甲が乙に目的物件の購入又は取得を依頼した場合にあっては、引下げであるとき）は、乙の承諾を要します。

3　乙は、前項の承諾を拒否しようとするときは、その根拠を示さなければなりません。

（建物状況調査を実施する者のあっせん）

第6条　乙は、この媒介契約において建物状況調査を実施する者のあっせんを行うこととした場合にあっては、甲に対して、建物状況調査を実施する者をあっせんしなければなりません。

（有効期間）

第７条　専任媒介契約の有効期間は、３ヶ月を超えない範囲で、甲乙協議の上、定めます。

（報酬の請求）

第８条　乙の媒介によって目的物件の売買又は交換の契約が成立したときは、乙は、甲に対して、報酬を請求することができます。ただし、売買又は交換の契約が停止条件付契約として成立したときは、乙は、その条件が成就した場合にのみ報酬を請求することができます。

２　前項の報酬の額は、国土交通省告示に定める限度額の範囲内で、甲乙協議の上、定めます。

（報酬の受領の時期）

第９条　乙は、宅地建物取引業法第37条に定める書面を作成し、これを成立した契約の当事者に交付（宅地建物取引業法第37条第4項の規定による提供を含みます。）した後でなければ、前条第1項の報酬（以下「約定報酬」といいます。）を受領することができません。

２　目的物件の売買又は交換の契約が、代金又は交換差金についての融資の不成立を解除条件として締結された後、融資の不成立が確定した場合、又は融資が不成立のときは甲が契約を解除できるものとして締結された後、融資の不成立が確定し、これを理由として甲が契約を解除した場合は、乙は、甲に、受領した約定報酬の全額を遅滞なく返還しなければなりません。ただし、これに対しては、利息は付さないこととします。

（特別依頼に係る費用）

第10条　甲が乙に特別に依頼した広告の料金又は遠隔地への出張旅費は甲の負担とし、甲は、乙の請求に基づいて、その実費を支払わなければなりません。

（直接取引）

第11条　専任媒介契約の有効期間内又は有効期間の満了後２年以内に、甲が乙の紹介によって知った相手方と乙を排除して目的物件の売買又は交換の契約を締結したときは、乙は、甲に対して、契約の成立に寄与した割合に応じた相当額の報酬を請求することができます。

（違約金の請求）

第12条　甲は、専任媒介契約の有効期間内に、乙以外の宅地建物取引業者に目的物件の売買又は交換の媒介又は代理を依頼することはできません。甲がこれに違反し、売買又は交換の契約を成立させたときは、乙は、甲に対して、約定報酬額に相当する金額（この媒介に係る消費税額及び地方消費税額の合計額に相当する額を除きます。）の違約金の支払を請求することができます。

（自ら発見した相手方と契約しようとする場合の通知）

第13条　甲は、専任媒介契約の有効期間内に、自ら発見した相手方と目的物件の売買又は交換の契約を締結しようとするときは、乙に対して、その旨を通知しなければなりません。

（費用償還の請求）

第14条　専任媒介契約の有効期間内において、甲が自ら発見した相手方と目的物件の売買若しくは交換の契約を締結したとき、又は乙の責めに帰すことができない事由によって専任媒介契約が解除されたときは、乙は、甲に対して、専任媒介契約の履行のために要した費用の償還を請求することができます。

２　前項の費用の額は、約定報酬額を超えることはできません。

（更新）

第15条　専任媒介契約の有効期間は、甲及び乙の合意に基づき、更新することができます。

２　有効期間の更新をしようとするときは、有効期間の満了に際して甲から乙に対し文書等でその旨を申し出るものとします。

３　前２項の規定による有効期間の更新に当たり、甲乙間で専任媒介契約の内容について別段の合意がなされなかったときは、従前の契約と同一内容の契約が成立したものとみなします。

（契約の解除）

第16条　甲又は乙が専任媒介契約に定める義務の履行に関してその本旨に従った履行をしない場合には、その相手方は、相当の期間を定めて履行を催告し、その期間内に履行がないときは、専任媒介契約を解除することができます。

第17条　次のいずれかに該当する場合においては、甲は、専任媒介契約を解除することができます。

一　乙が専任媒介契約に係る業務について信義を旨とし誠実に遂行する義務に違反したとき。

二　乙が専任媒介契約に係る重要な事項について故意若しくは重過失により事実を告げず、又は不実のことを告げる行為をしたとき。
三　乙が宅地建物取引業に関して不正又は著しく不当な行為をしたとき。

（反社会的勢力の排除）

第18条　甲及び乙は、それぞれ相手方に対し、次の事項を確約します。
一　自らが、暴力団、暴力団関係企業、総会屋若しくはこれらに準ずる者又はその構成員（以下これらを総称して「反社会的勢力」といいます。）でないこと。
二　自らの役員（業務を執行する社員、取締役、執行役又はこれらに準ずる者をいいます。）が反社会的勢力でないこと。
三　反社会的勢力に自己の名義を利用させ、専任媒介契約を締結するものでないこと。
四　専任媒介契約の有効期間内に、自ら又は第三者を利用して、次の行為をしないこと。
イ　相手方に対する脅迫的な言動又は暴力を用いる行為
ロ　偽計又は威力を用いて相手方の業務を妨害し、又は信用を毀損する行為
2　専任媒介契約の有効期間内に、甲又は乙が次のいずれかに該当した場合には、その相手方は、何らの催告を要せずして、専任媒介契約を解除することができます。
一　前項第１号又は第２号の確約に反する申告をしたことが判明した場合
二　前項第３号の確約に反し契約をしたことが判明した場合
三　前項第４号の確約に反する行為をした場合
3　乙が前項の規定により専任媒介契約を解除したときは、甲に対して、約定報酬額に相当する金額（既に約定報酬の一部を受領している場合は、その額を除いた額とします。なお、この媒介に係る消費税額及び地方消費税額の合計額に相当する額を除きます。）を違約金として請求することができます。

（特約）

第19条　この約款に定めがない事項については、甲及び乙が協議して別に定めることができます。
2　この約款の各条項の定めに反する特約で甲に不利なものは無効とします。

■二　標準専属専任媒介契約約款

標準専属専任媒介契約約款は、次の専属専任媒介契約書及び専属専任媒介契約約款とする。ただし、依頼者に不利益とならない特約を妨げないものとする。

（1）専属専任媒介契約書

専属専任媒介契約書

依頼の内容	売却・購入・交換

この契約は、次の３つの契約型式のうち、専属専任媒介契約型式です。

・専属専任媒介契約型式

依頼者は、目的物件の売買又は交換の媒介又は代理を、当社以外の宅地建物取引業者に重ねて依頼することができません。

依頼者は、自ら発見した相手方と売買又は交換の契約を締結することができません。

当社は、目的物件を国土交通大臣が指定した指定流通機構に登録します。

・専任媒介契約型式

依頼者は、目的物件の売買又は交換の媒介又は代理を、当社以外の宅地建物取引業者に重ねて依頼することができません。

依頼者は、自ら発見した相手方と売買又は交換の契約を締結することができます。

当社は、目的物件を国土交通大臣が指定した指定流通機構に登録します。

・一般媒介契約型式

依頼者は、目的物件の売買又は交換の媒介又は代理を、当社以外の宅地建物取引業者に重ねて依頼することができます。

依頼者は、自ら発見した相手方と売買又は交換の契約を締結することができます。

依頼者甲は、この契約書及び専属専任媒介契約約款により、別表に表示する不動産（目的物件）に関する売買（交換）の媒介を宅地建物取引業者乙に依頼し、乙はこれを承諾します。

年　　月　　日

甲・依　　頼　　者　　住所
氏名
乙・宅地建物取引業者　　商号（名称）
代表者　　㊞
主たる事務所の所在地
免許証番号

1　成約に向けての義務

一　乙は、契約の相手方を探索するとともに、契約の相手方との契約条件の調整等を行い、契約の成立に向けて積極的に努力します。

二　乙は、甲に対し、＊１＿＿＿＿＿により、＊２＿＿＿＿＿回以上の頻度で業務の処理状況を報告します。

三　乙は、目的物件の売買又は交換の申込みがあったときは、甲に対し、遅滞なく、その旨を報告します。

四　乙は、広く契約の相手方を探索するため、目的物件につき、所在地、規模、形質、媒介価額その他の事項を、＊３＿＿＿＿＿＿＿＿にこの媒介契約の締結の日の翌日から＊４＿＿日以内（乙の休業日を含みません。）に登録します。また、目的物件を登録したときは、遅滞なく、甲に対して宅地建物取引業法第50条の６に定める登録を証する書面を交付（宅地建物取引業法第34条の2第12項の規定による提供を含みます。）します。

なお、乙は、目的物件の売買又は交換の契約が成立したときは、宅地建物取引業法第34条の２第７項に基づき当該契約に関する情報を指定流通機構に通知し、当該契約に関する情報は、当該指定流通機

構から宅地建物取引業者に提供されるなど、宅地建物取引業法第50条の３及び第50条の７に定める指定流通機構の業務のために利用されます。

備考

＊1　文書又は電子メールのうちいずれかの方法を選択して記入すること。

＊2　宅地建物取引業法第34条の２第９項に定める頻度（１週間に１回以上）の範囲内で具体的な頻度を記入すること。

＊3　当該目的物件の所在地を含む地域を対象として登録業務を行っている指定流通機構の名称を記入すること。

＊4　宅地建物取引業法第34条の２第５項及び宅地建物取引業法施行規則第15条の10に定める期間（５日以内）の範囲内で具体的な期間を記入すること。

2　媒介に係る業務

乙は、１に掲げる義務を履行するとともに、次の業務を行います。

一　乙は、甲に対し、目的物件を売買すべき価額又は評価額について意見を述べるときは、その根拠を明らかにして説明を行います。

二　甲が乙に目的物件の購入又は取得を依頼した場合にあっては、乙は、甲に対し、目的物件の売買又は交換の契約が成立するまでの間に、宅地建物取引士をして、宅地建物取引業法第35条に定める重要事項について、宅地建物取引士が記名した書面を交付（宅地建物取引業法第35条第8項又は第9項の規定による提供を含みます。）して説明させます。

三　乙は、目的物件の売買又は交換の契約が成立したときは、甲及び甲の相手方に対し、遅滞なく、宅地建物取引業法第37条に定める書面を作成し、宅地建物取引士に当該書面に記名させた上で、これを交付（宅地建物取引業法第37条第4項の規定による提供を含みます。）します。

四　乙は、甲に対し、登記、決済手続等の目的物件の引渡しに係る事務の補助を行います。

五　その他（　　　　　　　　　　　　　　　　　　　　）

3　建物状況調査を実施する者のあっせんの有無　（有・無）

4　違約金等

一　甲がこの媒介契約の有効期間内に乙以外の宅地建物取引業者に目的物件の売買若しくは交換の媒介若しくは代理を依頼し、これによって売買若しくは交換の契約を成立させたとき、又は甲が自ら発見した相手方と目的物件の売買若しくは交換の契約を締結したときは、乙は、甲に対して、約定報酬額に相当する金額（この媒介に係る消費税額及び地方消費税額の合計額に相当する額を除きます。）を違約金として請求することができます。

二　乙の責めに帰すことができない事由によってこの媒介契約が解除されたときは、乙は、甲に対して、この媒介契約の履行のために要した費用の償還を請求することができます。

5有効期間

この媒介契約締結後＿＿＿ヶ月（　　　年　　　月　　　日まで）とします。

（消費税及び地方消費税抜き報酬額）　（消費税額及び地方消費税額の合計額）

6　約定報酬額＿＿＿＿＿＿＿＿円と＿＿＿＿＿＿＿＿円を合計した額とします。

7　約定報酬の受領の時期

＿＿＿＿＿＿＿＿＿＿＿＿＿＿＿＿＿＿＿＿＿＿＿＿＿＿とします。

別表

所有者		登記名義人	
住所		住所	
氏名		氏名	

所在地

<table>
<tr><td rowspan="7">目的物件の表示</td><td rowspan="2">土地</td><td>実測</td><td>㎡</td><td rowspan="2">地目</td><td rowspan="2">宅地・田・畑・
山林・雑種地・
その他（　　）</td><td rowspan="2">権利内容</td><td rowspan="2">所有権・借地権</td></tr>
<tr><td>公簿</td><td>㎡</td></tr>
<tr><td rowspan="2">建物</td><td>建築面積</td><td>㎡</td><td>種類</td><td></td><td>構造</td><td>造
葺　　階建</td></tr>
<tr><td>延面積</td><td>㎡</td><td>間取り</td><td colspan="3"></td></tr>
<tr><td rowspan="3">マンション</td><td colspan="3">名称
階　　号室</td><td>構造</td><td colspan="2">造
階建</td></tr>
<tr><td colspan="3">タイプ
LDK　DK</td><td rowspan="2">共有持分</td><td colspan="2" rowspan="2">分の</td></tr>
<tr><td colspan="3">専有面積　㎡</td></tr>
</table>

本体価額	円
消費税額及び地方消費税額の合計額	円

媒介価額	総額　円

備考

［ただし、買い依頼に係る媒介契約については、次の別表を使用することとして差し支えない。］

希望する条件

項目	内容	希望の程度
物件の種類		
価額		
広さ・間取り等		
物件の所在地		

その他の条件（希望の程度もお書き下さい。）

注　「希望の程度」の欄には、「特に強い」、「やや強い」、「普通」等と記入すること。

⑵ 専属専任媒介契約約款

専属専任媒介契約約款

（目的）

第１条 この約款は、宅地又は建物の売買又は交換の専属専任媒介契約について、当事者が契約の締結に際して定めるべき事項及び当事者が契約の履行に関して互いに遵守すべき事項を明らかにすることを目的とします。

（当事者の表示と用語の定義）

第２条 この約款においては、媒介契約の当事者について、依頼者を「甲」、依頼を受ける宅地建物取引業者を「乙」と表示します。

２ この約款において、「専属専任媒介契約」とは、甲が依頼の目的である宅地又は建物（以下「目的物件」といいます。）の売買又は交換の媒介又は代理を乙以外の宅地建物取引業者に重ねて依頼することができず、かつ、甲が自ら発見した相手方と目的物件の売買又は交換の契約を締結することができないものとする媒介契約をいいます。

（目的物件の表示等）

第３条 目的物件を特定するために必要な表示及び目的物件を売買すべき価額又は交換すべき評価額（以下「媒介価額」といいます。）は、専属専任媒介契約書の別表に記載します。

（宅地建物取引業者の義務等）

第４条 乙は、次の事項を履行する義務を負います。

一 契約の相手方を探索するとともに、契約の相手方との契約条件の調整等を行い、契約の成立に向けて積極的に努力すること。

二 甲に対して、専属専任媒介契約書に記載する方法及び頻度により業務の処理状況を報告すること。

三 目的物件の売買又は交換の申込みがあったときは、甲に対して、遅滞なく、その旨を報告すること。

四 広く契約の相手方を探索するため、目的物件につき、所在地、規模、形質、媒介価額その他の事項を、専属専任媒介契約書に記載する指定流通機構に媒介契約の締結の日の翌日から専属専任媒介契約書に記載する期間内（乙の休業日を含みません。）に登録すること。

五 前号の登録をしたときは、遅滞なく、指定流通機構が発行した宅地建物取引業法第50条の６に定める登録を証する書面を甲に対して交付（宅地建物取引業法第34条の2第12項の規定による提供を含みます。）すること。

２ 乙は、前項に掲げる義務を履行するとともに、次の業務を行います。

一 媒介価額の決定に際し、甲に、その価額に関する意見を述べるときは、根拠を示して説明を行うこと。

二 甲が乙に目的物件の購入又は取得を依頼した場合にあっては、甲に対して、目的物件の売買又は交換の契約が成立するまでの間に、宅地建物取引士をして、宅地建物取引業法第35条に定める重要事項について、宅地建物取引士が記名した書面を交付（宅地建物取引業法第35条第8項又は第9項の規定による提供を含みます。）して説明させること。

三 目的物件の売買又は交換の契約が成立したときは、甲及び甲の相手方に対して、遅滞なく、宅地建物取引業法第37条に定める書面を作成し、宅地建物取引士に当該書面に記名させた上で、これを交付（宅地建物取引業法第37条第4項の規定による提供を含みます。）すること。

四 甲に対して、登記、決済手続等の目的物件の引渡しに係る事務の補助を行うこと。

五 その他専属専任媒介契約書に記載する業務を行うこと。

（媒介価額の変更の助言等）

第５条 媒介価額が地価や物価の変動その他事情の変更によって不適当と認められるに至ったときは、乙は、甲に対して、媒介価額の変更について根拠を示して助言します。

２ 甲は、媒介価額を変更しようとするときは、乙にその旨を通知します。この場合において、価額の変更が引上げであるとき（甲が乙に目的物件の購入又は取得を依頼した場合にあっては、引下げであるとき）は、乙の承諾を要します。

３ 乙は、前項の承諾を拒否しようとするときは、その根拠を示さなければなりません。

（建物状況調査を実施する者のあっせん）

第６条 乙は、この媒介契約において建物状況調査を実施する者のあっせんを行うこととした場合にあって

は、甲に対して、建物状況調査を実施する者をあっせんしなければなりません。

（有効期間）

第７条　専属専任媒介契約の有効期間は、３ヶ月を超えない範囲で、甲乙協議の上、定めます。

（報酬の請求）

第８条　乙の媒介によって目的物件の売買又は交換の契約が成立したときは、乙は、甲に対して、報酬を請求することができます。ただし、売買又は交換の契約が停止条件付契約として成立したときは、乙は、その条件が成就した場合にのみ報酬を請求することができます。

２　前項の報酬の額は、国土交通省告示に定める限度額の範囲内で、甲乙協議の上、定めます。

（報酬の受領の時期）

第９条　乙は、宅地建物取引業法第37条に定める書面を作成し、これを成立した契約の当事者に交付（宅地建物取引業法第37条第4項の規定による提供を含みます。）した後でなければ、前条第１項の報酬（以下「約定報酬」といいます。）を受領することができません。

２　目的物件の売買又は交換の契約が、代金又は交換差金についての融資の不成立を解除条件として締結された後、融資の不成立が確定した場合、又は融資が不成立のときは甲が契約を解除できるものとして締結された後、融資の不成立が確定し、これを理由として甲が契約を解除した場合は、乙は、甲に、受領した約定報酬の全額を遅滞なく返還しなければなりません。ただし、これに対しては、利息は付さないこととします。

（特別依頼に係る費用）

第10条　甲が乙に特別に依頼した広告の料金又は遠隔地への出張旅費は甲の負担とし、甲は、乙の請求に基づいて、その実費を支払わなければなりません。

（直接取引）

第11条　専属専任媒介契約の有効期間の満了後２年以内に、甲が乙の紹介によって知った相手方と乙を排除して目的物件の売買又は交換の契約を締結したときは、乙は、甲に対して、契約の成立に寄与した割合に応じた相当額の報酬を請求することができます。

（違約金の請求）

第12条　甲は、専属専任媒介契約の有効期間内に、乙以外の宅地建物取引業者に目的物件の売買又は交換の媒介又は代理を依頼することはできません。甲がこれに違反し、売買又は交換の契約を成立させたときは、乙は、甲に対して、約定報酬額に相当する金額（この媒介に係る消費税額及び地方消費税額の合計額に相当する額を除きます。）の違約金の支払を請求することができます。

２　甲は、専属専任媒介契約の有効期間内に、自ら発見した相手方と目的物件の売買又は交換の契約を締結することはできません。甲がこれに違反したときは、乙は、甲に対して、約定報酬額に相当する金額（この媒介に係る消費税額及び地方消費税額の合計額に相当する額を除きます。）の違約金の支払を請求することができます。

（費用償還の請求）

第13条　専属専任媒介契約の有効期間内において、乙の責めに帰すことができない事由によって専属専任媒介契約が解除されたときは、乙は、甲に対して、専属専任媒介契約の履行のために要した費用の償還を請求することができます。

２　前項の費用の額は、約定報酬額を超えることはできません。

（更新）

第14条　専属専任媒介契約の有効期間は、甲及び乙の合意に基づき、更新することができます。

２　有効期間の更新をしようとするときは、有効期間の満了に際して甲から乙に対し文書等でその旨を申し出るものとします。

３　前２項の規定による有効期間の更新に当たり、甲乙間で専属専任媒介契約の内容について別段の合意がなされなかったときは、従前の契約と同一内容の契約が成立したものとみなします。

（契約の解除）

第15条　甲又は乙が専属専任媒介契約に定める義務の履行に関してその本旨に従った履行をしない場合には、その相手方は、相当の期間を定めて履行を催告し、その期間内に履行がないときは、専属専任媒介契約を解除することができます。

第16条　次のいずれかに該当する場合においては、甲は、専属専任媒介契約を解除することができます。
一　乙が専属専任媒介契約に係る業務について信義を旨とし誠実に遂行する義務に違反したとき。
二　乙が専属専任媒介契約に係る重要な事項について故意若しくは重過失により事実を告げず、又は不実のことを告げる行為をしたとき。
三　乙が宅地建物取引業に関して不正又は著しく不当な行為をしたとき。

（反社会的勢力の排除）

第17条　甲及び乙は、それぞれ相手方に対し、次の事項を確約します。
一　自らが、暴力団、暴力団関係企業、総会屋若しくはこれらに準ずる者又はその構成員（以下これらを総称して「反社会的勢力」といいます。）でないこと。
二　自らの役員（業務を執行する社員、取締役、執行役又はこれらに準ずる者をいいます。）が反社会的勢力でないこと。
三　反社会的勢力に自己の名義を利用させ、専属専任媒介契約を締結するものでないこと。
四　専属専任媒介契約の有効期間内に、自ら又は第三者を利用して、次の行為をしないこと。
イ　相手方に対する脅迫的な言動又は暴力を用いる行為
ロ　偽計又は威力を用いて相手方の業務を妨害し、又は信用を毀損する行為

2　専属専任媒介契約の有効期間内に、甲又は乙が次のいずれかに該当した場合には、その相手方は、何らの催告を要せずして、専属専任媒介契約を解除することができます。
一　前項第１号又は第２号の確約に反する申告をしたことが判明した場合
二　前項第３号の確約に反し契約をしたことが判明した場合
三　前項第４号の確約に反する行為をした場合

3　乙が前項の規定により専属専任媒介契約を解除したときは、甲に対して、約定報酬額に相当する金額（既に約定報酬の一部を受領している場合は、その額を除いた額とします。なお、この媒介に係る消費税額及び地方消費税額の合計額に相当する額を除きます。）を違約金として請求することができます。

（特約）

第18条　この約款に定めがない事項については、甲及び乙が協議して別に定めることができます。
2　この約款の各条項の定めに反する特約で甲に不利なものは無効とします。

■三　標準一般媒介契約約款

標準一般媒介契約約款は、次の一般媒介契約書及び一般媒介契約約款とする。ただし、依頼者に不利益とならない特約を妨げないものとする。

(1) 一般媒介契約書

一般媒介契約書

依頼の内容	売却・購入・交換

この契約は、次の３つの契約型式のうち、一般媒介契約型式です。なお、依頼者は、重ねて依頼する宅地建物取引業者を明示する義務を負います。重ねて依頼する宅地建物取引業者を明示しない契約とする場合は、その旨を特約するものとします。

・専属専任媒介契約型式

依頼者は、目的物件の売買又は交換の媒介又は代理を、当社以外の宅地建物取引業者に重ねて依頼することができません。

依頼者は、自ら発見した相手方と売買又は交換の契約を締結することができません。

当社は、目的物件を国土交通大臣が指定した指定流通機構に登録します。

・専任媒介契約型式

依頼者は、目的物件の売買又は交換の媒介又は代理を、当社以外の宅地建物取引業者に重ねて依頼することができません。

依頼者は、自ら発見した相手方と売買又は交換の契約を締結することができます。

当社は、目的物件を国土交通大臣が指定した指定流通機構に登録します。

・一般媒介契約型式

依頼者は、目的物件の売買又は交換の媒介又は代理を、当社以外の宅地建物取引業者に重ねて依頼することができます。

依頼者は、自ら発見した相手方と売買又は交換の契約を締結することができます。

依頼者甲は、この契約書及び一般媒介契約約款により、別表に表示する不動産（目的物件）に関する売買（交換）の媒介を宅地建物取引業者乙に依頼し、乙はこれを承諾します。

年　　月　　日

甲・依　　頼　　者　　住所
　　　　　　　　　　　氏名
乙・宅地建物取引業者　商号（名称）
　　　　　　　　　　　代表者　　　　　　　　　　　印
　　　　　　　　　　　主たる事務所の所在地
　　　　　　　　　　　免許証番号

1　依頼する乙以外の宅地建物取引業者

（商号又は名称）　　　　　　　（主たる事務所の所在地）

2　甲の通知義務

一　甲は、この媒介契約の有効期間内に１に表示する宅地建物取引業者以外の宅地建物取引業者に重ねて目的物件の売買又は交換の媒介又は代理を依頼しようとするときは、乙に対して、その旨を通知する義務を負います。

二　甲は、この媒介契約の有効期間内に、自ら発見した相手方と売買若しくは交換の契約を締結したとき、又は乙以外の宅地建物取引業者の媒介若しくは代理によって売買若しくは交換の契約を締結させたときは、乙に対して、遅滞なくその旨を通知する義務を負います。

三　一及び二の通知を怠った場合には、乙は、一般媒介契約約款の定めにより、甲に対して、費用の償還

を請求することができます。

3　成約に向けての乙の義務

一　乙は、契約の相手方との契約条件の調整等を行い、契約の成立に向けて積極的に努力します。

二　乙は、目的物件の売買又は交換の申込みがあったときは、甲に対し、遅滞なく、その旨を報告します。

4　媒介に係る乙の業務

乙は、３に掲げる義務を履行するとともに、次の業務を行います。

一　乙は、甲に対し、目的物件を売買すべき価額又は評価額について意見を述べるときは、その根拠を明らかにして説明を行います。

二　甲が乙に目的物件の購入又は取得を依頼した場合にあっては、乙は、甲に対し、目的物件の売買又は交換の契約が成立するまでの間に、宅地建物取引士をして、宅地建物取引業法第35条に定める重要事項について、宅地建物取引士が記名した書面を交付（宅地建物取引業法第35条第8項又は第9項の規定による提供を含みます。）して説明させます。

三　乙は、目的物件の売買又は交換の契約が成立したときは、甲及び甲の相手方に対し、遅滞なく、宅地建物取引業法第37条に定める書面を作成し、宅地建物取引士に当該書面に記名させた上で、これを交付（宅地建物取引業法第37条第4項の規定による提供を含みます。）します。

四　乙は、甲に対し、登記、決済手続等の目的物件の引渡しに係る事務の補助を行います。

五　その他（　　　　　　　　　　　　　　　　　　　　　　　　　）

5　建物状況調査を実施する者のあっせんの有無（有・無）

6　指定流通機構への登録の有無（有・無）＊＿＿＿＿＿＿＿＿＿＿＿＿＿＿＿＿＿＿＿

＊登録をする場合にあっては、当該登録をしようとする指定流通機構の名称を記入する。

7　有効期間

この媒介契約締結後＿＿＿ヶ月（　　　年　　　月　　　日まで）とします。

（消費税及び地方消費税抜き報酬額）　（消費税額及び地方消費税額の合計額）

8　約定報酬額＿＿＿＿＿＿＿＿円と＿＿＿＿＿＿＿＿円を合計した額とします。

9　約定報酬の受領の時期

＿＿＿＿＿＿＿＿＿＿＿＿＿＿＿＿＿＿＿＿＿＿＿＿とします。

10　特約事項

別表

<table>
<tr><td rowspan="2">所
有
者</td><td>住　所</td><td rowspan="2">登
記
名
義
人</td><td>住　所</td></tr>
<tr><td>氏　名</td><td>氏　名</td></tr>
</table>

所在地

<table>
<tr><td rowspan="12">目
的
物
件
の
表
示</td><td rowspan="2">土
地</td><td>実　測</td><td>㎡</td><td rowspan="2">地
目</td><td rowspan="2">宅地・田・畑・
山林・雑種地・
その他（　　）</td><td rowspan="2">権
利
内
容</td><td rowspan="2">所有権・借地権</td></tr>
<tr><td>公　簿</td><td>㎡</td></tr>
<tr><td rowspan="2">建
物</td><td>建　築
面　積</td><td>㎡</td><td>種
類</td><td></td><td>構
造</td><td>造
葺　　階建</td></tr>
<tr><td>延面積</td><td>㎡</td><td>間
取
り</td><td colspan="3"></td></tr>
<tr><td rowspan="2">マ
ン
シ
ョ
ン</td><td colspan="2">名　称
階　　号室</td><td>構
造</td><td colspan="3">造
階建</td></tr>
<tr><td colspan="2">タイプ
ＬＤＫ　　ＤＫ
専有面積　　㎡</td><td>共
有
持
分</td><td colspan="3">分の</td></tr>
</table>

<table>
<tr><td>本体価額</td><td>円</td></tr>
<tr><td>消費税額及び
地方消費税額
の合計額</td><td>円</td></tr>
</table>

<table>
<tr><td>媒介価額</td><td>総額
円</td></tr>
</table>

備　考

［ただし、買い依頼に係る媒介契約については、次の別表を使用することとして差し支えない。］

希望する条件

項　　目	内　　　容	希　望　の　程　度
物件の種類		
価額		
広さ・間取り等		
物件の所在地		

その他の条件（希望の程度もお書き下さい。）

注　「希望の程度」の欄には、「特に強い」、「やや強い」、「普通」等と記入すること。

（2）一般媒介契約約款

一般媒介契約約款

（目的）

第1条　この約款は、宅地又は建物の売買又は交換の一般媒介契約について、当事者が契約の締結に際して定めるべき事項及び当事者が契約の履行に関して互いに遵守すべき事項を明らかにすることを目的とします。

（当事者の表示と用語の定義）

第2条　この約款においては、媒介契約の当事者について、依頼者を「甲」、依頼を受ける宅地建物取引業者を「乙」と表示します。

2　この約款において、「一般媒介契約」とは、甲が依頼の目的である宅地又は建物（以下「目的物件」といいます。）の売買又は交換の媒介又は代理を乙以外の宅地建物取引業者に重ねて依頼することができるものとする媒介契約をいいます。

（目的物件の表示等）

第3条　目的物件を特定するために必要な表示及び目的物件を売買すべき価額又は交換すべき評価額（以下「媒介価額」といいます。）は、一般媒介契約書の別表に記載します。

（重ねて依頼をする宅地建物取引業者の明示）

第4条　甲は、目的物件の売買又は交換の媒介又は代理を乙以外の宅地建物取引業者に重ねて依頼するときは、その宅地建物取引業者を乙に明示しなければなりません。

2　一般媒介契約の締結時においてすでに依頼をしている宅地建物取引業者の商号又は名称及び主たる事務所の所在地は、一般媒介契約書に記載するものとし、その後において更に他の宅地建物取引業者に依頼をしようとするときは、甲は、その旨を乙に通知するものとします。

（宅地建物取引業者の義務等）

第5条　乙は、次の事項を履行する義務を負います。

一　契約の相手方との契約条件の調整等を行い、契約の成立に向けて積極的に努力すること。

二　目的物件の売買又は交換の申込みがあったときは、甲に対して、遅滞なく、その旨を報告すること。

2　乙は、前項に掲げる義務を履行するとともに、次の業務を行います。

一　媒介価額の決定に際し、甲に、その価額に関する意見を述べるときは、根拠を示して説明を行うこと。

二　甲が乙に目的物件の購入又は取得を依頼した場合にあっては、甲に対して、目的物件の売買又は交換の契約が成立するまでの間に、宅地建物取引士をして、宅地建物取引業法第35条に定める重要事項について、宅地建物取引士が記名した書面を交付（宅地建物取引業法第35条第8項又は第9項の規定による提供を含みます。）して説明させること。

三　目的物件の売買又は交換の契約が成立したときは、甲及び甲の相手方に対して、遅滞なく、宅地建物取引業法第37条に定める書面を作成し、宅地建物取引士に当該書面に記名させた上で、これを交付（宅地建物取引業法第37条第4項の規定による提供を含みます。）すること。

四　甲に対して、登記、決済手続等の目的物件の引渡しに係る事務の補助を行うこと。

五　その他一般媒介契約書に記載する業務を行うこと。

（媒介価額の変更の助言等）

第6条　媒介価額が地価や物価の変動その他事情の変更によって不適当と認められるに至ったときは、乙は、甲に対して、媒介価額の変更について根拠を示して助言します。

2　甲は、媒介価額を変更しようとするときは、乙にその旨を通知します。この場合において、価額の変更が引上げであるとき(甲が乙に目的物件の購入又は取得を依頼した場合にあっては、引下げであるとき)は、乙の承諾を要します。

3　乙は、前項の承諾を拒否しようとするときは、その根拠を示さなければなりません。

（建物状況調査を実施する者のあっせん）

第7条　乙は、この媒介契約において建物状況調査を実施する者のあっせんを行うこととした場合にあっては、甲に対して、建物状況調査を実施する者をあっせんしなければなりません。

（有効期間）

第8条　一般媒介契約の有効期間は、3ヶ月を超えない範囲で、甲乙協議の上、定めます。

（指定流通機構への登録）

第9条 乙は、この媒介契約において目的物件を指定流通機構に登録することとした場合にあっては、当該目的物件を一般媒介契約書に記載する指定流通機構に登録しなければなりません。

（報酬の請求）

第10条 乙の媒介によって目的物件の売買又は交換の契約が成立したときは、乙は、甲に対して、報酬を請求することができます。ただし、売買又は交換の契約が停止条件付契約として成立したときは、乙は、その条件が成就した場合にのみ報酬を請求することができます。

2 前項の報酬の額は、国土交通省告示に定める限度額の範囲内で、甲乙協議の上、定めます。

（報酬の受領の時期）

第11条 乙は、宅地建物取引業法第37条に定める書面を作成し、これを成立した契約の当事者に交付（宅地建物取引業法第37条第4項の規定による提供を含みます。）した後でなければ、前条第1項の報酬（以下「約定報酬」といいます。）を受領することができません。

2 目的物件の売買又は交換の契約が、代金又は交換差金についての融資の不成立を解除条件として締結された後、融資の不成立が確定した場合、又は融資が不成立のときは甲が契約を解除できるものとして締結された後、融資の不成立が確定し、これを理由として甲が契約を解除した場合は、乙は、甲に、受領した約定報酬の全額を遅滞なく返還しなければなりません。ただし、これに対しては、利息は付さないこととします。

（特別依頼に係る費用）

第12条 甲が乙に特別に依頼した広告の料金又は遠隔地への出張旅費は甲の負担とし、甲は、乙の請求に基づいて、その実費を支払わなければなりません。

（直接取引）

第13条 一般媒介契約の有効期間内又は有効期間の満了後2年以内に、甲が乙の紹介によって知った相手方と乙を排除して目的物件の売買又は交換の契約を締結したときは、乙は、甲に対して、契約の成立に寄与した割合に応じた相当額の報酬を請求することができます。

（費用償還の請求）

第14条 一般媒介契約の有効期間内に甲が乙に明示していない宅地建物取引業者に目的物件の売買又は交換の媒介又は代理を依頼し、これによって売買又は交換の契約を成立させたときは、乙は、甲に対して、一般媒介契約の履行のために要した費用の償還を請求することができます。

2 前項の費用の額は、約定報酬額を超えることはできません。

（依頼者の通知義務）

第15条 甲は、一般媒介契約の有効期間内に、自ら発見した相手方と目的物件の売買若しくは交換の契約を締結したとき、又は乙以外の宅地建物取引業者の媒介若しくは代理によって目的物件の売買若しくは交換の契約を成立させたときは、乙に対して遅滞なくその旨を通知しなければなりません。

2 甲が前項の通知を怠った場合において、乙が売買又は交換の契約の成立後善意で甲のために一般媒介契約の事務の処理に要する費用を支出したときは、乙は、甲に対して、その費用の償還を請求することができます。

（更新）

第16条 一般媒介契約の有効期間は、甲及び乙の合意に基づき、更新することができます。

2 有効期間の更新をしようとするときは、有効期間の満了に際して甲から乙に対し文書等でその旨を申し出るものとします。

3 前2項の規定による有効期間の更新に当たり、甲乙間で一般媒介契約の内容について別段の合意がなされなかったときは、従前の契約と同一内容の契約が成立したものとみなします。

（契約の解除）

第17条 甲又は乙が一般媒介契約に定める義務の履行に関してその本旨に従った履行をしない場合には、その相手方は、相当の期間を定めて履行を催告し、その期間内に履行がないときは、一般媒介契約を解除することができます。

第18条 次のいずれかに該当する場合においては、甲は、一般媒介契約を解除することができます。

一 乙が一般媒介契約に係る業務について信義を旨とし誠実に遂行する義務に違反したとき。

二　乙が一般媒介契約に係る重要な事項について故意若しくは重過失により事実を告げず、又は不実のことを告げる行為をしたとき。

三　乙が宅地建物取引業に関して不正又は著しく不当な行為をしたとき。

（反社会的勢力の排除）

第19条　甲及び乙は、それぞれ相手方に対し、次の事項を確約します。

一　自らが、暴力団、暴力団関係企業、総会屋若しくはこれらに準ずる者又はその構成員（以下これらを総称して「反社会的勢力」といいます。）でないこと。

二　自らの役員（業務を執行する社員、取締役、執行役又はこれらに準ずる者をいいます。）が反社会的勢力でないこと。

三　反社会的勢力に自己の名義を利用させ、一般媒介契約を締結するものでないこと。

四　一般媒介契約の有効期間内に、自ら又は第三者を利用して、次の行為をしないこと。

イ　相手方に対する脅迫的な言動又は暴力を用いる行為

ロ　偽計又は威力を用いて相手方の業務を妨害し、又は信用を毀損する行為

2　一般媒介契約の有効期間内に、甲又は乙が次のいずれかに該当した場合には、その相手方は、何らの催告を要せずして、一般媒介契約を解除することができます。

一　前項第１号又は第２号の確約に反する申告をしたことが判明した場合

二　前項第３号の確約に反し契約をしたことが判明した場合

三　前項第４号の確約に反する行為をした場合

3　乙が前項の規定により一般媒介契約を解除したときは、甲に対して、約定報酬額に相当する金額（既に約定報酬の一部を受領している場合は、その額を除いた額とします。なお、この媒介に係る消費税額及び地方消費税額の合計額に相当する額を除きます。）を違約金として請求することができます。

（特約）

第20条　この約款に定めがない事項については、甲及び乙が協議して別に定めることができます。

2　この約款の各条項の定めに反する特約で甲に不利なものは無効とします。

（解釈・運用　別添１）第 34 条の２関係

不動産の売却を検討される皆様へ（売却の媒介委託者用）

不動産の売却の媒介契約とは、宅地建物取引業者が不動産を売却しようとする者又は売買の当事者の双方との間で締結する契約で、宅地建物取引業者が不動産売買契約の当事者の間に立って、売買契約の成立に向けてあっせんすることを内容とします。

不動産の売却は、おおむね１の手順を踏んで行われます。また、状況に応じて２のような手続も必要になります。

以下の手続のうち、媒介契約により宅地建物取引業者が受託する範囲は通常１の部分ですが、各業者又は媒介契約の内容によって異なる場合がありますので、媒介業務の具体的な内容については、媒介契約に先立って担当に御確認ください。

なお、宅地建物取引業者の媒介により不動産の売買契約が成立した場合には、宅地建物取引業法が定める上限の範囲内で報酬を申し受けます。

<不動産売却の流れ>

１不動産の売却	２不動産の売却に関連する行為
ⅰ物件調査（基礎的調査） ⅱ価格査定 ⅲ媒介契約の締結と書面の交付 ⅳ売買の相手方の探索 ⅴ売買の相手方との交渉 ⅵ売買契約の締結と書面の交付 ⅶ決済、引渡し等	ⅰ税務相談 ⅱ法律相談 ⅲ不動産鑑定評価 ⅳ表示に関する登記に関する権利調査等 ⅴ登記 ⅵ建物状況調査 ⅶ住宅性能評価 ⅷ土壌汚染調査 ⅸリフォーム相談等

不動産の購入を検討される皆様へ（購入の媒介委託者用）

不動産の購入の媒介契約とは、宅地建物取引業者が不動産を購入しようとする者又は売買契約の当事者の双方との間で締結する契約で、宅地建物取引業者が不動産売買の当事者の間に立って、売買契約の成立に向けてあっせんすることを内容とします。

不動産の購入は、おおむね１の手順を踏んで行われます。また、状況に応じて２のような手続も必要になります。

以下の手続のうち、媒介契約により宅地建物取引業者が受託する範囲は通常１の部分ですが、各業者又は媒介契約の内容によって異なる場合がありますので、媒介業務の具体的な内容については、媒介契約に先立って担当に御確認ください。

なお、宅地建物取引業者の媒介により不動産の売買契約が成立した場合には、宅地建物取引業法が定める上限の範囲内で報酬を申し受けます。

<不動産購入の流れ>

１不動産の購入	２不動産の購入に関連する行為
ⅰ物件紹介 ⅱ媒介契約の締結と書面の交付 ⅲ売買の相手方との交渉 ⅳ重要事項等の説明 ⅴ売買契約の締結と書面の交付 ⅵ決済、引渡し等	ⅰ税務相談 ⅱ法律相談 ⅲ不動産鑑定評価 ⅳ表示に関する登記に関する権利調査等 ⅴ登記 ⅵローンの設定 ⅶ建物状況調査 ⅷ住宅性能評価 ⅸ土壌汚染調査 ⅹリフォーム相談等

住宅の標準賃貸借媒介契約書

（平成６年４月８日建設省経動発第57号）

住宅の標準賃貸借媒介契約書
(貸主用)

1　この契約は、目的物件について、賃貸借媒介を当社に依頼するものです。 2　依頼者は、目的物件の賃貸借媒介又は賃貸借代理を、当該以外の業者に重ねて依頼することができます。 3　依頼者は、自ら発見した相手方と賃貸借契約を締結することができます。 4　この契約の有効期間は、3か月です。

依頼者(以下「甲」といいます。)は、この契約書により、頭書(1)に記載する甲の依頼の目的である物件(以下「目的物件」といいます。)について、賃貸借媒介業務(別表に掲げる業務をいいます。)を宅地建物取引業者(以下「乙」といいます。)に委託し、乙はこれを承諾します。

年　　月　　日

甲・依　頼　者	住所	
	氏名	印
乙・宅地建物取引業者	商号(名称)	
	代表者	印
	主たる事務所の所在地	
	免許証番号	

(1) 賃貸借の目的物件

名　　　称					
所　在　地					
構　　　造	造 階建		工事完了年月	年　月	
住戸番号	号室	間取り	(　) LDK· DK· K／ワンルーム		
面　　　積	㎡				

(2) 依頼する乙以外の宅地建物取引業者

商号又は名称	主たる事務所の所在地

(3) 賃貸借条件

賃　　　料	月額(　　　)円		共　益　費	月額(　　　)円
敷　　　金	賃料の(　) か月分相当額 (　　　)円		その他一時金	
附属施設	種　類		その他	
	使用料			

(4) 賃貸借媒介報酬

賃貸借媒介報酬	頭書(3)に記載する賃料の______か月分相当額に消費税額を合計した額

(5)　有効期間

始　　期	年　　月　　日	3か月
終　　期	年　　月　　日	

(重ねて依頼する業者の明示)

第1条　甲は、目的物件の賃貸借媒介又は賃貸借代理を乙以外の宅地建物取引業者に依頼するときは、その宅地建物取引業者を乙に明示しなければなりません。

2　この契約の締結時において既に依頼をしている宅地建物取引業者の商号又は名称及び主たる事務所の所在地は、頭書(2)に記載するものとし、その後において更に他の宅地建物取引業者に依頼をしようとするときは、甲は、その旨を乙に通知するものとします。

(賃貸借条件に関する意見の根拠の明示)

第2条　乙は、頭書(3)に記載する賃貸借条件の決定に際し、甲に、その条件に関する意見を述べるときは、根拠を示して説明しなければなりません。

(賃貸借条件の変更の助言等)

第3条　乙は、賃貸借条件が地価や物価の変動その他事情の変更によって不適当と認められるに至ったときは、甲に対して、賃貸借条件の変更について根拠を示して助言します。

2　甲は、賃貸借条件を変更しようとするときは、乙にその旨を協議しなければなりません。

(賃貸借媒介報酬の支払い)

第4条　乙の賃貸借媒介によって目的物件の賃貸借契約が成立したときは、甲は、乙に対して、頭書(4)に記載する報酬(以下「賃貸借媒介報酬」といいます。)を支払わなければなりません。

2　乙は、宅地建物取引業法第37条に定める書面を作成し、これを成立した賃貸借契約の当事者に交付した後でなければ、賃貸借媒介報酬を受領することができません。

(敷金等の引渡し)

第5条　乙は、目的物件の賃貸借契約の成立により受領した敷金その他一時金を、速やかに、甲に引き渡さなければなりません。

(特別依頼に係る費用の支払い)

第6条　甲が乙に特別に依頼した広告等の業務の費用は甲の負担とし、甲は、乙の請求に基づいて、その実費を支払わなければなりません。

(直接取引)

第7条　この契約の有効期間内又は有効期間の満了後3か月以内に、甲が乙の紹介によって知った相手方と乙を排除して目的物件の賃貸借契約を締結したときは、乙は、甲に対して、契約の成立に寄与した割合に応じた相当額の報酬を請求することができます。

(費用償還の請求)

第8条　この契約の有効期間内に甲が乙に明示していない宅地建物取引業者に目的物件の賃貸借媒介又は賃貸借代理を依頼し、これによって賃貸借契約を成立させたときは、乙は、甲に対して、賃貸借媒介業務に要した費用の償還を請求することができます。

2　前項の費用の額は、賃貸借媒介報酬額を超えることはできません。

(依頼者の通知義務)

第9条　甲は、この契約の有効期間内に、自ら発見した相手方と目的物件の賃貸借契約を締結したとき、又は乙以外の宅地建物取引業者の賃貸借媒介若しくは賃貸借代理によって目的物件の賃貸借契約を成立させたときは、遅滞なく、その旨を乙に通知しなければなりません。

2　甲が前項の通知を怠った場合において、乙が当該賃貸借契約の成立後善意で甲のために賃貸借媒介業務に要する費用を支出したときは、乙は、甲に対して、その費用の償還を請求することができます。

(有効期間)

第10条　この契約の有効期間は、頭書(5)に記載するとおりとします。

(更新)

第11条　この契約の有効期間は、甲及び乙の合意に基づき、更新することができます。

2　前項の更新をしようとするときは、有効期間の満了に際して、甲から乙に対し、文書でその旨を申し出るものとします。

3　前二項による有効期間の更新に当たり、甲乙間で契約の内容について別段の合意がなされなかったときは、従前の契約と同一内容の契約が成立したものとみなします。

(契約の解除)

第12条　甲又は乙がこの契約に定める義務の履行に関してその本旨に従った履行をしない場合には、その相手方は、相当の期間を定めて履行を催告し、その期間内に履行がないときは、この契約を解除することができます。

2　次の各号のいずれかに該当する場合には、甲は、この契約を解除することができます。

一　乙がこの契約に係る重要な事項について故意若しくは重過失により事実を告げず、又は不実のことを告げる行為をしたとき。

二　乙が宅地建物取引業に関して著しく不当な行為をしたとき。

(特約)

(別表)

賃貸借媒介業務

業務内容	業務実施要領
(1) 賃貸借条件の提案	情報誌、業者チラシ等の収集及び現地視察により、近隣の賃貸物件の相場を調査し、賃料の査定を行う。
(2) 物件の紹介	イ 紹介図面を作成する。 ロ 必要に応じて、目的物件について、指定流通機構への登録、他の業者への紹介、情報誌への広告等を行う。 ハ 借希望者からの問合せ、借希望者の来店等に対応して、目的物件の説明、現地への案内等を行う。
(3) 入居者選定の補助	イ 賃料支払能力の確認等借希望者に係る調査及び保証能力の確認等連帯保証人に係る調査を行う。 ロ 借希望者に対し、最終的な賃貸借の意思の確認を行う。 ハ 上記調査の結果を甲に報告するとともに、賃貸借の意思の確認を行う。
(4) 重要事項の説明	イ 権利関係、設備関係、賃貸借条件等の必要な事項を確認し、重要事項説明書を作成する。 ロ 重要事項説明書に基づき、借希望者に対し、重要事項の説明を行う。
(5) 賃貸借契約の締結の補助	イ 賃貸借契約書の作成を補助する。 ロ 賃貸借契約書に甲と借主の双方の署(記)名 押印を取り、双方に賃貸借契約書を交付する。 ハ 敷金等を借主から受領し、速やかに、甲に引き渡す。
(6) 鍵の引渡し	借主に鍵を引き渡す。

住宅の標準賃貸借媒介契約書
（借主用）

1　この契約は、目的物件について、賃貸借媒介を当社に依頼するものです。
2　依頼者は、この契約と同じ賃貸借目的で賃貸借媒介又は賃貸借代理を、当社以外の業者に重ねて依頼することができます。
3　依頼者は、自ら発見した相手方と賃貸借契約を締結することができます。
4　この契約の有効期間は、1か月です。

依頼者(以下「甲」といいます。)は、この契約書により、頭書(1)に記載する甲の依頼の目的である物件(以下「目的物件」といいます。)について、賃貸借媒介業務(別表に掲げる業務をいいます。)を宅地建物取引業者(以下「乙」といいます。)に委託し、乙はこれを承諾します。

年　　月　　日

甲・依　　頼　　者　　住所
氏名　　印
乙・宅地建物取引業者　　商号(名称)
代表者　　印
主たる事務所の所在地
免許証番号

(1)　賃貸借の目的物件

建物	名　　称				
	所　在　地				
住戸	住　戸　番　号	号室	間取り	(　　) LDK· DK· K／ワンルーム／	
	面　　積	㎡			
		トイレ	専用(水洗・非水洗)・共用(水洗・非水洗)		
		浴室	有・無		
		シャワー	有・無		
		給湯設備	有・無		
		ガスこんろ	有・無		

設備等	冷暖房設備	有・無 有・無	
設備等	使用可能電気容量 ガス 上水道 下水道	(　　　　)アンペア 有(都市ガス・プロパンガス)・無 水道本管より直結・受水槽・井戸水 有(公共下水道・浄化槽)・無	
附属施設	駐車場 自転車置場 物置 専用庭	含む・含まない 含む・含まない 含む・含まない 含む・含まない 含む・含まない	

(2)　賃貸借条件

賃料	月額(　　　)円		共益費	月額(　　　)円
敷金	賃料の(　)か月分相当額 (　　　)円		その他一時金	
附属施設	種類		その他	
	使用料			

(3)　賃貸借媒介報酬

賃貸借媒介報酬	頭書(2)に記載する賃料の＿＿か月分相当額に消費税額を合計した額

(4)　有効期間

始期	年　　月　　日	1か月
終期	年　　月　　日	

(賃貸借媒介報酬の支払い)

第1条　乙の賃貸借媒介によって目的物件の賃貸借契約が成立したときは、甲は、乙に対

して、頭書(3)に記載する報酬(以下「賃貸借媒介報酬」といいます。)を支払わなければなりません。

2 乙は、宅地建物取引業法第37条に定める書面を作成し、これを賃貸借契約の当事者に交付した後でなければ、賃貸借媒介報酬を受領することができません。

(直接取引)

第2条 この契約の有効期間内又は有効期間の満了後3か月以内に、甲が乙を排除して目的物件の貸主と賃貸借契約を締結したときは、乙は、甲に対して、契約の成立に寄与した割合に応じた相当額の報酬を請求することができます。

(依頼者の通知義務)

第3条 甲は、この契約の有効期間内に、他の物件の賃貸借契約の締結その他の事由により、この契約を継続する必要がなくなったときは、直ちに、その旨を乙に通知しなければなりません。

2 甲が前項の通知を怠った場合において、乙が当該賃貸借契約の成立後善意で甲のために賃貸借媒介業務に要する費用を支出したときは、乙は、甲に対して、その費用の償還を請求することができます。

(賃貸借契約成立以前の金員の受領の禁止)

第4条 乙は、目的物件の賃貸借契約が成立する以前に、いかなる名義をもってするかを問わず、甲に対して、金員を預けるよう要請することができません。

2 乙は、目的物件の賃貸借契約が成立する以前に、甲の依頼により甲から金員を預かった場合には、契約の成立のいかんにかかわらず、当該金員を甲に返還しなければなりません。

(個人情報の保護)

第5条 乙は、賃貸借媒介業務上取り扱ったことについて知り得た甲の個人情報は、甲の承諾がない限り、賃貸借媒介業務の目的以外に使用することができません。

(有効期間)

第6条 この契約の有効期間は、頭書(4)に記載するとおりとします。

(契約の解除)

第7条 甲又は乙がこの契約に定める義務の履行に関してその本旨に従った履行をしない場合には、その相手方は、相当の期間を定めて履行を催告し、その期間内に履行がないときは、この契約を解除することができます。

2　次の各号のいずれかに該当する場合には、甲は、この契約を解除することができます。

一　乙がこの契約に係る重要な事項について故意若しくは重過失により事実を告げず、又は不実のことを告げる行為をしたとき。

二　乙が宅地建物取引業に関して著しく不当な行為をしたとき。

(特約)

(別表)

賃貸借媒介業務

業　務　内　容	業　務　実　施　要　領
(1)　貸主等との連絡調整	目的物件の貸主又は貸主の依頼を受けた業者と連絡を取り、賃貸借契約の成立に向けて尽力する。
(2)　重要事項の説明	イ　権利関係、設備関係、賃貸借条件等の必要な事項を確認し、重要事項説明書を作成する。 ロ　重要事項説明書に基づき、甲に対し、重要事項の説明を行う。
(3)　賃貸借契約の締結の補助	イ　賃貸借契約書の作成を補助する。 ロ　賃貸借契約書に甲と貸主の双方の署(記)名押 印を取り、双方に賃貸借契約書を交付する。

重要事項説明書

宅地建物取引業法の解釈・運用の考え方 別添2～4
（最終改正：令和４年２月18日国土動第133号）

重要事項説明書

（売買・交換）

（第一面）

年　　月　　日

殿

下記の不動産について、宅地建物取引業法（以下「法」という。）第35条の規定に基づき、次のとおり説明します。この内容は重要ですから、十分理解されるようお願いします。

商号又は名称
代表者の氏名
主たる事務所
免許証番号

説明をする宅地建物取引士	氏名	
	登録番号	（　　）
	業務に従事する事務所	電話番号（　　）　―

取引の態様（法第34条第２項）	売買　・　交換
	当事者　・　代理　・　媒介

土地	所在地			
	登記簿の地目		面積	登記簿面積　㎡ 実測面積　㎡
建物	所在地			
	家屋番号		床面積	１階　㎡ ２階　㎡ 計　㎡
	種類及び構造			
売主の住所・氏名				

（第二面）

Ⅰ　対象となる宅地又は建物に直接関係する事項

1　登記記録に記録された事項

<table>
<tr><td rowspan="2"></td><td colspan="2">所有権に関する事項（権利部（甲区））</td><td rowspan="2">所有権以外の権利に関する事項（権利部（乙区））</td></tr>
<tr><td></td><td>所有権に係る権利に関する事項</td></tr>
<tr><td>土地</td><td>名義人　氏名
住所</td><td></td><td></td></tr>
<tr><td>建物</td><td>名義人　氏名
住所</td><td></td><td></td></tr>
</table>

2　都市計画法、建築基準法等の法令に基づく制限の概要

（1）都市計画法・建築基準法に基づく制限

<table>
<tr><td rowspan="2">1
都市計画法</td><td>区域の別</td><td colspan="2">制限の概要</td></tr>
<tr><td>市街化区域
市街化調整区域
非線引区域
準都市計画区域
その他</td><td colspan="2"></td></tr>
<tr><td rowspan="9">2
建築基準法</td><td>イ 用途地域名</td><td colspan="2">制限の内容</td></tr>
<tr><td></td><td colspan="2"></td></tr>
<tr><td>ロ 地域・地区・街区名等</td><td colspan="2">制限の内容</td></tr>
<tr><td></td><td colspan="2"></td></tr>
<tr><td>ハ 建築面積の限度
（建ぺい率制限）</td><td colspan="2">（敷地面積　㎡－　㎡）×　＝　㎡</td></tr>
<tr><td>ニ 延建築面積の限度
（容積率制限）</td><td colspan="2">（敷地面積　㎡－　㎡）×　＝　㎡</td></tr>
<tr><td>ホ 敷地等と道路との関係</td><td colspan="2"></td></tr>
<tr><td>ヘ 私道の変更又は廃止の制限</td><td colspan="2"></td></tr>
<tr><td>ト その他の制限</td><td colspan="2"></td></tr>
</table>

（２）（１）以外の法令に基づく制限

	法　令　名	制　限　の　概　要
1		
2		
3		
4		

３　私道に関する負担に関する事項

負担の有無	有　・　無	備　考
（負担の内容） 面　積　㎡ 負担金　円		

４　飲用水・電気・ガスの供給施設及び排水施設の整備状況

直ちに利用可能な施設		施設の整備予定	施設整備に関する特別負担の有無
飲用水	公営・私営・井戸	年　月　日　公営・私営・井戸	有・無　円
電　気		年　月　日	有・無　円
ガ　ス	都市・プロパン	年　月　日　都市・プロパン	有・無　円
排　水		年　月　日（　） 浄化槽施設の必要　有・無	有・無　円
備　考			

５　宅地造成又は建物建築の工事完了時における形状、構造等（未完成物件のとき）

宅地	形状及び構造	
	宅地に接する道路の幅員及び構造	

（第四面）

建物	形状及び構造		
	主要構造部、内装及び外装の構造・仕上げ		
	設備の設置及び構造	設置する設備	構造

6　建物状況調査の結果の概要（既存の建物のとき）

建物状況調査の実施の有無	有	無
建物状況調査の結果の概要		

7　建物の建築及び維持保全の状況に関する書類の保存の状況（既存の建物のとき）

		保存の状況	
確認の申請書及び添付図書並びに確認済証（新築時のもの）		有	無
検査済証（新築時のもの）		有	無
増改築等を行った物件である場合			
	確認の申請書及び添付図書並びに確認済証（増改築等のときのもの）	有	無
	検査済証（増改築等のときのもの）	有	無
建物状況調査を実施した住宅である場合			
	建物状況調査結果報告書	有	無
既存住宅性能評価を受けた住宅である場合			
	既存住宅性能評価書	有	無
建築基準法第12条の規定による定期調査報告の対象である場合			
	定期調査報告書	有	無

（第五面）

昭和56年5月31日以前に新築の工事に着手した住宅である場合			
	新耐震基準等に適合していることを証する書類 書類名：（　　　　　　　　　　　　）	有	無
備考			

８　当該宅地建物が造成宅地防災区域内か否か

造成宅地防災区域内	造成宅地防災区域外

９　当該宅地建物が土砂災害警戒区域内か否か

土砂災害警戒区域内	土砂災害警戒区域外

１０　当該宅地建物が津波災害警戒区域内か否か

津波災害警戒区域内	津波災害警戒区域外

１１　水防法の規定により市町村の長が提供する図面（水害ハザードマップ）における当該宅地建物の所在地

水害ハザードマップの有無	洪水		雨水出水（内水）		高潮	
	有	無	有	無	有	無
水害ハザードマップにおける宅地建物の所在地						

１２　石綿使用調査の内容

石綿使用調査結果の記録の有無	有	無
石綿使用調査の内容		

１３　耐震診断の内容

耐震診断の有無	有	無
耐震診断の内容		

１４　住宅性能評価を受けた新築住宅である場合

登録住宅性能評価機関による住宅性能評価書の交付の有無	有	無
登録住宅性能評価機関による住宅性能評価書の交付	設計住宅性能評価書	
	建設住宅性能評価書	

重要事項説明書

Ⅱ　取引条件に関する事項

1　代金及び交換差金以外に授受される金額

	金　　額	授　受　の　目　的
1		
2		
3		
4		

2　契約の解除に関する事項

3　損害賠償額の予定又は違約金に関する事項

4　手付金等の保全措置の概要（業者が自ら売主の場合）

（1）未完成物件の場合

保　全　の　方　式	保証委託契約（法第41条第1項第1号）・保証保険契約（法第41条第1項第2号）
保全措置を行う機関	

（2）完成物件の場合

保　全　の　方　式	保証委託契約（法第41条第1項第1号）・保証保険契約（法第41条第1項第2号）・手付金等寄託契約及び質権設定契約（法第41条の2第1項）
保全措置を行う機関	

5　支払金又は預り金の保全措置の概要

保全措置を講ずるかどうか	講ずる　・　講じない
保全措置を行う機関	

6　金銭の貸借のあっせん

業者による金銭貸借のあっせんの有無		有　・　無
あっせんの内容	融資取扱金融機関	
	融資額	
	融資期間	
	利率	
	返済方法	
	保証料	
	ローン事務手数料	
	その他	
金銭の貸借が成立しないときの措置		

7　担保責任（当該宅地又は建物が種類又は品質に関して契約の内容に適合しない場合におけるその不適合を担保すべき責任）の履行に関する措置の概要

担保責任の履行に関する措置を講ずるかどうか	講ずる　・　講じない
担保責任の履行に関する措置の内容	

8　割賦販売に係る事項

現金販売価格	円		
割賦販売価格	円		
		支払時期	支払方法
うち引渡しまでに支払う金銭	円		
賦払金の額	円		

（第八面）

Ⅲ　その他の事項
1　供託所等に関する説明（法第35条の２）
（１）宅地建物取引業保証協会の社員でない場合

営業保証金を供託した供託所及びその所在地	

（２）宅地建物取引業保証協会の社員の場合

宅地建物取引業保証協会	名　称	
	住　所	
	事務所の所在地	
弁済業務保証金を供託した供託所及びその所在地		

重要事項説明書

（第九面）

記載要領

① Ｉの１について

「所有権に係る権利に関する事項」の欄には、買戻しの特約、各種仮登記、差押え等登記記録の権利部（甲区）に記録された所有権に係る各種の登記事項を記載すること。

② Ｉの２の（１）について

「用途地域名」の欄には、第一種低層住居専用地域、第二種低層住居専用地域、第一種中高層住居専用地域、第二種中高層住居専用地域、第一種住居地域、第二種住居地域、準住居地域、近隣商業地域、商業地域、準工業地域、工業地域又は工業専用地域のいずれかに該当する場合にはその地域名を記入し、「制限の内容」の欄には、建築物の用途制限、道路斜線制限、隣地斜線制限、日影制限等の制限の内容を記入すること。

③ Ｉの２の（２）について

「法令名」の欄には下記から該当する法律名を、「制限の概要」の欄にはその法律に基づく制限の概要を記入すること。

3	古都保存法	17	流通業務市街地整備法	32	首都圏近郊緑地保全法	48	踏切道改良促進法
4	都市緑地法	18	都市再開発法	33	近畿圏の保全区域の整備に関する法律	49	全国新幹線鉄道整備法
5	生産緑地法	19	沿道整備法	34	都市の低炭素化の促進に関する法律	50	土地収用法
6	特定空港周辺特別措置法	20	集落地域整備法	35	水防法	51	文化財保護法
7	景観法	21	密集市街地における防災街区の整備の促進に関する法律	36	下水道法	52	航空法（自衛隊法において準用する場合を含む。）
8	土地区画整理法	22	地域における歴史的風致の維持及び向上に関する法律	37	河川法	53	国土利用計画法
9	大都市地域における住宅及び住宅地の供給の促進に関する特別措置法	23	港湾法	38	特定都市河川浸水被害対策法	54	核原料物質、核燃料物質及び原子炉の規制に関する法律
10	地方拠点都市地域の整備及び産業業務施設の再配置の促進に関する法律	24	住宅地区改良法	39	海岸法	55	廃棄物の処理及び清掃に関する法律
11	被災市街地復興特別措置法	25	公有地拡大推進法	40	津波防災地域づくりに関する法律	56	土壌汚染対策法
12	新住宅市街地開発法	26	農地法	41	砂防法	57	都市再生特別措置法
13	新都市基盤整備法	27	宅地造成等規制法	42	地すべり等防止法	58	地域再生法
14	旧市街地改造法（旧防災建築街区造成法において準用する場合に限る。）	28	マンションの建替え等の円滑化に関する法律	43	急傾斜地法	59	高齢者、障害者等の移動等の円滑化の促進に関する法律
15	首都圏の近郊整備地帯及び都市開発区域の整備に関する法律	29	長期優良住宅の普及の促進に関する法律	44	土砂災害防止対策推進法	60	災害対策基本法
				45	森林法		
16	近畿圏の近郊整備区域及び都市開発区域の整備及び開発に関する法律	30	都市公園法	46	森林経営管理法	61	東日本大震災復興特別区域法
		31	自然公園法	47	道路法	62	大規模災害からの復興に関する法律

（注）数字は、宅地建物取引業法施行令第３条第１項各号に掲げる法令それぞれの各号の番号であるので法令のどの条項が説明事項であるか確認すること。

④ Ｉの３について

略図等をもって説明する方が説明しやすい場合には、「備考」の欄にその略図等を記すこと。

⑤ Ｉの４について

イ 「施設の整備予定」の欄の「排水」の項のかっこ書には、整備が予定されている施設の種別を記すこと。

ロ 負担金の額が概算額である場合には、その旨を「備考」の欄に記すこと。

⑥ 各欄とも記入事項が多い場合には、必要に応じて別紙に記入しそれを添付するとともに、該当部分を明示してその旨を記すこと。

重要事項説明書
（区分所有建物の売買・交換）

（第一面）

年　月　日

殿

下記の不動産について、宅地建物取引業法（以下「法」という。）第35条の規定に基づき、次のとおり説明します。この内容は重要ですから、十分理解されるようお願いします。

商号又は名称
代表者の氏名
主たる事務所
免許証番号

説明をする宅地建物取引士	氏名	
	登録番号	（　　）
	業務に従事する事務所	電話番号（　　）　―

取引の態様（法第34条第２項）	売買　・　交換
	当事者　・　代理　・　媒介

建物	区分所有建物の名称				
	室番号		棟　階　号室		
	所在地				
	専有面積		㎡（登記簿面積　㎡）		
敷地	敷地に関する権利				
	面積	登記簿面積	㎡	共有持分	分の
		実測面積	㎡		
売主の住所・氏名					

（第二面）

Ⅰ　対象となる宅地又は建物に直接関係する事項

1　登記記録に記録された事項

	所有権に関する事項（権利部（甲区））	所有権に係る権利に関する事項	所有権以外の権利に関する事項（権利部（乙区））
土地	名義人　氏　名 住　所		
建物	名義人　氏　名 住　所		

2　都市計画法、建築基準法等の法令に基づく制限の概要

（1）都市計画法・建築基準法に基づく制限

1	区　域　の　別	制　限　の　概　要
都市計画法	市街化区域 市街化調整区域 非線引区域 準都市計画区域 その他	
2 建築基準法	イ 用途地域名	制　限　の　内　容
	ロ 地域・地区・街区名等	制　限　の　内　容
	ハ 建築面積の限度（建ぺい率制限）	（敷地面積　㎡－　㎡）×　＝　㎡
	ニ 延建築面積の限度（容積率制限）	（敷地面積　㎡－　㎡）×　＝　㎡
	ホ 敷地等と道路との関係	
	ヘ 私道の変更又は廃止の制限	

（第三面）

（２）（１）以外の法令に基づく制限

	法　令　名	制　限　の　概　要
1		
2		
3		
4		

3　私道に関する負担に関する事項

負担の有無	有　・　無	備　考
（負担の内容） 面　積　　　㎡ 負担金　　　円		

4　飲用水・電気・ガスの供給施設及び排水施設の整備状況

直ちに利用可能な施設		施設の整備予定	施設整備に関する特別負担の有無
飲用水	公営・私営・井戸	年　月　日　公営・私営・井戸	有・無　　円
電　気		年　月　日	有・無　　円
ガ　ス	都市・プロパン	年　月　日　都市・プロパン	有・無　　円
排　水		年　月　日（　　） 浄化槽施設の必要　有・無	有・無　　円
備　考			

5　宅地造成又は建物建築の工事完了時における形状、構造等（未完成物件のとき）

宅地	形状及び構造	
	宅地に接する道路の幅員及び構造	

<table>
<tr><td rowspan="4">建
物</td><td>形状及び構造</td><td colspan="2"></td></tr>
<tr><td>主要構造部、内装及び外装の構造・仕上げ</td><td colspan="2"></td></tr>
<tr><td rowspan="2">設備の設置及び構造</td><td>設置する設備</td><td>構造</td></tr>
<tr><td></td><td></td></tr>
</table>

6　一棟の建物又はその敷地に関する権利及びこれらの管理・使用に関する事項

（1）敷地に関する権利の種類及び内容

<table>
<tr><td rowspan="2">面
積</td><td>実測面積</td><td>登記簿面積</td><td colspan="2">建築確認の対象面積</td></tr>
<tr><td>㎡</td><td>㎡</td><td colspan="2">㎡</td></tr>
<tr><td colspan="2">権利の種類</td><td colspan="3">所有権・地上権・賃借権・その他（　　　　　　　　　　　　）</td></tr>
<tr><td rowspan="3">所有権以外の場合</td><td>対象面積</td><td colspan="3">㎡（登記簿・実測）</td></tr>
<tr><td>存続期間</td><td colspan="3">年　　月　　日まで</td></tr>
<tr><td>区分所有者の負担額</td><td colspan="3">円</td></tr>
</table>

（2）共用部分に関する規約等の定め

（3）専有部分の用途その他の利用の制限に関する規約等の定め

（第五面）

（4）専用使用権に関する規約等の定め

駐車場	使用しうる者		
	使用料の有無		
	使用料の帰属先等		
その他の専用使用部分	専用使用部分	専用使用料の有無	専用使用料の帰属先

（5）所有者が負担すべき費用を特定の者にのみ減免する旨の規約等の定め

（6）計画修繕積立金等に関する事項

規約等の定め	
既に積み立てられている額	円（　　年　　月　　日現在）
当該一棟の建物に係る滞納額	円（　　年　　月　　日現在）
専有部分に係る滞納額	円（　　年　　月　　日現在）

（7）通常の管理費用の額

円（　　年　　月　　日現在）
（滞納額　　円（　　年　　月　　日現在））

（8）管理の委託先

氏名（商号又は名称） （マンションの管理の適正化の推進に関する法律による登録を受けているときはその登録番号）	
住所（主たる事務所の所在地）	

重要事項説明書

（第六面）

（9）建物の維持修繕の実施状況の記録

共用部分	
専有部分 （売買対象部分）	

（10）その他

7　建物状況調査の結果の概要（既存の建物のとき）

建物状況調査の実施の有無	有	無
建物状況調査の結果の概要		

8　建物の建築及び維持保全の状況に関する書類の保存の状況（既存の建物のとき）

		保存の状況	
確認の申請書及び添付図書並びに確認済証（新築時のもの）		有	無
検査済証（新築時のもの）		有	無
増改築等を行った物件である場合			
	確認の申請書及び添付図書並びに確認済証（増改築等のときのもの）	有	無
	検査済証（増改築等のときのもの）	有	無
建物状況調査を実施した住宅である場合			
	建物状況調査結果報告書	有	無
既存住宅性能評価を受けた住宅である場合			
	既存住宅性能評価書	有	無
建築基準法第12条の規定による定期調査報告の対象である場合			
	定期調査報告書	有	無
昭和56年5月31日以前に新築の工事に着手した住宅である場合			
	新耐震基準等に適合していることを証する書類 書類名：（　　　　　　　　　　　）	有	無

備考

9　当該宅地建物が造成宅地防災区域内か否か

造成宅地防災区域内	造成宅地防災区域外

１０　当該宅地建物が土砂災害警戒区域内か否か

土砂災害警戒区域内	土砂災害警戒区域外

１１　当該宅地建物が津波災害警戒区域内か否か

津波災害警戒区域内	津波災害警戒区域外

１２　水防法の規定により市町村の長が提供する図面（水害ハザードマップ）における当該宅地建物の所在地

	洪水		雨水出水（内水）		高潮	
水害ハザードマップの有無	有	無	有	無	有	無
水害ハザードマップにおける宅地建物の所在地						

１３　石綿使用調査の内容

石綿使用調査結果の記録の有無	有	無
石綿使用調査の内容		

１４　耐震診断の内容

耐震診断の有無	有	無
耐震診断の内容		

１５　住宅性能評価を受けた新築住宅である場合

登録住宅性能評価機関による住宅性能評価書の交付の有無	有	無
登録住宅性能評価機関による住宅性能評価書の交付	設計住宅性能評価書	
	建設住宅性能評価書	

（第八面）

Ⅱ　取引条件に関する事項
1　代金及び交換差金以外に授受される金額

	金　　額	授　　受　　の　　目　　的
1		
2		
3		
4		

2　契約の解除に関する事項

3　損害賠償額の予定又は違約金に関する事項

4　手付金等の保全措置の概要（業者が自ら売主の場合）
（1）未完成物件の場合

保 全 の 方 式	保証委託契約（法第41条第１項第１号）・保証保険契約（法第41条第１項第２号）
保全措置を行う機　　関	

（2）完成物件の場合

保 全 の 方 式	保証委託契約（法第41条第１項第１号）・保証保険契約（法第41条第１項第２号）・手付金等寄託契約及び質権設定契約（法第41条の２第１項）
保全措置を行う機　　関	

5　支払金又は預り金の保全措置の概要

保全措置を講ずるかどうか	講　ず　る　・　講　じ　な　い
保 全 措 置 を 行 う 機 関	

（第九面）

6　金銭の貸借のあっせん

業者による金銭貸借のあっせんの有無		有　・　無
あっせんの内容	融資取扱金融機関	
	融資額	
	融資期間	
	利率	
	返済方法	
	保証料	
	ローン事務手数料	
	その他	
金銭の貸借が成立しないときの措置		

7　担保責任（当該宅地又は建物が種類又は品質に関して契約の内容に適合しない場合におけるその不適合を担保すべき責任）の履行に関する措置の概要

担保責任の履行に関する措置を講ずるかどうか	講ずる・講じない
担保責任の履行に関する措置の内容	

8　割賦販売に係る事項

現金販売価格	円		
割賦販売価格	円		
		支払時期	支払方法
うち引渡しまでに支払う金銭	円		
賦払金の額	円		

（第十面）

Ⅲ　その他の事項

1　供託所等に関する説明（法第35条の２）

（１）宅地建物取引業保証協会の社員でない場合

営業保証金を供託した供託所及びその所在地	

（２）宅地建物取引業保証協会の社員の場合

宅地建物取引業保証協会	名称	
	住所	
	事務所の所在地	
弁済業務保証金を供託した供託所及びその所在地		

（第十一面）

記載要領

① Ｉの１について

イ　「土地」及び「建物」は、一棟の建物及びその敷地のうち取引に係るものについて記載すること。

ロ　「所有権に係る権利に関する事項」の欄には、買戻しの特約、各種仮登記、差押え等登記記録の権利部（甲区）に記録された所有権に係る各種の登記事項を記載すること。

② Ｉの２の（１）について

「用途地域名」の欄には、第一種低層住居専用地域、第二種低層住居専用地域、第一種中高層住居専用地域、第二種中高層住居専用地域、第一種住居地域、第二種住居地域、準住居地域、近隣商業地域、商業地域、準工業地域、工業地域又は工業専用地域のいずれかに該当する場合にはその地域名を記入し、「制限の内容」の欄には、建築物の用途制限、道路斜線制限、隣地斜線制限、日影制限等の制限の内容を記入すること。

③ Ｉの２（２）について

「法令名」の欄には下記から該当する法律名を、「制限の概要」の欄にはその法律に基づく制限の概要を記入すること。

3	古都保存法	１７	流通業務市街地整備法	３２	首都圏近郊緑地保全法	４８	踏切道改良促進法
4	都市緑地法	１８	都市再開発法	３３	近畿圏の保全区域の整備に関する法律	４９	全国新幹線鉄道整備法
5	生産緑地法	１９	沿道整備法	３４	都市の低炭素化の促進に関する法律	５０	土地収用法
6	特定空港周辺特別措置法	２０	集落地域整備法	３５	水防法	５１	文化財保護法
7	景観法	２１	密集市街地における防災街区の整備の促進に関する法律	３６	下水道法	５２	航空法（自衛隊法において準用する場合を含む。）
8	土地区画整理法	２２	地域における歴史的風致の維持及び向上に関する法律	３７	河川法	５３	国土利用計画法
9	大都市地域における住宅及び住宅地の供給の促進に関する特別措置法	２３	港湾法	３８	特定都市河川浸水被害対策法	５４	核原料物質、核燃料物質及び原子炉の規制に関する法律
１０	地方拠点都市地域の整備及び産業業務施設の再配置の促進に関する法律	２４	住宅地区改良法	３９	海岸法	５５	廃棄物の処理及び清掃に関する法律
１１	被災市街地復興特別措置法	２５	公有地拡大推進法	４０	津波防災地域づくりに関する法律	５６	土壌汚染対策法
１２	新住宅市街地開発法	２６	農地法	４１	砂防法	５７	都市再生特別措置法
１３	新都市基盤整備法	２７	宅地造成等規制法	４２	地すべり等防止法	５８	地域再生法
１４	旧市街地改造法（旧防災建築街区造成法において準用する場合に限る。）	２８	マンションの建替え等の円滑化に関する法律	４３	急傾斜地法	５９	高齢者、障害者等の移動等の円滑化の促進に関する法律
１５	首都圏の近郊整備地帯及び都市開発区域の整備に関する法律	２９	長期優良住宅の普及の促進に関する法律	４４	土砂災害防止対策推進法	６０	災害対策基本法
				４５	森林法		
１６	近畿圏の近郊整備区域及び都市開発区域の整備及び開発に関する法律	３０	都市公園法	４６	森林経営管理法	６１	東日本大震災復興特別区域法
		３１	自然公園法	４７	道路法	６２	大規模災害からの復興に関する法律

（注）数字は、宅地建物取引業法施行令第３条第１項各号に掲げる法令それぞれの各号の番号であるので法令のどの条項が説明事項であるか確認すること。

④ Ｉの３について

略図等をもって説明する方が説明しやすい場合には、「備考」の欄にその略図等を記すこと。

⑤ Ｉの４について

イ　「施設の整備予定」の欄の「排水」の項のかっこ書には、整備が予定されている施設の種別を記すこと。

ロ　負担金の額が概算額である場合には、その旨を「備考」の欄に記すこと。

⑥ 各欄とも記入事項が多い場合には、必要に応じて別紙に記入しそれを添付するとともに、その旨を記すこと。特に、規約等の内容を記入する欄については、そのすべてを記入することに代えて、その写しをを添付することで足りるものとする（ただし、該当部分を明示すること）。

重要事項説明書
(宅地の貸借)

(第一面)

年　月　日

殿

下記の不動産について、宅地建物取引業法（以下「法」という。）第35条の規定に基づき、次のとおり説明します。この内容は重要ですから、十分理解されるようお願いします。

商号又は名称
代表者の氏名
主たる事務所
免許証番号

説明をする宅地建物取引士	氏名	
	登録番号	（　　）
	業務に従事する事務所	電話番号（　　）　－

取引の態様（法第34条第2項）	代理　・　媒介

土地	所在地				
	登記簿の地目		面積	登記簿面積	㎡
				実測面積	㎡
貸主住所・氏名					

重要事項説明書

（第二面）

Ⅰ　対象となる宅地に直接関係する事項

1　登記記録に記録された事項

<table>
<tr><td rowspan="2">所有権に関する事項
（権利部（甲区））</td><td></td><td rowspan="2">所有権以外の権利に関する事項（権利部（乙区））</td></tr>
<tr><td>所有権に係る権利に関する事項</td></tr>
<tr><td>名義人　氏　名

住　所</td><td></td><td></td></tr>
</table>

2　都市計画法、建築基準法等の法令に基づく制限の概要

（1）都市計画法・建築基準法に基づく制限

<table>
<tr><td rowspan="2">1
都市計画法</td><td>区　域　の　別</td><td colspan="2">制　限　の　概　要</td></tr>
<tr><td>市街化区域
市街化調整区域
非線引区域
準都市計画区域
その他</td><td colspan="2"></td></tr>
<tr><td rowspan="8">2
建築基準法</td><td>イ 用途地域名</td><td colspan="2">制　限　の　内　容</td></tr>
<tr><td></td><td colspan="2"></td></tr>
<tr><td>ロ 地域・地区・街区名等</td><td colspan="2">制　限　の　内　容</td></tr>
<tr><td></td><td colspan="2"></td></tr>
<tr><td>ハ 建築面積の限度
（建ぺい率制限）</td><td colspan="2">（敷地面積　　㎡－　　㎡）×　　＝　　㎡</td></tr>
<tr><td>ニ 延建築面積の限度
（容積率制限）</td><td colspan="2">（敷地面積　　㎡－　　㎡）×　　＝　　㎡</td></tr>
<tr><td>ホ 敷地等と道路との関係</td><td colspan="2"></td></tr>
<tr><td>ヘ 私道の変更又は廃止の制限</td><td colspan="2"></td></tr>
</table>

（2）（1）以外の法令に基づく制限

	法令名	制限の概要
1		
2		
3		
4		

（第三面）

3　私道の負担に関する事項

負担の有無	有　・　無	備　　　考
（負担の内容） 面　積　　　　　　　　　　㎡ 負担金　　　　　　　　　　円		

4　飲用水・電気・ガスの供給施設及び排水施設の整備状況

直ちに利用可能な施設		施設の整備予定
飲用水	公営・私営・井戸	年　月　日　公営・私営・井戸
電　気		年　月　日
ガ　ス	都市・プロパン	年　月　日　都市・プロパン
排　水		年　月　日

5　宅地の造成の工事完了時における形状、構造等（未完成物件のとき）

宅地の形状・構造	
宅地に接する道路の幅員・構造	

6　当該宅地が造成宅地防災区域内か否か

造成宅地防災区域内	造成宅地防災区域外

7　当該宅地が土砂災害警戒区域内か否か

土砂災害警戒区域内	土砂災害警戒区域外

8　当該宅地が津波災害警戒区域内か否か

津波災害警戒区域内	津波災害警戒区域外

9　水防法の規定により市町村の長が提供する図面（水害ハザードマップ）における当該宅地の所在地

水害ハザードマップの有無	洪水		雨水出水（内水）		高潮	
	有	無	有	無	有	無
水害ハザードマップにおける 宅地の所在地						

（第四面）

Ⅱ　取引条件に関する事項

1　借賃以外に授受される金額

	金　額	授　受　の　目　的
1		
2		
3		
4		

2　契約の解除に関する事項

3　損害賠償額の予定又は違約金に関する事項

4　支払金又は預り金の保全措置の概要

保全措置を講ずるかどうか	講ずる　・　講じない
保全措置を行う機関	

5　契約期間及び更新に関する事項

契約期間	（始期）　年　月　日 （終期）　年　月　日	年　月間	一般借地契約 定期借地契約
更新に関する事項			

（第五面）

6　用途その他の利用の制限に関する事項

用　途　制　限	
利 用 の 制 限	

7　敷金等の精算に関する事項

8　管理の委託先

氏　名（　商号　・　名称）	
住所（主たる事務所の所在地）	

9　契約終了時における宅地の上の建物の取壊しに関する事項

（第六面）

Ⅲ　その他の事項

1　供託所等に関する説明（法第35条の２）

（１）宅地建物取引業保証協会の社員でない場合

営業保証金を供託した供託所及びその所在地	

（２）宅地建物取引業保証協会の社員の場合

宅地建物取引業保証協会	名　　称	
	住　　所	
	事務所の所在地	
弁済業務保証金を供託した供託所及びその所在地		

（第七面）

記載要領

① Ⅰの１について

「所有権に係る権利に関する事項」の欄には、買戻しの特約、各種仮登記、差押え等登記記録の権利部（甲区）に記録された所有権に係る各種の登記事項を記載すること。

② Ⅰの２（１）について

「用途地域名」の欄には、第一種低層住居専用地域、第二種低層住居専用地域、第一種中高層住居専用地域、第二種中高層住居専用地域、第一種住居地域、第二種住居地域、準住居地域、近隣商業地域、商業地域、準工業地域、工業地域又は工業専用地域のいずれかに該当する場合にはその地域名を記入し、「制限の内容」の欄には、建築物の用途制限、道路斜線制限、隣地斜線制限、日影制限等の制限の内容を記入すること。

③ Ⅰの２（２）について

「法令名」の欄には下記から該当する法律名を、「制限の概要」の欄にはその法律に基づく制限の概要を記入すること。

3	古都保存法	１７	流通業務市街地整備法	３２	首都圏近郊緑地保全法	４８	踏切道改良促進法
4	都市緑地法	１８	都市再開発法	３３	近畿圏の保全区域の整備に関する法律	４９	全国新幹線鉄道整備法
5	生産緑地法	１９	沿道整備法	３４	都市の低炭素化の促進に関する法律	５０	土地収用法
6	特定空港周辺特別措置法	２０	集落地域整備法	３５	水防法	５１	文化財保護法
7	景観法	２１	密集市街地における防災街区の整備の促進に関する法律	３６	下水道法	５２	航空法（自衛隊法において準用する場合を含む。）
8	土地区画整理法	２２	地域における歴史的風致の維持及び向上に関する法律	３７	河川法	５３	国土利用計画法
9	大都市地域における住宅及び住宅地の供給の促進に関する特別措置法	２３	港湾法	３８	特定都市河川浸水被害対策法	５４	核原料物質、核燃料物質及び原子炉の規制に関する法律
１０	地方拠点都市地域の整備及び産業業務施設の再配置の促進に関する法律	２４	住宅地区改良法	３９	海岸法	５５	廃棄物の処理及び清掃に関する法律
１１	被災市街地復興特別措置法	２５	公有地拡大推進法	４０	津波防災地域づくりに関する法律	５６	土壌汚染対策法
１２	新住宅市街地開発法	２６	農地法	４１	砂防法	５７	都市再生特別措置法
１３	新都市基盤整備法	２７	宅地造成等規制法	４２	地すべり等防止法	５８	地域再生法
１４	旧市街地改造法（旧防災建築街区造成法において準用する場合に限る。）	２８	マンションの建替え等の円滑化に関する法律	４３	急傾斜地法	５９	高齢者、障害者等の移動等の円滑化の促進に関する法律
１５	首都圏の近郊整備地帯及び都市開発区域の整備に関する法律	２９	長期優良住宅の普及の促進に関する法律	４４	土砂災害防止対策推進法	６０	災害対策基本法
				４５	森林法		
１６	近畿圏の近郊整備区域及び都市開発区域の整備及び開発に関する法律	３０	都市公園法	４６	森林経営管理法	６１	東日本大震災復興特別区域法
		３１	自然公園法	４７	道路法	６２	大規模災害からの復興に関する法律

（注）数字は、宅地建物取引業法施行令第３条第１項各号に掲げる法令それぞれの各号の番号であるので法令のどの条項が説明事項であるか確認すること。

③ Ⅰの３について

略図等をもって説明する方が説明しやすい場合には、「備考」の欄にその略図等を記すこと。

④ Ⅱの６について

「一般借地契約」、「定期借地契約」のいずれに該当するかを明示すること。

⑤ 各欄とも記入事項が多い場合には、必要に応じて別紙に記入しそれを添付するとともに、該当部分を明示してその旨を記すこと。

重要事項説明書
（建物の貸借）

（第一面）

年　　月　　日

殿

下記の不動産について、宅地建物取引業法（以下「法」という。）第35条の規定に基づき、次のとおり説明します。この内容は重要ですから、十分理解されるようお願いします。

商号又は名称
代表者の氏名
主たる事務所
免許証番号

説明をする宅地建物取引士	氏名	
	登録番号	（　　）
	業務に従事する事務所	電話番号（　　）　－

取引の態様（法第34条第２項）	代理　・　媒介

建物	名称	
	所在地	
	室番号	
	床面積	㎡（登記簿面積　　㎡）
	種類及び構造	
貸主氏名・住所		

（第二面）

I　対象となる建物に直接関係する事項

1　登記記録に記録された事項

所有権に関する事項（権利部（甲区））	所有権に係る権利に関する事項	所有権以外の権利に関する事項（権利部（乙区））
名義人　氏　名 住　所		

2　法令に基づく制限の概要

法　令　名	
制限の概要	

3　飲用水・電気・ガスの供給施設及び排水施設の整備状況

直ちに利用可能な施設		施設の整備予定	備　考
飲用水	公営・私営・井戸	年　月　日　公営・私営・井戸	
電　気		年　月　日	
ガ　ス	都市・プロパン	年　月　日　都市・プロパン	
排　水		年　月　日	

4　建物建築の工事完了時における形状、構造等（未完成物件のとき）

建物の形状及び構造	
主要構造部、内装及び外装の構造・仕上げ	
設備の設置及び構造	

5　建物状況調査の結果の概要（既存の建物のとき）

建物状況調査の実施の有無	有	無
建物状況調査の結果の概要		

（第三面）

6　建物の設備の整備の状況（完成物件のとき）

建物の設備	有無	型式	その他
台所			
便所			
浴室			
給湯設備			
ガスこんろ			
冷暖房設備			

7　当該建物が造成宅地防災区域内か否か

造成宅地防災区域内	造成宅地防災区域外

8　当該建物が土砂災害警戒区域内か否か

土砂災害警戒区域内	土砂災害警戒区域外

9　当該建物が津波災害警戒区域内か否か

津波災害警戒区域内	津波災害警戒区域外

１０　水防法の規定により市町村の長が提供する図面（水害ハザードマップ）における当該建物の所在地

水害ハザードマップの有無	洪水		雨水出水（内水）		高潮	
	有	無	有	無	有	無
水害ハザードマップにおける建物の所在地						

１１　石綿使用調査の内容

石綿使用調査結果の記録の有無	有	無
石綿使用調査の内容		

１２　耐震診断の内容

耐震診断の有無	有	無
耐震診断の内容		

（第四面）

Ⅱ　取引条件に関する事項

1　借賃以外に授受される金額

	金　額	授　受　の　目　的
1		
2		
3		
4		

2　契約の解除に関する事項

3　損害賠償額の予定又は違約金に関する事項

4　支払金又は預り金の保全措置の概要

保全措置を講ずるかどうか	講ずる　・　講じない
保全措置を行う機関	

（第五面）

5　契約期間及び更新に関する事項

契　約　期　間	（始　期）　年　月　日 （終　期）　年　月　日	年　月間	一般借家契約 定期借家契約 終身建物賃貸借契約
更新に関する事項			

6　用途その他の利用の制限に関する事項

	区分所有建物の場合における専有部分の制限に関する規約等	そ　の　他
用　途　制　限		
利用の制限		

7　敷金等の精算に関する事項

8　管理の委託先

氏　名（商号又は名称） （マンションの管理の適正化の推進に関する法律第46条第１項第２号の登録番号又は賃貸住宅の管理業務等の適正化に関する法律第５条第１項第２号の登録番号）	
住所（主たる事務所の所在地）	

（第六面）

Ⅲ　その他の事項

1　供託所等に関する説明（法第35条の２）

（１）宅地建物取引業保証協会の社員でない場合

営業保証金を供託した供託所及びその所在地	

（２）宅地建物取引業保証協会の社員の場合

宅地建物取引業保証協会	名　称	
	住　所	
	事務所の所在地	
弁済業務保証金を供託した供託所及びその所在地		

（第七面）

記載要領

① Ⅰの１について

「所有権に係る権利に関する事項」の欄には、買戻しの特約、各種仮登記、差押え等登記記録の権利部（甲区）に記録された所有権に係る各種の登記事項を記載すること。

② Ⅰの２について

「法令名」の欄には下表から該当する法律名を、「制限の概要」の欄にはその法律に基づく制限の概要を記入すること。

新住宅市街地開発法	新都市基盤整備法	流通業務市街地整備法

③ Ⅰの３について

「備考」の欄には、特に施設に関する負担金を求める場合にあっては、その金額を記入すること。

④ Ⅰの５について

「建物の設備」の欄については、主に居住用の建物の場合を念頭において例示したものであり、事業用の建物の場合にあっては、業種の別、取引の実態等を勘案して重要と考えられる設備について具体的に記入すること。（例：空調施設、昇降機）

⑤ Ⅱの６について

「一般借家契約」、「定期借家契約」、「終身建物賃貸借契約」のいずれに該当するかを明示すること。

⑥ 各欄とも記入事項が多い場合には、必要に応じて別紙に記入しそれを添付するとともに、該当部分を明示してその旨を記すこと。

（解釈・運用 別添4）第35条第1項第6号の2関係

建物状況調査の結果の概要（重要事項説明用）

【木造・鉄骨造】

作成日	

建物	建物名称	様邸		
	所在地	□ 住居表示 □ 地名地番		
	（共同住宅の場合）	マンション等の名称	部屋番号	号室
	構造種別	□ 木造　□ 鉄骨造　□ その他（混構造等）		
	階数	地上　階・地下　階	延床面積	㎡
建物状況調査	本調査の実施日			
	調査の区分	□ 一戸建ての住宅 □ 共同住宅等　（ □ 住戸型　□ 住棟型 ）		
	劣化事象等の有無	建物状況調査基準に基づく劣化事象等の有無 （下の『各部位の劣化事象等の有無』欄も記入すること）　□ 有　□ 無		
	各部位の劣化事象等の有無 ※調査対象がない部位は二重線で隠すこと	＜構造耐力上主要な部分に係る調査部位＞ 劣化事象等（有 無 調査できなかった） 基礎 □ □ □ 土台及び床組 □ □ □ 床 □ □ □ 柱及び梁 □ □ □ 外壁及び軒裏 □ □ □ バルコニー □ □ □ 内壁 □ □ □ 天井 □ □ □ 小屋組 □ □ □ その他 （蟻害） □ □ □ （腐朽・腐食） □ □ □ （配筋調査） □ □ □ （コンクリート圧縮強度） □ □ □	＜雨水の浸入を防止する部分に係る調査部位＞ 劣化事象等（有 無 調査できなかった） 外壁 □ □ □ 軒裏 □ □ □ バルコニー □ □ □ 内壁 □ □ □ 天井 □ □ □ 小屋組 □ □ □ 屋根 □ □ □	
建物状況調査実施者	調査実施者の氏名			
	調査実施者への講習の実施講習機関名及び修了証明書番号			
	建築士資格種別	□ 一級　□ 二級　□ 木造		
	建築士登録番号	□ 大臣登録 □ 知事登録　第　号		
	所属事務所名			
	建築士事務所登録番号	知事登録　第　号		

※裏面があります。

建物状況調査の結果の概要（重要事項説明用）の参考資料

■建物状況調査の内容

本調査は、既存住宅状況調査方法基準（平成29年国土交通省告示第82号）に適合する既存住宅状況調査であり、調査対象となる住宅について、目視を中心とした非破壊調査により、劣化事象等の状況を把握するものです。

そのため、本調査では次の行為は行っておりません。

① 設計図書等との照合をすること
② 現行建築基準関係規定の違反の有無を判定すること
③ 耐震性や省エネ性等の住宅にかかる個別の性能項目について当該住宅が保有する性能の程度を判定すること
④ 劣化事象等が建物の構造的な欠陥によるものか否か、欠陥とした場合の要因が何かといった瑕疵の有無または原因を判定すること

■建物状況調査の結果の概要（重要事項説明用）についての注意事項

1. 本調査結果は瑕疵の有無を判定するものではなく、瑕疵がないことを保証するものでもありません。
2. 本調査結果の記載内容について、調査時点からの時間経過による変化がないことを保証するものではありません。
3. 住宅には、経年により劣化が生じます。本調査結果の判定をもって、住宅の経年による通常の劣化が一切ないことを保証するものではありません。なお、住宅に生じている経年劣化の状態は過去のメンテナンスの実施状況等により異なります。
4. 本調査結果は建築基準関係法令等への適合性を判定するものではありません。
5. 本調査結果の一部または全部を、無断で複製、転載、加工、模造及び偽造することを禁じます。
6. 本調査結果を依頼主に無断で第三者が利用することを禁じます。また、本調査の受任者は、既存住宅売買瑕疵保険の申請を目的として、本調査結果を委任者の承諾等を得て住宅瑕疵担保責任保険法人へ提出することがあります。
7. 本調査と付随して行われる業務およびサービス（仲介・媒介およびリフォーム工事等）に係る調査概要、費用の見積りならびに改修工事の方法等が提示される場合は、その内容と本調査結果とは関係ありません。
8. 本調査結果は、既存住宅瑕疵担保責任保険に加入したことを証するものではありません。既存住宅瑕疵担保責任保険の加入にあたっては、別途手続きが必要です。

※表面があります。

建物状況調査の結果の概要（重要事項説明用）【鉄筋コンクリート造等】

作成日	

建物	建物名称	様邸			
	所在地	□ 住居表示 □ 地名地番			
	（共同住宅の場合）	マンション等の名称		部屋番号	号室
	構造種別	□ 鉄筋コンクリート造 □ 鉄骨鉄筋コンクリート造 □ その他（混構造等）			
	階数	地上　　階・地下　　階	延床面積	m²	
建物状況調査	本調査の実施日				
	調査の区分	□ 一戸建ての住宅 □ 共同住宅等　（　□ 住戸型　　□ 住棟型　）			
	劣化事象等の有無	建物状況調査基準に基づく劣化事象等の有無（下の『各部位の劣化事象等の有無』欄も記入すること）　□ 有　□ 無			
	各部位の劣化事象等の有無 ※調査対象がない部位は二重線で隠すこと	＜構造耐力上主要な部分に係る調査部位＞ 劣化事象等 有 無 調査できなかった 基礎 □ □ □ 床 □ □ □ 柱及び梁 □ □ □ 外壁 □ □ □ バルコニー及び共用廊下 □ □ □ 内壁 □ □ □ 天井 □ □ □ その他 （配筋調査） □ □ □ （コンクリート圧縮強度） □ □ □	＜雨水の浸入を防止する部分に係る調査部位＞ 劣化事象等 有 無 調査できなかった 外壁 □ □ □ 内壁 □ □ □ 天井 □ □ □ 屋根 □ □ □		
建物状況調査実施者	調査実施者の氏名				
	調査実施者への講習の実施講習機関名及び修了証明書番号				
	建築士資格種別	□ 一級　□ 二級　□ 木造			
	建築士登録番号	□ 大臣登録 □ 知事登録　第　　号			
	所属事務所名				
	建築士事務所登録番号	知事登録　第　　号			

※裏面があります。

建物状況調査の結果の概要（重要事項説明用）の参考資料

■建物状況調査の内容

本調査は、既存住宅状況調査方法基準（平成29年国土交通省告示第82号）に適合する既存住宅状況調査であり、調査対象となる住宅について、目視を中心とした非破壊調査により、劣化事象等の状況を把握するものです。

そのため、本調査では次の行為は行っておりません。

① 設計図書等との照合をすること
② 現行建築基準関係規定の違反の有無を判定すること
③ 耐震性や省エネ性等の住宅にかかる個別の性能項目について当該住宅が保有する性能の程度を判定すること
④ 劣化事象等が建物の構造的な欠陥によるものか否か、欠陥とした場合の要因が何かといった瑕疵の有無または原因を判定すること

■建物状況調査の結果の概要（重要事項説明用）についての注意事項

1. 本調査結果は瑕疵の有無を判定するものではなく、瑕疵がないことを保証するものでもありません。
2. 本調査結果の記載内容について、調査時点からの時間経過による変化がないことを保証するものではありません。
3. 住宅には、経年により劣化が生じます。本調査結果の判定をもって、住宅の経年による通常の劣化が一切ないことを保証するものではありません。なお、住宅に生じている経年劣化の状態は過去のメンテナンスの実施状況等により異なります。
4. 本調査結果は建築基準関係法令等への適合性を判定するものではありません。
5. 本調査結果の一部または全部を、無断で複製、転載、加工、模造及び偽造することを禁じます。
6. 本調査結果を依頼主に無断で第三者が利用することを禁じます。また、本調査の受任者は、既存住宅売買瑕疵保険の申請を目的として、本調査結果を委任者の承諾等を得て住宅瑕疵担保責任保険法人へ提出することがあります。
7. 本調査と付随して行われる業務およびサービス（仲介・媒介およびリフォーム工事等）に係る調査概要、費用の見積りならびに改修工事の方法等が提示される場合は、その内容と本調査結果とは関係ありません。
8. 本調査結果は、既存住宅瑕疵担保責任保険に加入したことを証するものではありません。既存住宅瑕疵担保責任保険の加入にあたっては、別途手続きが必要です。

※表面があります。

重要事項説明書

重要事項説明（売買・交換）

別添の重要事項説明書は、冒頭に記載の不動産について、当該不動産を取得しようとする者があらかじめ知っておくべき最小限の事項を列記したものです。

宅地建物取引業法第35条には、宅地建物取引業者の義務として、宅地建物取引士によって書面を交付して説明しなければならない一定の事項が掲げられており、重要事項説明書はこの義務に対応するものです。

重要事項説明の内容は大別すると「I　対象となる宅地又は建物に直接関係する事項」と「II　取引条件に関する事項」に分けられます。なお、宅地建物取引業法第35条以外に同法第34条第2項及び第35条の2で説明が義務付けられている事項を冒頭及び「III　その他の事項」で併せて説明いたします。

取引の態様（宅地建物取引業法第34条第２項）

I　対象となる宅地又は建物に直接関係する事項

1　登記記録に記録された事項
2　都市計画法、建築基準法等の法令に基づく制限の概要
3　私道に関する負担に関する事項
4　飲用水・電気・ガスの供給施設及び排水施設の整備状況
5　宅地造成又は建物建築の工事完了時における形状、構造等（未完成物件のとき）
6　建物状況調査の実施の有無及び実施している場合におけるその結果の概要（既存の建物のとき）
7　建物の建築及び維持保全の状況に関する書類の保存の状況（既存の建物のとき）
8　当該宅地建物が造成宅地防災区域内か否か
9　当該宅地建物が土砂災害警戒区域内か否か
10　当該宅地建物が津波災害警戒区域内か否か
11　水防法に基づく水害ハザードマップにおける当該宅地建物の所在地
12　石綿使用調査の内容
13　耐震診断の内容
14　住宅性能評価を受けた新築住宅である場合

II　取引条件に関する事項

1　代金及び交換差金以外に授受される金額
2　契約の解除に関する事項
3　損害賠償額の予定又は違約金に関する事項
4　手付金等の保全措置の概要（業者が自ら売主の場合）
5　支払金又は預り金の保全措置の概要
6　金銭の貸借のあっせん
7　担保責任（当該宅地又は建物が種類又は品質に関して契約の内容に適合しない場合におけるその不適合を担保すべき責任）の履行に関する措置の概要
8　割賦販売に係る事項

III　その他の事項

1　供託所等に関する説明（宅地建物取引業法第35条の2）

いずれも取引に当たっての判断に影響を与える重要な事項ですので、説明をよくお聞きいただき、十分御理解の上、意思決定をして下さるようお願いいたします。

重要事項説明（区分所有建物の売買・交換）

別添の重要事項説明書は、冒頭に記載の不動産について、当該不動産を取得しようとする者があらかじめ知っておくべき最小限の事項を列記したものです。

宅地建物取引業法第35条には、宅地建物取引業者の義務として、宅地建物取引士によって書面を交付して説明しなければならない一定の事項が掲げられており、重要事項説明書はこの義務に対応するものです。

重要事項説明の内容は大別すると「I　対象となる宅地又は建物に直接関係する事項」と「II　取引条件に関する事項」に分けられます。なお、宅地建物取引業法第35条以外に同法第34条第2項及び第35条の2で説明が義務付けられている事項を冒頭及び「III　その他の事項」で併せて説明いたします。

取引の態様（宅地建物取引業法第 34 条第 2 項）

I　対象となる宅地又は建物に直接関係する事項

1　登記記録に記録された事項
2　都市計画法、建築基準法等の法令に基づく制限の概要
3　私道に関する負担に関する事項
4　飲用水・電気・ガスの供給施設及び排水施設の整備状況
5　宅地造成又は建物建築の工事完了時における形状、構造等（未完成物件のとき）
6　一棟の建物又はその敷地に関する権利及びこれらの管理・使用に関する事項
7　建物状況調査及の実施の有無及び実施している場合におけるその結果の概要（既存の建物のとき）
8　建物の建築及び維持保全の状況に関する書類の保存の状況（既存の建物のとき）
9　当該宅地建物が造成宅地防災区域内か否か
10　当該宅地建物が土砂災害警戒区域内か否か
11　当該宅地建物が津波災害警戒区域内か否か
12　水防法に基づく水害ハザードマップにおける当該宅地建物の所在地
13　石綿使用調査の内容
14　耐震診断の内
15　住宅性能評価を受けた新築住宅である場合

II　取引条件に関する事項

1　代金及び交換差金以外に授受される金額
2　契約の解除に関する事項
3　損害賠償額の予定又は違約金に関する事項
4　手付金等の保全措置の概要（業者が自ら売主の場合）
5　支払金又は預り金の保全措置の概要
6　金銭の貸借のあっせん
7　担保責任（当該宅地又は建物が種類又は品質に関して契約の内容に適合しない場合におけるその不適合を担保すべき責任）の履行に関する措置の概要
8　割賦販売に係る事項

III　その他の事項

1　供託所等に関する説明（宅地建物取引業法第35条の2）

いずれも取引に当たっての判断に影響を与える重要な事項ですので、説明をよくお聞きいただき、十分御理解の上、意思決定をして下さるようお願いいたします。

重要事項説明（宅地の貸借）

別添の重要事項説明書は、冒頭に記載の不動産について、当該不動産を借りようとする者があらかじめ知っておくべき最小限の事項を列記したものです。

宅地建物取引業法第35条には、宅地建物取引業者の義務として、宅地建物取引士によって書面を交付して説明しなければならない一定の事項が掲げられており、重要事項説明書はこの義務に対応するものです。

重要事項説明の内容は大別すると「I　対象となる宅地に直接関係する事項」と「II　取引条件に関する事項」に分けられます。なお、宅地建物取引業法第35条以外に同法第34条第2項及び第35条の2で説明が義務付けられている事項を冒頭及び「III　その他の事項」で併せて説明いたします。

取引の態様（宅地建物取引業法第 34 条第 2 項）

I　対象となる宅地に直接関係する事項

1　登記記録に記録された事項
2　都市計画法、建築基準法等の法令に基づく制限の概要
3　私道の負担に関する事項
4　飲用水・電気・ガスの供給施設及び排水施設の整備状況
5　宅地の造成の工事完了時における形状、構造等（未完成物件のとき）
6　当該宅地が造成宅地防災区域内か否か
7　当該宅地が土砂災害警戒区域内か否か
8　当該宅地が津波災害警戒区域内か否か
9　水防法に基づく水害ハザードマップにおける当該宅地の所在地

II　取引条件に関する事項

1　借賃以外に授受される金額
2　契約の解除に関する事項
3　損害賠償額の予定又は違約金に関する事項
4　支払金又は預り金の保全措置の概要
5　契約期間及び更新に関する事項
6　用途その他の利用の制限に関する事項
7　敷金等の精算に関する事項
8　管理の委託先
9　契約終了時における宅地の上の建物の取壊しに関する事項

III　その他の事項

1　供託所等に関する説明（宅地建物取引業法第 35 条の 2）

いずれも取引に当たっての判断に影響を与える重要な事項ですので、説明をよくお聞きいただき、十分御理解の上、意思決定をして下さるようお願いいたします。

重要事項説明（建物の貸借）

別添の重要事項説明書は、冒頭に記載の不動産について、当該不動産を借りようとする者があらかじめ知っておくべき最小限の事項を列記したものです。

宅地建物取引業法第35条には、宅地建物取引業者の義務として、宅地建物取引士によって書面を交付して説明しなければならない一定の事項が掲げられており、重要事項説明書はこの義務に対応するものです。

重要事項説明の内容は大別すると「I　対象となる建物に直接関係する事項」と「II　取引条件に関する事項」に分けられます。なお、宅地建物取引業法第35条以外に同法第34条第2項及び第35条の2で説明が義務付けられている事項を冒頭及び「III　その他の事項」で併せて説明いたします。

取引の態様（宅地建物取引業法第 34 条第 2 項）

I　対象となる建物に直接関係する事項

1　登記記録に記録された事項
2　法令に基づく制限の概要
3　飲用水・電気・ガスの供給施設及び排水施設の整備状況
4　建物建築の工事完了時における形状、構造等（未完成物件のとき）
5　建物の設備の整備の状況（完成物件のとき）
6　当該建物が造成宅地防災区域内か否か
7　当該建物が土砂災害警戒区域内か否か
8　当該建物が津波災害警戒区域内か否か
9　水防法に基づく水害ハザードマップにおける当該建物の所在地
10　石綿使用調査の内容
11　耐震診断の内容

II　取引条件に関する事項

1　借賃以外に授受される金額
2　契約の解除に関する事項
3　損害賠償額の予定又は違約金に関する事項
4　支払金又は預り金の保全措置の概要
5　契約期間及び更新に関する事項
6　用途その他の利用の制限に関する事項
7　敷金等の精算に関する事項
8　管理の委託先

III　その他の事項

1　供託所等に関する説明（宅地建物取引業法第35条の2）

いずれも取引に当たっての判断に影響を与える重要な事項ですので、説明をよくお聞きいただき、十分御理解の上、意思決定をして下さるようお願いいたします。

賃貸住宅標準契約書

平成５年１月29日住宅宅地審議会答申
（令和４年５月18日施行）

賃貸住宅標準契約書

頭書

（1） 賃貸借の目的物

<table>
<tr><td rowspan="5">建物の名称・所在地等</td><td>名　称</td><td colspan="5"></td></tr>
<tr><td>所在地</td><td colspan="5"></td></tr>
<tr><td rowspan="3">建て方</td><td rowspan="3">共同建
長屋建
一戸建
その他</td><td rowspan="2">構　造</td><td colspan="2">木造
非木造（　　　）</td><td>工事完了年</td></tr>
<tr><td colspan="2">階建</td><td rowspan="2">年
（大規模修繕を
（　　）年
実　施）</td></tr>
<tr><td>戸　数</td><td colspan="2">戸</td></tr>
<tr><td rowspan="20">住戸部分</td><td>住戸番号</td><td>号室</td><td>間取り</td><td colspan="3">（　　　）LDK・DK・K／ワンルーム／</td></tr>
<tr><td>面　積</td><td colspan="5">㎡（それ以外に、バルコニー＿＿＿＿＿㎡）</td></tr>
<tr><td rowspan="18">設備等</td><td colspan="2">トイレ</td><td colspan="3">専用（水洗・非水洗）・共用（水洗・非水洗）</td></tr>
<tr><td colspan="2">浴室</td><td>有・無</td><td colspan="2"></td></tr>
<tr><td colspan="2">シャワー</td><td>有・無</td><td colspan="2"></td></tr>
<tr><td colspan="2">洗面台</td><td>有・無</td><td colspan="2"></td></tr>
<tr><td colspan="2">洗濯機置場</td><td>有・無</td><td colspan="2"></td></tr>
<tr><td colspan="2">給湯設備</td><td>有・無</td><td colspan="2"></td></tr>
<tr><td colspan="2">ガスコンロ・電気コンロ・IH調理器</td><td>有・無</td><td colspan="2"></td></tr>
<tr><td colspan="2">冷暖房設備</td><td>有・無</td><td colspan="2"></td></tr>
<tr><td colspan="2">備え付け照明設備</td><td>有・無</td><td colspan="2"></td></tr>
<tr><td colspan="2">オートロック</td><td>有・無</td><td colspan="2"></td></tr>
<tr><td colspan="2">地デジ対応・CATV対応</td><td>有・無</td><td colspan="2"></td></tr>
<tr><td colspan="2">インターネット対応</td><td>有・無</td><td colspan="2"></td></tr>
<tr><td colspan="2">メールボックス</td><td>有・無</td><td colspan="2"></td></tr>
<tr><td colspan="2">宅配ボックス</td><td>有・無</td><td colspan="2"></td></tr>
<tr><td colspan="2">鍵</td><td>有・無</td><td colspan="2">（鍵No.　　　　・　　　本）</td></tr>
<tr><td colspan="2"></td><td>有・無</td><td colspan="2"></td></tr>
<tr><td colspan="2"></td><td>有・無</td><td colspan="2"></td></tr>
<tr><td colspan="2">使用可能電気容量
ガス
上水道
下水道</td><td colspan="3">（　　　　　）アンペア
有（都市ガス・プロパンガス）・無
水道本管より直結・受水槽・井戸水
有（公共下水道・浄化槽）・無</td></tr>
<tr><td colspan="2">附属施設</td><td>駐車場
バイク置場
自転車置場
物置
専用庭</td><td colspan="2">含む・含まない
含む・含まない
含む・含まない
含む・含まない
含む・含まない
含む・含まない
含む・含まない</td><td colspan="2">＿＿＿台分（位置番号：＿＿＿＿＿＿）
＿＿＿台分（位置番号：＿＿＿＿＿＿）
＿＿＿台分（位置番号：＿＿＿＿＿＿）</td></tr>
</table>

（2） 契約期間

<table>
<tr><td>始期</td><td>年　　　月　　　日から</td><td rowspan="2">年　　　月間</td></tr>
<tr><td>終期</td><td>年　　　月　　　日まで</td></tr>
</table>

（3）賃料等

賃料・共益費		支払期限	支払方法	
賃　料	円	当月分・翌月分を 毎月　　　日まで	振込、 口座 振替 又は 持参	振込先金融機関名： 預金：普通・当座 口座番号： 口座名義人： 振込手数料負担者：貸主・借主
共益費	円	当月分・翌月分を 毎月　　　日まで		持参先：

敷　金	賃料　　　か月相当分 円	その他 一時金	
附属施設使用料			
そ　の　他			

（4）貸主及び管理業者

貸　主 （社名・代表者）	住　所　〒 氏　名　　　　　　　　　電話番号
管理業者 （社名・代表者）	所在地　〒 商号（名称）　　　　　　電話番号 賃貸住宅管理業者登録番号　国土交通大臣（　）第　　　　号

＊貸主と建物の所有者が異なる場合は、次の欄も記載すること。

建物の所有者	住　所　〒 氏　名　　　　　　　　　電話番号

（5）借主及び同居人

	借　主	同　居　人
氏　名	（氏名） （年齢）　　　　歳 （電話番号）	（氏名）　　　　（年齢）　　歳 （氏名）　　　　（年齢）　　歳 （氏名）　　　　（年齢）　　歳 合計　　　人

緊急時の連絡先	住　所　〒 氏　名　　　　電話番号　　　　借主との関係

（6）家賃債務保証業者

家賃債務保証業者	所在地　〒 商号（名称）　　　　　　電話番号 家賃債務保証業者登録番号　国土交通大臣（　）第　　　　号

（契約の締結）
第１条　貸主（以下「甲」という。）及び借主（以下「乙」という。）は、頭書（１）に記載する賃貸借の目的物（以下「本物件」という。）について、以下の条項により賃貸借契約（以下「本契約」という。）を締結した。

（契約期間及び更新）
第２条　契約期間は、頭書（２）に記載するとおりとする。
２　甲及び乙は、協議の上、本契約を更新することができる。

（使用目的）
第３条　乙は、居住のみを目的として本物件を使用しなければならない。

（賃料）
第４条　乙は、頭書（３）の記載に従い、賃料を甲に支払わなければならない。
２　１か月に満たない期間の賃料は、１か月を30日として日割計算した額とする。
３　甲及び乙は、次の各号の一に該当する場合には、協議の上、賃料を改定することができる。
一　土地又は建物に対する租税その他の負担の増減により賃料が不相当となった場合
二　土地又は建物の価格の上昇又は低下その他の経済事情の変動により賃料が不相当となった場合
三　近傍同種の建物の賃料に比較して賃料が不相当となった場合

（共益費）
第５条　乙は、階段、廊下等の共用部分の維持管理に必要な光熱費、上下水道使用料、清掃費等（以下この条において「維持管理費」という。）に充てるため、共益費を甲に支払うものとする。
２　前項の共益費は、頭書（３）の記載に従い、支払わなければならない。
３　１か月に満たない期間の共益費は、１か月を30日として日割計算した額とする。
４　甲及び乙は、維持管理費の増減により共益費が不相当となったときは、協議の上、共益費を改定することができる。

（敷金）
第６条　乙は、本契約から生じる債務の担保として、頭書（３）に記載する敷金を甲に交付するものとする。
２　甲は、乙が本契約から生じる債務を履行しないときは、敷金をその債務の弁済に充てることができる。この場合において、乙は、本物件を明け渡すまでの間、敷金をもって当該債務の弁済に充てることを請求することができない。
３　甲は、本物件の明渡しがあったときは、遅滞なく、敷金の全額を乙に返還しなければならない。ただし、本物件の明渡し時に、賃料の滞納、第15条に規定する原状回復に要する費用の未払いその他の本契約から生じる乙の債務の不履行が存在する場合には、甲は、当該債務の額を敷金から差し引いた額を返還するものとする。
４　前項ただし書の場合には、甲は、敷金から差し引く債務の額の内訳を乙に明示しなければならない。

（反社会的勢力の排除）
第７条　甲及び乙は、それぞれ相手方に対し、次の各号の事項を確約する。
一　自らが、暴力団、暴力団関係企業、総会屋若しくはこれらに準ずる者又はその構成員（以下総称して「反社会的勢力」という。）ではないこと。
二　自らの役員（業務を執行する社員、取締役、執行役又はこれらに準ずる者をいう。）が反社会的勢力ではないこと。
三　反社会的勢力に自己の名義を利用させ、この契約を締結するものでないこと。

四　自ら又は第三者を利用して、次の行為をしないこと。
ア　相手方に対する脅迫的な言動又は暴力を用いる行為
イ　偽計又は威力を用いて相手方の業務を妨害し、又は信用を毀損する行為
2　乙は、甲の承諾の有無にかかわらず、本物件の全部又は一部につき、反社会的勢力に賃借権を譲渡し、又は転貸してはならない。

（禁止又は制限される行為）
第8条　乙は、甲の書面による承諾を得ることなく、本物件の全部又は一部につき、賃借権を譲渡し、又は転貸してはならない。
2　乙は、甲の書面による承諾を得ることなく、本物件の増築、改築、移転、改造若しくは模様替又は本物件の敷地内における工作物の設置を行ってはならない。
3　乙は、本物件の使用に当たり、別表第1に掲げる行為を行ってはならない。
4　乙は、本物件の使用に当たり、甲の書面による承諾を得ることなく、別表第2に掲げる行為を行ってはならない。
5　乙は、本物件の使用に当たり、別表第3に掲げる行為を行う場合には、甲に通知しなければならない。

（契約期間中の修繕）
第9条　甲は、乙が本物件を使用するために必要な修繕を行わなければならない。この場合の修繕に要する費用については、乙の責めに帰すべき事由により必要となったものは乙が負担し、その他のものは甲が負担するものとする。
2　前項の規定に基づき甲が修繕を行う場合は、甲は、あらかじめ、その旨を乙に通知しなければならない。この場合において、乙は、正当な理由がある場合を除き、当該修繕の実施を拒否することができない。
3　乙は、本物件内に修繕を要する箇所を発見したときは、甲にその旨を通知し修繕の必要について協議するものとする。
4　前項の規定による通知が行われた場合において、修繕の必要が認められるにもかかわらず、甲が正当な理由なく修繕を実施しないときは、乙は自ら修繕を行うことができる。この場合の修繕に要する費用については、第1項に準ずるものとする。
5　乙は、別表第4に掲げる修繕について、第1項に基づき甲に修繕を請求するほか、自ら行うことができる。乙が自ら修繕を行う場合においては、修繕に要する費用は乙が負担するものとし、甲への通知及び甲の承諾を要しない。

（契約の解除）
第10条　甲は、乙が次に掲げる義務に違反した場合において、甲が相当の期間を定めて当該義務の履行を催告したにもかかわらず、その期間内に当該義務が履行されないときは、本契約を解除することができる。
一　第4条第1項に規定する賃料支払義務
二　第5条第2項に規定する共益費支払義務
三　前条第1項後段に規定する乙の費用負担義務
2　甲は、乙が次に掲げる義務に違反した場合において、甲が相当の期間を定めて当該義務の履行を催告したにもかかわらず、その期間内に当該義務が履行されずに当該義務違反により本契約を継続することが困難であると認められるに至ったときは、本契約を解除することができる。
一　第3条に規定する本物件の使用目的遵守義務
二　第8条各項に規定する義務（同条第3項に規定する義務のうち、別表第1第六号から第八号に掲げる行為に係るものを除く。）
三　その他本契約書に規定する乙の義務
3　甲又は乙の一方について、次のいずれかに該当した場合には、その相手方は、何らの催告も要せずして、本契約を解除することができる。

一　第7条第1項各号の確約に反する事実が判明した場合
二　契約締結後に自ら又は役員が反社会的勢力に該当した場合

4　甲は、乙が第7条第2項に規定する義務に違反した場合又は別表第1第六号から第八号に掲げる行為を行った場合には、何らの催告も要せずして、本契約を解除することができる。

（乙からの解約）

第11条　乙は、甲に対して少なくとも30日前に解約の申入れを行うことにより、本契約を解約することができる。

2　前項の規定にかかわらず、乙は、解約申入れの日から30日分の賃料（本契約の解約後の賃料相当額を含む。）を甲に支払うことにより、解約申入れの日から起算して30日を経過する日までの間、随時に本契約を解約することができる。

（一部滅失等による賃料の減額等）

第12条　本物件の一部が滅失その他の事由により使用できなくなった場合において、それが乙の責めに帰することができない事由によるものであるときは、賃料は、その使用できなくなった部分の割合に応じて、減額されるものとする。この場合において、甲及び乙は、減額の程度、期間その他必要な事項について協議するものとする。

2　本物件の一部が滅失その他の事由により使用できなくなった場合において、残存する部分のみでは乙が賃借をした目的を達することができないときは、乙は、本契約を解除することができる。

（契約の終了）

第13条　本契約は、本物件の全部が滅失その他の事由により使用できなくなった場合には、これによって終了する。

（明渡し）

第14条　乙は、本契約が終了する日までに（第10条の規定に基づき本契約が解除された場合にあっては、直ちに）、本物件を明け渡さなければならない。

2　乙は、前項の明渡しをするときには、明渡し日を事前に甲に通知しなければならない。

（明渡し時の原状回復）

第15条　乙は、通常の使用に伴い生じた本物件の損耗及び本物件の経年変化を除き、本物件を原状回復しなければならない。ただし、乙の責めに帰することができない事由により生じたものについては、原状回復を要しない。

2　甲及び乙は、本物件の明渡し時において、契約時に特約を定めた場合は当該特約を含め、別表第5の規定に基づき乙が行う原状回復の内容及び方法について協議するものとする。

（立入り）

第16条　甲は、本物件の防火、本物件の構造の保全その他の本物件の管理上特に必要があるときは、あらかじめ乙の承諾を得て、本物件内に立ち入ることができる。

2　乙は、正当な理由がある場合を除き、前項の規定に基づく甲の立入りを拒否することはできない。

3　本契約終了後において本物件を賃借しようとする者又は本物件を譲り受けようとする者が下見をするときは、甲及び下見をする者は、あらかじめ乙の承諾を得て、本物件内に立ち入ることができる。

4　甲は、火災による延焼を防止する必要がある場合その他の緊急の必要がある場合においては、あらかじめ乙の承諾を得ることなく、本物件内に立ち入ることができる。この場合において、甲は、乙の不在時に立ち入ったときは、立入り後その旨を乙に通知しなければならない。

（家賃債務保証業者の提供する保証）
第 17 条　頭書（6）に記載する家賃債務保証業者の提供する保証を利用する場合には、家賃債務保証業者が提供する保証の内容については別に定めるところによるものとし、甲及び乙は、本契約と同時に当該保証を利用するために必要な手続を取らなければならない。

（協議）
第 18 条　甲及び乙は、本契約書に定めがない事項及び本契約書の条項の解釈について疑義が生じた場合は、民法その他の法令及び慣行に従い、誠意をもって協議し、解決するものとする。

（特約条項）
第 19 条　第 18 条までの規定以外に、本契約の特約については、下記のとおりとする。

甲：　　　　　　　　　　印 乙：　　　　　　　　　　印

別表第１（第８条第３項関係）

一	銃砲、刀剣類又は爆発性、発火性を有する危険な物品等を製造又は保管すること。
二	大型の金庫その他の重量の大きな物品等を搬入し、又は備え付けること。
三	排水管を腐食させるおそれのある液体を流すこと。
四	大音量でテレビ、ステレオ等の操作、ピアノ等の演奏を行うこと。
五	猛獣、毒蛇等の明らかに近隣に迷惑をかける動物を飼育すること。
六	本物件を、反社会的勢力の事務所その他の活動の拠点に供すること。
七	本物件又は本物件の周辺において、著しく粗野若しくは乱暴な言動を行い、又は威勢を示すことにより、付近の住民又は通行人に不安を覚えさせること。
八	本物件に反社会的勢力を居住させ、又は反復継続して反社会的勢力を出入りさせること。

別表第２（第８条第４項関係）

一	階段、廊下等の共用部分に物品を置くこと。
二	階段、廊下等の共用部分に看板、ポスター等の広告物を掲示すること。
三	観賞用の小鳥、魚等であって明らかに近隣に迷惑をかけるおそれのない動物以外の犬、猫等の動物（別表第１第五号に掲げる動物を除く。）を飼育すること。

別表第３（第８条第５項関係）

一	頭書（５）に記載する同居人に新たな同居人を追加（出生を除く。）すること。
二	１か月以上継続して本物件を留守にすること。

別表第４（第９条第５項関係）

ヒューズの取替え	蛇口のパッキン、コマの取替え
風呂場等のゴム栓、鎖の取替え	電球、蛍光灯の取替え
その他費用が軽微な修繕	

別表第５（第 15 条関係）

【原状回復の条件について】

本物件の原状回復条件は、下記Ⅱの「例外としての特約」による以外は、賃貸住宅の原状回復に関する費用負担の一般原則の考え方によります。すなわち、

・　借主の故意・過失、善管注意義務違反、その他通常の使用方法を超えるような使用による損耗等については、借主が負担すべき費用となる。なお、震災等の不可抗力による損耗、上階の居住者など借主と無関係な第三者がもたらした損耗等については、借主が負担すべきものではない。

・　建物・設備等の自然的な劣化・損耗等（経年変化）及び借主の通常の使用により生ずる損耗等（通常損耗）については、貸主が負担すべき費用となる

ものとします。

その具体的内容は、国土交通省の「原状回復をめぐるトラブルとガイドライン（再改訂版）」において定められた別表１及び別表２のとおりですが、その概要は、下記Ⅰのとおりです。

Ⅰ　本物件の原状回復条件

（ただし、民法第 90 条並びに消費者契約法第８条、第８条の２、第９条及び第 10 条に反しない内容に関して、下記Ⅱの「例外としての特約」の合意がある場合は、その内容によります。）

１　貸主・借主の修繕分担表

貸主の負担となるもの	借主の負担となるもの
【床（畳・フローリング・カーペットなど）】	
１．畳の裏返し、表替え（特に破損してないが、次の入居者確保のために行うもの） ２．フローリングのワックスがけ ３．家具の設置による床、カーペットのへこみ、設置跡 ４．畳の変色、フローリングの色落ち（日照、建物構造欠陥による雨漏りなどで発生したもの）	１．カーペットに飲み物等をこぼしたことによるシミ、カビ（こぼした後の手入れ不足等の場合） ２．冷蔵庫下のサビ跡（サビを放置し、床に汚損等の損害を与えた場合） ３．引越作業等で生じた引っかきキズ ４．フローリングの色落ち（借主の不注意で雨が吹き込んだことなどによるもの）
【壁、天井（クロスなど）】	
１．テレビ、冷蔵庫等の後部壁面の黒ずみ（いわゆる電気ヤケ） ２．壁に貼ったポスターや絵画の跡 ３．壁等の画鋲、ピン等の穴（下地ボードの張替えは不要な程度のもの） ４．エアコン（借主所有）設置による壁のビス穴、跡 ５．クロスの変色（日照などの自然現象によるもの）	１．借主が日常の清掃を怠ったための台所の油汚れ（使用後の手入れが悪く、ススや油が付着している場合） ２．借主が結露を放置したことで拡大したカビ、シミ（貸主に通知もせず、かつ、拭き取るなどの手入れを怠り、壁等を腐食させた場合） ３．クーラーから水漏れし、借主が放置したため壁が腐食 ４．タバコ等のヤニ、臭い（喫煙等によりクロス等が変色したり、臭いが付着している場合） ５．壁等のくぎ穴、ネジ穴（重量物をかけるためにあけたもので、下地ボードの張替えが必要な程度のもの） ６．借主が天井に直接つけた照明器具の跡 ７．落書き等の故意による毀損
【建具等、襖、柱等】	
１．網戸の張替え（特に破損はしてないが、次の入居者確保のために行うもの） ２．地震で破損したガラス ３．網入りガラスの亀裂（構造により自然に発生したもの）	１．飼育ペットによる柱等のキズ、臭い（ペットによる柱、クロス等にキズが付いたり、臭いが付着している場合） ２．落書き等の故意による毀損
【設備、その他】	
１．専門業者による全体のハウスクリーニング（借主が通常の清掃を実施している場合） ２．エアコンの内部洗浄（喫煙等の臭いなどが付着していない場合） ３．消毒（台所・トイレ） ４．浴槽、風呂釜等の取替え（破損等はしていないが、次の入居者確保のために行うもの） ５．鍵の取替え（破損、鍵紛失のない場合） ６．設備機器の故障、使用不能（機器の寿命によるもの）	１．ガスコンロ置き場、換気扇等の油汚れ、すす（借主が清掃・手入れを怠った結果汚損が生じた場合） ２．風呂、トイレ、洗面台の水垢、カビ等（借主が清掃・手入れを怠った結果汚損が生じた場合） ３．日常の不適切な手入れ又は用法違反による設備の毀損 ４．鍵の紛失又は破損による取替え ５．戸建賃貸住宅の庭に生い茂った雑草

2　借主の負担単位

負担内容			借主の負担単位	経過年数等の考慮
床	毀損部分の補修	畳	原則一枚単位 毀損部分が複数枚の場合はその枚数分（裏返しか表替えかは、毀損の程度による）	（畳表） 経過年数は考慮しない。
		カーペット クッションフロア	毀損等が複数箇所の場合は、居室全体	（畳床・カーペット・クッションフロア） ６年で残存価値１円となるような負担割合を算定する。
		フローリング	原則㎡単位 毀損等が複数箇所の場合は、居室全体	（フローリング） 補修は経過年数を考慮しない。 （フローリング全体にわたる毀損等があり、張り替える場合は、当該建物の耐用年数で残存価値１円となるような負担割合を算定する。）
壁・天井（クロス）	毀損部分の補修	壁（クロス）	㎡単位が望ましいが、借主が毀損した箇所を含む一面分までは張替え費用を借主負担としてもやむをえないとする。	（壁〔クロス〕） ６年で残存価値１円となるような負担割合を算定する。
		タバコ等のヤニ、臭い	喫煙等により当該居室全体においてクロス等がヤニで変色したり臭いが付着した場合のみ、居室全体のクリーニング又は張替え費用を借主負担とすることが妥当と考えられる。	
建具・柱	毀損部分の補修	襖	１枚単位	（襖紙、障子紙） 経過年数は考慮しない。
		柱	１本単位	（襖、障子等の建具部分、柱） 経過年数は考慮しない。
設備・その他	設備の補修	設備機器	補修部分、交換相当費用	（設備機器） 耐用年数経過時点で残存価値１円となるような直線（又は曲線）を想定し、負担割合を算定する。
	鍵の返却	鍵	補修部分 紛失の場合は、シリンダーの交換も含む。	鍵の紛失の場合は、経過年数は考慮しない。交換費用相当分を借主負担とする。
	通常の清掃※	クリーニング ※通常の清掃や退去時の清掃を怠った場合のみ	部位ごと、又は住戸全体	経過年数は考慮しない。借主負担となるのは、通常の清掃を実施していない場合で、部位又は住戸全体の清掃費用相当分を借主負担とする。

設備等の経過年数と借主負担割合（耐用年数６年及び８年、定額法の場合）
借主負担割合（原状回復義務がある場合）

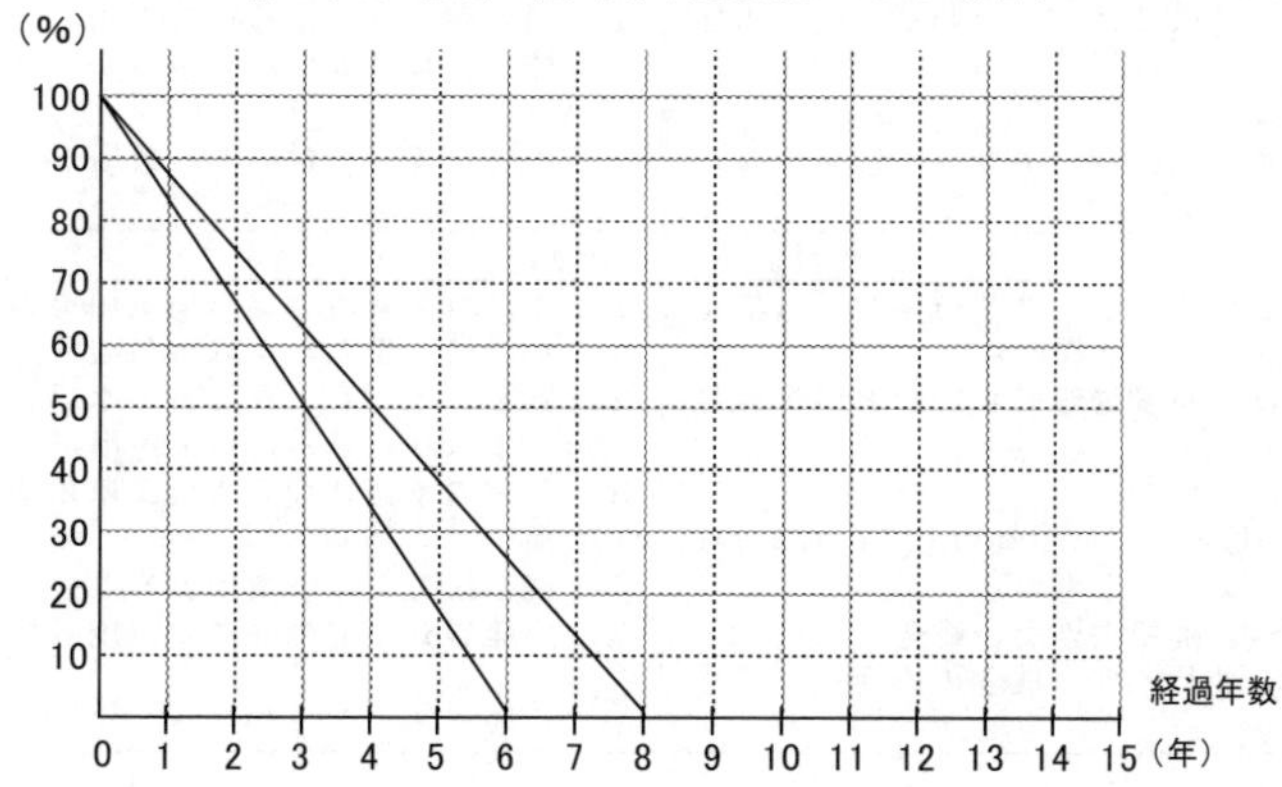

賃貸住宅標準契約書

3　原状回復工事施工目安単価
（物件に応じて、空欄に「対象箇所」、「単位」、「単価（円）」を記入して使用してください。）

対象箇所			単位	単価（円）
床				
天井・壁				
建具・柱				
設備・その他	共通			
	玄関・廊下			
	台所・キッチン			
	浴室・洗面所・トイレ			
その他				

※この単価は、あくまでも目安であり、入居時における借主・貸主双方で負担の概算額を認識するためのものです。
※従って、退去時においては、資材の価格や在庫状況の変動、毀損の程度や原状回復施工方法等を考慮して、借主・貸主双方で協議した施工単価で原状回復工事を実施することとなります。

Ⅱ　例外としての特約

原状回復に関する費用の一般原則は上記のとおりですが、借主は、例外として、下記の費用については、借主の負担とすることに合意します（ただし、民法第 90 条並びに消費者契約法第８条、第８条の２、第９条及び第 10 条に反しない内容に限ります）。
（括弧内は、本来は貸主が負担すべきものである費用を、特別に借主が負担することとする理由。）

・

（　　　　　　　　　　　　　　　　　　　）

甲：　　　　　　　　　　印
乙：　　　　　　　　　　印

記名押印欄

下記貸主（甲）と借主（乙）は、本物件について上記のとおり賃貸借契約を締結したことを証するため、本契約書２通を作成し、甲乙記名押印の上、各自その１通を保有する。

年　　　月　　　日

貸主（甲）　住所 〒
氏名　　　　　　　　　　　　　　　　　　印
電話番号

借主（乙）　住所 〒
氏名　　　　　　　　　　　　　　　　　　印
電話番号

媒介
業者
代理

免許証番号〔　　　〕 知事・国土交通大臣（　　　）　第　　　号

事務所所在地

商号（名称）

代表者氏名

宅地建物取引士　　　　　　登録番号〔　　　〕知事　第　　　号

氏名

《賃貸住宅標準契約書　作成にあたっての注意点》

頭書関係

以下の事項に注意して記入してください。なお、該当する事項のない欄には「—」を記入してください。

（1）関係

①「名　称」: 建物の名称（○○マンション、○○荘など）を記入してください。

②「所在地」: 住居表示を記入してください。

③「建て方」: 該当するものに○をつけてください。

〔用語の説明〕

イ　共同建……1棟の中に2戸以上の住宅があり廊下・階段等を共用しているものや、2戸以上の住宅を重ねて建てたもの。階下が商店で、2階以上に2戸以上の住宅がある、いわゆる「げたばき住宅」も含まれます。

ロ　長屋建……2戸以上の住宅を1棟に建て連ねたもので、各住宅が壁を共通にし、それぞれ別々に外部への出入口を有しているもの。いわゆる「テラスハウス」も含まれます。

ハ　一戸建……1つの建物が1住宅であるもの

ニ　その他……イ～ハのどれにも当てはまらないもので、例えば、工場や事業所の一部が住宅となっているような場合をいいます。

④「構造」: 木造、非木造の該当する方に○をつけ、建物の階数（住戸が何階にあるかではなく、建物自体が何階建てか。）を記入してください。

〔用語の説明〕

イ　木　造……主要構造部（壁、柱、床、はり、屋根又は階段をいう。）が木造のもの

ロ　非木造……カッコ内に、当該建物に該当する構造（建築基準法施行令等で規定されている構造）を記載してください。

⑤「戸　数」: 建物内にある住戸の数を記入してください。

⑥「工事完了年」:（記載例）

平成10年建築、大規模修繕の工事は未実施 → 平成10年〔大規模修繕を（——）年実施〕

昭和60年建築、平成20年に大規模修繕の工事を実施 → 昭和60年〔大規模修繕を（平成20）年実施〕

〔用語の説明〕

・　大規模修繕……建築基準法第2条第14号に規定する「大規模の修繕」であり、建築物の「主要構造部」の一種以上について行う過半の修繕。主要構造部としては、「壁、柱、床、梁、屋根、階段（建物の構造上重要でない間仕切り壁、間柱、つけ柱、揚げ床、最下階の床、小梁、ひさし、局部的な小階段、屋外階段その他これらに類する建築物の部分を除く。）」が対象となります。

⑦「間取り」:（記載例）

3DK　→　（3）LDK・[DK]・K／ワンルーム／

ワンルーム　→　（　）LDK・DK・K／[ワンルーム]／

2LDKS　→　（2）[LDK]・DK・K／ワンルーム／[サービスルーム有り]

〔用語の説明〕

イ　K……台所

ロ　DK……1つの部屋が食事室と台所を兼ねているもの

ハ　LDK……1つの部屋が居間と食事室と台所を兼ねているもの

⑧「面　積」：バルコニーを除いた専用部分の面積を記入してください。バルコニーがある場合には、次の記載例のようにカッコを設けてその中にバルコニー面積を記入してください。

（記載例）　（バルコニーを除いた専用面積　50 ㎡
バルコニーの面積　10 ㎡）
→　50 ㎡（それ以外に、バルコニー10 ㎡）

⑨「設備等」：各設備などの選択肢の該当するものに○をつけ、特に書いておくべき事項（設備の性能、損耗状況、貸出数量など）があれば右の空欄に記入してください。

「トイレ」：「専用・共用」の該当する方に○をつけ、「水洗・非水洗」のどちらかにも○をつけてください。

「浴　室」：浴室乾燥機や追焚機能がある場合はその旨を記入してください。

「洗濯機置場」：洗濯機置場の場所（室内又は室外）や洗濯機防水パンの有無などを記入してください。

「備え付け照明設備」：照明が備え付けてある場合、電球の種類や交換日などを記入してください。

「オートロック」：オートロックの解錠方法を記入してください。

「地デジ対応・CATV 対応」：該当する方法に○をつけ、その他注意書きがある場合は記入してください。

「インターネット対応」：回線種類（CATV、光回線、ADSL 回線等）や回線容量等の契約内容を記入してください。

「メールボックス」：メールボックスの解錠方法等を記入してください。

「宅配ボックス」：番号又はカードの貸出枚数を記入してください。

「　鍵　」：鍵番号と貸出本数をカッコの中に記入してください。

「使用可能電気容量」の数字をカッコの中に記入してください。

選択肢を設けていない設備などで書いておくことが適当なもの（例：電話）があれば、「鍵」の下の余白を利用してください。

⑩「附属施設」：各附属施設につき、本契約の対象となっている場合は「含む」に○をつけ、本契約の対象となっていない場合は「含まない」に○をつけてください。また、特に書いておくべき事項（施設の概要、庭の利用可能面積など）があれば右の空欄に記入してください。

「駐車場」には契約台数と駐車位置番号を下線部に記入してください。

「バイク置場」には契約台数と駐車位置番号を下線部に記入してください。

「自転車置場」には契約台数と駐車位置番号を下線部に記入してください。

各附属施設につき、本契約とは別に契約をする場合には、選択肢の「含まない」に○をつけ、右の空欄に「別途契約」と記入してください。

選択肢を設けていない附属施設で書いておくことが適当なものがあれば、「専用庭」の下の余白を利用してください。

（2）関係

「始　期」：契約を締結する日と入居が可能となる日とが異なる場合には、入居が可能となる日を記入してください。

（3）関係

①「支払期限」：当月分・翌月分の該当する方に○をつけてください。

②「支払方法」：振込又は自動口座振替の場合は、貸主側の振込先金融機関名等を記入してください。「預金」の欄の普通預金・当座預金の該当する方に○をつけてください。併せて、「振込手数料負担者」の欄の貸主・借主の該当する方に○をつけてください。

③「その他一時金」：敷金以外のその他一時金について特約をする場合は、第 19 条の特約条項の欄に所定の特約事項を記入するとともに、この欄に、その一時金の名称、

金額などを記入してください。

④「附属施設使用料」: 賃料とは別に附属施設の使用料を徴収する場合は、この欄にその施設の名称、使用料額などを記入してください。

⑤「その他」:「賃料」、「共益費」、「敷金」、「その他一時金」、「附属施設使用料」の欄に記入する金銭以外の金銭の授受を行う場合（例：専用部分の光熱費を貸主が徴収して一括して事業者に支払う場合）は、この欄にその内容、金額などを記入してください。

（4）関係

①「管理業者」: 物件の管理を管理業者に委託している場合、管理業者の「所在地」、「商号（名称)」、「電話番号」を記入してください。管理業者が「賃貸住宅管理業者登録制度」の登録を行っている場合はその番号を記入してください。

また、個人が「管理人」として、物件の管理を行っている場合は、管理人の「住所」、「氏名」、「電話番号」を記入してください。

〔用語の説明〕

・賃貸住宅管理業者登録制度……賃貸住宅の管理業務に関して一定のルールを設けることで、その業務の適正な運営を確保し、借主と貸主の利益の保護を図るため、「賃貸住宅の管理業務等の適性化に関する法律」により創設された登録制度です。（令和3年6月施行）

②「建物の所有者」: 貸主と建物の所有者が異なる場合、建物所有者の「住所」、「氏名（社名・代表者)」、「電話番号」を記入してください。

（5）関係

①「借主」: 本人確認の観点から、氏名と年齢を記入してください。

②「同居人」: 同居する人の氏名と年齢、合計人数を記入してください。

③「緊急時の連絡先」: 勤務先、親戚の住所など、貸主や管理業者が緊急時に借主に連絡を取れるところを記入してください。なお、緊急時の連絡先には、借主に連絡を取ることのほか、借主の急病・急変、安否確認や漏水等への対応を依頼することも想定されるため、契約時に連絡をして、緊急時の連絡先になってもらうことやこれらの対応を依頼する場合もある旨を伝えておくことが望ましいと考えられます。

（6）関係

家賃債務保証業者の「所在地」、「商号（名称)」、「電話番号」を記入してください。家賃債務保証業者が「家賃債務保証業者登録制度」の登録を行っている場合にはその番号を記入してください。

〔用語の説明〕

・家賃債務保証業者登録制度……家賃債務保証業務に関して一定のルールを設けることで、その業務の適正な運営を確保し、借主と貸主の利益の保護を図るための国土交通省告示による任意の登録制度です。（平成29年10月施行）

条文関係

【第８条（禁止又は制限される行為）関係】

別表第１（ただし、第六号から第八号に掲げる行為は除く）、別表第２及び別表第３は、個別事情に応じて、適宜、変更、追加及び削除をすることができます。

変更する場合には、変更する部分を二重線等で抹消して新たな文言を記載し、その上に貸主と借主とが押印してください。

追加する場合には、既に記入されている例示事項の下の空欄に記入し、追加した項目ごとに、記載事項の上に貸主と借主とが押印してください。

削除する場合には、削除する部分を二重線等で抹消し、その上に貸主と借主とが押印してください。

【第９条（契約期間中の修繕）関係】

別表第４は、個別事情に応じて、適宜、変更、追加及び削除をすることができます。

変更する場合には、変更する部分を二重線等で抹消して新たな文言を記載し、その上に貸主と借主とが押印してください。

追加する場合には、既に記入されている例示事項の下の空欄に記入し、追加した項目ごとに、記載事項の上に貸主と借主とが押印してください。

削除する場合には、削除する部分を二重線等で抹消し、その上に貸主と借主とが押印してください。

【第15条（明渡し時の原状回復）関係】

別表第５「Ⅰ－３　原状回復工事施工目安単価」は、賃貸借の目的物に応じて、適宜、記入してください。

貸主と借主は、原状回復をめぐるトラブルを未然に防止するため、あくまでも目安として、把握可能な「原状回復工事施工目安単価」について、可能な限り記述することが望ましいと考えられます。

対象箇所には、修繕が発生すると思われる箇所、あるいは、あらかじめ単価を示しておきたい、知っておきたい箇所について、「原状回復工事施工目安単価」に記入してください。

具体的な対象箇所については、次に示す「原状回復をめぐるトラブルとガイドライン（再改訂版）」別表３「契約書に添付する原状回復の条件に関する様式」のⅠ－３「原状回復工事施工目安単価」を参照してください。

なお、下記で例示している以外の箇所を記載することも可能です。

対象箇所を記入した場合は、その単位と単価を記入してください。

原状回復の特約として定める事項がある場合には、別表第５「Ⅱ　例外としての特約」欄に記入し、項目ごとに、記載事項の上に貸主と借主が押印し、最後に確認的に貸主と借主が記名押印することが望ましいと考えられます。

特約項目の例として、次の事項を挙げることができます。

・居室内でのペット飼育を認める代わりに、壁クロスの張替費用全額を借主の負担とする場合

（参考）「原状回復をめぐるトラブルとガイドライン（再改訂版）」
別表３「契約書に添付する原状回復の条件に関する様式」
Ｉ－３「原状回復工事施工目安単価」

対象箇所		単位	単価（円）
室内クリーニング		一式	
床	クッションフロア	㎡	
	フローリング	㎡	
	畳	枚	
	カーペット類	㎡	
天井・壁	壁（クロス）	㎡	
	天井（クロス）	㎡	
	押入れ・天袋	箇所	
建具	窓（ガラス・枠）	枚	
	網戸（網・枠）	枚	
	襖	枚	
	障子	枚	
	室内ドア・扉	枚	
	カーテンレール	箇所	
	シャッター（雨戸）	箇所	
	柱	箇所	
	間仕切り	箇所	
	玄関ドア	箇所	
設備・その他　共通	照明器具	個	
	電球・電灯類	個	
	スイッチ	個	
	コンセント	個	
	エアコン	台	
	テレビ用端子	個	
	換気扇	個	
	バルコニー	個	
	物干し金具	個	

対象箇所			単位	単価（円）
設備・その他	玄関・廊下	チャイム・インターホン	台	
		玄関ドアの鍵	個	
		下駄箱	箇所	
		郵便受け	個	
	台所・キッチン	電気・ガスコンロ	一式	
		給湯器類	一式	
		戸棚類	箇所	
		流し台	一式	
		給排水設備	一式	
	浴室・洗面所・トイレ	鏡	台	
		シャワー	一式	
		洗面台	一式	
		クサリ及びゴム栓	個	
		風呂釜	一式	
		給湯器類	一式	
		浴槽	一式	
		蓋及び備品類	一式	
		便器	一式	
		給排水設備	一式	
		洗濯機用防水パン	一式	
		タオル掛け	個	
		ペーパーホルダー	個	

※この単価は、あくまでも目安であり、入居時における賃借人・賃貸人双方で負担の概算額を認識するためのものです。従って、退去時において、資材の価格や在庫状況の変動、毀損の程度や原状回復施工方法等を考慮して変更となる場合があります。

【第 19 条（特約条項）関係】

空欄に特約として定める事項を記入し、項目ごとに、記載事項の上に貸主と借主が押印し、最後に確認的に貸主と借主が記名押印してください。

特約項目の例として、次の事項を挙げることができます。

①居室内でのペット飼育を禁止している物件について、ペットの飼育を認める場合、その内容（第８条関係）

②営業目的の併用使用を認める場合、その手続き（第３条関係）

③保険の加入がある場合、その内容

〈承諾書（例）〉

（1）賃借権譲渡承諾書（例）　（賃貸住宅標準契約書第8条第1項関係）

○年○月○日

賃借権譲渡の承諾についてのお願い

（貸主）　住所
　　　　　氏名　○○○○ 殿

（借主）　住所
　　　　　氏名　○　○　○　○　印

私が賃借している下記（1）の住宅の賃借権の｛全部／一部｝を、下記（2）の者に譲渡したいので、承諾願います。

記

（1）住　　宅	名　　称	
	所 在 地	
	住戸番号	
（2）譲　受　人	住　　所	
	氏　　名	

承　諾　書

上記について、承諾いたします。
敷金は、契約書第6条第3項ただし書に基づく精算の上、返還いたします。
（なお、　　　　　　　　　　　　　　　　　　　　　　　）

○年○月○日

（貸主）　住所
　　　　　氏名　○　○　○　○　印

〔注〕

1　借主は、本承諾書の点線から上の部分を記載し、貸主に2通提出してください。貸主は、承諾する場合には本承諾書の点線から下の部分を記載し、1通を借主に返還し、1通を保管してください。
2　「全部」又は「一部」の該当する方に○を付けてください。
3　（1）の欄は、契約書頭書（1）を参考にして記載してください。
4　一部譲渡の場合は、譲渡部分を明確にするため、図面等を添付する必要があります。
5　承諾に当たっての確認事項等があれば、「なお、」の後に記載してください。

（2）転貸承諾書（例）　（賃貸住宅標準契約書第８条第１項関係）

○年○月○日

転貸の承諾についてのお願い

（貸主）　住所
氏名　○○○○ 殿

（借主）　住所
氏名　○　○　○　○　印

私が賃借している下記（1）の住宅の｛全部／一部｝を、下記（2）の者に転貸したいので、承諾願います。

記

（1）住　　宅	名　　称	
	所 在 地	
	住戸番号	
（2）転 借 人	住　　所	
	氏　　名	

承　諾　書

上記について、承諾いたします。
（なお、　　　　　　　　　　　　　　　　　　　　）
○年○月○日
（貸主）　住所
氏名　○　○　○　○　印

〔注〕
1　借主は、本承諾書の点線から上の部分を記載し、貸主に２通提出してください。貸主は、承諾する場合には本承諾書の点線から下の部分を記載し、１通を借主に返還し、１通を保管してください。
2　「全部」又は「一部」の該当する方に○を付けてください。
3　（1）の欄は、契約書頭書（1）を参考にして記載してください。
4　一部転貸の場合は、転貸部分を明確にするため、図面等を添付する必要があります。
5　承諾に当たっての確認事項等があれば、「なお、」の後に記載してください。
6　借主が民泊（住宅に人を宿泊させるサービス）を行おうとする場合、あらかじめ転借人を記載することは困難と考えられるため、（2）の欄は記載せず、欄外に住宅宿泊事業法に基づく住宅宿泊事業又は国家戦略特区法に基づく外国人滞在施設経営事業を行いたい旨を記載してください。

（3）増改築等承諾書（例）　（賃貸住宅標準契約書第８条第２項関係）

○年○月○日

増改築等の承諾についてのお願い

（貸主）　住所
氏名　○○○○殿

（借主）　住所
氏名　○　○　○　○　印

私が賃借している下記（1）の住宅の増改築等を、下記（2）のとおり行いたいので、承諾願います。

記

（1）住　　宅	名　　称	
	所 在 地	
	住戸番号	
（2）増改築等の概要	別紙のとおり	

承　諾　書

上記について、承諾いたします。
（なお、　　　　　　　　　　　　　　　　　　　　　　　　）
○年○月○日
（貸主）　住所
氏名　○　○　○　○　印

〔注〕
1　借主は、本承諾書の点線から上の部分を記載し、貸主に２通提出してください。貸主は、承諾する場合には本承諾書の点線から下の部分を記載し、１通を借主に返還し、１通を保管してください。
2　「増改築等」とは、契約書第８条第２項に規定する「増築、改築、移転、改造若しくは模様替又は本物件の敷地内における工作物の設置」をいいます。
3　（1）の欄は、契約書頭書（1）を参考にして記載してください。
4　増改築等の概要を示した別紙を添付する必要があります。
5　承諾に当たっての確認事項等があれば、「なお、」の後に記載してください。
例）収去等についての事項

（4）賃貸住宅標準契約書別表第２に掲げる行為の実施承諾書（例）
（賃貸住宅標準契約書第８条第４項関係）

○年○月○日

契約書別表第２に掲げる行為の実施の承諾についてのお願い

（貸主）　住所
　　　　　氏名　○○○○殿

（借主）　住所
　　　　　氏名　○　○　○　○　印

私が賃借している下記（１）の住宅において、契約書別表第２第○号に当たる下記（２）の行為を行いたいので、承諾願います。

記

（１）住　　宅	名　　称	
	所在地	
	住戸番号	
（２）行為の内容		

承　諾　書

上記について、承諾いたします。
（なお、　　　　　　　　　　　　　　　　　　　　　　　　　　）
○年○月○日
（貸主）　住所
　　　　　氏名　○　○　○　○　印

〔注〕
1　借主は、本承諾書の点線から上の部分を記載し、貸主に２通提出してください。貸主は、承諾する場合には本承諾書の点線から下の部分を記載し、１通を借主に返還し、１通を保管してください。
2　「第○号」の○には、別表第２の該当する号を記載してください。
3　（１）の欄は、契約書頭書（１）を参考にして記載してください。
4　（２）の欄には、行為の内容を具体的に記載してください。
5　承諾に当たっての確認事項等があれば、「なお、」の後に記載してください。

《賃貸住宅標準契約書　解説コメント》

賃貸住宅標準契約書の本体は、「頭書部分」、「本条」、「別表」、「記名押印欄」から構成されている。

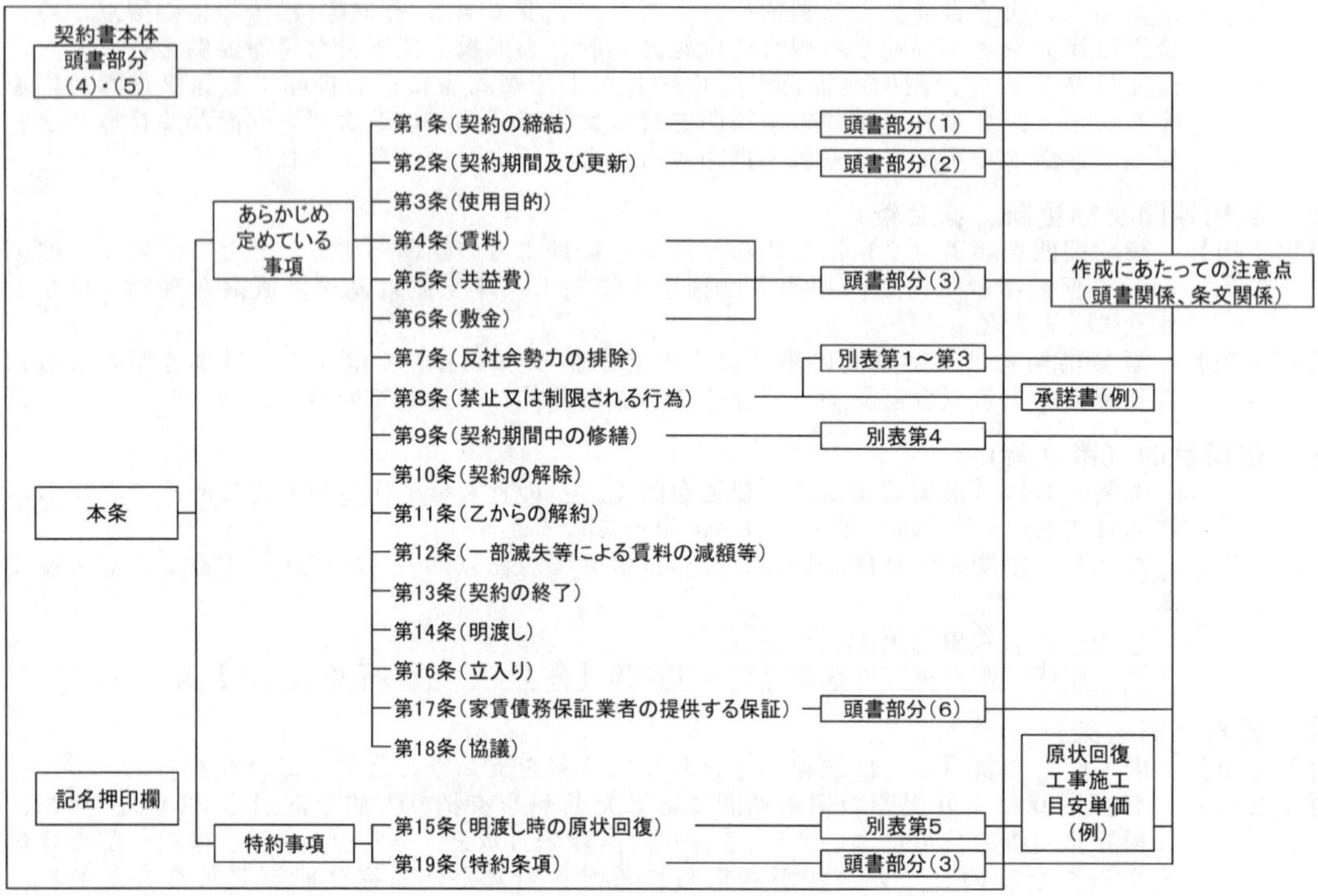

図　賃貸住宅標準契約書の構成

【頭書部分】

標準契約書においては、賃貸借の目的物の概要、契約期間及び賃料等の約定事項、貸主、借主、管理業者及び同居人の氏名並びに家賃債務保証業者の商号（名称）等を一覧できるように、頭書部分を設けている。これは、約定事項を当事者が一括して書き込むことにより、当事者の意思を明確にさせ、記載漏れを防ぐこととあわせて、契約の主要な内容の一覧を図れるようにする趣旨である。

頭書部分への具体的な記載方法等については、《作成にあたっての注意点》頭書関係を参照されたい。

【本条】　　　　　　　　　　　※以下に示す民法の条文は平成29年改正後のものである。

1　契約の締結（第1条）

本条項は、賃貸借契約の締結を宣言したものである。賃貸借契約は諾成契約であり、申込みと承諾の意思表示の合致によって成立するが、各当事者は契約成立について疑義が生じないよう書面による契約を行うことが重要である。その際、紛争防止の観点から、貸主は媒介業者が存在する場合には媒介業者とも連携して十分な情報提供を行うこと、借主は賃貸物件、契約内容を十分吟味した上で契約書に記名押印する等慎重な対応をすること、媒介業者は重要事項説明を行った上で契約書の取次ぎを遅滞なく行うこと、貸主は遅滞なく契約書に署名・押印することが望ましいと考えられる。

2　契約期間及び更新（第2条）

【第1項】　契約期間を頭書（2）に定める始期から終期までの期間とすることとしており、原則として両当事者は、この期間中は相手方に対して本契約に基づく債権を有し、債務を負うこととなる。

【第2項】　賃貸借契約は契約期間の満了により必ず終了するものではなく、当事者間の合意により契約が更新（合意更新）できることを確認的に記述している。

3　使用目的（第3条）

本契約書は「民間賃貸住宅（社宅を除く。）」の賃貸借に係る契約書であることから、使用目的を「（自己の）居住」のみに限っている。

ただし、特約をすれば、居住しつつ、併せて居住以外の目的に使用することも可能である。

→19　特約条項（第19条）参照
→《作成にあたっての注意点》条文関係【第19条（特約条項）関係】参照

賃貸住宅標準契約書

4　賃料（第4条）

【第1項】　借主は、頭書（3）に記載するとおりに賃料を支払うこととしている。

【第2項】　日割計算により実際の契約期間に応じた賃料を支払う方法を記述している。なお、日割計算の際の分母については、「各月の実際の日数とすること」と「一律に一定の日数とすること」の2つの方法が考えられるが、計算がある程度簡便であることから、「一律に一定の日数とすること（1か月30日）」としている。

【第3項】　賃料は、契約期間中であっても第3項各号の条件のいずれかに該当する場合に、当事者間で協議の上、改定できることとしている。

5　共益費（第5条）

【第1項】　共益費は賃貸住宅の共用部分（階段、廊下等）の維持管理に必要な実費に相当する費用（光熱費、上下水道使用料、清掃費等）として借主が貸主に支払うものである。なお、戸建て賃貸住宅については、通常は、共益費は発生しない。

【第2項】　借主は、頭書（3）に記載するとおりに共益費を支払うこととしている。

【第3項】　→4　賃料（第4条）【第2項】参照

【第4項】　共用部分の維持管理に必要な費用に変動が生じた場合（例えば電気料金等が改定された場合）、当事者間の協議により改定できることとしている。

6　敷金（第6条）

【第1項】　住宅の賃貸借契約から生じる借主の債務の担保として、借主は敷金を貸主に交付することとしている。平成29年民法改正で、敷金について「いかなる名目によるかを問わず、賃料債務その他の賃貸借に基づいて生ずる賃借人の賃貸人に対する金銭の給付を目的とする債務を担保する目的で、賃借人が賃貸人に交付する金銭をいう。」という定義が規定された（民法第622条の2第1項）。

【第2項】　敷金は、借主の債務の担保であることから、明け渡すまでの間、貸主からは借主の債務の不履行について敷金を債務の弁済に充てることができるが、借主からは敷金を賃料、共益費その他の支払い債務の弁済に充てることを請求できないこととしている。

【第３項】　本物件の明渡しがあったときは、貸主は敷金の全額を借主に返還しなければならないが、借主に債務の不履行（賃料の滞納、原状回復に要する費用の未払い等）がある場合は、貸主は債務不履行額を差し引いた額を返還することとしている。つまり、物件の明渡債務と敷金返還債務とは同時履行の関係に立つものではなく、敷金返還時期は、明渡しが完了したときである。

【第４項】　前項ただし書の場合（借主の債務を敷金から充当する場合）、貸主は差引額の内訳を借主に明示しなければならないこととしている。

7　反社会的勢力の排除（第７条）

【第１項】　暴力団等の反社会的勢力を排除するために、自ら又は自らの役員が反社会的勢力でないこと（第一号、第二号）、反社会的勢力に協力していないこと（第三号）をそれぞれ相手方に対して確約させることとしている。さらに、自ら又は第三者を利用して、相手方に対して暴力を用いる等の行為をしないことを確約させることとしている（第四号）。

【第２項】　反社会的勢力への賃借権譲渡や転貸を禁止している。譲受人や転借人が反社会的勢力であるとは知らずに、貸主が承諾した場合でも禁止されていることを明確にするため、貸主の承諾の有無にかかわらず禁止するものとして規定している。

8　禁止又は制限される行為（第８条）

【第１項】　賃借権の譲渡、転貸は、貸主の書面による承諾を条件とすることとしている。なお、賃借権の譲渡が行われた時は、貸主に敷金返還義務が生じる（民法第 622 条の２第１項）。
→〈承諾書（例）〉（１）賃借権譲渡承諾書（例）（２）転貸承諾書（例）参照

【第２項】　本物件の増改築等の実施は、貸主の書面による承諾を条件とすることとしている。平成 29 年民法改正で、賃借物への附属物について、賃借物から分離することができない物又は分離するのに過分の費用を要する物については収去義務を負わないことが明文化されたことから（民法第 622 条、599 条第１項）、増改築等承諾書のなお書として、『なお、○○（附属物の名称）については、収去義務を負わないものとする。』等の記載が考えられる。また、紛争防止の観点から、増改築等の際には、原状回復の有無や有益費償還請求、造作買取請求の有無についての事項を増改築等承諾書において事前に合意しておくことが望ましいと考えられる。
→〈承諾書（例）〉（３）増改築等承諾書（例）参照

【第３項】　禁止の行為を別表第１に記載している。なお、別表第１にあらかじめ記載している行為については、当事者の合意により、変更、追加又は削除できることとしている（ただし、第六号から第八号は除く）。
→《作成にあたっての注意点》条文関係【第８条（禁止又は制限される行為）関係】参照

【第４項】　貸主の書面による承諾があれば可能な行為を別表第２に記載している。なお、別表第２にあらかじめ記載している行為については、当事者の合意により、変更、追加又は削除できることとしている。
→《作成にあたっての注意点》条文関係【第８条（禁止又は制限される行為）関係】参照
→〈承諾書（例）〉（４）賃貸住宅標準契約書別表第２に掲げる行為の実施承諾書（例）参照

【第５項】　貸主への通知を要件に認められる行為を別表第３に記載している。なお、別表第３にあらかじめ記載している行為については、当事者の合意により、変更、追加又は削除できることとしている。
→《作成にあたっての注意点》条文関係【第８条（禁止又は制限される行為）関係】参照

※条文の変更について
- 貸主が第５項に規定する通知の受領を管理業者に委託しているときは、第５項の「甲に通知しなければならない。」を「甲又は管理業者に通知しなければならない。」又は「管理業者に通知しなければならない。」に変更することとなる。
- 一戸建の賃貸住宅に係る契約においては、別表第２第一号と第二号は、一般的に削除することとなる。
- 同居人に親族以外が加わる場合を承諾事項とするときには、別表第３第一号を「頭書（５）に記載する同居人に乙の親族の者を追加（出生を除く。）すること。」に変更し、別表第２に「頭書（５）に記載する同居人に乙の親族以外の者を追加すること。」を追加することとなる。

9　契約期間中の修繕（第9条）

【第1項】　賃貸借の目的物に係る修繕は、全て貸主が実施の義務を負うこととし、借主の帰責事由による修繕については、費用負担を借主に求めることとしている。民法上は、賃借人の帰責事由による修繕は、賃貸人の修繕義務の範囲から除いている（民法第606条第1項ただし書）が、建物の管理を行う上では、修繕の実施主体を全て貸主とし、借主の帰責事由による修繕について、費用負担を借主に求める方が合理的であると考えられる。このため、修繕は原則として貸主が実施主体となり費用を負担することとし、修繕の原因が借主の帰責事由によるものである場合には、貸主が修繕を実施し、借主が費用を負担することとしている。この場合に借主が負担する費用は、借主の帰責事由による債務不履行に基づく損害賠償の意味を持つものである。

【第2項】　修繕の実施に当たり貸主及び貸主の依頼による業者が専用部分に立ち入る必要がある場合は、貸主からの通知を要するとともに、民法第606条第2項により借主は貸主の修繕の実施を拒めないこととされているため、借主は正当な理由なく貸主の修繕の実施を拒否することはできないこととしている。

【第3項】　要修繕箇所を発見した場合に借主が貸主に通知し、両者で修繕の必要性について協議することとしている。紛争防止の観点から、修繕が必要である旨の通知は、書面又は電子メール等の電磁的記録によって行うことが望ましいと考えられる。

【第4項】　修繕の必要が認められるにもかかわらず、貸主が正当な理由なく修繕を実施しない場合に、借主が自ら修繕できることを定めるとともに、その場合の費用負担（第1項と同様）について示している。

平成29年民法改正で、①賃借人が賃貸人に修繕が必要である旨を通知し、又は賃貸人がその旨を知ったにもかかわらず、賃貸人が相当の期間内に必要な修繕をしないとき、②急迫の事情があるとき、には、賃借人による修繕が可能であることが規定された（民法第607条の2）。この規定の趣旨を踏まえ、第4項を規定している。

【第5項】　修繕の中には、安価な費用で実施でき、建物の損傷を招くなどの不利益を貸主にもたらすものではなく、借主にとっても貸主の修繕の実施を待っていてはかえって不都合が生じるようなものもあると想定されることから、別表第4に掲げる費用が軽微な修繕については、借主が自らの負担で行うことができることとしている。また、別表第4に掲げる修繕は、第1項に基づき、貸主に修繕を求めることも可能である。このため、第5項に基づき借主が自ら行った場合には、費用償還請求権は排除されると考えられる。

なお、別表第4にあらかじめ記載している修繕については、当事者間での合意により、変更、追加又は削除できることとしている。

→《作成にあたっての注意点》条文関係【第9条（契約期間中の修繕）関係】参照

10　契約の解除（第10条）

【第1項】　借主の「～しなければならない」という作為義務違反を規定しており、民法第541条の趣旨を踏まえ「催告」を要件とし、催告にも係わらず借主が義務を履行しないときに解除することができるとしている。

【第2項】　借主の「～してはならない」という不作為義務違反を規定しており、第1項と同様「催告」を要件とし、催告にも係わらず借主が義務を履行せず、本契約を継続することが困難であると認められるときに解除することができるとしている。

【第3項】　第7条第1項各号の確約に反する事実が判明した場合、及び契約締結後に自ら又は役員が反社会的勢力に該当した場合、催告なしで契約を解除することができるとしている。なお、平成29年民法改正で、契約総則において、債務者の履行拒絶の明確な意思表示のある場合や、催告をしても契約目的達成に足りる履行の見込みがないことが明らかな場合等に無催告解除ができることが規定された（民法第542条第1項）。

→7　反社会的勢力の排除（第7条）【第1項】参照

【第4項】　借主が第7条第2項に規定する義務に違反した場合、及び借主が第8条第3項に規定する禁止行為のうち、別表第1第六号から第八号に掲げる行為を行った場合、催告なしで契約を解除することができるとしている。

→7　反社会的勢力の排除（第7条）【第2項】参照
→8　禁止又は制限される行為（第8条）【第3項】参照

※賃貸借契約における無催告解除について
判例は、賃貸借契約において、賃料の長期不払、賃借物の損壊等、賃借人の義務違反の程度が甚だしく、賃貸借契約の継続を著しく困難にするような背信行為があった場合には、無催告解除を認めている（最判昭和 47 年２月 18 日民集 26 巻１号 63 頁、最判昭和 49 年４月 26 日民集 28 巻３号 467 頁等。いわゆる信頼関係破壊の法理）。

11　乙からの解約（第 11 条）

【第１項】　借主が賃貸借契約を終了させるための期間（解約申入れ期間）が 30 日以上の場合について規定している。

なお、解約申入れ期間を 30 日としたのは、第４条及び第５条の賃料及び共益費の日割計算の分母を 30 日としていることにあわせるためである。

→４　賃料（第４条）【第２項】参照

【第２項】　解約申入れ期間が 30 日に満たない場合について規定しており、30 日分の賃料及び賃料相当額を支払えば、随時に解約できることとしている。

【例】９月 30 日に契約を解除したい場合

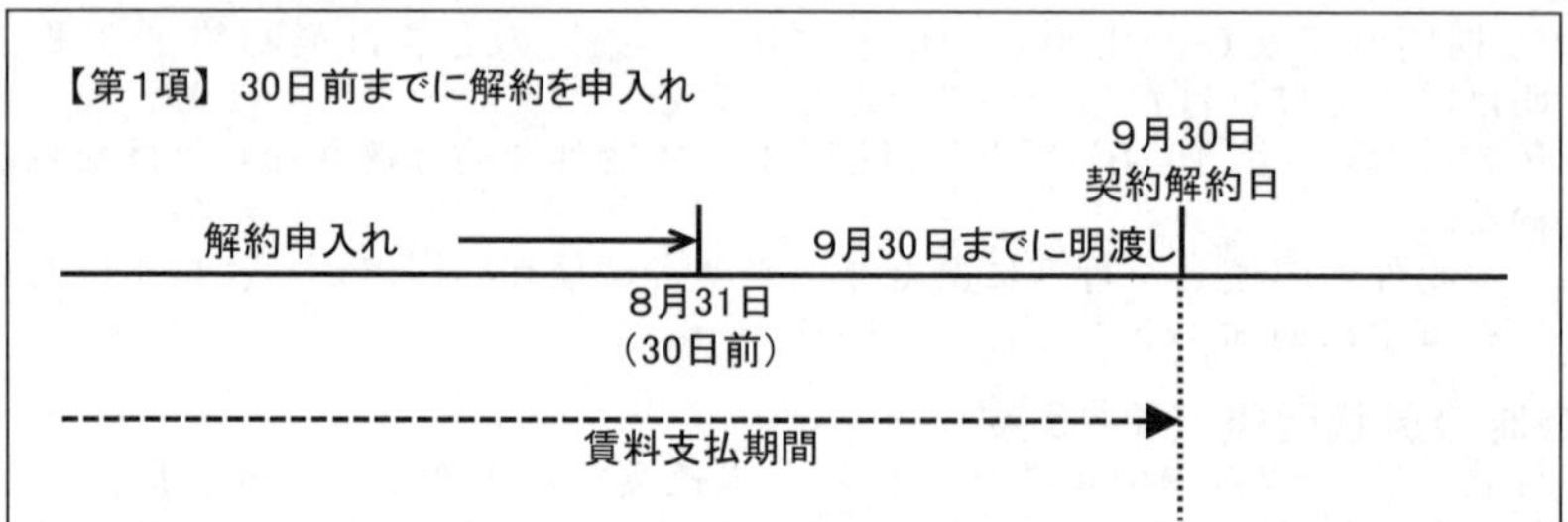

※９月 30 日に退去を予定している場合は、解約申入れを８月 31 日以前に行うこととしている。なお、賃料については、９月分を前月末までに支払っている場合は、既に支払い済みの賃料でまかなわれることとなる。

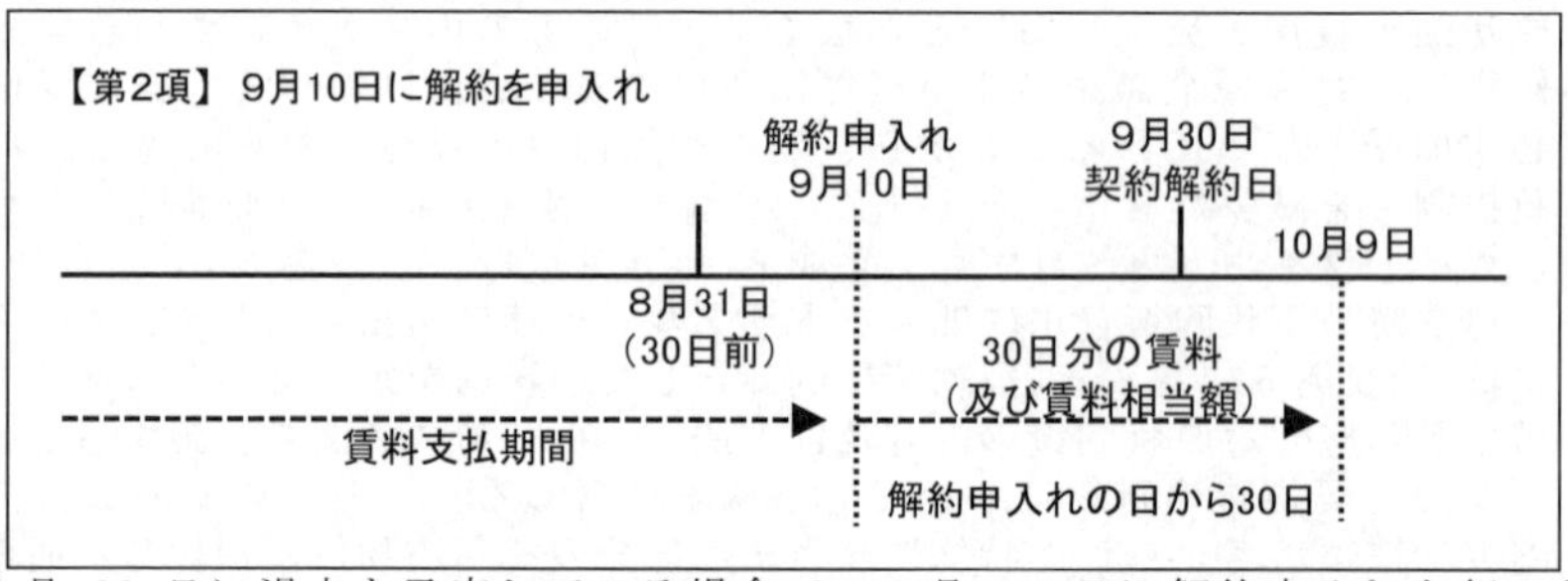

※９月 30 日に退去を予定している場合で、９月 10 日に解約申入れを行った場合は、解約申入れを行った日から 30 日分の賃料、つまり 10 月９日までの賃料（及び賃料相当額）が必要となる。なお、賃料については、９月分を前月末までに支払っている場合は、10 月１日から９日までの賃料相当額が必要となる。また、共益費については、解約申入れ日（９月 10 日）に関係なく、第５条第３項に従い、使用していた期間の共益費を支払う（９月 30 日に解約した場合は９月分の共益費全額を支払う）こととなる。

12　一部滅失等による賃料の減額等（第 12 条）

【第１項】　本物件の一部が滅失等により使用できなくなった場合に、それが借主の帰責事由によるものでないときは、使用不可の部分の割合に応じて賃料が減額されるものとし、その内容は貸主と借主の間で協議することとしている。平成 29 年民法改正で、賃借物の一部が賃借人の帰責事由によらずに滅失等をした場合の賃料の減額について、従来は「請求することができる」とされていたところ、「（賃料は）減額される」と当然に減額

するものとされた（民法第611条第1項）。

ただし、一部滅失の程度や減額割合については、判例等の蓄積による明確な基準がないことから、紛争防止の観点からも、一部滅失があった場合は、借主が貸主に通知し、賃料について協議し、適正な減額割合や減額期間、減額の方法（賃料設定は変えずに一定の期間一部免除とするのか、賃料設定そのものの変更とするのか）等を合意の上、決定することが望ましいと考えられる。

【第2項】 本物件の一部が滅失等により使用できなくなった場合に、残存する部分のみでは賃借の目的が達成できないときは、借主の解除権を認めるものである。借主に帰責事由がある場合でも解除は認められる（民法第611条第2項）。

13 契約の終了（第13条）

本物件の全部が滅失等により使用できなくなった場合に契約が終了することとしている。平成29年民法改正で、賃借物の全部が滅失その他の事由により使用及び収益をすることができなくなった場合には、賃貸借が終了することが規定された（民法第616条の2）。

14 明渡し（第14条）

【第1項】 期間満了及び借主からの解約（第11条）のときは契約終了日までに、本物件を明け渡さなければならないこととしている。

契約の解除（第10条）のときは直ちに、本物件を明け渡さなければならないこととしている。

【第2項】 本物件の明渡しを行うにあたり、当事者の便宜の観点から、借主はあらかじめ明渡し日を貸主に通知することとしている。

15 明渡し時の原状回復（第15条）

【第1項】 借主は、通常の使用に伴い生じた損耗及び経年変化を除き、原則として原状回復を行わなければならないこととするが、借主の帰責事由によらない損耗については、原状回復は不要としている。平成29年民法改正において、賃借人の原状回復義務が規定された（民法第621条）が判例法理を明文化したものであり、実質的な変更はない。

なお、借主の故意・過失、善管注意義務違反等により生じた損耗については、借主に原状回復義務が発生することとなるが、その際の借主が負担すべき費用については、修繕等の費用の全額を借主が当然に負担することにはならず、経年変化・通常損耗が必ず前提となっていることから、建物や設備等の経過年数を考慮し、年数が多いほど負担割合を減少させることとするのが適当と考えられる（「原状回復をめぐるトラブルとガイドライン（再改訂版）」（平成23年8月）12ページ参照）。

【第2項】 退去時の原状回復費用に関するトラブルを未然に防止するため、本物件を明け渡す時には、別表第5に基づき、契約時に例外としての特約を定めた場合はその特約を含めて、借主が実施する原状回復の内容及び方法について当事者間で協議することとしている。

なお、契約時の特約についても「協議に含める」としているのは、特約には様々な内容や種類が考えられ、特約に該当する部分の特定、物件の損耗等が通常損耗か否かの判断等についての「原状回復をめぐるトラブルとガイドライン（再改訂版）」等における考え方への当てはめにおいて、たとえ、特約があったとしても協議が必要なものであると考えられるためである。

また、明渡し時においては改めて原状回復工事を実施する際の評価や経過年数を考慮し、負担割合を明記した精算明細書（「原状回復をめぐるトラブルとガイドライン（再改訂版）」（平成23年8月）別表4（28ページ参照））を作成し、双方合意することが望ましい。

→《作成にあたっての注意点》条文関係【第15条（明渡し時の原状回復）関係】参照
→「原状回復をめぐるトラブルとガイドライン（再改訂版）」別表3「契約書に添付する原状回復の条件に関する様式」Ⅰ－3「原状回復工事施工目安単価」参照

□原状回復にかかるトラブルを未然に防止するためには、契約時に貸主と借主の双方が原状回復に関する条件について合意することが重要であるため、原状回復の条件を別表第５として掲げている。

□別表第５「Ⅰ－３原状回復工事施工目安単価」への記載については、例えば、「入居者の過失等による修繕が発生することが多い箇所」について、貸主及び借主の両者が、退去時の原状回復費用に関するトラブルを未然に防止するため、目安単価を確認するということが想定される。

□別表第５「Ⅰ－３原状回復工事施工目安単価」は、あくまでも目安として、把握可能な「原状回復工事施工目安単価」について、可能な限り記述することが望まれる。

□例外的に借主の負担とする特約を定めるためには、以下の３つが要件となる。

- 特約の必要性があり、かつ、暴利的でないなどの客観的、合理的理由が存在すること
- 借主が特約によって通常の原状回復義務を超えた修繕等の義務を負うことについて認識していること
- 借主が特約による義務負担の意思表示をしていること

（「原状回復をめぐるトラブルとガイドライン（再改訂版）」（平成 23 年８月）７ページを参照されたい。）

□原状回復に関する特約事項が有効と判断されるためには、「賃借人に通常損耗についての原状回復義務を負わせるのは、賃借人に予期しない特別の負担を課すことになるから、賃借人に同義務が認められるためには、少なくとも、**賃借人が補修費用を負担することになる通常損耗の範囲が賃貸借契約書の条項自体に具体的に明記されているか、仮に賃貸借契約書では明らかでない場合には、賃貸人が口頭により説明し、賃借人がその旨を明確に認識し、それを合意の内容としたものと認められるなど、その旨の特約（通常損耗補修特約）が明確に合意されていることが必要である**」という考え方が最高裁判所によって示されている（最判平成 17 年 12 月 16 日集民第 218 号 1239 頁）。

□参照条文

民法（明治 29 年４月 27 日法律第 89 号）

※平成 29 年法律第 44 号による改正後の条文（施行は平成 32 年（2020 年）４月１日）

（公序良俗）

第九十条　公の秩序又は善良の風俗に反する法律行為は、無効とする。

消費者契約法（平成 12 年５月 12 日法律第 61 号）

※平成 29 年法律第 45 号による改正後の条文（施行は平成 32 年（2020 年）４月１日）

（事業者の損害賠償の責任を免除する条項の無効）

第八条　次に掲げる消費者契約の条項は、無効とする。

一　事業者の債務不履行により消費者に生じた損害を賠償する責任の全部を免除する条項

二　事業者の債務不履行（当該事業者、その代表者又はその使用する者の故意又は重大な過失によるものに限る。）により消費者に生じた損害を賠償する責任の一部を免除する条項

三　消費者契約における事業者の債務の履行に際してされた当該事業者の不法行為により消費者に生じた損害を賠償する責任の全部を免除する条項

四　消費者契約における事業者の債務の履行に際してされた当該事業者の不法行為（当該事業者、その代表者又はその使用する者の故意又は重大な過失によるものに限る。）により消費者に生じた損害を賠償する責任の一部を免除する条項

２　前項第一号又は第二号に掲げる条項のうち、消費者契約が有償契約である場合において、引き渡された目的物が種類又は品質に関して契約の内容に適合しないとき（当該消費者契約が請負契約である場合には、請負人が種類又は品質に関して契約の内容に適合しない仕事の目的物を注文者に引き渡したとき（その引渡しを要しな

い場合には、仕事が終了した時に仕事の目的物が種類又は品質に関して契約の内容に適合しないとき。）。以下この項において同じ。）に、これにより消費者に生じた損害を賠償する事業者の責任を免除するものについては、次に掲げる場合に該当するときは、同項の規定は、適用しない。
一　当該消費者契約において、引き渡された目的物が種類又は品質に関して契約の内容に適合しないときに、当該事業者が履行の追完をする責任又は不適合の程度に応じた代金若しくは報酬の減額をする責任を負うこととされている場合
二　当該消費者と当該事業者の委託を受けた他の事業者との間の契約又は当該事業者と他の事業者との間の当該消費者のためにする契約で、当該消費者契約の締結に先立って又はこれと同時に締結されたものにおいて、引き渡された目的物が種類又は品質に関して契約の内容に適合しないときに、当該他の事業者が、その目的物が種類又は品質に関して契約の内容に適合しないことにより当該消費者に生じた損害を賠償する責任の全部若しくは一部を負い、又は履行の追完をする責任を負うこととされている場合

（消費者の解除権を放棄させる条項の無効）
第八条の二　事業者の債務不履行により生じた消費者の解除権を放棄させる消費者契約の条項は、無効とする。

（消費者が支払う損害賠償の額を予定する条項等の無効）
第九条　次の各号に掲げる消費者契約の条項は、当該各号に定める部分について、無効とする。
一　当該消費者契約の解除に伴う損害賠償の額を予定し、又は違約金を定める条項であって、これらを合算した額が、当該条項において設定された解除の事由、時期等の区分に応じ、当該消費者契約と同種の消費者契約の解除に伴い当該事業者に生ずべき平均的な損害の額を超えるもの　当該超える部分
二　当該消費者契約に基づき支払うべき金銭の全部又は一部を消費者が支払期日（支払回数が二以上である場合には、それぞれの支払期日。以下この号において同じ。）までに支払わない場合における損害賠償の額を予定し、又は違約金を定める条項であって、これらを合算した額が、支払期日の翌日からその支払をする日までの期間について、その日数に応じ、当該支払期日に支払うべき額から当該支払期日に支払うべき額のうち既に支払われた額を控除した額に年十四・六パーセントの割合を乗じて計算した額を超えるもの　当該超える部分

（消費者の利益を一方的に害する条項の無効）
第十条　消費者の不作為をもって当該消費者が新たな消費者契約の申込み又はその承諾の意思表示をしたものとみなす条項その他の法令中の公の秩序に関しない規定の適用による場合に比して消費者の権利を制限し又は消費者の義務を加重する消費者契約の条項であって、民法第一条第二項に規定する基本原則に反して消費者の利益を一方的に害するものは、無効とする。

16　立入り（第16条）

【第１項】　借主は本物件を契約の範囲内で自由に使用する権利を有しており、貸主は原則として本物件内に立ち入ることはできないが、本物件の防火、本物件の構造の保全その他の本物件の管理上特に必要な場合は、あらかじめ借主の承諾を得て本物件内に立ち入ることができることとしている。

【第２項】　前項の場合、借主は正当な理由がある場合を除き、立入りを拒否できないこととしている。

【第３項】　本物件の次の入居（予定）者又は本物件を譲り受けようとする者が下見をする場合は、あらかじめ借主の承諾を得て本物件内に立ち入ることができるとしている。

【第４項】　火災による延焼の防止等緊急の必要がある場合は、貸主はあらかじめ借主の承諾を得ることなく、本物件内に立ち入ることができるとしている。なお、借主不在時に立ち入った場合には、貸主は立入り後にその旨を借主に通知しなければならないこととして

いる。

17　家賃債務保証業者の提供する保証（第 17 条）

賃貸借契約上の借主の債務を担保するため、機関保証として家賃債務保証業者の提供する保証を利用することとしている。また、当該保証の内容については、本契約とは別途の契約等によることとし、貸主及び借主は、本契約における契約期間の始期から当該保証が利用できるようにするため、必要な手続を取らなければならないこととしている。

また、家賃債務保証業者の提供する保証を利用する場合、借主の安否確認等への対応については、頭書（５）に記載する「緊急時の連絡先」を活用することが考えられる。

18　協議（第 18 条）

貸主借主間の権利義務関係をあらかじめ全て契約書に規定しておくことが望ましいが、現実問題として不可能であり、また、条文解釈で疑義が生じる場合があることを想定し、その対処方法を定めている。

19　特約条項（第 19 条）

第 18 条までの規定以外に、個別の事情に応じて、当事者が合意の上で特約を定めることができることとしている。

なお、特約条項を定める場合、原状回復に関する特約と同様、借主がその内容を明確に理解し、それを契約内容とすることについて明確に合意していることが必要である（項目ごとに、記載事項の上に貸主と借主が押印し、最後に確認的に貸主と借主が記名押印することが望ましい）。

→15　明渡し時の原状回復（第 15 条）参照
→《作成にあたっての注意点》条文関係【第 19 条（特約条項）関係】参照

賃貸住宅標準契約書

頭書

（1）賃貸借の目的物

建物の名称・所在地等	名　称				
	所在地				
	建て方	共同建 長屋建 一戸建 その他	構　造	木造 非木造（　　　） 階建	工事完了年 年 （大規模修繕を（　）年実施）
			戸　数	戸	

住戸部分	住戸番号	号室	間取り	（　　）LDK・DK・K／ワンルーム／
	面　積	㎡（それ以外に、バルコニー＿＿＿＿＿㎡）		

設備等	トイレ	専用（水洗・非水洗）・共用（水洗・非水洗）	
	浴室	有・無	
	シャワー	有・無	
	洗面台	有・無	
	洗濯機置場	有・無	
	給湯設備	有・無	
	ガスコンロ・電気コンロ・IH調理器	有・無	
	冷暖房設備	有・無	
	備え付け照明設備	有・無	
	オートロック	有・無	
	地デジ対応・CATV対応	有・無	
	インターネット対応	有・無	
	メールボックス	有・無	
	宅配ボックス	有・無	
	鍵	有・無	（鍵No.　　　・　　　本）
		有・無	
		有・無	
	使用可能電気容量	（　　　　）アンペア	
	ガス	有（都市ガス・プロパンガス）・無	
	上水道	水道本管より直結・受水槽・井戸水	
	下水道	有（公共下水道・浄化槽）・無	

附属施設	駐車場	含む・含まない	＿＿＿台分（位置番号：＿＿＿＿＿＿）
	バイク置場	含む・含まない	＿＿＿台分（位置番号：＿＿＿＿＿＿）
	自転車置場	含む・含まない	＿＿＿台分（位置番号：＿＿＿＿＿＿）
	物置	含む・含まない	
	専用庭	含む・含まない	
		含む・含まない	
		含む・含まない	

（2）契約期間

始期	年　　月　　日から	年　　月間
終期	年　　月　　日まで	

（3）賃料等

賃料・共益費		支払期限	支払方法	
賃　料	円	当月分・翌月分を 毎月　　　日まで	振込、 口座 振替 又は 持参	振込先金融機関名： 預金：普通・当座 口座番号： 口座名義人： 振込手数料負担者：貸主・借主
共益費	円	当月分・翌月分を 毎月　　　日まで		持参先：
敷　金	賃料　　か月相当分 円	その他 一時金		
附属施設使用料				
そ　の　他				

（4）貸主及び管理業者

貸　主 （社名・代表者）	住　所　〒 氏　名　　　　　　　　電話番号
管理業者 （社名・代表者）	所在地　〒 商号（名称）　　　　　電話番号 賃貸住宅管理業者登録番号　国土交通大臣（　　）第　　　号

＊貸主と建物の所有者が異なる場合は、次の欄も記載すること。

建物の所有者	住　所　〒 氏　名　　　　　　　　電話番号

（5）借主及び同居人

	借　主	同　居　人
氏　名	（氏名） （年齢）　　　歳 （電話番号）	（氏名）　　（年齢）　　歳 （氏名）　　（年齢）　　歳 （氏名）　　（年齢）　　歳 合計　　人
緊急時の連絡先	住　所　〒 氏　名　　　電話番号　　　借主との関係	

（6）連帯保証人及び極度額

連帯保証人	住　所　〒 氏　名　　　　　　電話番号
極　度　額	

（契約の締結）
第１条　貸主（以下「甲」という。）及び借主（以下「乙」という。）は、頭書（１）に記載する賃貸借の目的物（以下「本物件」という。）について、以下の条項により賃貸借契約（以下「本契約」という。）を締結した。

（契約期間及び更新）
第２条　契約期間は、頭書（２）に記載するとおりとする。
2　甲及び乙は、協議の上、本契約を更新することができる。

（使用目的）
第３条　乙は、居住のみを目的として本物件を使用しなければならない。

（賃料）
第４条　乙は、頭書（３）の記載に従い、賃料を甲に支払わなければならない。
2　１か月に満たない期間の賃料は、１か月を 30 日として日割計算した額とする。
3　甲及び乙は、次の各号の一に該当する場合には、協議の上、賃料を改定することができる。
一　土地又は建物に対する租税その他の負担の増減により賃料が不相当となった場合
二　土地又は建物の価格の上昇又は低下その他の経済事情の変動により賃料が不相当となった場合
三　近傍同種の建物の賃料に比較して賃料が不相当となった場合

（共益費）
第５条　乙は、階段、廊下等の共用部分の維持管理に必要な光熱費、上下水道使用料、清掃費等（以下この条において「維持管理費」という。）に充てるため、共益費を甲に支払うものとする。
2　前項の共益費は、頭書（３）の記載に従い、支払わなければならない。
3　１か月に満たない期間の共益費は、１か月を 30 日として日割計算した額とする。
4　甲及び乙は、維持管理費の増減により共益費が不相当となったときは、協議の上、共益費を改定することができる。

（敷金）
第６条　乙は、本契約から生じる債務の担保として、頭書（３）に記載する敷金を甲に交付するものとする。
2　甲は、乙が本契約から生じる債務を履行しないときは、敷金をその債務の弁済に充てることができる。この場合において、乙は、本物件を明け渡すまでの間、敷金をもって当該債務の弁済に充てることを請求することができない。
3　甲は、本物件の明渡しがあったときは、遅滞なく、敷金の全額を乙に返還しなければならない。ただし、本物件の明渡し時に、賃料の滞納、第 15 条に規定する原状回復に要する費用の未払いその他の本契約から生じる乙の債務の不履行が存在する場合には、甲は、当該債務の額を敷金から差し引いた額を返還するものとする。
4　前項ただし書の場合には、甲は、敷金から差し引く債務の額の内訳を乙に明示しなければならない。

（反社会的勢力の排除）
第７条　甲及び乙は、それぞれ相手方に対し、次の各号の事項を確約する。
一　自らが、暴力団、暴力団関係企業、総会屋若しくはこれらに準ずる者又はその構成員（以下総称して「反社会的勢力」という。）ではないこと。
二　自らの役員（業務を執行する社員、取締役、執行役又はこれらに準ずる者をいう。）が反社会的勢力ではないこと。
三　反社会的勢力に自己の名義を利用させ、この契約を締結するものでないこと。

四　自ら又は第三者を利用して、次の行為をしないこと。
　ア　相手方に対する脅迫的な言動又は暴力を用いる行為
　イ　偽計又は威力を用いて相手方の業務を妨害し、又は信用を毀損する行為
2　乙は、甲の承諾の有無にかかわらず、本物件の全部又は一部につき、反社会的勢力に賃借権を譲渡し、又は転貸してはならない。

（禁止又は制限される行為）
第8条　乙は、甲の書面による承諾を得ることなく、本物件の全部又は一部につき、賃借権を譲渡し、又は転貸してはならない。
2　乙は、甲の書面による承諾を得ることなく、本物件の増築、改築、移転、改造若しくは模様替又は本物件の敷地内における工作物の設置を行ってはならない。
3　乙は、本物件の使用に当たり、別表第1に掲げる行為を行ってはならない。
4　乙は、本物件の使用に当たり、甲の書面による承諾を得ることなく、別表第2に掲げる行為を行ってはならない。
5　乙は、本物件の使用に当たり、別表第3に掲げる行為を行う場合には、甲に通知しなければならない。

（契約期間中の修繕）
第9条　甲は、乙が本物件を使用するために必要な修繕を行わなければならない。この場合の修繕に要する費用については、乙の責めに帰すべき事由により必要となったものは乙が負担し、その他のものは甲が負担するものとする。
2　前項の規定に基づき甲が修繕を行う場合は、甲は、あらかじめ、その旨を乙に通知しなければならない。この場合において、乙は、正当な理由がある場合を除き、当該修繕の実施を拒否することができない。
3　乙は、本物件内に修繕を要する箇所を発見したときは、甲にその旨を通知し修繕の必要について協議するものとする。
4　前項の規定による通知が行われた場合において、修繕の必要が認められるにもかかわらず、甲が正当な理由なく修繕を実施しないときは、乙は自ら修繕を行うことができる。この場合の修繕に要する費用については、第1項に準ずるものとする。
5　乙は、別表第4に掲げる修繕について、第1項に基づき甲に修繕を請求するほか、自ら行うことができる。乙が自ら修繕を行う場合においては、修繕に要する費用は乙が負担するものとし、甲への通知及び甲の承諾を要しない。

（契約の解除）
第10条　甲は、乙が次に掲げる義務に違反した場合において、甲が相当の期間を定めて当該義務の履行を催告したにもかかわらず、その期間内に当該義務が履行されないときは、本契約を解除することができる。
　一　第4条第1項に規定する賃料支払義務
　二　第5条第2項に規定する共益費支払義務
　三　前条第1項後段に規定する乙の費用負担義務
2　甲は、乙が次に掲げる義務に違反した場合において、甲が相当の期間を定めて当該義務の履行を催告したにもかかわらず、その期間内に当該義務が履行されずに当該義務違反により本契約を継続することが困難であると認められるに至ったときは、本契約を解除することができる。
　一　第3条に規定する本物件の使用目的遵守義務
　二　第8条各項に規定する義務（同条第3項に規定する義務のうち、別表第1第六号から第八号に掲げる行為に係るものを除く。）
　三　その他本契約書に規定する乙の義務
3　甲又は乙の一方について、次のいずれかに該当した場合には、その相手方は、何らの催告も要せずして、本契約を解除することができる。

一　第7条第1項各号の確約に反する事実が判明した場合
二　契約締結後に自ら又は役員が反社会的勢力に該当した場合
4　甲は、乙が第7条第2項に規定する義務に違反した場合又は別表第1第六号から第八号に掲げる行為を行った場合には、何らの催告も要せずして、本契約を解除することができる。

（乙からの解約）
第11条　乙は、甲に対して少なくとも30日前に解約の申入れを行うことにより、本契約を解約することができる。
2　前項の規定にかかわらず、乙は、解約申入れの日から30日分の賃料（本契約の解約後の賃料相当額を含む。）を甲に支払うことにより、解約申入れの日から起算して30日を経過する日までの間、随時に本契約を解約することができる。

（一部滅失等による賃料の減額等）
第12条　本物件の一部が滅失その他の事由により使用できなくなった場合において、それが乙の責めに帰することができない事由によるものであるときは、賃料は、その使用できなくなった部分の割合に応じて、減額されるものとする。この場合において、甲及び乙は、減額の程度、期間その他必要な事項について協議するものとする。
2　本物件の一部が滅失その他の事由により使用できなくなった場合において、残存する部分のみでは乙が賃借をした目的を達することができないときは、乙は、本契約を解除することができる。

（契約の終了）
第13条　本契約は、本物件の全部が滅失その他の事由により使用できなくなった場合には、これによって終了する。

（明渡し）
第14条　乙は、本契約が終了する日までに（第10条の規定に基づき本契約が解除された場合にあっては、直ちに）、本物件を明け渡さなければならない。
2　乙は、前項の明渡しをするときには、明渡し日を事前に甲に通知しなければならない。

（明渡し時の原状回復）
第15条　乙は、通常の使用に伴い生じた本物件の損耗及び本物件の経年変化を除き、本物件を原状回復しなければならない。ただし、乙の責めに帰することができない事由により生じたものについては、原状回復を要しない。
2　甲及び乙は、本物件の明渡し時において、契約時に特約を定めた場合は当該特約を含め、別表第5の規定に基づき乙が行う原状回復の内容及び方法について協議するものとする。

（立入り）
第16条　甲は、本物件の防火、本物件の構造の保全その他の本物件の管理上特に必要があるときは、あらかじめ乙の承諾を得て、本物件内に立ち入ることができる。
2　乙は、正当な理由がある場合を除き、前項の規定に基づく甲の立入りを拒否することはできない。
3　本契約終了後において本物件を賃借しようとする者又は本物件を譲り受けようとする者が下見をするときは、甲及び下見をする者は、あらかじめ乙の承諾を得て、本物件内に立ち入ることができる。
4　甲は、火災による延焼を防止する必要がある場合その他の緊急の必要がある場合においては、あらかじめ乙の承諾を得ることなく、本物件内に立ち入ることができる。この場合において、甲は、乙の不在時に立ち入ったときは、立入り後その旨を乙に通知しなければならない。

（連帯保証人）

第 17 条　連帯保証人（以下「丙」という。）は、乙と連帯して、本契約から生じる乙の債務を負担するものとする。本契約が更新された場合においても、同様とする。

2　前項の丙の負担は、頭書（6）及び記名押印欄に記載する極度額を限度とする。

3　丙が負担する債務の元本は、乙又は丙が死亡したときに、確定するものとする。

4　丙の請求があったときは、甲は、丙に対し、遅滞なく、賃料及び共益費等の支払状況や滞納金の額、損害賠償の額等、乙の全ての債務の額等に関する情報を提供しなければならない。

（協議）

第 18 条　甲及び乙は、本契約書に定めがない事項及び本契約書の条項の解釈について疑義が生じた場合は、民法その他の法令及び慣行に従い、誠意をもって協議し、解決するものとする。

（特約条項）

第 19 条　第 18 条までの規定以外に、本契約の特約については、下記のとおりとする。

甲：　　　　　　　　　　　印 乙：　　　　　　　　　　　印

別表第１（第８条第３項関係）

一　銃砲、刀剣類又は爆発性、発火性を有する危険な物品等を製造又は保管すること。
二　大型の金庫その他の重量の大きな物品等を搬入し、又は備え付けること。
三　排水管を腐食させるおそれのある液体を流すこと。
四　大音量でテレビ、ステレオ等の操作、ピアノ等の演奏を行うこと。
五　猛獣、毒蛇等の明らかに近隣に迷惑をかける動物を飼育すること。
六　本物件を、反社会的勢力の事務所その他の活動の拠点に供すること。
七　本物件又は本物件の周辺において、著しく粗野若しくは乱暴な言動を行い、又は威勢を示すことにより、付近の住民又は通行人に不安を覚えさせること。
八　本物件に反社会的勢力を居住させ、又は反復継続して反社会的勢力を出入りさせること。

賃貸住宅標準契約書

別表第２（第８条第４項関係）

一　階段、廊下等の共用部分に物品を置くこと。
二　階段、廊下等の共用部分に看板、ポスター等の広告物を掲示すること。
三　観賞用の小鳥、魚等であって明らかに近隣に迷惑をかけるおそれのない動物以外の犬、猫等の動物（別表第１第五号に掲げる動物を除く。）を飼育すること。

別表第３（第８条第５項関係）

一　頭書（５）に記載する同居人に新たな同居人を追加（出生を除く。）すること。
二　１か月以上継続して本物件を留守にすること。

別表第４（第９条第５項関係）

ヒューズの取替え	蛇口のパッキン、コマの取替え
風呂場等のゴム栓、鎖の取替え	電球、蛍光灯の取替え
その他費用が軽微な修繕	

別表第５（第15条関係）

【原状回復の条件について】

本物件の原状回復条件は、下記Ⅱの「例外としての特約」による以外は、賃貸住宅の原状回復に関する費用負担の一般原則の考え方によります。すなわち、

・　借主の故意・過失、善管注意義務違反、その他通常の使用方法を超えるような使用による損耗等については、借主が負担すべき費用となる。なお、震災等の不可抗力による損耗、上階の居住者など借主と無関係な第三者がもたらした損耗等については、借主が負担すべきものではない。
・　建物・設備等の自然的な劣化・損耗等（経年変化）及び借主の通常の使用により生ずる損耗等（通常損耗）については、貸主が負担すべき費用となる

ものとします。

その具体的内容は、国土交通省の「原状回復をめぐるトラブルとガイドライン（再改訂版）」において定められた別表１及び別表２のとおりですが、その概要は、下記Ⅰのとおりです。

Ⅰ　本物件の原状回復条件

（ただし、民法第90条並びに消費者契約法第８条、第８条の２、第９条及び第10条に反しない内容に関して、下記Ⅱの「例外としての特約」の合意がある場合は、その内容によります。）

１　貸主・借主の修繕分担表

貸主の負担となるもの	借主の負担となるもの
【床（畳・フローリング・カーペットなど）】	
１．畳の裏返し、表替え（特に破損してないが、次の入居者確保のために行うもの） ２．フローリングのワックスがけ ３．家具の設置による床、カーペットのへこみ、設置跡 ４．畳の変色、フローリングの色落ち（日照、建物構造欠陥による雨漏りなどで発生したもの）	1．カーペットに飲み物等をこぼしたことによるシミ、カビ（こぼした後の手入れ不足等の場合） 2．冷蔵庫下のサビ跡（サビを放置し、床に汚損等の損害を与えた場合） 3．引越作業等で生じた引っかきキズ 4．フローリングの色落ち（借主の不注意で雨が吹き込んだことなどによるもの）
【壁、天井（クロスなど）】	
１．テレビ、冷蔵庫等の後部壁面の黒ずみ（いわゆる電気ヤケ） ２．壁に貼ったポスターや絵画の跡 ３．壁等の画鋲、ピン等の穴（下地ボードの張替えは不要な程度のもの） ４．エアコン（借主所有）設置による壁のビス穴、跡 ５．クロスの変色（日照などの自然現象によるもの）	1．借主が日常の清掃を怠ったための台所の油汚れ（使用後の手入れが悪く、ススや油が付着している場合） ２．借主が結露を放置したことで拡大したカビ、シミ（貸主に通知もせず、かつ、拭き取るなどの手入れを怠り、壁等を腐食させた場合） ３．クーラーから水漏れし、借主が放置したため壁が腐食 ４．タバコ等のヤニ、臭い（喫煙等によりクロス等が変色したり、臭いが付着している場合） ５．壁等のくぎ穴、ネジ穴（重量物をかけるためにあけたもので、下地ボードの張替えが必要な程度のもの） ６．借主が天井に直接つけた照明器具の跡 ７．落書き等の故意による毀損
【建具等、襖、柱等】	
１．網戸の張替え（特に破損はしてないが、次の入居者確保のために行うもの） ２．地震で破損したガラス ３．網入りガラスの亀裂（構造により自然に発生したもの）	１．飼育ペットによる柱等のキズ、臭い（ペットによる柱、クロス等にキズが付いたり、臭いが付着している場合） ２．落書き等の故意による毀損
【設備、その他】	
１．専門業者による全体のハウスクリーニング（借主が通常の清掃を実施している場合） ２．エアコンの内部洗浄（喫煙等の臭いなどが付着していない場合） ３．消毒（台所・トイレ） ４．浴槽、風呂釜等の取替え（破損等はしていないが、次の入居者確保のために行うもの） ５．鍵の取替え（破損、鍵紛失のない場合） ６．設備機器の故障、使用不能（機器の寿命によるもの）	１．ガスコンロ置き場、換気扇等の油汚れ、すす（借主が清掃・手入れを怠った結果汚損が生じた場合） ２．風呂、トイレ、洗面台の水垢、カビ等（借主が清掃・手入れを怠った結果汚損が生じた場合） ３．日常の不適切な手入れ又は用法違反による設備の毀損 ４．鍵の紛失又は破損による取替え ５．戸建賃貸住宅の庭に生い茂った雑草

2　借主の負担単位

負担内容			借主の負担単位	経過年数等の考慮
床	毀損部分の補修	畳	原則一枚単位 毀損部分が複数枚の場合はその枚数分（裏返しか表替えかは、毀損の程度による）	（畳表） 経過年数は考慮しない。
床	毀損部分の補修	カーペット クッションフロア	毀損等が複数箇所の場合は、居室全体	（畳床・カーペット・クッションフロア） ６年で残存価値１円となるような負担割合を算定する。
床	毀損部分の補修	フローリング	原則㎡単位 毀損等が複数箇所の場合は、居室全体	（フローリング） 補修は経過年数を考慮しない。 （フローリング全体にわたる毀損等があり、張り替える場合は、当該建物の耐用年数で残存価値１円となるような負担割合を算定する。）
壁・天井（クロス）	毀損部分の補修	壁（クロス）	㎡単位が望ましいが、借主が毀損した箇所を含む一面分までは張替え費用を借主負担としてもやむをえないとする。	（壁〔クロス〕） ６年で残存価値１円となるような負担割合を算定する。
壁・天井（クロス）	毀損部分の補修	タバコ等のヤニ、臭い	喫煙等により当該居室全体においてクロス等がヤニで変色したり臭いが付着した場合のみ、居室全体のクリーニング又は張替え費用を借主負担とすることが妥当と考えられる。	
建具・柱	毀損部分の補修	襖	１枚単位	（襖紙、障子紙） 経過年数は考慮しない。
建具・柱	毀損部分の補修	柱	１本単位	（襖、障子等の建具部分、柱） 経過年数は考慮しない。
設備・その他	設備の補修	設備機器	補修部分、交換相当費用	（設備機器） 耐用年数経過時点で残存価値１円となるような直線（又は曲線）を想定し、負担割合を算定する。
設備・その他	鍵の返却	鍵	補修部分 紛失の場合は、シリンダーの交換も含む。	鍵の紛失の場合は、経過年数は考慮しない。交換費用相当分を借主負担とする。
設備・その他	通常の清掃※	クリーニング ※通常の清掃や退去時の清掃を怠った場合のみ	部位ごと、又は住戸全体	経過年数は考慮しない。借主負担となるのは、通常の清掃を実施していない場合で、部位又は住戸全体の清掃費用相当分を借主負担とする。

設備等の経過年数と借主負担割合（耐用年数６年及び８年、定額法の場合）
借主負担割合（原状回復義務がある場合）

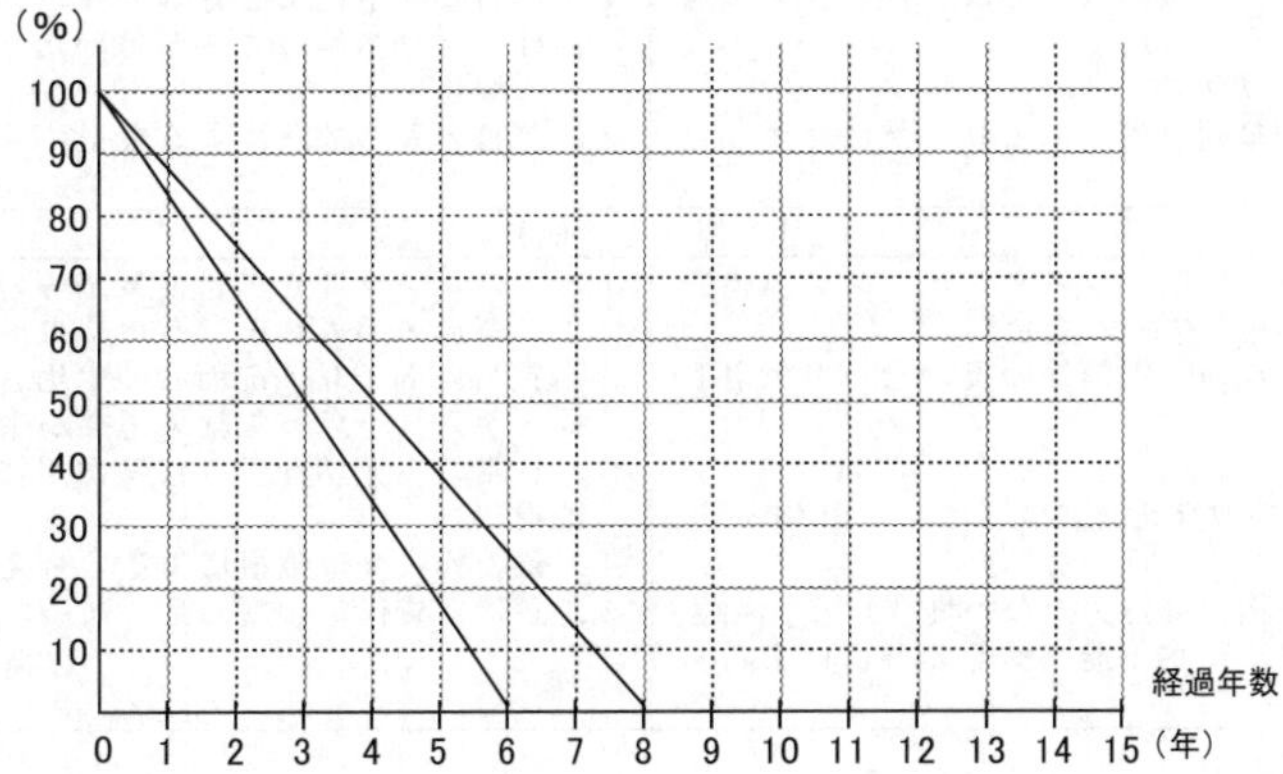

3　原状回復工事施工目安単価
（物件に応じて、空欄に「対象箇所」、「単位」、「単価（円）」を記入して使用してください。）

対象箇所			単位	単価（円）
床				
天井・壁				
建具・柱				
設備・その他	共通			
	玄関・廊下			
	台所・キッチン			
	浴室・洗面所・トイレ			
その他				

※この単価は、あくまでも目安であり、入居時における借主・貸主双方で負担の概算額を認識するためのものです。
※従って、退去時においては、資材の価格や在庫状況の変動、毀損の程度や原状回復施工方法等を考慮して、借主・貸主双方で協議した施工単価で原状回復工事を実施することとなります。

Ⅱ　例外としての特約

原状回復に関する費用の一般原則は上記のとおりですが、借主は、例外として、下記の費用については、借主の負担とすることに合意します（ただし、民法第 90 条並びに消費者契約法第 8 条、第 8 条の 2 、第 9 条及び第 10 条に反しない内容に限ります）。
（括弧内は、本来は貸主が負担すべきものである費用を、特別に借主が負担することとする理由。）

・
（　　　　）

甲：　　　　　　　　　印
乙：　　　　　　　　　印

記名押印欄

下記貸主（甲）と借主（乙）は、本物件について上記のとおり賃貸借契約を締結し、また甲と連帯保証人（丙）は、上記のとおり乙の債務について保証契約を締結したことを証するため、本契約書３通を作成し、甲乙丙記名押印の上、各自その１通を保有する。

年　　月　　日

貸主（甲）　住所 〒
　氏名　印
　電話番号

借主（乙）　住所 〒
　氏名　印
　電話番号

連帯保証人（丙）　住所 〒
　氏名　印
　電話番号
　極度額

媒介業者 代理　免許証番号〔　　〕知事・国土交通大臣（　　）第　　号
　事務所所在地
　商号（名称）
　代表者氏名
　宅地建物取引士　登録番号〔　　〕知事　第　　号
　氏名

《賃貸住宅標準契約書　作成にあたっての注意点》

頭書関係

以下の事項に注意して記入してください。なお、該当する事項のない欄には「―」を記入してください。

（1）関係

①「名　称」:建物の名称（○○マンション、○○荘など）を記入してください。

②「所在地」:住居表示を記入してください。

③「建て方」:該当するものに○をつけてください。

〔用語の説明〕

イ　共同建……1棟の中に2戸以上の住宅があり廊下・階段等を共用しているものや、2戸以上の住宅を重ねて建てたもの。階下が商店で、2階以上に2戸以上の住宅がある、いわゆる「げたばき住宅」も含まれます。

ロ　長屋建……2戸以上の住宅を1棟に建て連ねたもので、各住宅が壁を共通にし、それぞれ別々に外部への出入口を有しているもの。いわゆる「テラスハウス」も含まれます。

ハ　一戸建……1つの建物が1住宅であるもの

ニ　その他……イ～ハのどれにも当てはまらないもので、例えば、工場や事業所の一部が住宅となっているような場合をいいます。

④「構造」:木造、非木造の該当する方に○をつけ、建物の階数（住戸が何階にあるかではなく、建物自体が何階建てか。）を記入してください。

〔用語の説明〕

イ　木　造……主要構造部（壁、柱、床、はり、屋根又は階段をいう。）が木造のもの

ロ　非木造……カッコ内に、当該建物に該当する構造（建築基準法施行令等で規定されている構造）を記載してください。

⑤「戸　数」:建物内にある住戸の数を記入してください。

⑥「工事完了年」:（記載例）

平成10年建築、大規模修繕の工事は未実施 → 平成10年　大規模修繕を（――）年　実　施

昭和60年建築、平成20年に大規模修繕の工事を実施 → 昭和60年　大規模修繕を（平成20）年　実　施

〔用語の説明〕

・　大規模修繕……建築基準法第2条第14号に規定する「大規模の修繕」であり、建築物の「主要構造部」の一種以上について行う過半の修繕。主要構造部としては、「壁、柱、床、梁、屋根、階段（建物の構造上重要でない間仕切り壁、間柱、つけ柱、揚げ床、最下階の床、小梁、ひさし、局部的な小階段、屋外階段その他これらに類する建築物の部分を除く。）」が対象となります。

⑦「間取り」:（記載例）

3DK　→　（3）LDK・[DK]・K／ワンルーム／

ワンルーム　→　（　）LDK・DK・K／[ワンルーム]／

2LDKS　→　（2）[LDK]・DK・K／ワンルーム／[サービスルーム有り]

〔用語の説明〕

イ　K……台所

ロ　DK……1つの部屋が食事室と台所を兼ねているもの

ハ　LDK……1つの部屋が居間と食事室と台所を兼ねているもの

⑧「面　積」: バルコニーを除いた専用部分の面積を記入してください。バルコニーがある場合には、次の記載例のようにカッコを設けてその中にバルコニー面積を記入してください。

（記載例）　バルコニーを除いた専用面積　50 ㎡
　　　　　　バルコニーの面積　10 ㎡

→　50 ㎡（それ以外に、バルコニー10 ㎡）

⑨「設備等」: 各設備などの選択肢の該当するものに〇をつけ、特に書いておくべき事項（設備の性能、損耗状況、貸出数量など）があれば右の空欄に記入してください。

「トイレ」:「専用・共用」の該当する方に〇をつけ、「水洗・非水洗」のどちらかにも〇をつけてください。

「浴　室」: 浴室乾燥機や追焚機能がある場合はその旨を記入してください。

「洗濯機置場」: 洗濯機置場の場所（室内又は室外）や洗濯機防水パンの有無などを記入してください。

「備え付け照明設備」: 照明が備え付けてある場合、電球の種類や交換日などを記入してください。

「オートロック」: オートロックの解錠方法を記入してください。

「地デジ対応・CATV 対応」: 該当する方法に〇をつけ、その他注意書きがある場合は記入してください。

「インターネット対応」: 回線種類（CATV、光回線、ADSL 回線等）や回線容量等の契約内容を記入してください。

「メールボックス」: メールボックスの解錠方法等を記入してください。

「宅配ボックス」: 番号又はカードの貸出枚数を記入してください。

「　鍵　」: 鍵番号と貸出本数をカッコの中に記入してください。

「使用可能電気容量」の数字をカッコの中に記入してください。

選択肢を設けていない設備などで書いておくことが適当なもの（例：電話）があれば、「鍵」の下の余白を利用してください。

⑩「附属施設」: 各附属施設につき、本契約の対象となっている場合は「含む」に〇をつけ、本契約の対象となっていない場合は「含まない」に〇をつけてください。また、特に書いておくべき事項（施設の概要、庭の利用可能面積など）があれば右の空欄に記入してください。

「駐車場」には契約台数と駐車位置番号を下線部に記入してください。

「バイク置場」には契約台数と駐車位置番号を下線部に記入してください。

「自転車置場」には契約台数と駐車位置番号を下線部に記入してください。

各附属施設につき、本契約とは別に契約をする場合には、選択肢の「含まない」に〇をつけ、右の空欄に「別途契約」と記入してください。

選択肢を設けていない附属施設で書いておくことが適当なものがあれば、「専用庭」の下の余白を利用してください。

（２）関係

「始　期」: 契約を締結する日と入居が可能となる日とが異なる場合には、入居が可能となる日を記入してください。

（３）関係

①「支払期限」: 当月分・翌月分の該当する方に〇をつけてください。

②「支払方法」: 振込又は自動口座振替の場合は、貸主側の振込先金融機関名等を記入してください。「預金」の欄の普通預金・当座預金の該当する方に〇をつけてください。併せて、「振込手数料負担者」の欄の貸主・借主の該当する方に〇をつけてください。

③「その他一時金」: 敷金以外のその他一時金について特約をする場合は、第 19 条の特約条項の欄に所定の特約事項を記入するとともに、この欄に、その一時金の名称、

金額などを記入してください。

④「附属施設使用料」：賃料とは別に附属施設の使用料を徴収する場合は、この欄にその施設の名称、使用料額などを記入してください。

⑤「その他」：「賃料」、「共益費」、「敷金」、「その他一時金」、「附属施設使用料」の欄に記入する金銭以外の金銭の授受を行う場合（例：専用部分の光熱費を貸主が徴収して一括して事業者に支払う場合）は、この欄にその内容、金額などを記入してください。

（4）関係

①「管理業者」：物件の管理を管理業者に委託している場合、管理業者の「所在地」、「商号（名称）」、「電話番号」を記入してください。管理業者が「賃貸住宅管理業者登録制度」の登録を行っている場合はその番号を記入してください。

また、個人が「管理人」として、物件の管理を行っている場合は、管理人の「住所」、「氏名」、「電話番号」を記入してください。

〔用語の説明〕

・賃貸住宅管理業者登録制度……賃貸住宅の管理業務に関して一定のルールを設けることで、その業務の適正な運営を確保し、借主と貸主の利益の保護を図るため、「賃貸住宅の管理業務等の適性化に関する法律」により創設された登録制度です。（令和３年６月施行）

②「建物の所有者」：貸主と建物の所有者が異なる場合、建物所有者の「住所」、「氏名（社名・代表者）」、「電話番号」を記入してください。

（5）関係

①「借主」：本人確認の観点から、氏名と年齢を記入してください。

②「同居人」：同居する人の氏名と年齢、合計人数を記入してください。

③「緊急時の連絡先」：勤務先、親戚の住所など、貸主や管理業者が緊急時に借主に連絡を取れるところを記入してください。なお、緊急時の連絡先には、借主に連絡を取ることのほか、借主の急病・急変、安否確認や漏水等への対応を依頼することも想定されるため、契約時に連絡をして、緊急時の連絡先になってもらうことやこれらの対応を依頼する場合もある旨を伝えておくことが望ましいと考えられます。

（6）関係

①「連帯保証人」：連帯保証人の住所、氏名、電話番号を記入してください。

②「極度額」：連帯保証人が負担する、借主の債務の限度額を記入してください。極度額の記載方法については、「～円（契約時の月額賃料の～か月相当分）」、「契約時の月額賃料の～か月分」、「～円」等が考えられます。なお、極度額は賃料の増減があっても変わるものではなく、契約時の額が適用されます。

条文関係

【第８条（禁止又は制限される行為）関係】

別表第１（ただし、第六号から第八号に掲げる行為は除く）、別表第２及び別表第３は、個別事情に応じて、適宜、変更、追加及び削除をすることができます。

変更する場合には、変更する部分を二重線等で抹消して新たな文言を記載し、その上に貸主と借主とが押印してください。

追加する場合には、既に記入されている例示事項の下の空欄に記入し、追加した項目ごとに、記載事項の上に貸主と借主とが押印してください。

削除する場合には、削除する部分を二重線等で抹消し、その上に貸主と借主とが押印してください。


【第９条（契約期間中の修繕）関係】

別表第４は、個別事情に応じて、適宜、変更、追加及び削除をすることができます。

変更する場合には、変更する部分を二重線等で抹消して新たな文言を記載し、その上に貸主と借主とが押印してください。

追加する場合には、既に記入されている例示事項の下の空欄に記入し、追加した項目ごとに、記載事項の上に貸主と借主とが押印してください。

削除する場合には、削除する部分を二重線等で抹消し、その上に貸主と借主とが押印してください。


【第15条（明渡し時の原状回復）関係】

別表第５「Ｉ－３　原状回復工事施工目安単価」は、賃貸借の目的物に応じて、適宜、記入してください。

貸主と借主は、原状回復をめぐるトラブルを未然に防止するため、あくまでも目安として、把握可能な「原状回復工事施工目安単価」について、可能な限り記述することが望ましいと考えられます。

対象箇所には、修繕が発生すると思われる箇所、あるいは、あらかじめ単価を示しておきたい、知っておきたい箇所について、「原状回復工事施工目安単価」に記入してください。

具体的な対象箇所については、次に示す「原状回復をめぐるトラブルとガイドライン（再改訂版）」別表３「契約書に添付する原状回復の条件に関する様式」のＩ－３「原状回復工事施工目安単価」を参照してください。

なお、下記で例示している以外の箇所を記載することも可能です。

対象箇所を記入した場合は、その単位と単価を記入してください。

原状回復の特約として定める事項がある場合には、別表第５「Ⅱ　例外としての特約」欄に記入し、項目ごとに、記載事項の上に貸主と借主が押印し、最後に確認的に貸主と借主が記名押印することが望ましいと考えられます。

特約項目の例として、次の事項を挙げることができます。
・居室内でのペット飼育を認める代わりに、壁クロスの張替費用全額を借主の負担とする場合

（参考）「原状回復をめぐるトラブルとガイドライン（再改訂版）」
別表３「契約書に添付する原状回復の条件に関する様式」
Ⅰ－３「原状回復工事施工目安単価」

対象箇所			単位	単価（円）
室内クリーニング			一式	
床		クッションフロア	㎡	
床		フローリング	㎡	
床		畳	枚	
床		カーペット類	㎡	
床				
床				
天井・壁		壁（クロス）	㎡	
天井・壁		天井（クロス）	㎡	
天井・壁		押入れ・天袋	箇所	
天井・壁				
天井・壁				
建具		窓（ガラス・枠）	枚	
建具		網戸（網・枠）	枚	
建具		襖	枚	
建具		障子	枚	
建具		室内ドア・扉	枚	
建具		カーテンレール	箇所	
建具		シャッター（雨戸）	箇所	
建具		柱	箇所	
建具		間仕切り	箇所	
建具		玄関ドア	箇所	
建具				
建具				
設備・その他	共通	照明器具	個	
設備・その他	共通	電球・電灯類	個	
設備・その他	共通	スイッチ	個	
設備・その他	共通	コンセント	個	
設備・その他	共通	エアコン	台	
設備・その他	共通	テレビ用端子	個	
設備・その他	共通	換気扇	個	
設備・その他	共通	バルコニー	個	
設備・その他	共通	物干し金具	個	
設備・その他	共通			

対象箇所			単位	単価（円）
設備・その他	玄関・廊下	チャイム・インターホン	台	
設備・その他	玄関・廊下	玄関ドアの鍵	個	
設備・その他	玄関・廊下	下駄箱	箇所	
設備・その他	玄関・廊下	郵便受け	個	
設備・その他	玄関・廊下			
設備・その他	玄関・廊下			
設備・その他	玄関・廊下			
設備・その他	玄関・廊下			
設備・その他	台所・キッチン	電気・ガスコンロ	一式	
設備・その他	台所・キッチン	給湯器類	一式	
設備・その他	台所・キッチン	戸棚類	箇所	
設備・その他	台所・キッチン	流し台	一式	
設備・その他	台所・キッチン	給排水設備	一式	
設備・その他	台所・キッチン			
設備・その他	台所・キッチン			
設備・その他	台所・キッチン			
設備・その他	台所・キッチン			
設備・その他	台所・キッチン			
設備・その他	浴室・洗面所・トイレ	鏡	台	
設備・その他	浴室・洗面所・トイレ	シャワー	一式	
設備・その他	浴室・洗面所・トイレ	洗面台	一式	
設備・その他	浴室・洗面所・トイレ	クサリ及びゴム栓	個	
設備・その他	浴室・洗面所・トイレ	風呂釜	一式	
設備・その他	浴室・洗面所・トイレ	給湯器類	一式	
設備・その他	浴室・洗面所・トイレ	浴槽	一式	
設備・その他	浴室・洗面所・トイレ	蓋及び備品類	一式	
設備・その他	浴室・洗面所・トイレ	便器	一式	
設備・その他	浴室・洗面所・トイレ	給排水設備	一式	
設備・その他	浴室・洗面所・トイレ	洗濯機用防水パン	一式	
設備・その他	浴室・洗面所・トイレ	タオル掛け	個	
設備・その他	浴室・洗面所・トイレ	ペーパーホルダー	個	
設備・その他	浴室・洗面所・トイレ			
設備・その他	浴室・洗面所・トイレ			
設備・その他	浴室・洗面所・トイレ			
設備・その他	浴室・洗面所・トイレ			

※この単価は、あくまでも目安であり、入居時における賃借人・賃貸人双方で負担の概算額を認識するためのものです。従って、退去時において、資材の価格や在庫状況の変動、毀損の程度や原状回復施工方法等を考慮して変更となる場合があります。

【第 17 条（連帯保証人）関係】
頭書（6）記名押印欄に極度額を記載の上で、連帯保証人が記名押印欄に記名押印し、最後に貸主と借主が記名押印してください。極度額の記載方法については、「～円（契約時の月額賃料の～か月相当分)」、「契約時の月額賃料の～か月分」、「～円」等が考えられます。なお、極度額は賃料の増減があっても変わるものではなく、契約時の額が適用されます。

【第 19 条（特約条項）関係】

空欄に特約として定める事項を記入し、項目ごとに、記載事項の上に貸主と借主が押印し、最後に確認的に貸主と借主が記名押印してください。

特約項目の例として、次の事項を挙げることができます。
①居室内でのペット飼育を禁止している物件について、ペットの飼育を認める場合、その内容（第 8 条関係）
②営業目的の併用使用を認める場合、その手続き（第 3 条関係）
③保険の加入がある場合、その内容

〈承諾書（例）〉

（１）賃借権譲渡承諾書（例）　（賃貸住宅標準契約書第８条第１項関係）

○年○月○日

賃借権譲渡の承諾についてのお願い

（貸主）　住所
氏名　○○○○　殿

（借主）　住所
氏名　○　○　○　○　印

私が賃借している下記（１）の住宅の賃借権の｛全部／一部｝を、下記（２）の者に譲渡したいので、承諾願います。

記

（１）住　　宅	名　　称	
	所在地	
	住戸番号	
（２）譲　受　人	住　　所	
	氏　　名	

承　諾　書

上記について、承諾いたします。
敷金は、契約書第６条第３項ただし書に基づく精算の上、返還いたします。
（なお、　　　　　　　　　　　　　　　　　　　　　　　）

○年○月○日

（貸主）　住所
氏名　○　○　○　○　印

〔注〕

1　借主は、本承諾書の点線から上の部分を記載し、貸主に２通提出してください。貸主は、承諾する場合には本承諾書の点線から下の部分を記載し、１通を借主に返還し、１通を保管してください。
2　「全部」又は「一部」の該当する方に○を付けてください。
3　（１）の欄は、契約書頭書（１）を参考にして記載してください。
4　一部譲渡の場合は、譲渡部分を明確にするため、図面等を添付する必要があります。
5　承諾に当たっての確認事項等があれば、「なお、」の後に記載してください。

（2）転貸承諾書（例）　（賃貸住宅標準契約書第８条第１項関係）

○年○月○日

転貸の承諾についてのお願い

（貸主）　住所
氏名　○ ○ ○ ○ 殿

（借主）　住所
氏名　○　○　○　○　印

私が賃借している下記（1）の住宅の｛全部／一部｝を、下記（2）の者に転貸したいので、承諾願います。

記

（1）住　　宅	名　　称	
	所 在 地	
	住戸番号	
（2）転　借　人	住　　所	
	氏　　名	

承　諾　書

上記について、承諾いたします。
（なお、　　　　　　　　　　　　　　　　　　　　　　）

○年○月○日

（貸主）　住所
氏名　○　○　○　○　印

〔注〕

1　借主は、本承諾書の点線から上の部分を記載し、貸主に２通提出してください。貸主は、承諾する場合には本承諾書の点線から下の部分を記載し、１通を借主に返還し、１通を保管してください。
2　「全部」又は「一部」の該当する方に○を付けてください。
3　（1）の欄は、契約書頭書（1）を参考にして記載してください。
4　一部転貸の場合は、転貸部分を明確にするため、図面等を添付する必要があります。
5　承諾に当たっての確認事項等があれば、「なお、」の後に記載してください。
6　借主が民泊（住宅に人を宿泊させるサービス）を行おうとする場合、あらかじめ転借人を記載することは困難と考えられるため、（2）の欄は記載せず、欄外に住宅宿泊事業法に基づく住宅宿泊事業又は国家戦略特区法に基づく外国人滞在施設経営事業を行いたい旨を記載してください。

（3）増改築等承諾書（例）　（賃貸住宅標準契約書第８条第２項関係）

○年○月○日

増改築等の承諾についてのお願い

（貸主）　住所
　　　　　氏名　○ ○ ○ ○ 殿

（借主）　住所
　　　　　氏名　○　○　○　○　印

私が賃借している下記（1）の住宅の増改築等を、下記（2）のとおり行いたいので、承諾願います。

記

（1）住　　宅	名　　称	
	所 在 地	
	住戸番号	
（2）増改築等の概要	別紙のとおり	

承　諾　書

上記について、承諾いたします。
（なお、　　　　　　　　　　　　　　　　　　　　　　）

○年○月○日

（貸主）　住所
　　　　　氏名　○　○　○　○　印

〔注〕
1　借主は、本承諾書の点線から上の部分を記載し、貸主に２通提出してください。貸主は、承諾する場合には本承諾書の点線から下の部分を記載し、１通を借主に返還し、１通を保管してください。
2　「増改築等」とは、契約書第８条第２項に規定する「増築、改築、移転、改造若しくは模様替又は本物件の敷地内における工作物の設置」をいいます。
3　（1）の欄は、契約書頭書（1）を参考にして記載してください。
4　増改築等の概要を示した別紙を添付する必要があります。
5　承諾に当たっての確認事項等があれば、「なお、」の後に記載してください。
例）収去等についての事項

（4）賃貸住宅標準契約書別表第2に掲げる行為の実施承諾書（例）
（賃貸住宅標準契約書第8条第4項関係）

○年○月○日

契約書別表第2に掲げる行為の実施の承諾についてのお願い

（貸主）　住所
　　　　　氏名　○○○○殿

（借主）　住所
　　　　　氏名　○　○　○　○　印

私が賃借している下記（1）の住宅において、契約書別表第2第○号に当たる下記（2）の行為を行いたいので、承諾願います。

記

（1）住　宅	名　称	
	所在地	
	住戸番号	
（2）行為の内容		

承　諾　書

上記について、承諾いたします。
（なお、　　　　　　　　　　　　　　　　　　）
○年○月○日
（貸主）　住所
　　　　　氏名　○　○　○　○　印

〔注〕
1　借主は、本承諾書の点線から上の部分を記載し、貸主に2通提出してください。貸主は、承諾する場合には本承諾書の点線から下の部分を記載し、1通を借主に返還し、1通を保管してください。
2　「第○号」の○には、別表第2の該当する号を記載してください。
3　（1）の欄は、契約書頭書（1）を参考にして記載してください。
4　（2）の欄には、行為の内容を具体的に記載してください。
5　承諾に当たっての確認事項等があれば、「なお、」の後に記載してください。

《賃貸住宅標準契約書　解説コメント》

賃貸住宅標準契約書の本体は、「頭書部分」、「本条」、「別表」、「記名押印欄」から構成されている。

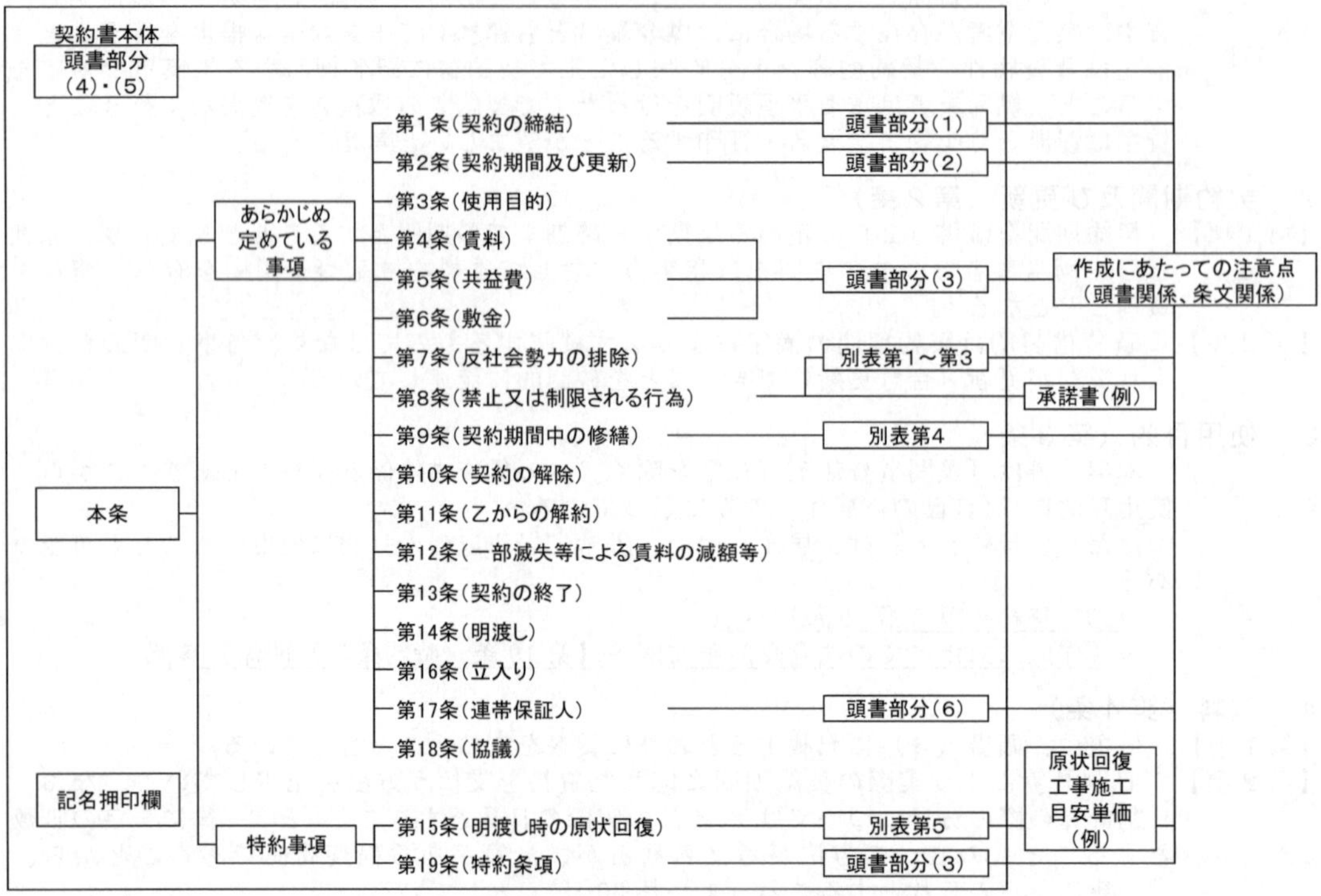

図　賃貸住宅標準契約書の構成

【頭書部分】

標準契約書においては、賃貸借の目的物の概要、契約期間及び賃料等の約定事項、貸主、借主、管理業者及び同居人の氏名並びに連帯保証人の氏名及び極度額等を一覧できるように、頭書部分を設けている。これは、約定事項を当事者が一括して書き込むことにより、当事者の意思を明確にさせ、記載漏れを防ぐこととあわせて、契約の主要な内容の一覧を図れるようにする趣旨である。

頭書部分への具体的な記載方法等については、《作成にあたっての注意点》頭書関係を参照されたい。

【本条】　※以下に示す民法の条文は平成 29 年改正後のものである。

1　契約の締結（第１条）

本条項は、賃貸借契約の締結を宣言したものである。賃貸借契約は諾成契約であり、申込みと承諾の意思表示の合致によって成立するが、各当事者は契約成立について疑義が生じないよう書面による契約を行うことが重要である。その際、紛争防止の観点から、貸主は媒介業者が存在する場合には媒介業者とも連携して十分な情報提供を行うこと、借主は賃貸物件、契約内容を十分吟味した上で契約書に記名押印する等慎重な対応をすること、媒介業者は重要事項説明を行った上で契約書の取次ぎを遅滞なく行うこと、貸主は遅滞なく契約書に署名・押印することが望ましいと考えられる。

2　契約期間及び更新（第２条）

【第１項】　契約期間を頭書（２）に定める始期から終期までの期間とすることとしており、原則として両当事者は、この期間中は相手方に対して本契約に基づく債権を有し、債務を負うこととなる。

【第２項】　賃貸借契約は契約期間の満了により必ず終了するものではなく、当事者間の合意により契約が更新（合意更新）できることを確認的に記述している。

3　使用目的（第３条）

本契約書は「民間賃貸住宅（社宅を除く。）」の賃貸借に係る契約書であることから、使用目的を「（自己の）居住」のみに限っている。

ただし、特約をすれば、居住しつつ、併せて居住以外の目的に使用することも可能である。

→19　特約条項（第 19 条）参照
→《作成にあたっての注意点》条文関係【第 19 条（特約条項）関係】参照

4　賃料（第４条）

【第１項】　借主は、頭書（３）に記載するとおりに賃料を支払うこととしている。

【第２項】　日割計算により実際の契約期間に応じた賃料を支払う方法を記述している。なお、日割計算の際の分母については、「各月の実際の日数とすること」と「一律に一定の日数とすること」の２つの方法が考えられるが、計算がある程度簡便であることから、「一律に一定の日数とすること（１か月 30 日）」としている。

【第３項】　賃料は、契約期間中であっても第３項各号の条件のいずれかに該当する場合に、当事者間で協議の上、改定できることとしている。

5　共益費（第５条）

【第１項】　共益費は賃貸住宅の共用部分（階段、廊下等）の維持管理に必要な実費に相当する費用（光熱費、上下水道使用料、清掃費等）として借主が貸主に支払うものである。なお、戸建て賃貸住宅については、通常は、共益費は発生しない。

【第２項】　借主は、頭書（３）に記載するとおりに共益費を支払うこととしている。

【第３項】　→４　賃料（第４条）【第２項】参照

【第４項】　共用部分の維持管理に必要な費用に変動が生じた場合（例えば電気料金等が改定された場合）、当事者間の協議により改定できることとしている。

6　敷金（第６条）

【第１項】　住宅の賃貸借契約から生じる借主の債務の担保として、借主は敷金を貸主に交付することとしている。平成 29 年民法改正で、敷金について「いかなる名目によるかを問わず、賃料債務その他の賃貸借に基づいて生ずる賃借人の賃貸人に対する金銭の給付を目的とする債務を担保する目的で、賃借人が賃貸人に交付する金銭をいう。」という定義が規定された（民法第 622 条の２第１項）。

【第２項】　敷金は、借主の債務の担保であることから、明け渡すまでの間、貸主からは借主の債務の不履行について敷金を債務の弁済に充てることができるが、借主からは敷金を賃料、共益費その他の支払い債務の弁済に充てることを請求できないこととしている。

【第３項】　本物件の明渡しがあったときは、貸主は敷金の全額を借主に返還しなければならないが、借主に債務の不履行（賃料の滞納、原状回復に要する費用の未払い等）がある場合は、貸主は債務不履行額を差し引いた額を返還することとしている。つまり、物件の明渡債務と敷金返還債務とは同時履行の関係に立つものではなく、敷金返還時期は、明渡しが完了したときである。

【第４項】　前項ただし書の場合（借主の債務を敷金から充当する場合）、貸主は差引額の内訳を借主に明示しなければならないこととしている。

7　反社会的勢力の排除（第７条）

【第１項】　暴力団等の反社会的勢力を排除するために、自ら又は自らの役員が反社会的勢力でないこと（第一号、第二号）、反社会的勢力に協力していないこと（第三号）をそれぞれ相手方に対して確約させることとしている。さらに、自ら又は第三者を利用して、相手方に対して暴力を用いる等の行為をしないことを確約させることとしている（第四号）。

【第２項】　反社会的勢力への賃借権譲渡や転貸を禁止している。譲受人や転借人が反社会的勢力であるとは知らずに、貸主が承諾した場合でも禁止されていることを明確にするため、貸主の承諾の有無にかかわらず禁止するものとして規定している。

8　禁止又は制限される行為（第８条）

【第１項】　賃借権の譲渡、転貸は、貸主の書面による承諾を条件とすることとしている。なお、賃借権の譲渡が行われた時は、貸主に敷金返還義務が生じる（民法第 622 条の２第１項）。

→〈承諾書（例）〉（１）賃借権譲渡承諾書（例）（２）転貸承諾書（例）参照

【第２項】　本物件の増改築等の実施は、貸主の書面による承諾を条件とすることとしている。平成 29 年民法改正で、賃借物への附属物について、賃借物から分離することができない物又は分離するのに過分の費用を要する物については収去義務を負わないことが明文化されたことから（民法第 622 条、599 条第１項）、増改築等承諾書のなお書として、『なお、○○（附属物の名称）については、収去義務を負わないものとする。』等の記載が考えられる。また、紛争防止の観点から、増改築等の際には、原状回復の有無や有益費償還請求、造作買取請求の有無についての事項を増改築等承諾書において事前に合意しておくことが望ましいと考えられる。

→〈承諾書（例）〉（３）増改築等承諾書（例）参照

【第３項】　禁止の行為を別表第１に記載している。なお、別表第１にあらかじめ記載している行為については、当事者の合意により、変更、追加又は削除できることとしている（ただし、第六号から第八号は除く）。

→《作成にあたっての注意点》条文関係【第8条（禁止又は制限される行為）関係】参照

【第４項】　貸主の書面による承諾があれば可能な行為を別表第２に記載している。なお、別表第２にあらかじめ記載している行為については、当事者の合意により、変更、追加又は削除できることとしている。

→《作成にあたっての注意点》条文関係【第8条（禁止又は制限される行為）関係】参照
→〈承諾書（例）〉（４）賃貸住宅標準契約書別表第2に掲げる行為の実施承諾書（例）参照

【第５項】　貸主への通知を要件に認められる行為を別表第３に記載している。なお、別表第３にあらかじめ記載している行為については、当事者の合意により、変更、追加又は削除できることとしている。

→《作成にあたっての注意点》条文関係【第8条（禁止又は制限される行為）関係】参照

※条文の変更について

- 貸主が第５項に規定する通知の受領を管理業者に委託しているときは、第５項の「甲に通知しなければならない。」を「甲又は管理業者に通知しなければならない。」又は「管理業者に通知しなければならない。」に変更することとなる。
- 一戸建の賃貸住宅に係る契約においては、別表第２第一号と第二号は、一般的に削除することとなる。
- 同居人に親族以外が加わる場合を承諾事項とするときには、別表第３第一号を「頭書（５）に記載する同居人に乙の親族の者を追加（出生を除く。）すること。」に変更し、別表第２に「頭書（５）に記載する同居人に乙の親族以外の者を追加すること。」を追加することとなる。

9　契約期間中の修繕（第９条）

【第１項】　賃貸借の目的物に係る修繕は、全て貸主が実施の義務を負うこととし、借主の帰責事由による修繕については、費用負担を借主に求めることとしている。民法上は、賃借人の帰責事由による修繕は、賃貸人の修繕義務の範囲から除いている（民法第 606 条第１項ただし書）が、建物の管理を行う上では、修繕の実施主体を全て貸主とし、借主の帰責事由による修繕について、費用負担を借主に求める方が合理的であると考えられる。このため、修繕は原則として貸主が実施主体となり費用を負担することとし、修繕の原因が借主の帰責事由によるものである場合には、貸主が修繕を実施し、借主が費用を負担することとしている。この場合に借主が負担する費用は、借主の帰責事由による債務不履行に基づく損害賠償の意味を持つものである。

【第２項】　修繕の実施に当たり貸主及び貸主の依頼による業者が専用部分に立ち入る必要がある場合は、貸主からの通知を要するとともに、民法第 606 条第２項により借主は貸主の修繕の実施を拒めないこととされているため、借主は正当な理由なく貸主の修繕の実施を拒否することはできないこととしている。

【第３項】　要修繕箇所を発見した場合に借主が貸主に通知し、両者で修繕の必要性について協議することとしている。紛争防止の観点から、修繕が必要である旨の通知は、書面又は電子メール等の電磁的記録によって行うことが望ましいと考えられる。

【第４項】　修繕の必要が認められるにもかかわらず、貸主が正当な理由なく修繕を実施しない場合に、借主が自ら修繕できることを定めるとともに、その場合の費用負担（第１項と同様）について示している。

平成 29 年民法改正で、①賃借人が賃貸人に修繕が必要である旨を通知し、又は賃貸人がその旨を知ったにもかかわらず、賃貸人が相当の期間内に必要な修繕をしないとき、②急迫の事情があるとき、には、賃借人による修繕が可能であることが規定された（民法第 607 条の２）。この規定の趣旨を踏まえ、第４項を規定している。

【第５項】　修繕の中には、安価な費用で実施でき、建物の損傷を招くなどの不利益を貸主にもたらすものではなく、借主にとっても貸主の修繕の実施を待っていてはかえって不都合が生じるようなものもあると想定されることから、別表第４に掲げる費用が軽微な修繕については、借主が自らの負担で行うことができることとしている。また、別表第４に掲げる修繕は、第１項に基づき、貸主に修繕を求めることも可能である。このため、第５項に基づき借主が自ら行った場合には、費用償還請求権は排除されると考えられる。

なお、別表第４にあらかじめ記載している修繕については、当事者間での合意により、変更、追加又は削除できることとしている。

→《作成にあたっての注意点》条文関係【第９条（契約期間中の修繕）関係】参照

10　契約の解除（第 10 条）

【第１項】　借主の「〜しなければならない」という作為義務違反を規定しており、民法第 541 条の趣旨を踏まえ「催告」を要件とし、催告にも係わらず借主が義務を履行しないときに解除することができるとしている。

【第２項】　借主の「〜してはならない」という不作為義務違反を規定しており、第１項と同様「催告」を要件とし、催告にも係わらず借主が義務を履行せず、本契約を継続することが困難であると認められるときに解除することができるとしている。

【第３項】　第７条第１項各号の確約に反する事実が判明した場合、及び契約締結後に自ら又は役員が反社会的勢力に該当した場合、催告なしで契約を解除することができるとしている。なお、平成 29 年民法改正で、契約総則において、債務者の履行拒絶の明確な意思表示のある場合や、催告をしても契約目的達成に足りる履行の見込みがないことが明らかな場合等に無催告解除ができることが規定された（民法第 542 条第１項）。

→７　反社会的勢力の排除（第７条）【第１項】参照

【第４項】　借主が第７条第２項に規定する義務に違反した場合、及び借主が第８条第３項に規定する禁止行為のうち、別表第１第六号から第八号に掲げる行為を行った場合、催告なしで契約を解除することができるとしている。

→７　反社会的勢力の排除（第７条）【第２項】参照
→８　禁止又は制限される行為（第８条）【第３項】参照

※賃貸借契約における無催告解除について
判例は、賃貸借契約において、賃料の長期不払、賃借物の損壊等、賃借人の義務違反の程度が甚だしく、賃貸借契約の継続を著しく困難にするような背信行為があった場合には、無催告解除を認めている（最判昭和 47 年２月 18 日民集 26 巻１号 63 頁、最判昭和 49 年４月 26 日民集 28 巻３号 467 頁等。いわゆる信頼関係破壊の法理）。

11　乙からの解約（第 11 条）

【第１項】　借主が賃貸借契約を終了させるための期間（解約申入れ期間）が 30 日以上の場合について規定している。

なお、解約申入れ期間を 30 日としたのは、第４条及び第５条の賃料及び共益費の日割計算の分母を 30 日としていることにあわせるためである。

→４　賃料（第４条）【第２項】参照

【第２項】　解約申入れ期間が 30 日に満たない場合について規定しており、30 日分の賃料及び賃料相当額を支払えば、随時に解約できることとしている。

【例】９月 30 日に契約を解除したい場合

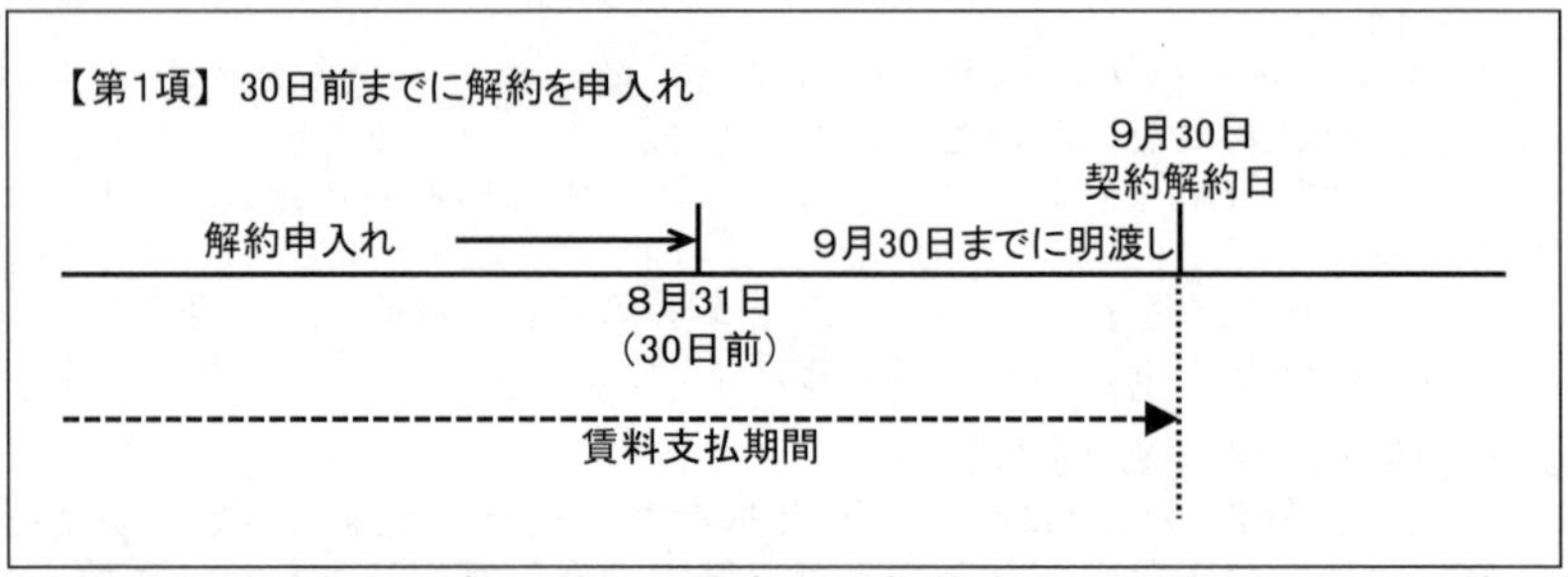

※９月 30 日に退去を予定している場合は、解約申入れを８月 31 日以前に行うこととしている。なお、賃料については、９月分を前月末までに支払っている場合は、既に支払い済みの賃料でまかなわれることとなる。

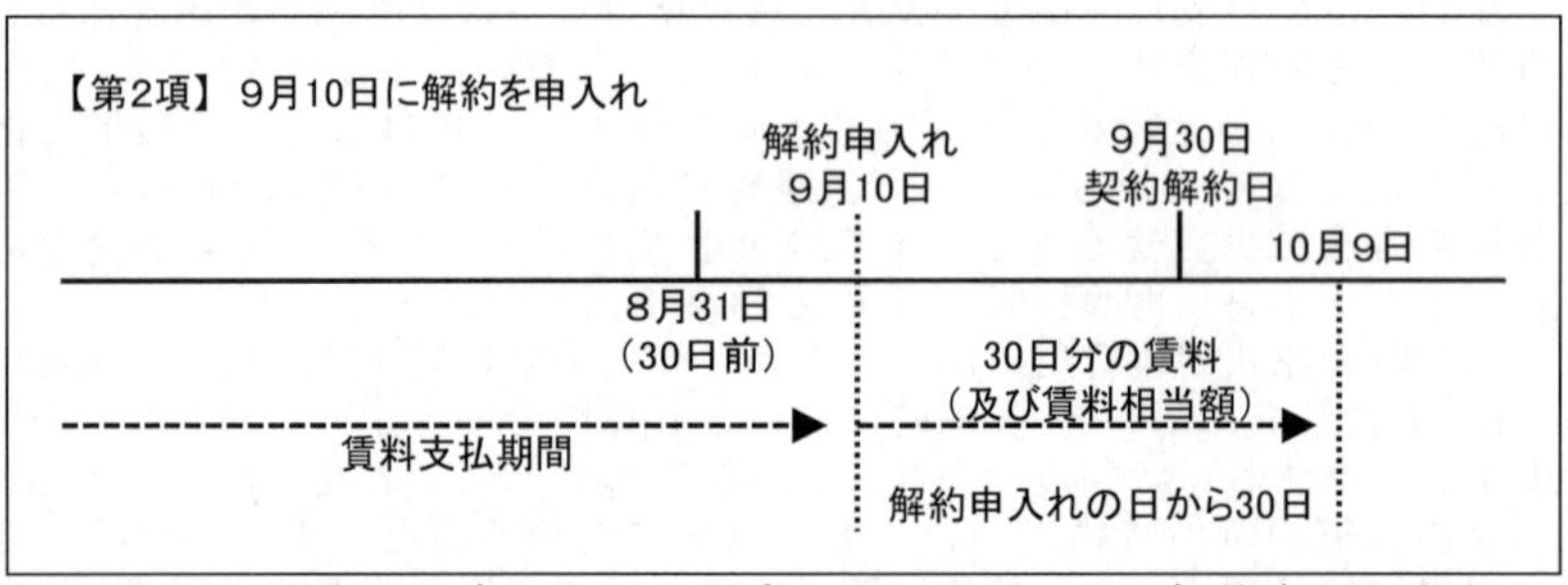

※９月 30 日に退去を予定している場合で、９月 10 日に解約申入れを行った場合は、解約申入れを行った日から 30 日分の賃料、つまり 10 月９日までの賃料（及び賃料相当額）が必要となる。なお、賃料については、９月分を前月末までに支払っている場合は、10 月１日から９日までの賃料相当額が必要となる。また、共益費については、解約申入れ日（９月 10 日）に関係なく、第５条第３項に従い、使用していた期間の共益費を支払う（９月 30 日に解約した場合は９月分の共益費全額を支払う）こととなる。

12　一部滅失等による賃料の減額等（第 12 条）

【第１項】　本物件の一部が滅失等により使用できなくなった場合に、それが借主の帰責事由によるものでないときは、使用不可の部分の割合に応じて賃料が減額されるものとし、その内容は貸主と借主の間で協議することとしている。平成 29 年民法改正で、賃借物の一部が賃借人の帰責事由によらずに滅失等をした場合の賃料の減額について、従来は

「請求することができる」とされていたところ、「(賃料は）減額される」と当然に減額するものとされた（民法第 611 条第 1 項)。

ただし、一部滅失の程度や減額割合については、判例等の蓄積による明確な基準がないことから、紛争防止の観点からも、一部滅失があった場合は、借主が貸主に通知し、賃料について協議し、適正な減額割合や減額期間、減額の方法（賃料設定は変えずに一定の期間一部免除とするのか、賃料設定そのものの変更とするのか）等を合意の上、決定することが望ましいと考えられる。

【第 2 項】 本物件の一部が滅失等により使用できなくなった場合に、残存する部分のみでは賃借の目的が達成できないときは、借主の解除権を認めるものである。借主に帰責事由がある場合でも解除は認められる（民法第 611 条第 2 項)。

13 契約の終了（第 13 条）

本物件の全部が滅失等により使用できなくなった場合に契約が終了することとしている。平成 29 年民法改正で、賃借物の全部が滅失その他の事由により使用及び収益をすることができなくなった場合には、賃貸借が終了することが規定された（民法第 616 条の 2)。

14 明渡し（第 14 条）

【第 1 項】 期間満了及び借主からの解約（第 11 条）のときは契約終了日までに、本物件を明け渡さなければならないこととしている。

契約の解除（第 10 条）のときは直ちに、本物件を明け渡さなければならないこととしている。

【第 2 項】 本物件の明渡しを行うにあたり、当事者の便宜の観点から、借主はあらかじめ明渡し日を貸主に通知することとしている。

15 明渡し時の原状回復（第 15 条）

【第 1 項】 借主は、通常の使用に伴い生じた損耗及び経年変化を除き、原則として原状回復を行わなければならないこととするが、借主の帰責事由によらない損耗については、原状回復は不要としている。平成 29 年民法改正において、賃借人の原状回復義務が規定された（民法第 621 条）が判例法理を明文化したものであり、実質的な変更はない。

なお、借主の故意・過失、善管注意義務違反等により生じた損耗については、借主に原状回復義務が発生することとなるが、その際の借主が負担すべき費用については、修繕等の費用の全額を借主が当然に負担することにはならず、経年変化・通常損耗が必ず前提となっていることから、建物や設備等の経過年数を考慮し、年数が多いほど負担割合を減少させることとするのが適当と考えられる（「原状回復をめぐるトラブルとガイドライン（再改訂版)」(平成 23 年 8 月）12 ページ参照)。

【第 2 項】 退去時の原状回復費用に関するトラブルを未然に防止するため、本物件を明け渡す時には、別表第 5 に基づき、契約時に例外としての特約を定めた場合はその特約を含めて、借主が実施する原状回復の内容及び方法について当事者間で協議することとしている。

なお、契約時の特約についても「協議に含める」としているのは、特約には様々な内容や種類が考えられ、特約に該当する部分の特定、物件の損耗等が通常損耗か否かの判断等についての「原状回復をめぐるトラブルとガイドライン（再改訂版)」等における考え方への当てはめにおいて、たとえ、特約があったとしても協議が必要なものであると考えられるためである。

また、明渡し時においては改めて原状回復工事を実施する際の評価や経過年数を考慮し、負担割合を明記した精算明細書（「原状回復をめぐるトラブルとガイドライン（再改訂版)」(平成 23 年 8 月）別表 4（28 ページ参照)）を作成し、双方合意することが望ましい。

→《作成にあたっての注意点》条文関係【第 15 条（明渡し時の原状回復）関係】参照
→「原状回復をめぐるトラブルとガイドライン（再改訂版)」別表 3「契約書に添付する原状回復の条件に関する様式」Ⅰ－3「原状回復工事施工目安単価」参照

□原状回復にかかるトラブルを未然に防止するためには、契約時に貸主と借主の双方が原状回復に関する条件について合意することが重要であるため、原状回復の条件を別表第5として掲げている。

□別表第5「Ⅰ－3原状回復工事施工目安単価」への記載については、例えば、「入居者の過失等による修繕が発生することが多い箇所」について、貸主及び借主の両者が、退去時の原状回復費用に関するトラブルを未然に防止するため、目安単価を確認するということが想定される。

□別表第5「Ⅰ－3原状回復工事施工目安単価」は、あくまでも目安として、把握可能な「原状回復工事施工目安単価」について、可能な限り記述することが望まれる。

□例外的に借主の負担とする特約を定めるためには、以下の3つが要件となる。
- 特約の必要性があり、かつ、暴利的でないなどの客観的、合理的理由が存在すること
- 借主が特約によって通常の原状回復義務を超えた修繕等の義務を負うことについて認識していること
- 借主が特約による義務負担の意思表示をしていること

（「原状回復をめぐるトラブルとガイドライン（再改訂版）」（平成23年8月）7ページを参照されたい。）

□原状回復に関する特約事項が有効と判断されるためには、「賃借人に通常損耗についての原状回復義務を負わせるのは、賃借人に予期しない特別の負担を課すことになるから、賃借人に同義務が認められるためには、少なくとも、**賃借人が補修費用を負担することになる通常損耗の範囲が賃貸借契約書の条項自体に具体的に明記されているか、仮に賃貸借契約書では明らかでない場合には、賃貸人が口頭により説明し、賃借人がその旨を明確に認識し、それを合意の内容としたものと認められるなど、その旨の特約（通常損耗補修特約）が明確に合意されていることが必要である**」という考え方が最高裁判所によって示されている（最判平成17年12月16日集民第218号1239頁）。

□参照条文

民法（明治29年4月27日法律第89号）

※平成29年法律第44号による改正後の条文（施行は平成32年（2020年）4月1日）

（公序良俗）

第九十条　公の秩序又は善良の風俗に反する法律行為は、無効とする。

消費者契約法（平成12年5月12日法律第61号）

※平成29年法律第45号による改正後の条文（施行は平成32年（2020年）4月1日）

（事業者の損害賠償の責任を免除する条項の無効）

第八条　次に掲げる消費者契約の条項は、無効とする。

一　事業者の債務不履行により消費者に生じた損害を賠償する責任の全部を免除する条項

二　事業者の債務不履行（当該事業者、その代表者又はその使用する者の故意又は重大な過失によるものに限る。）により消費者に生じた損害を賠償する責任の一部を免除する条項

三　消費者契約における事業者の債務の履行に際してされた当該事業者の不法行為により消費者に生じた損害を賠償する責任の全部を免除する条項

四　消費者契約における事業者の債務の履行に際してされた当該事業者の不法行為（当該事業者、その代表者又はその使用する者の故意又は重大な過失によるものに限る。）により消費者に生じた損害を賠償する責任の一部を免除する条項

2　前項第一号又は第二号に掲げる条項のうち、消費者契約が有償契約である場合において、引き渡された目的物が種類又は品質に関して契約の内容に適合しないとき（当該消費者契約が請負契約である場合には、請負人が種類又は品質に関して契約の内容に適合しない仕事の目的物を注文者に引き渡したとき（その引渡しを要しな

い場合には、仕事が終了した時に仕事の目的物が種類又は品質に関して契約の内容に適合しないとき。）。以下この項において同じ。）に、これにより消費者に生じた損害を賠償する事業者の責任を免除するものについては、次に掲げる場合に該当するときは、同項の規定は、適用しない。

一　当該消費者契約において、当該消費者契約の目的物に隠れた瑕疵があるときに、当該事業者が瑕疵のない物をもってこれに代える責任又は当該瑕疵を修補する責任を負うこととされている場合

二　当該消費者と当該事業者の委託を受けた他の事業者との間の契約又は当該事業者と他の事業者との間の当該消費者のためにする契約で、当該消費者契約の締結に先立って又はこれと同時に締結されたものにおいて、当該消費者契約の目的物に隠れた瑕疵があるときに、当該他の事業者が、当該瑕疵により当該消費者に生じた損害を賠償する責任の全部若しくは一部を負い、瑕疵のない物をもってこれに代える責任を負い、又は当該瑕疵を修補する責任を負うこととされている場合

（消費者の解除権を放棄させる条項の無効）

第八条の二　事業者の債務不履行により生じた消費者の解除権を放棄させる消費者契約の条項は、無効とする。

（消費者が支払う損害賠償の額を予定する条項等の無効）

第九条　次の各号に掲げる消費者契約の条項は、当該各号に定める部分について、無効とする。

一　当該消費者契約の解除に伴う損害賠償の額を予定し、又は違約金を定める条項であって、これらを合算した額が、当該条項において設定された解除の事由、時期等の区分に応じ、当該消費者契約と同種の消費者契約の解除に伴い当該事業者に生ずべき平均的な損害の額を超えるもの　当該超える部分

二　当該消費者契約に基づき支払うべき金銭の全部又は一部を消費者が支払期日（支払回数が二以上である場合には、それぞれの支払期日。以下この号において同じ。）までに支払わない場合における損害賠償の額を予定し、又は違約金を定める条項であって、これらを合算した額が、支払期日の翌日からその支払をする日までの期間について、その日数に応じ、当該支払期日に支払うべき額から当該支払期日に支払うべき額のうち既に支払われた額を控除した額に年十四・六パーセントの割合を乗じて計算した額を超えるもの　当該超える部分

（消費者の利益を一方的に害する条項の無効）

第十条　消費者の不作為をもって当該消費者が新たな消費者契約の申込み又はその承諾の意思表示をしたものとみなす条項その他の法令中の公の秩序に関しない規定の適用による場合に比して消費者の権利を制限し又は消費者の義務を加重する消費者契約の条項であって、民法第一条第二項に規定する基本原則に反して消費者の利益を一方的に害するものは、無効とする。

16　立入り（第 16 条）

【第１項】　借主は本物件を契約の範囲内で自由に使用する権利を有しており、貸主は原則として本物件内に立ち入ることはできないが、本物件の防火、本物件の構造の保全その他の本物件の管理上特に必要な場合は、あらかじめ借主の承諾を得て本物件内に立ち入ることができることとしている。

【第２項】　前項の場合、借主は正当な理由がある場合を除き、立入りを拒否できないこととしている。

【第３項】　本物件の次の入居（予定）者又は本物件を譲り受けようとする者が下見をする場合は、あらかじめ借主の承諾を得て本物件内に立ち入ることができるとしている。

【第４項】　火災による延焼の防止等緊急の必要がある場合は、貸主はあらかじめ借主の承諾を得ることなく、本物件内に立ち入ることができるとしている。なお、借主不在時に立ち入った場合には、貸主は立入り後にその旨を借主に通知しなければならないこととしている。

17　連帯保証人（第 17 条）

【第 1 項】　賃貸借契約上の借主の債務を担保するため、人的保証として連帯保証人を立てることとしている。また、賃貸借契約更新があった場合にも特段の事情が無い限り連帯保証契約の効力が及ぶと解されている(最判平成 9 年 11 月 13 日集民第 186 号 105 頁)ため、保証契約の効果は更新後も及ぶこととしている。この点に関して、紛争防止の観点から、賃貸借契約が更新された場合には、貸主は連帯保証人への通知に努めることが望ましいと考えられる。

【第 2 項】　連帯保証人が負担する限度額を極度額として定め、頭書及び記名押印欄に記載することにより、契約の一覧性を確保しつつ、連帯保証人が極度額を契約時に認識できるようにしている。平成 29 年民法改正で、個人の保証人は極度額を限度として責任を負うこと（民法第 465 条の 2 第 1 項）、また極度額の定めのない保証契約は無効となること（民法第 465 条の 2 第 2 項）が規定された。極度額とは保証の限度額をいう。

【第 3 項】　連帯保証人が負担する債務の元本は、借主又は連帯保証人が死亡したときに確定することとしている。平成 29 年民法改正で、①債権者が保証人の財産について金銭の支払を目的とする債権について強制執行又は担保権の実行を申し立て、かつ、強制執行又は担保権の実行の手続の開始があったとき、②保証人が破産手続開始の決定を受けたとき、③主たる債務者又は保証人が死亡したとき、が元本確定事由となることが規定された（民法第 465 条の 4 第 1 項）。契約書においても、元本確定事由があることを明確化するため、確認的に記載している。③のみ規定しているが、①、②の事由を排除する趣旨ではない。なお、主たる債務者が死亡したときに元本が確定するということは、基本的な考え方としては、保証人は、借主の死亡時までに生じている債務についてのみ（極度額を限度として）責任を負い、死亡後に生じた債務については責任を負わないということになり、例えば借主死亡後の賃料については、保証人の責任範囲（元本）に含まれないと考えられる。ただし、具体的な保証人の責任範囲は事案や解釈により異なり得るため、平成 29 年民法改正後の裁判例の蓄積が待たれる。

また、連帯保証人の死亡や破産等があった場合には、借主は新たな連帯保証人に保証を委託するといった特約を結ぶことも考えられる。

【第 4 項】　連帯保証人の請求があった場合、貸主は賃料等の支払状況や滞納額等に関する情報提供義務があることを定めている。平成 29 年民法改正で、保証人の請求があった場合に、債権者に対し債務の額や履行状況等についての情報提供義務が課されることが規定された（民法第 458 条の 2）。貸主からの情報提供は、書面又は電子メール等の電磁的記録によって行うことが望ましいと考えられる。なお、借主が継続的に支払いを怠っているにもかかわらず、貸主が保証人に通知せず、いたずらに契約を更新させている場合には保証債務の履行請求が信義則に反し否定されることがあり得るため（前掲：最判平成 9 年 11 月 13 日集民第 186 号 105 頁）、保証人の請求がない場合でも、保証人へ積極的に情報提供することが望ましいと考えられる。この点に関連し、保証契約締結時に借主の滞納が○か月続いた場合には貸主は保証人に通知するといった特約を結ぶことも考えられる。

18　協議（第 18 条）

貸主借主間の権利義務関係をあらかじめ全て契約書に規定しておくことが望ましいが、現実問題として不可能であり、また、条文解釈で疑義が生じる場合があることを想定し、その対処方法を定めている。

19　特約条項（第 19 条）

第 18 条までの規定以外に、個別の事情に応じて、当事者が合意の上で特約を定めることができることとしている。

なお、特約条項を定める場合、原状回復に関する特約と同様、借主がその内容を明確に理解し、それを契約内容とすることについて明確に合意していることが必要である（項目ごとに、記載事項の上に貸主と借主が押印し、最後に確認的に貸主と借主が記名押印することが望ましい）。

→15　明渡し時の原状回復（第 15 条）参照

→《作成にあたっての注意点》条文関係【第 19 条（特約条項）関係】参照